中國國家圖書館編

國家圖書館藏敦煌遺書

第七册　北敦〇〇四三六號——北敦〇〇五〇二號

北京圖書館出版社

圖書在版編目(CIP)數據

國家圖書館藏敦煌遺書·第七册/中國國家圖書館編;任繼愈主編.—北京:北京圖書館出版社,2005.12

ISBN 7-5013-2949-4

Ⅰ.國… Ⅱ.①中…②任… Ⅲ.敦煌學—文獻 Ⅳ.K870.6

中國版本圖書館 CIP 數據核字(2005)第117118號

書　　名　國家圖書館藏敦煌遺書·第七册
著　　者　中國國家圖書館編　任繼愈主編
責任編輯　徐　蜀　孫　彦
封面設計　李　璀

出　　版　北京圖書館出版社　(100034　北京西城區文津街7號)
發　　行　010-66139745　66151313　66175620　66126153
　　　　　66174391(傳真)　66126156(門市部)
E-mail　cbs@nlc.gov.cn(投稿)　btsfxb@nlc.gov.cn(郵購)
Website　www.nlcpress.com
經　　銷　新華書店
印　　刷　北京文津閣印務有限責任公司

開　　本　八開
印　　張　53
版　　次　2005年12月第1版第1次印刷
印　　數　1-150册(套)

書　　號　ISBN 7-5013-2949-4/K·1232
定　　價　990.00圓

目錄

[illegible]願演說法　[illegible]大慈悲[illegible]　度苦惱衆生
[illegible]智勝如來黙然許之　又諸比丘東
[illegible]百万億國土諸大梵王各自見宮殿
[illegible]昔所未有歡喜踊躍生希有心即
[illegible]議此事而彼衆中有一大梵天王
[illegible]諸梵衆而說偈言
是事何[illegible]　現如此相　我等諸宮殿　光明昔未有
為大德天生　為佛出世間　未曾見此相　當共一心求
過千万億土　尋光共推之　多是佛出世　度脫苦衆生
尒時五百万億諸梵天王與宮殿俱各以衣
祴盛諸[illegible]共詣西北方推尋是相見大通
智勝[illegible]道場菩提樹下坐師子座諸
天龍王[illegible]婆緊那羅摩睺羅伽人非人等
恭敬圍遶及見十六王子請佛轉法輪時諸
梵天王頭面礼佛遶百千匝即以天華而散
佛上所散之華如須弥山并以供養佛菩提
樹華供[illegible]各以宮殿奉上彼佛而[illegible]是言
唯見哀[illegible]我等所獻宮殿願垂納處尒
時諸梵天王即於佛前一心同聲以偈頌曰
聖主天中王　迦陵頻伽聲　哀愍衆生者　我等今敬礼
世尊甚希有　久遠乃一現　一百八十劫　空過无有佛
三惡道充滿　諸天衆減少　今佛出於世　為衆生作眼
世間所歸[illegible]　[illegible]護於一切　為衆生之父　哀[illegible]饒益者
我等宿[illegible]　[illegible]值世尊
尒時諸梵天王偈讚佛已各作是言唯願世

三惡道充滿　諸天衆減少　今佛出於世　為衆生作眼
世間所歸[illegible]　[illegible]護於一切　為衆生之父　哀[illegible]饒益者
我等宿[illegible]　[illegible]值世尊
尒時諸梵天王偈讚佛已各作是言唯願世
尊哀愍一切轉於法輪度脫衆生時諸梵天
王一心同聲而說偈言
大聖轉法輪　顯示諸法相　度苦惱衆生　令得大歡喜
衆生聞[illegible]　[illegible]道若生天　諸惡道減少　忍善者增益
尒時大通智勝如來黙然許之
又諸比丘南方五百万億國土諸大梵王各
自見宮殿光明照曜昔所未有歡喜踊躍生
希有心即各相詣共議此事以何因緣我等
宮殿有[illegible]曜而彼衆中有一大梵天王名
曰妙法[illegible]諸梵衆而說偈言
我等諸宮殿　光明甚威曜　此非无因緣　是相宜求之
過於百千劫　未曾見是相　為大德天生　為佛出世間
尒時五百万億諸梵天王與宮殿俱各以衣
祴盛諸[illegible]華共詣北方推尋是相見大通智
勝如來[illegible]道場菩提樹下坐師子座諸天
龍王乾闥婆緊那羅摩睺羅伽人非人等恭
敬圍遶及見十六王子請佛轉法輪即時諸
梵天王頭面礼佛遶百千匝即以天華而散
佛上所散之華如須弥山并以供養佛菩提
樹華供[illegible]各以宮殿奉上彼佛而作是言
唯見哀愍饒益我等所獻宮殿願垂納處尒
時諸梵天王即於佛前一心同聲以偈頌曰
世尊甚難見　破諸煩惱者　過百三十劫　今乃得一見
[illegible]

唯見哀愍饒益我等所獻宮殿願垂納處
時諸梵天王即於佛前一心同聲以偈頌曰
世尊甚難見　破諸煩惱者　過百三十劫　今乃得一見
諸飢渴衆生　以法雨充滿　昔所未曾覩　无量智慧者
如優曇鉢[illegible]　今日乃值遇　我等諸宮殿　蒙光故嚴飾
世尊大慈愍　唯願垂納受
尒時諸梵天王偈讚佛已各作是言唯願世
尊轉於法輪令一切世間諸天魔梵沙門婆
羅門皆獲安隱而得度脫時諸梵天王一心
同聲以偈頌曰
唯願天人尊　轉无上法輪　擊于大法鼓　而吹大法蠡
普雨大法雨　度无量衆生　我等咸歸請　當演深遠音
尒時大通智勝如來黙然許之西南方乃至
下方亦復如是
尒時上方五百万億國土諸大梵王皆悉自
覩所止宮殿光明威曜昔所未有歡喜踊躍
生希有心即各相詣共議此事以何因緣我
等宮殿有斯光明而彼衆中有一大梵天王
名曰尸棄為諸梵衆而說偈言
今以何因緣　我等諸宮殿　威德光明耀　嚴飾未曾有
如是之妙相　昔所不聞見　為大德天生　為佛出世間
尒時五百万億諸梵天王與宮殿俱各以衣
祴盛諸天華共詣下方推尋是相見大通智
勝如來處于道場菩提樹下坐師子座諸天
龍王乾闥婆緊那羅摩睺羅伽人非人等恭
敬圍遶及見十六王子請佛轉法輪時諸梵
天王頭面礼佛遶百千匝即以天華而散佛
上所散之華如須弥山并以供養佛菩提樹

天王頭面礼佛遶百千匝即以天華而散佛
上所散之華如須弥山并以供養佛菩提樹
華供養已各以宮殿奉上彼佛而作是言唯
見哀愍饒益我等所獻宮殿願垂納處尒時
諸梵天王即於佛前一心同聲以偈頌曰
善哉見諸佛　救世之聖尊　能於三界獄　勉出諸衆生
普智天人尊　哀愍群萌類　能開甘露門　廣度於一切
於昔无量劫　空過无有佛　世尊未出時　十方常闇暝
三惡道增長　阿脩羅亦盛　諸天衆轉減　死多墮惡道
不從佛聞法　常行不善事　色力及智慧　斯等皆減少
罪業因緣故　失樂及樂想
住於邪見法　不識善儀則　不蒙佛所化　常墮於惡道
佛為世間眼　久遠時乃出　哀愍諸衆生　故現於世間
超出成正覺　我等甚欣慶　及餘一切衆　喜歎未曾有
我等諸宮殿　蒙光故嚴飾　今以奉世尊　唯垂哀納受
願以此功德　普及於一切　我等與衆生　皆共成佛道
尒時五百万億諸梵天王偈讚佛已各白佛
言唯願世尊轉於法輪多所安隱多所度脫
時諸梵天王而說偈言
世尊轉法輪　擊甘露法鼓　度苦惱衆生　開示涅槃道
唯願受我請　以大微妙音　哀愍而敷演　无量劫集法
尒時大通智勝如來受十方諸梵天王及十
六王子請即時三轉十二行法輪若沙門婆
羅門若天魔梵及餘世間所不能轉謂是苦
是苦集是苦滅是苦滅道及廣說十二因緣
法无明緣行行緣識識緣名色名色緣六入
六入緣觸觸緣受受緣愛愛緣取取緣有有
緣生生緣老死憂悲苦惱无明滅則行滅行

法无明緣行行緣識識緣名色名色緣六入
六入緣觸觸緣受受緣愛愛緣取取緣有有
緣生生緣老死憂悲苦惱无明滅則行滅行
滅則識滅識滅則名色滅名色滅則六入滅
六入滅則觸滅觸滅則受滅受滅則愛滅愛
滅則取滅取滅則有滅有滅則生滅生滅則
老死憂悲苦惱滅佛於天人大衆之中說是
法時六百万億那由他人以不受一切法故
而於諸漏心得解脫皆得深妙禪定三明六
通具八解脫第二第三第四說法時千万億
恒河沙那由他等衆生亦以不受一切法故
而於諸漏心得解脫從是已後諸聲聞衆无
量无邊不可稱數尒時十六王子皆以童子
出家而為沙弥諸根通利智慧明了已曾供
養百千万億諸佛淨脩梵行求阿耨多羅三
藐三菩提俱白佛言世尊是諸无量千万億大
德聲聞皆已成就世尊亦當為我等說阿耨
多羅三藐三菩提法我等聞已皆共脩學世
尊我等志願如來知見深心所念佛自證知
尒時轉輪聖王所將衆中八万億人見十六
王子出家亦求出家王即聽許尒時彼佛受
沙弥請過二万劫已乃於四衆之中說是大
乘經名妙法蓮華教菩薩法佛所護念說是
經已十六沙弥為阿耨多羅三藐三菩提故
皆共受持諷誦通利說是經時十六菩薩沙
弥皆悉信受聲聞衆中亦有信解其餘衆生
千万億種皆生疑惑佛說是經於八千劫未
曾休廢說此經已即入靜室住於禪定八万

弥皆悉信受聲聞衆中亦有信解其餘衆生
千万億種皆生疑惑佛說是經於八千劫未
曾休廢說此經已即入靜室住於禪定八万
四千劫是時十六菩薩沙弥知佛入室寂然
禪定各昇法座亦於八万四千劫為四部衆
廣說分別妙法華經一一皆度六百万億那
由他恒河沙等衆生示教利喜令發阿耨多
羅三藐三菩提心大通智勝佛過八万四千
劫已從三昧起往詣法座安詳而坐普告大
衆是十六菩薩沙弥甚為希有諸根通利智
慧明了已曾供養无量千万億數諸佛於諸
佛所常脩梵行受持佛智開示衆生令入其
中汝等皆當數數親近而供養之所以者何
若聲聞辟支佛及諸菩薩能信是十六菩薩
所說經法受持不毀者是人皆當得阿耨多
羅三藐三菩提如來之慧佛告諸比丘是十
六菩薩常樂說是妙法華經一一菩薩所化
六百万億那由他恒河沙等衆生世世所生
與菩薩俱從其聞法悉皆信解以此因緣
得值四万億諸佛世尊于今不盡諸比丘我
今語汝彼佛弟子十六沙弥今皆得阿耨多
羅三藐三菩提十方國土現在說法有无量
百千万億菩薩聲聞以為眷屬其二沙弥東
方作佛一名阿閦在歡喜國二名須弥頂東
南方二佛一名師子音二名師子相南方二
佛一名虛空住二名常滅西南方二佛一名
帝相二名梵相西方二佛一名阿弥陁二名

帝相二名梵相西方二佛一名阿弥陁二名
度一切世間苦惱西北方二佛一名多摩羅
跋栴檀香神通二名須弥相北方二佛一名
名雲自在二名雲自在王東北方佛名壞一
切世間怖畏第十六我釋迦牟尼佛於娑婆
國土成阿耨多羅三藐三菩提諸比丘我等
為沙弥時各各教化无量百千万億恒河沙
等衆生從我聞法為阿耨多羅三藐三菩提
此諸衆生于今有住聲聞地者我常教化阿
耨多羅三藐三菩提是諸人等應以是法漸
入佛道所以者何如来智慧難信難解尒時
所化无量恒河沙等衆生者汝等諸比丘及
我滅度後未来世中聲聞弟子是也我滅度
後復有弟子不聞是經不知不覺菩薩所行
自於所得功德生滅度想當入涅槃我於餘
國作佛更有異名是人雖生滅度之想入於
涅槃而於彼土求佛智慧得聞是經唯以佛
乘而得滅度更无餘乘除諸如来方便說法
諸比丘若如来自知涅槃時到衆又清淨信
解堅固了達空法深入禪定便集諸菩薩及
聲聞衆為說是經世間无有二乘而得滅度
唯一佛乘得滅度耳比丘當知如来方便深
入衆生之性知其志樂小法深著五欲為是
等故說於涅槃是人若聞則便信受譬如五
百由旬嶮難惡道曠絕无人怖畏之處若有
多衆欲過此道至珎寶處有一導師聰慧明
達善知嶮道通塞之相將導衆人欲過此難

BD00436號　妙法蓮華經卷三　（10–7）

達善知嶮道通塞之相將導衆人欲過此難
所將人衆中路懈退白導師言我等疲極而
復怖畏不能復進前路猶遠今欲退還導多
諸方便而作是念此等可愍云何捨大珎寶
而欲退還作是念已以方便力於嶮道中過
三百由旬化作一城告衆人言汝等勿怖莫
得退還今是大城可於中止隨意所作若入
是城快得安隱若能前至寶所亦可得去是
時疲極之衆心大歡喜歎未曾有我等今者
免斯惡道快得安隱於是衆人前入化城生
已度想生安隱想尒時導師知此人衆既得
止息无復疲惓即滅化城語衆人言汝等去
来寶處在近向者大城我所化作為止息
耳諸比丘如来亦復如是今為汝等作大導
師知諸生死煩惱惡道險難長遠應去應度
若衆生但聞一佛乘者則不欲見佛不欲親
近便作是念佛道長遠久受勤苦乃可得成
佛知是心怯弱下劣以方便力而於中道為
止息故說二涅槃若衆生住於二地如来尒
時即便為說汝等所作未辦汝所住地近於
佛慧當觀察籌量所得涅槃非真實也但是
如来方便之力於一佛乘分別說三如彼導
師為止息故化作大城既知息已而告之言
寶處在近此城非實我化作耳尒時世尊欲
重宣此義而說偈言
大通智勝佛　十劫坐道場　佛法不現前　不得成佛道
諸天龍神王　阿脩羅衆等　常雨於天華　以供養彼佛

BD00436號　妙法蓮華經卷三　（10–8）

諸天龍神王　阿脩羅衆等　常雨於天華　以供養彼佛
諸天擊天鼓　并作衆伎樂　香風吹萎華　更雨新好者
過十小劫已　乃得成佛道　諸天及世人　心皆懷踊躍
彼佛十六子　皆與其眷屬　千万億圍遶　俱行至佛所
頭面礼佛足　而請轉法輪　聖師子法雨　充我及一切
世尊甚難值　久遠時一現　為覺悟群生　震動於一切
東方諸世界　五百万億國　梵宮殿光曜　昔所未曾有
諸梵見此相　尋來至佛所　散華以供養　并奉上宮殿
請佛轉法輪　以偈而讚嘆　佛知時未至　受請嘿然坐
三方及四維　上下亦復尒　散華奉宮殿　請佛轉法輪
世尊甚難值　願以大慈悲　廣開甘露門　轉无上法輪
无量慧世尊　受彼衆人請　為宣種種法　四諦十二緣
无明至老死　皆從生緣有　如是衆過患　汝等應當知
宣暢是法時　六百万億姟　得盡諸苦際　皆成阿羅漢
第二說法時　千万恒沙衆　於諸法不受　亦得阿羅漢
從是後得道　其數无有量　万億劫筭數　不能得其邊
時十六王子　出家作沙弥　皆共請彼佛　演說大乘法
我等及營從　皆當成佛道　願得如世尊　慧眼第一淨
佛知童子心　宿世之所行　以无量因緣　種種諸譬喻
說六波羅蜜　及諸神通事　分別真實法　菩薩所行道
說是法華經　如恒河沙偈　彼佛說經已　靜室入禪定
一心一處坐　八万四千劫
是諸沙弥等　知佛禪未出　為无量億衆　說佛无上慧
各各坐法座　說是大乘經　於佛宴寂後　宣揚助法化
一一沙弥等　所度諸衆生　有六百万億　恒河沙等衆
彼佛滅度後　是諸聞法者　在在諸佛土　常與師俱生
是十六沙弥　具足行佛道　今現在十方　各得成正覺
尒時聞法者　各在諸佛所　其有住聲聞　漸教以佛道
我在十六數　曾亦為汝說　是故以方便　引汝趣佛慧
以是本因緣　今說法華經　令汝入佛道　慎勿懷驚懼
譬如險惡道　迥絕多毒獸　又復无水草　人所怖畏處
无數千万衆　欲過此險道　其路甚曠遠　經五百由旬

BD00436號　妙法蓮華經卷三　（10–9）

我在十六數　曾亦為汝說　是故以方便　引汝趣佛慧
以是本因緣　今說法華經　令汝入佛道　慎勿懷驚懼
譬如險惡道　迥絕多毒獸　又復无水草　人所怖畏處
无數千万衆　欲過此險道　其路甚曠遠　經五百由旬
時有一導師　強識有智慧　明了心決定　在險濟衆難
衆人皆疲惓　而白導師言　我等今頓乏　於此欲退還
導師作是念　此輩甚可愍　如何欲退還　而失大珍寶
尋時思方便　當設神通力　化作大城郭　莊嚴諸舍宅
周匝有園林　渠流及浴池　重門高樓閣　男女皆充滿
即作是化已　慰衆言勿懼　汝等入此城　各可隨所樂
諸人既入城　心皆大歡喜　皆生安隱想　自謂已得度
導師知息已　集衆而告言　汝等當前進　此是化城耳
我見汝疲極　中道欲退還　故以方便力　權化作此城
汝今勤精進　當共至寶所
我亦復如是　為一切導師　見諸求道者　中路而懈廢
不能度生死　煩惱諸險道　故以方便力　為息說涅槃
言汝等苦滅　所作皆已辦　既知到涅槃　皆得阿羅漢
尒乃集大衆　為說真實法　諸佛方便力　分別說三乘
唯有一佛乘　息處故說二
今為汝說實　汝所得非滅　為佛一切智　當發大精進
汝證一切智　十力等佛法　具三十二相　乃是真實滅
諸佛之導師　為息說涅槃　既知是息已　引入於佛慧

妙法蓮華經卷第三

BD00436號　妙法蓮華經卷三　（10–10）

[…]四
劫數如一[…]浮提微
劫數如四天下微塵其佛饒益
後滅度正法像法滅盡之後於此國
佛出亦号威音王如来應供正遍知
善逝世間解无上士調御丈夫天人
尊如是次第有二万億佛皆同一号
音王如来既已滅度正法滅後於像
上慢比丘有大勢力尒時有一菩薩
常不輕得大勢以何因緣名常不輕
凡有所見若比丘比丘尼優婆塞優
恚礼拜讃嘆而作是言我深敬汝等不
慢所以者何汝等皆行菩薩道當得作佛
是比丘不專讀誦經典但行礼拜乃至遠見
四衆亦復故往礼拜讃嘆而作是言我不敢
慢於汝等汝等皆當作佛四衆之中有生瞋
恚心不淨者惡口罵詈言是无智比丘從何
所来自言我不輕汝而與我等受記當得作
佛我等不用如是虚妄受記如此經歷多年
常被罵詈不生瞋恚常作是言汝當作佛說
是語時衆人或以杖木瓦石而打擲之避走
遠住猶高聲唱言我不敢輕汝汝等皆當作
佛以其常作是語故增上慢比丘比丘尼優

BD00437 號　妙法蓮華經（八卷本）卷七　（20–1）

是語時衆人或以杖木瓦石而打擲之避走
遠住猶高聲唱言我不敢輕汝汝等皆當作
佛以其常作是語故增上慢比丘比丘尼優
婆塞優婆夷号之為常不輕是比丘臨欲終
時於虚空中具聞威音王佛先所說法華經
二十千万億偈悉能受持即得如上眼根清
淨耳鼻舌身意根清淨得是六根清淨已更
增壽命二百万億那由他歲廣為人說是法
華經於時增上慢四衆比丘比丘尼優婆塞
優婆夷輕賤是人為作不輕名者見其得大
神通力樂說辯力大善寂力聞其所說皆信
伏隨從是菩薩復化千万億衆生令住阿耨
多羅三藐三菩提命終之後得值二千億佛
号曰月燈明於其法中說是法華經以是因
緣復值二千億佛同号雲自在燈王於此諸
佛法中受持讀誦為諸四衆說此經典故得
是常眼清淨耳鼻舌身意諸根清淨於四衆
中說法心无所畏得大勢是常不輕菩薩摩
訶薩供養如是若干諸佛恭敬尊重讃嘆種
諸善根於後復值千万億佛亦於諸佛法中
說是經典功德成就當得作佛得大勢於意
云何尒時常不輕菩薩豈異人乎則我身是
若我於宿世不受持讀誦此經為他人說者
不能疾得阿耨多羅三藐三菩提我於先佛
所受持讀誦此經為人說故疾得阿耨多羅
三藐三菩提得大勢彼時四衆比丘比丘尼

BD00437 號　妙法蓮華經（八卷本）卷七　（20–2）

[illegible]
不能疾得阿耨多羅三藐三菩提我於先佛
所受持讀誦此經為人說故疾得阿耨多羅
三藐三菩提得大勢彼時四衆比丘比丘尼
優婆塞優婆夷以瞋恚意輕賤我故二百億
劫常不值佛不聞法不見僧千劫於阿鼻地
獄受大苦惱畢是罪已復遇常不輕菩薩教
化阿耨多羅三藐三菩提得大勢於汝意云
何爾時四衆常輕是菩薩者豈異人乎今此
會中跋陁婆羅等五百菩薩師子月等五百
比丘尼思佛等五百優婆塞皆於阿耨多羅
三藐三菩提不退轉者是得大勢當知是法
華經大饒益諸菩薩摩訶薩能令至於阿耨
多羅三藐三菩提是故諸菩薩摩訶薩於如
來滅後常應受持讀誦解說書寫是經爾時
世尊欲重宣此義而說偈言
過去有佛　号威音王　神智无量　將導一切
天人龍神　所共供養　是佛滅後　法欲盡時
有一菩薩　名常不輕　時諸四衆　計著於法
不輕菩薩　往到其所　而語之言　我不輕汝
汝等行道　皆當作佛　諸人聞已　輕毀罵詈
不輕菩薩　能忍受之　其罪畢已　臨命終時
得聞此經　六根清淨　神通力故　增益壽命
復為諸人　廣說是經　諸著法衆　皆蒙菩薩
教化成就　令住佛道　不輕命終　值无數佛
說是經故　得无量福　漸具功德　疾成佛道
彼時不輕　則我身是　時四部衆　著法之者

BD00437號　妙法蓮華經（八卷本）卷七　（20–3）

說是經故　得无量福　漸具功德　疾成佛道
彼時不輕　則我身是　時四部衆　著法之者
聞不輕言　汝當作佛　以是因緣　值无數佛
此會菩薩　五百之衆　并及四部　清信士女
今於我前　聽法者是　我於前世　勸是諸人
聽受斯經　第一之法　開示教人　令住涅槃
世世受持　如是經典　億億万劫　至不可議
時乃得聞　是法華經　億億万劫　至不可議
諸佛世尊　時說是經　是故行者　於佛滅後
聞如是經　勿生疑惑　應當一心　廣說此經
世世值佛　疾成佛道

妙法蓮華經如來神力品第廿一

爾時千世界微塵等菩薩摩訶薩從地踊出
者皆於佛前一心合掌瞻仰尊顏而白佛言
世尊我等於佛滅後世尊分身所在國土滅
度之處當廣說此經所以者何我等亦自欲
得是真淨大法受持讀誦解說書寫而供養
之爾時世尊於文殊師利等无量百千万億
舊住娑婆世界菩薩摩訶薩及諸比丘比丘
尼優婆塞優婆夷天龍夜叉乹闥婆阿脩羅
迦樓羅緊那羅摩睺羅伽人非人等一切衆
前現大神力出廣長舌上至梵世一切毛孔
放於无量无數色光皆悉遍照十方世界衆
寶樹下師子座上諸佛亦復如是出廣長舌
放无量光釋迦牟尼佛及寶樹下諸佛現神
力時滿百千歲然後還攝舌相一時謦欬俱

BD00437號　妙法蓮華經（八卷本）卷七　（20–4）

力時滿百千歲然後還攝舌相一時謦欬俱
共彈指是二音聲遍至十方諸佛世界地皆
六種震動其中衆生天龍夜叉乾闥婆阿脩
羅迦樓羅緊那羅摩睺羅伽人非人等以佛
神力故皆見此娑婆世界无量无邊百千万
億衆寶樹下師子座上諸佛及見釋迦牟尼
佛共多寶如来在寶塔中坐師子座又見无
量无邊百千万億菩薩摩訶薩及諸四衆恭
敬圍繞釋迦牟尼佛既見是已皆大歡喜得
未曾有即時諸天於虛空中高聲唱言過此
无量无邊百千万億阿僧祇世界有國名娑
婆是中有佛名釋迦牟尼今為諸菩薩摩訶
薩說大乘經名妙法蓮華教菩薩法佛所護
念汝等當深心隨喜亦當礼拜供養釋迦牟
尼佛彼諸衆生聞虛空中聲已合掌向娑婆
世界作如是言南无釋迦牟尼佛南无釋迦
牟尼佛以種種華香瓔珞幡蓋及諸嚴身之
具珎寶妙物皆共遙散娑婆世界所散諸物
從十方来譬如雲集變成寶帳遍覆此間諸
佛之上于時十方世界通達无㝵如一佛土
尒時佛告上行等菩薩大衆諸佛神力如是
无量无邊不可思議若我以是神力於无量
无邊百千万億阿僧祇劫為囑累故說此經
功德猶不能盡以要言之如来一切所有之
法如来一切自在神力如来一切秘要之藏
如来一切甚深之事皆於此經宣示顯說是

BD00437號　妙法蓮華經（八卷本）卷七　（20–5）

法如来一切自在神力如来一切秘要之藏
如来一切甚深之事皆於此經宣示顯說是
故汝等於如来滅後應當一心受持讀誦解
說書寫如說脩行所在國土若有受持讀誦
解說書寫如說脩行若經卷所住之處若於
園中若於林中若於樹下若於僧房若白衣
舍若在殿堂若山谷曠野是中皆應起塔供
養所以者何當知是處即是道場諸佛於此
阿耨多羅三藐三菩提諸佛於此轉于法輪
諸佛於此而般涅槃尒時世尊欲重宣此義
而說偈言

諸佛救世者　住於大神通　為悅衆生故　現无量神力
舌相至梵天　身放无數光　為求佛道者　現此希有事
諸佛謦欬聲　及彈指之聲　周聞十方國　地皆六種動
以佛滅度後　能持是經故　諸佛皆歡喜　現无量神力
囑累是經故　讚美受持者　於无量劫中　猶故不能盡
是人之功德　无邊无有窮　如十方虛空　不可得邊際
能持是經者　則為已見我　亦見多寶佛　及諸分身者
又見我今日　教化諸菩薩　能持是經者　令我及分身
滅度多寶佛　一切皆歡喜　十方現在佛　并過去未来
亦見亦供養　亦令得歡喜　諸佛坐道場　所得秘要法
能持是經者　不久亦當得　能持是經者　於諸法之義
名字及言辭　樂說无窮盡　如風於空中　一切无鄣㝵
於如来滅後　知佛所說經　因緣及次第　隨義如實說
如日月光明　能除諸幽冥　斯人行世間　能滅衆生暗
教无量菩薩　畢竟住一乘　是故有智者　聞此功德利

BD00437號　妙法蓮華經（八卷本）卷七　（20–6）

有菩薩聲聞而坐其下諸寶臺上各有百億
諸天作天伎樂歌歎於佛以為供養
尒時彼佛為一切衆生喜見菩薩及衆菩薩
諸聲聞衆說法華經是一切衆生喜見菩薩
樂習苦行於日月淨明德佛法中精進經行
一心求佛滿万二千歲已得現一切色身三
昧得此三昧已心大歡喜即作念言我得現
一切色身三昧皆是得聞法華經力我今當
供養日月淨明德佛及法華經即時入是三
昧於虛空中雨曼陀羅華摩訶曼陀羅華細
末堅黑栴檀滿虛空中如雲而下又雨海此
岸栴檀之香此香六銖價直娑婆世界以供
養佛作是供養已從三昧起而自念言我雖
以神力供養於佛不如以身供養即服諸香
栴檀薰陸兜樓婆畢力迦沉水膠香又飲瞻
蔔諸華香油滿千二百歲已香油塗身於日月
淨明德佛前以天寶衣而自纏身灌諸香油
以神通力願而自然身光明遍照八十億恒河
沙世界其中諸佛同時讚言善哉善哉善男
子是真精進是名真法供養如來若以華香
瓔珞燒香末香塗香天繒幡蓋及海此岸栴
檀之香如是等種種諸物供養所不能及
假使國城妻子布施亦所不及善男子是名
第一之施於諸施中最尊最上以法供養諸
如來故作是語已而各嘿然其身火然千二
百歲過是已後其身乃盡一切衆生喜見菩

BD00437 號　妙法蓮華經（八卷本）卷七　（20–9）

百歲過是已後其身乃盡一切衆生喜見菩
薩作如是法供養已命終之後復生日月淨
明德佛國中於淨德王家結加趺坐忽然化
生即為其父而說偈言

大王今當知　我經行彼處　即時得一切　現諸身三昧
勤行大精進　捨所愛之身

說是偈已而白父言日月淨明德佛今故現
在我先供養佛已得解一切衆生語言陀羅
尼復聞是法華經八百千万億那由他甄迦
羅頻婆羅阿閦婆等偈大王我今當還供養
此佛白已即坐七寶之臺上昇虛空高七多
羅樹往到佛所頭面禮足合十指爪以偈讚
佛

容顏甚奇妙　光明照十方　我適曾供養　今復還親覲

尒時一切衆生喜見菩薩說是偈已而白佛
言世尊世尊猶故在世尒時日月淨明德佛
告一切衆生喜見菩薩善男子我涅槃時到
滅盡時至汝可安施床座我於今夜當般涅
槃又勅一切衆生喜見菩薩善男子我以佛
法囑累於汝及諸菩薩大弟子并阿耨多羅
三藐三菩提法亦以三千大千七寶世界諸
寶樹寶臺及給侍諸天悉付於汝我滅度後
所有舍利亦付囑汝當令流布廣設供養應
起若千千塔如是日月淨明德佛勅一切衆生
喜見菩薩已於夜後分入於涅槃尒時一切

BD00437 號　妙法蓮華經（八卷本）卷七　（20–10）

喜見菩薩已於夜後分入於涅槃尒時一切
眾生喜見菩薩見佛滅度悲感懊惱戀慕於
佛即以海此岸栴檀為積供養佛身而以燒
之火滅已後收取舍利作八万四千寶瓶以
起八万四千塔高三世界表剎莊嚴垂諸幡
蓋懸眾寶鈴
尒時一切眾生喜見菩薩復自念言我雖作
是供養心猶未足我今當更供養舍利便語
諸菩薩大弟子及天龍夜叉等一切大眾汝
等當一心念我今供養日月淨明德佛舍利
作是語已即於八万四千塔前然百福莊嚴
臂七万二千歲而以供養令无數求聲聞眾
无量阿僧祇人發阿耨多羅三藐三菩提心
皆使得住現一切色身三昧尒時諸菩薩天
人阿脩羅等見其无臂憂惱悲哀而作是言
此一切眾生喜見菩薩是我等師教化我者
而今燒臂身不具足于時一切眾生喜見菩
薩於大眾中立此誓言我捨兩臂必當得佛
金色之身若實不虛令我兩臂還復如故作
是誓已自然還復由斯菩薩福德智慧淳厚
所致當尒之時三千大千世界六種震動天
雨寶華一切天人得未曾有
佛告宿王華菩薩於汝意云何一切眾生喜
見菩薩豈異人乎今藥王菩薩是也其所捨
身布施如是无量百千万億那由他數宿王
華若有發心欲得阿耨多羅三藐三菩提者

BD00437號　妙法蓮華經（八卷本）卷七　（20–11）

華若有發心欲得阿耨多羅三藐三菩提者
能然手指乃至足一指供養佛塔勝以國城
妻子及三千大千國土山林河池諸珍寶物
而供養者若復有人以七寶滿三千大千世
界供養於佛及大菩薩辟支佛阿羅漢是人
所得功德不如受持此法華經乃至一四句
偈其福㝡多宿王華譬如一切川流江河諸
水之中海為第一此法華經亦復如是於諸
如來所說經中㝡為深大又如土山黑山小
鐵圍山大鐵圍山及十寶山眾山之中須弥
山為第一此法華經亦復如是於諸經中㝡
為其上又如眾星之中月天子㝡為第一此
法華經亦復如是於千万億種諸經法中㝡
照明又如日天子能除諸闇此經亦復如是
能破一切不善之闇又如諸小王中轉輪聖
王㝡為第一此經亦復如是於眾經中㝡為
其尊又如帝釋於三十三天中王此經亦復
如是諸經中王
又如大梵天王一切眾生之父此經亦復如
如一切賢聖學无學及發菩薩心者之父又
如一切凡夫人中須陁洹斯陁含阿那含阿
羅漢辟支佛為第一此經亦復如是一切如
來所說若菩薩所說若聲聞所說諸經法中
㝡為第一有能受持是經典者亦復如是於
一切眾生中亦為第一一切聲聞辟支佛中
菩薩為第一此經亦復如是於一切諸經法
中㝡為第一如佛為諸法王此經亦復如是

BD00437號　妙法蓮華經（八卷本）卷七　（20–12）

中最為第一如佛為諸法王此經亦復如是
諸經中王宿王華此經能救一切衆生者此
經能令一切衆生離諸苦惱此經能大饒益
一切衆生充滿其願如清涼池能滿一切諸
渴之者如寒者得火如裸者得衣如商人得
主如子得母如渡得船如病得醫如暗得燈如
貧得寶如民得王如賈客得海如炬除暗此
法華經亦復如是能令衆生離一切苦一切
病痛能解一切生死之縛若人得聞此法華
經若自書若使人書所得功德以佛智慧籌
量多少不得其邊若書是經卷華香瓔珞燒
香末香塗香旛蓋衣服種種之燈蘇燈油燈
諸香油燈瞻蔔油燈須曼油燈波羅羅油燈
婆利師油燈那婆摩利油燈供養所得功
德亦復无量宿王華若有人聞是藥王菩薩
本事品者亦得无量无邊功德若有女人聞
是藥王菩薩本事品能受持者盡是女身後
不復受若如来滅後後五百歲中若有女人
聞是經典如說脩行於此命終即往安樂世
界阿弥陁佛大菩薩衆圍繞住處生蓮華中
寶座之上不復為貪欲所惱亦復不為瞋恚
愚癡所惱亦復不為憍慢嫉妬諸垢所惱得
菩薩神通无生法忍得是忍已眼根清淨以
是清淨眼根見七百万二千億那由他恒河
沙等諸佛如来
是時諸佛遙共讚言善哉善哉善男子汝能
於釋迦牟尼佛法中受持讀誦思惟是經為

於釋迦牟尼佛法中受持讀誦思惟是經為
他人說所得福德无量无邊火不能燒水不
能漂汝之功德千佛共說不能令盡汝今已
能破諸魔賊壞生死軍諸餘怨敵皆悉摧滅
善男子百千諸佛以神通力共守護汝於一
切世間天人之中无如汝者唯除如来其諸
聲聞辟支佛乃至菩薩智慧禪定无有與汝
等者宿王華此菩薩成就如是功德智慧之
力若有人聞是藥王菩薩本事品能隨喜讚
善者是人現世口中常出青蓮華香身毛孔
中常出牛頭栴檀香所得功德如上所說是
故宿王華以此藥王菩薩本事品囑累於汝
我滅度後後五百歲中廣宣流布於閻浮提
無令斷絶惡魔魔民諸天龍夜叉鳩槃荼等得
其便也
宿王華汝當以神通之力守護是經所以者
何此經則為閻浮提人病之良藥若人有病
得聞是經病即消滅不老不死宿王華汝若
見有受持是經者應以青蓮花盛滿末香供
散其上散已作是念言此人不久必當取草
坐於道場破諸魔軍當吹法螺擊大法鼓度
脫一切衆生老病死海是故求佛道者見有
受持是經典人應當如是生恭敬心說是藥
王菩薩本事品時八万四千菩薩得解一切
衆生語言陁羅尼多寶如来於寶塔中讚宿
王華菩薩言善哉善哉宿[illegible]

王菩薩本事品時八万四千菩薩得解一切
衆生語言陁羅尼多寶如来於寶塔中讃宿
王華菩薩言善哉善哉宿王華汝成就不可
思議功德乃能問釋迦牟尼佛如此之事利
益无量一切衆生
妙法蓮華經妙音菩薩品苐廿四
尒時釋迦牟尼佛放大人相肉髻光明及放
眉間白毫相光遍照東方八百万億那由他
恒河沙等諸佛世界過是數已有世界名淨
光莊嚴其國有佛号淨華宿王智如来應供
正遍知明行足善逝世間解无上士調御丈
夫天人師佛世尊為无量无邊菩薩大衆恭
敬圍繞而為說法釋迦牟尼佛白毫光明遍
照其國
尒時一切淨光莊嚴國中有一菩薩名曰妙
音久已殖衆德本供養親近无量百千万億
諸佛而悉成就甚深智慧得妙幢相三昧法
華三昧淨德三昧宿王戲三昧无緣三昧智
印三昧解一切衆生語言三昧集一切功德
三昧清淨三昧神通遊戲三昧慧炬三昧莊
嚴王三昧淨光明三昧淨藏三昧不共三昧
日旋三昧得如是[illegible]百千万億恒河沙等諸
大三昧釋迦牟尼佛光照其身即白淨華宿
王智佛言世尊我當往詣娑婆世界礼拜親
近供養釋迦牟尼佛及見文殊師利法王子
菩薩藥王菩薩勇施菩薩宿王華菩薩上行

BD00437號　妙法蓮華經（八卷本）卷七　（20-15）

菩薩藥王菩薩勇施菩薩宿王華菩薩上行
意菩薩莊嚴王菩薩藥上菩薩
尒時淨華宿王智佛告妙音菩薩汝莫輕彼
國生下劣想善男子彼娑婆世界高下不平
土石諸山穢惡充滿佛身卑小諸菩薩衆其
形亦小而汝身四万二千由旬我身六百八
十万由旬汝身第一端政百千万福光明殊
妙是故汝往莫輕彼國若佛菩薩及國土生
下劣想妙音菩薩白其佛言世尊我今詣娑
婆世界皆是如来之力如来神通遊戲如来
功德智慧莊嚴於是妙音菩薩不起于座身
不動搖而入三昧以三昧力於耆闍崛山去
法座不遠化作八万四千衆寶蓮華閻浮檀
金為茎白銀為葉金剛為鬚甄叔迦寶以為
其臺尒時文殊師利法王子見是蓮華而白
佛言世尊以何因緣先現此瑞有若干千万
蓮華閻浮檀金為茎白銀為葉金剛為鬚甄
叔迦寶以為其臺
尒時釋迦牟尼佛告文殊師利是妙音菩薩
摩訶薩欲從淨華宿王智佛國與八万四千
菩薩圍遶而来至此娑婆世界供養親近礼
拜於我亦欲供養聽法華經文殊師利白佛
言世尊是菩薩種何善本脩何功德而能有
是大神通力行何三昧願為我等說是三昧
名字我等亦欲勤脩行之行此三昧乃能見
是菩薩色相大小威儀進止唯願世尊以神
通力彼菩薩来令我得見尒時釋迦牟尼佛

BD00437號　妙法蓮華經（八卷本）卷七　（20-16）

是菩薩色相大小威儀進止唯願世尊以神
通力彼菩薩來令我得見介時釋迦牟尼佛
告文殊師利此久滅度多寶如來當為汝等
而現其相時多寶佛告彼菩薩善男子來文
殊師利法王子欲見汝身
于時妙音菩薩於彼國沒與八万四千菩薩
俱共發來所經諸國六種震動皆悉雨於七
寶蓮華百千天樂不鼓自鳴是菩薩目如廣
大青蓮華葉政使和合百千万月其面貌端
正復過於此身真金色无量百千功德莊嚴
威德熾盛光明照耀諸相具足如那羅延堅
固之身入七寶臺上昇虛空去地七多羅樹
諸菩薩衆恭敬圍遶而來詣此娑婆世界耆
闍崛山到已下七寶臺以價直百千瓔珞持
至釋迦牟尼佛所頭面礼足奉上瓔珞而白
佛言世尊淨華宿王智佛問訊世尊少病少
惱起居輕利安樂行不四大調和不世事可
忍不衆生易度不无多貪欲瞋恚愚癡嫉妒
慳慢不无不孝父母不敬沙門邪見不善心
不攝五情不世尊衆生能降伏諸魔怨不久
滅度多寶如來在七寶塔中來聽法不又問
訊多寶如來安隱少惱堪忍久住不世尊我
今欲見多寶佛身唯願世尊示我令見介時
釋迦牟尼佛語多寶佛是妙音菩薩欲得相
見時多寶佛告妙音言善哉善哉汝能為供
養釋迦牟尼佛及聽法華經并見文殊師利

見時多寶佛告妙音言善哉善哉汝能為供
養釋迦牟尼佛及聽法華經并見文殊師利
等故來至此
介時華德菩薩白佛言世尊是妙音菩薩種
何善根修何功德有是神力佛告華德菩薩
過去有佛名雲雷音王多陁阿伽度阿羅呵
三藐三佛陁國名現一切世間劫名憙見妙音
菩薩於万二千歲以十万種伎樂供養雲雷
音王佛并奉上八万四千七寶鉢以是因緣
果報今生淨華宿王智佛國有是神力華德
於汝意云何介時雲雷音王佛所妙音菩薩
伎樂供養奉上寶器者豈異人乎今此妙音
菩薩摩訶薩是華德是妙音菩薩已曾供養
親近无量諸佛久殖德本又值恒河沙等百
千万億那由他佛
華德汝但見妙音菩薩其身在此而是菩薩
現種種身處處為諸衆生說是經典或現梵
王身或現帝釋身或現自在天身或現大自
在天身或現天大將軍身或現毗沙門天王身
或現轉輪聖王身或現諸小王身或現長者
身或現居士身或現宰官身或現婆羅門身
或現比丘比丘尼優婆塞優婆夷身或現長
者居士婦女身或現宰官婦女身或現婆羅
門婦女身或現童男童女身或現天龍夜叉
乾闥婆阿脩羅迦樓羅緊那羅摩睺羅伽人
非人等身而說是經諸有地獄餓鬼畜生及

叉闥婆阿脩羅迦樓羅緊那羅摩睺羅伽人
非人等身而說是經諸有地獄餓鬼畜生及
衆難處皆能救濟乃至於王後宮變為女身
而說是經華德是妙音菩薩能救護娑婆世
界諸衆生者是妙音菩薩如是種種變化現
身在此娑婆國土為諸衆生說是經典於神
通變化智慧不所損減是菩薩以若干智慧
明照娑婆世界令一切衆生各得所知於十方
恒河沙世界中亦復如是若應以聲聞形得
度者現聲聞形而為說法應以辟支佛形得
度者現辟支佛形而為說法應以菩薩形得
度者現菩薩形而為說法應以佛形得度者
即現佛形而為說法如是種種隨所應度者
而為現形乃至應以滅度而得度者示現滅
度華德妙音菩薩摩訶薩成就大神通智
之力其事如是
尒時華德菩薩白佛言世尊是妙音菩薩深
種善根世尊是菩薩住何三昧而能如是
在所變現度脫衆生佛告華德菩薩善男子
其三昧名現一切色身妙音菩薩住是三昧
中能如是饒益无量衆生說是妙音菩薩品
時與妙音菩薩俱來者八万四千人皆得現
一切色身三昧此娑婆世界无量菩薩亦得
是三昧及陀羅尼尒時妙音菩薩摩訶薩供
養釋迦牟尼佛及多寶佛塔已還歸本土所
諸國六種震動雨寶蓮華作百千万億種種

BD00437號　妙法蓮華經（八卷本）卷七　（20–19）

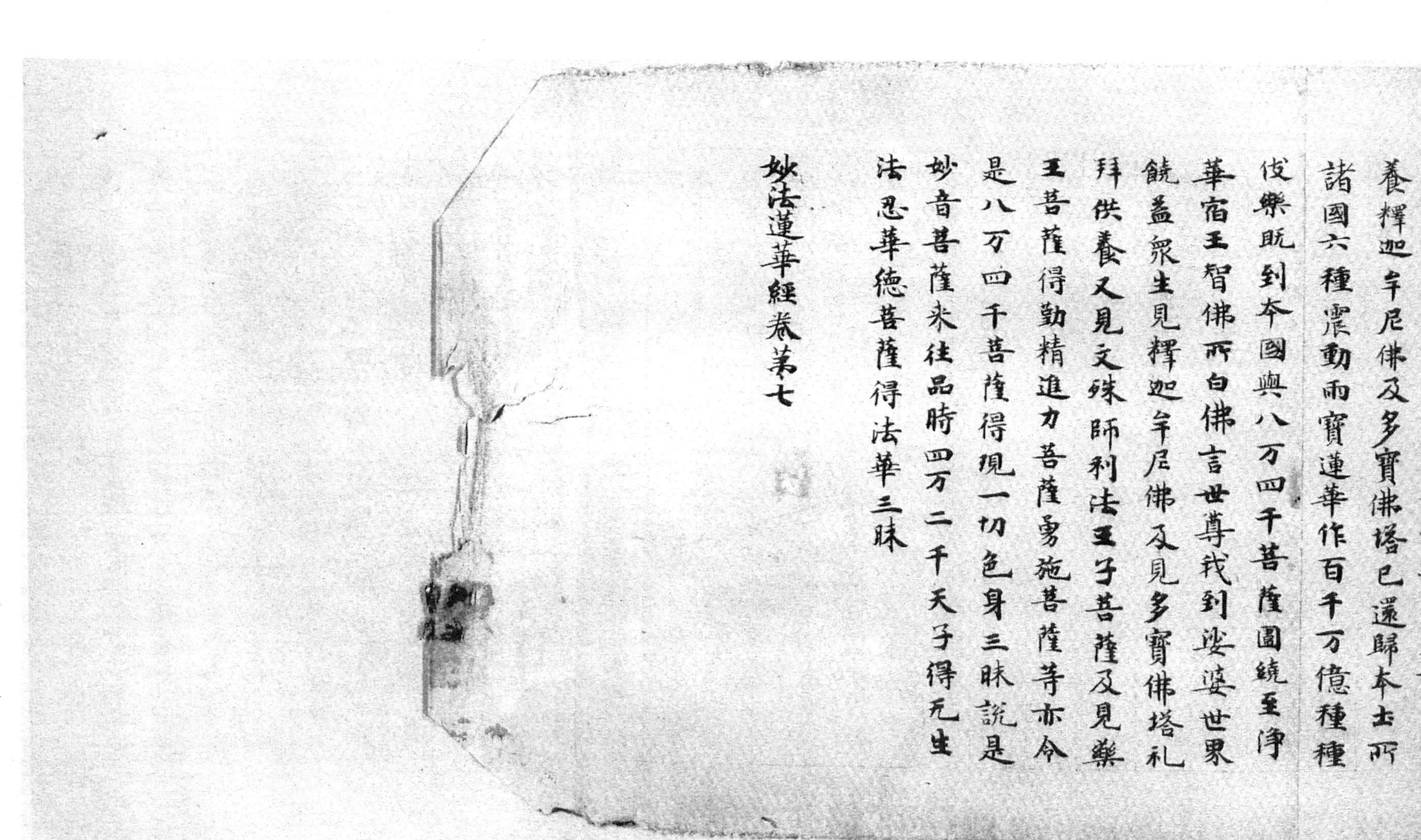
養釋迦牟尼佛及多寶佛塔已還歸本土所
諸國六種震動雨寶蓮華作百千万億種種
伎樂既到本國與八万四千菩薩圍繞至淨
華宿王智佛所白佛言世尊我到娑婆世界
饒益衆生見釋迦牟尼佛及見多寶佛塔礼
拜供養又見文殊師利法王子菩薩及見藥
王菩薩得勤精進力菩薩勇施菩薩等亦令
是八万四千菩薩得現一切色身三昧說是
妙音菩薩來往品時四万二千天子得无生
法忍華德菩薩得法華三昧

妙法蓮華經卷第七

BD00437號　妙法蓮華經（八卷本）卷七　（20–20）

界眼識界及眼觸眼觸爲緣所生諸受不可
得何以故現在色界乃至眼觸爲緣所生諸
受即是空空性亦空空中空尚不可得何况
空中有現在色界乃至眼觸爲緣所生諸受
受可得善現空中過去未來現在色界眼識
界及眼觸眼觸爲緣所生諸受不可得何以
故過去未來現在色界乃至眼觸爲緣所生
諸受即是空空性亦空空中空尚不可得何
况空中有過去未來現在色界乃至眼觸爲
緣所生諸受可得
善現過去耳界過去耳界空未來耳界未來
耳界空現在耳界現在耳界空過去聲界耳
識界及耳觸耳觸爲緣所生諸受過去聲界
乃至耳觸爲緣所生諸受空未來聲界耳識
界及耳觸耳觸爲緣所生諸受未來聲界乃
至耳觸爲緣所生諸受空現在聲界耳識界
及耳觸耳觸爲緣所生諸受現在聲界乃至
耳觸爲緣所生諸受空所以者何善現空中
過去耳界不可得何以故過去耳界即是空
空性亦空空中空尚不可得何况空中有過
去耳界可得善現空中未來耳界不可得何
以故未來耳界即是空空性亦空空中空尚
不可得何况空中有未來耳界可得善現空

BD00438 號　大般若波羅蜜多經（兌廢稿）　（2–1）

兌

緣所生諸受可得
善現過去耳界過去耳界空未來耳界未來
耳界空現在耳界現在耳界空過去聲界耳
識界及耳觸耳觸爲緣所生諸受過去聲界
乃至耳觸爲緣所生諸受空未來聲界耳識
界及耳觸耳觸爲緣所生諸受未來聲界乃
至耳觸爲緣所生諸受空現在聲界耳識界
及耳觸耳觸爲緣所生諸受現在聲界乃至
耳觸爲緣所生諸受空所以者何善現空中
過去耳界不可得何以故過去耳界即是空
空性亦空空中空尚不可得何况空中有過
去耳界可得善現空中未來耳界不可得何
以故未來耳界即是空空性亦空空中空尚
不可得何况空中有未來耳界可得善現空中
現在耳界不可得何以故現在耳界即是空
空性亦空空中空尚不可得何况空中有現
在耳界可得善現空中過去未來現在耳界
空性亦空空中空尚不可得何况空中有過
空性亦空空中空尚不可得何况空中有過

BD00438 號　大般若波羅蜜多經（兌廢稿）　（2–2）

持請誦當知此人報父母恩父母云何可報
但父母至於行來東西隣里井竈碓磨不時
還家我兒家中啼哭憶我即來還家其兒遥
見我來或在蘭車搖頭弄腦或復曳腹隨行
嗚呼向母母為其子曲身下就長舒兩手拂拭
塵土嗚和其口開懷出乳以乳與之母見兒歡
兒見母喜二情恩悲親愛慈重莫復過二歲
三歲弄意始行於其食時非母不知父母行
來值他座席或得餅肉不噉輟味懷挾
來歸向與其子十來九得恒常歡喜一過
不得憍啼佯哭憍子不孝又必五擿
不憍必有慈順遂至長大朋友相隨梳頭
髮欲得好衣覆蓋身體弊衣破故
著新好綿帛先與其子至於行來官私急疾
傾心南北逐子東西橫艦上頭既索妻婦得他
子女父母轉疎私房屋室共相語[illegible]年高
氣力衰老終朝至暮不來借問或復父孤母寡
獨守空房猶如客人寄止他舍常無恩愛復無
濡被寒苦辛厄難遭之甚年老色衰多饒蟣
虱夙夜不卧長吟歎息何罪宿愆生此不孝
之子或時喚呼瞋目驚怒婦兒罵詈低頭含
咲妻復不孝子復五擿夫妻和合同作五逆
彼時喚呼急疾取使十喚九違盡不從順罵詈

BD00439 號　父母恩重經　（2–1）

虱夙夜不卧長吟歎息何罪宿愆生此不孝
之子或時喚呼瞋目驚怒婦兒罵詈低頭含
咲妻復不孝子復五擿夫妻和合同作五逆
彼時喚呼急疾取使十喚九違盡不從順罵詈
瞋恚不如早死強在地上父母聞之悲哭懊惱
流淚雙下啼哭目腫汝初小時非吾不長但吾
生汝不如本无
佛告阿難若善男子善女人能為父母受持
讀誦書寫父母恩重大乘摩訶般若波羅蜜
經一句一偈一經耳目者所有五逆重罪悉得
消滅永盡无餘常得見佛聞法速得解脫
阿難從座而起偏袒右肩長跪合掌白佛
言世尊此經云何名之云何奉持佛告阿難
經名父母恩重經若有一切衆生能為父母作
福造經燒香請佛礼拜供養三寶或飲食衆
僧當知是人能報父母其恩帝釋梵王諸天
人民一切衆生聞經歡喜發菩薩心嘷哭動
地淚下如雨五體投地信受頂礼佛足歡
喜奉行

父母恩重經

BD00439 號　父母恩重經　（2–2）

BD00439 號背　般若波羅蜜多心經　　（1–1）

BD00440 號　大方廣佛華嚴經（晉譯六十卷本）卷三四　　（1–1）

邪鹿外道魍魎魑魅鳥鳴百怪是諸惡鬼竟來惱
亂興其病惡腫惡疰受其痛苦无有休息
皆悉遇善知識為說八陽經三遍是諸惡鬼
皆悉消滅病則除愈身强力足讀經功德
如斯福若有眾生多於淫欲瞋恚愚癡慳
貪嫉妬若見此經供敬供養即讀此經三
遍癡等惡並皆除滅慈悲喜捨得佛法分
復次无㝵菩薩若有善男子善女人等興有
為法先讀此經三遍築牆動土安立宅舍南堂
北堂東序西序廚舍客屋門戶井竈碓磑
庫藏六畜蘭圈日遊月煞將軍太歲黃幡豹
尾五土地神青龍白虎[illegible]甲禁諱
十二諸神土尉伏龍一切[illegible]藏遠屏
四方形消影滅不敢為[illegible]口利獲福无量
善男子興功之後堂舍永安屋宅牢固富貴吉
昌不求自得若遠行從軍仕宦興生甚得
宜利門興人貴百子千孫父慈子孝男忠
女貞兄恭弟順夫妻和睦信義篤親所願
成就若有眾生忽被縣官拘繫盜賊牽挽
暫讀此經三遍即得解脫若有善男子善
女人受持讀誦為他書寫八陽經者設入
水火不被焚漂或在山澤一切虎狼屏跡
不敢侍噬善神衛護成无上道
若復有人多於妄語綺語兩舌惡口若能
受持讀誦此經永除四過得四无㝵辯而成佛道

BD00441 號　天地八陽神咒經　（7–1）

水火不被焚漂或在山澤一切虎狼屏跡
不敢侍噬善神衛護成无上道
若復有人多於妄語綺語兩舌惡口若能
受持讀誦此經永除四過得四无㝵辯而成佛道
復次善男子善女人父母有罪臨終之日應
墮地獄受无量苦其子即為讀斯經典七遍
父母即離地獄而生天上見佛聞法悟无生忍
而證菩提
佛告无㝵菩薩毗婆尸佛時有優婆塞優婆
夷心不信邪敬宗佛法書寫此經受持讀誦所
有興作須作即作一无所問以正信故兼行
布施平等供養得无漏身成菩提道号曰普
光如來應供正等覺劫名大滿國号无邊一切
人民皆行菩薩无上正法
復次善男子此八陽經行閻浮提在在處處
有八菩薩諸梵天王一切明靈圍繞此經香
華供養如佛无異若善男子善女人等為
諸眾生講說此經深解實相得甚深理即知
身心佛身法心所以能知即知慧眼常見種
種无盡色色即是空空即是色受想行識亦
空即空妙色身如來耳常聞種種无盡聲聲
即是空空即是聲是妙音聲如來鼻常嗅
種種无盡香香即是空空即是香是香積如
來舌常覺種種无盡味味即是空空即是
味是法善如來身常覺種種无盡觸觸即是空
空即是觸是智明如來意常想分別種種无
盡法法即是空空即是法是法明如來善男子
此六根顯現人皆口說其善法法輪常轉得成聖
道若說邪語惡法常轉即墮惡趣善男子善
惡之理不得不信无㝵菩薩人之身心是佛法

BD00441 號　天地八陽神咒經　（7–2）

此才利聞現人皆口說其善法法轉常轉行成聖
道若說邪語惡法常轉即墮惡趣善男子善
惡之理不得不信无䓁菩薩人之身心是佛法
器亦是十二部大經卷也无始已來轉轉不盡不
豪措毛如來藏經唯識心見性者之所能知非
諸聲聞凡夫所能知也
復次善男子讀誦此經為他講說深解真理
者即知身心是佛法器若醉迷不醒不了自
心是佛法根本流浪諸趣墮於惡道永沉苦
海不聞佛名字无䓁菩薩復白佛言世尊人
之在世生死為重生不擇日時至即生死不
擇日時至即死何因殯葬即問良辰吉日然
始殯葬殯葬之後還有妨害貧窮者多滅
門者不少唯願世尊為諸邪見无知眾生說其
因緣令得正道除其顛倒
佛言善哉善哉善男子汝實甚能問於眾
生生死之事殯葬之法汝等諦聽當為汝說人
智慧之理大道之法夫天地廣太清日月廣
長明時年善善美實无有異善男子人王
菩薩甚大慈悲愍念眾生皆如赤子下為人
主作人父母順於俗民教於俗法造作曆日
頒下天下令知時節為有平滿成收開除
之字執危破煞之文愚人依字信用无不
免於凶禍又使邪師厭鎮說是道非謾邪神
拜餓鬼卻招殃自受苦如斯人輩反天時逆
地理北日月之光明常投闇室違正道之廣
路恒尋邪徑顛倒之甚也
復次善男子生時讀此經三遍兒則易生大
吉利聰明利智福德具足而无中夭死時讀

復次善男子生時讀此經三遍兒則易生大
吉利聰明利智福德具足而无中夭死時讀
經三遍一无妨害得福无量善男子日日好日
月月好月年年好年實无間隔但辦即須
殯葬殯葬之日讀此經七遍甚大吉利獲福无
量門榮人貴延年益壽命終之日並得成聖
善男子殯葬之地不問東西南北安隱之處
人之愛樂鬼神愛樂即讀此經三遍便以脩
營安置墓田永无災鄣家富人興甚大吉利
尒時世尊欲重宣此義而說偈言
勞生善善日　休殯好好時　生死讀此經　甚得大利益
月月善明月　年年大好年　讀經即殯葬　榮華万代昌
尒時眾中七万七千人聞佛所說心開意解
捨邪歸正得佛法分永除疑惑皆得阿耨多羅
三藐三菩提
无导菩薩復白佛言世尊一切凡夫皆以婚
嫌為親先問相宜後取吉日然始成親已後
富貴偕老者少貧寒生離死別者多一種信
邪如何而有差別唯願世尊為決眾疑
佛言善男子汝等諦聽當為汝說天陰地陽
月陰日陽水陰火陽男陰女陽天地氣合一
切草木生焉日月交運四時八節明焉水火
相承一切万物熟焉男女允諧子孫興焉皆
是天之常道自然之理世諦之法善男子愚
人无智信邪師卜問望吉而不脩善造種種
惡業命終之後復得人身者如指甲上土墮
於地獄作餓鬼畜生者如大地土善男子復
得人身正信脩善者如指甲上土信邪造惡
業者如大地土善男子若婚親莫問水火

得人身正信脩善者如指甲上土信邪造惡
業者如大地土善男子若婚親莫問水火
相尅胎胞相厭唯看相命即知福德多少
以為眷屬呼迎之日讀此經三遍即以成礼此乃
善善相因明明相属門高人貴子孫興盛聰
明利智多才多藝孝敬相承甚大吉利而无
中夭福德具足皆成佛道
時有八菩薩承佛威神得大揔持常處人間
和光同塵破邪立正處四生處八解其名曰
跋陁和菩薩漏盡和　羅隣竭菩薩漏盡和
憍目兜菩薩漏盡和　須弥深菩薩漏盡和
那羅達菩薩漏盡和　因坻達菩薩漏盡和
和輪調菩薩漏盡和　無緣觀菩薩漏盡和
是八菩薩俱白佛言世尊我等於諸佛所受得
陁羅尼神呪而今說之擁護受持讀誦八陽
經者永无恐怖使一切不善之物不得侵損
讀經法師即於佛前而說呪曰
阿佉尼　尼佉尼　阿比羅　曼隸　曼多隸
世尊若有不善者欲來惱法師聞我說此呪
頭破作七分如阿梨樹枝
是時无邊身菩薩白佛言世尊云何名為八
陽經唯願世尊為諸聽衆解說其義令得醒
悟速達心本入佛知見永斷疑悔
佛言善哉善哉善男子汝等諦聽吾今為汝
解說八陽之經八者分別也陽者明解也明解
大乘无為之理了能分別識因緣空寂无所得
又云八識為經陽明為緯經緯相投以成經
教故名八陽經八識者眼是色識耳是聲識

BD00441號　天地八陽神呪經　（7–5）

又云八識為經陽明為緯經緯相投以成經
教故名八陽經八識者眼是色識耳是聲識
鼻是香識舌是味識身是觸識意是分別
識含藏識阿賴耶識是名八識明了分別八
識根源空无所有即知兩眼光明天光明天
中即現日月光明世尊兩耳聲聞天聲聞天
中即現无量聲如來兩鼻佛香天佛香天中即
現香積如來口舌法味天法味天中即現法喜
如來身是盧舍那天盧舍那天中即現成
就盧舍那盧舍那鏡像盧舍那光明佛意
是无分別天无分別天中即現不動如來大
光明佛心是法界天法界天中即現空王如
來含藏識天演出阿那含經大涅槃經
阿賴耶識天演出大智度論經瑜伽論經
善男子佛是即法法即是佛合為一相即現
大通智勝如來
佛說此經時一切大地六種震動光照天地无
有邊際浩浩蕩蕩而无所名一切幽冥皆
悉明朗一切地獄並皆消滅一切罪人俱得
離苦皆發无上菩提之心
尒時衆中八万八千菩薩一時成佛号曰虛
空藏如來應正等覺劫名圓滿國号无邊一
切人民无有彼此並證无諍三昧六万六千
比丘比丘尼優婆塞優婆夷得大揔持无
數天龍夜叉乾闥婆阿脩羅迦樓羅緊那羅
摩睺羅伽人非人等得法眼淨行菩薩道
復次善男子若復有人得官登位之日及
新入宅之日即讀此經三遍甚大吉利獲福
无量善男子若讀此經一遍者如讀一切經
一遍能寫一卷者如寫一切經一部其功德

BD00441號　天地八陽神呪經　（7–6）

復次善男子若復有人得官登位之日及
新入宅之日即讀此經三遍甚大吉利獲福
无量善男子若讀此經一遍者如讀一切經
一遍能寫一卷者如寫一切經一部其功德
不可稱不可量无有邊際如斯人等即成聖道
復次无邊身菩薩摩訶薩若有衆生不信正
法常生邪見忽聞此經即生誹謗言非佛
說是人現世得白癩病惡瘡膿血遍體交流
腥臊臭穢人皆憎嫉命終之日即墮阿鼻无
間地獄上火徹下下火徹上鐵叉遍身穿穴
五藏洋銅灌口筋骨爛壞一日一夜万死万
生受大苦痛无有休息謗斯經故獲罪如是
佛為罪人而說偈言
身是自然身　五體自然體　長乃自然長　老乃自然老
生則自然生　死則自然死　求長不得長　求短不得短
苦樂汝自當　邪正由汝已　欲修有為功　讀經莫問師
千千万万代　得道轉法輪
佛說此經已一切聽衆得未曾有心明意
淨歡喜踊躍皆見諸相非相入佛知見悟佛
知見无入无悟无知无見不得一法即涅槃集
佛說八陽神呪經一卷

BD00441 號　天地八陽神咒經　（7–7）

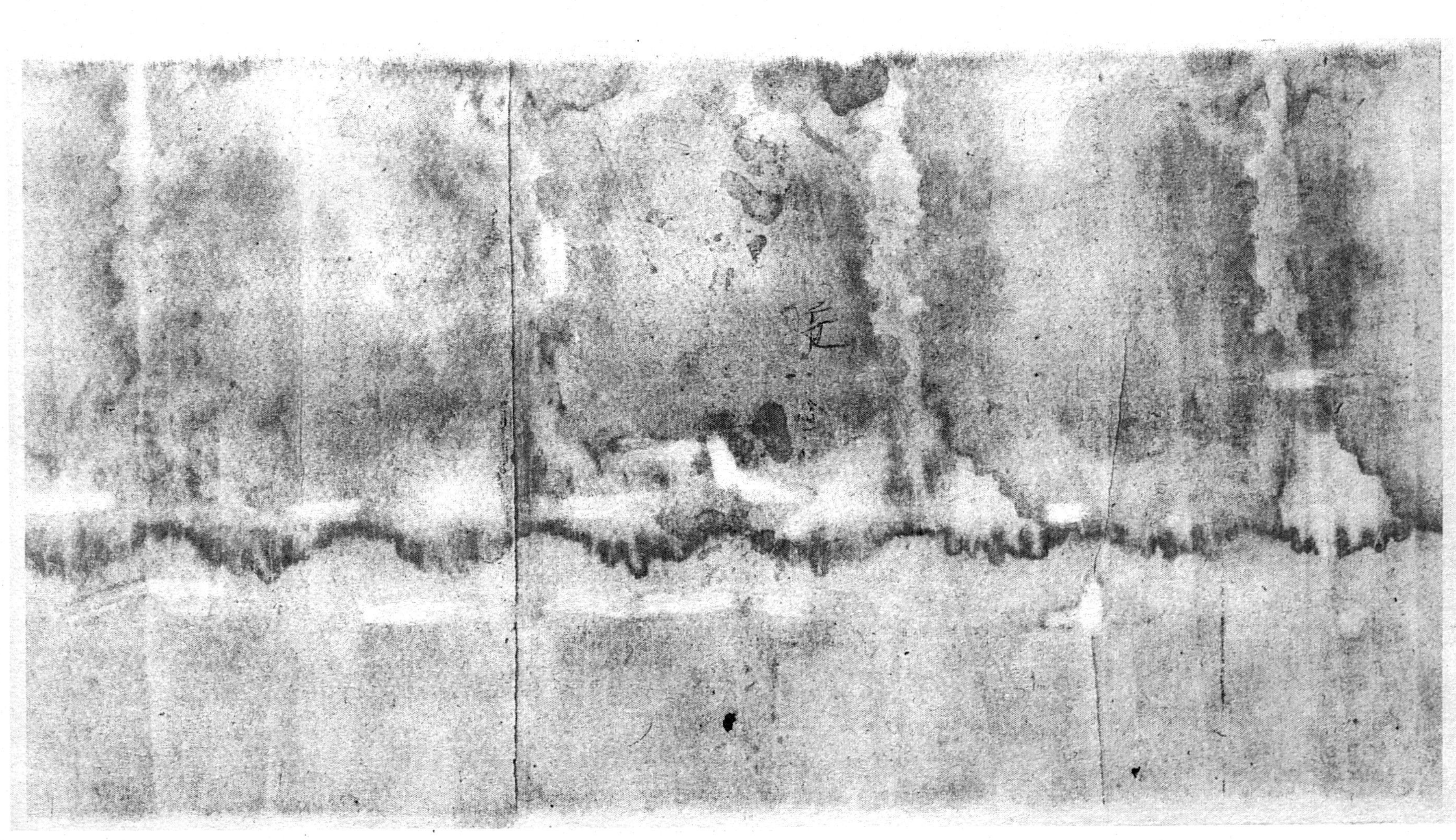

BD00441 號背　雜寫　（1–1）

維摩詰所說經

尒時佛告文殊師利汝行詣維摩詰問疾
文殊師利白佛言世尊彼上人者難爲酬對
深達實相善說法要辯才无滯智慧无礙一切
菩薩法式悉知諸佛秘藏无不得入降伏衆
魔遊戲神通其慧方便皆已得度雖然當
承佛聖旨詣彼問疾於是衆中諸菩薩大弟子
釋梵四天王等咸作是念今二大士文殊師利
維摩詰共談必說妙法即時八千菩薩五百
聲聞百千天人皆欲隨從於是文殊師利與
諸菩薩大弟子衆及諸天人恭敬圍繞入毗
耶離大城尒時長者維摩詰心念今文殊師
利與大衆俱來即以神力空其室內除去所
有及諸侍者唯置一牀以疾而臥文殊師利
既入其舍見其室空无諸所有獨寢一牀時
維摩詰言善來文殊師利不來相而來不見
相而見文殊師利言如是居士若來已更不
來若去已更不去所以者何來者無所從來
去者无所至所可見者更不可見且置是事
居士是疾寧可忍不療治有損不至增乎世
尊慇懃致問无量居士是疾何所因起其生
久如當云何滅維摩詰言從癡有愛則我病
生以一切衆生病是故我病若一切衆生 得
病滅則我病滅所以者何菩薩爲衆生故

BD00442 號　維摩詰所說經卷中　(2–1)

生以一切衆生病是故我病若一切衆生 得
病滅則我病滅所以者何菩薩爲衆生故
入生死有生死則有病若衆生得離病者則
菩薩无復病譬如長者唯有一子其子得病
父母亦病若子病愈父母亦愈菩薩如是於
諸衆生愛之若子衆生病則菩薩病衆生病
愈菩薩亦愈又言是疾何所因起菩薩疾者
以大悲起文殊師利言居士此室何以空无侍
者維摩詰言諸佛國土亦復皆空又問以
何爲空答曰以空空又問空何用空答曰以
无分別空故空又問空可分別耶答曰分別
亦空又問空當於何求答曰當於六十二見
中求又問六十二見當於何求答曰當於諸
佛解脫中求又問諸佛解脫當於何求答曰
當於一切衆生心行中求又仁所問何无侍
者一切衆魔及諸外道皆吾侍也所以者何衆
魔者樂生死菩薩於生死而不捨外道者
樂諸見菩薩於諸見而不動文殊師利言居
士所疾爲何等相維摩詰言我病无形不可
見又問此病身合耶心合耶答曰非身合身
相離故亦非心合心如幻故又問地大水大火
大風大於此四大何大之病答曰是病非地
大亦不離地大水火風大亦復如是而衆生
病從四大起以其有病是故我病尒時文殊

BD00442 號　維摩詰所說經卷中　(2–2)

空相耳鼻舌身意處世間空相能示諸佛色
處世間空相聲香味觸法處世間空相能示
諸佛眼界世間空相色界眼識界及眼觸眼觸
為緣所生諸受世間空相能示諸佛耳界世
間空相聲界耳識界及耳觸耳觸為緣所生
諸受世間空相能示諸佛鼻界世間空相香
界鼻識界及鼻觸鼻觸為緣所生諸受世間
空相能示諸佛舌界世間空相味界舌識界
及舌觸舌觸為緣所生諸受世間空相能示
諸佛身界世間空相觸界身識界及身觸身
觸為緣所生諸受世間空相能示諸佛意界
世間空相法界意識界及意觸意觸為緣所
生諸受世間空相能示諸佛地界世間空相
水火風空識界世間空相能示諸佛无明世
間空相行識名色六處觸受愛取有生老死
愁歎苦憂惱世間空相能示諸佛布施波羅
蜜多世間空相淨戒安忍精進靜慮般若波
羅蜜多世間空相能示諸佛內空世間空相
外空內外空空空大空勝義空有為空无為
空畢竟空无際空散空无變異空本性空自
相空共相空一切法空不可得空无性空自
性空无性自性空世間空相能示諸佛真如
世間空相法界法性不虛妄性不變異性平
等性離生性法定法住實際虛空界不思議

BD00443號　大般若波羅蜜多經卷三〇七　（2–1）

及舌觸舌觸為緣所生諸受世間空相能示
諸佛身界世間空相觸界身識界及身觸身
觸為緣所生諸受世間空相能示諸佛意界
世間空相法界意識界及意觸意觸為緣所
生諸受世間空相能示諸佛地界世間空相
水火風空識界世間空相能示諸佛无明世
間空相行識名色六處觸受愛取有生老死
愁歎苦憂惱世間空相能示諸佛布施波羅
蜜多世間空相淨戒安忍精進靜慮般若波
羅蜜多世間空相能示諸佛內空世間空相
外空內外空空空大空勝義空有為空无為
空畢竟空无際空散空无變異空本性空自
相空共相空一切法空不可得空无性空自
性空无性自性空世間空相能示諸佛真如
世間空相法界法性不虛妄性不變異性平
等性離生性法定法住實際虛空界不思議
界世間空相能示諸佛苦聖諦世間空相集
滅道聖諦世間空相能示諸佛四靜慮世間
空相四无量四无色定世間空相能示諸佛
八解脫世間空相八勝處九次第定十遍處

BD00443號　大般若波羅蜜多經卷三〇七　（2–2）

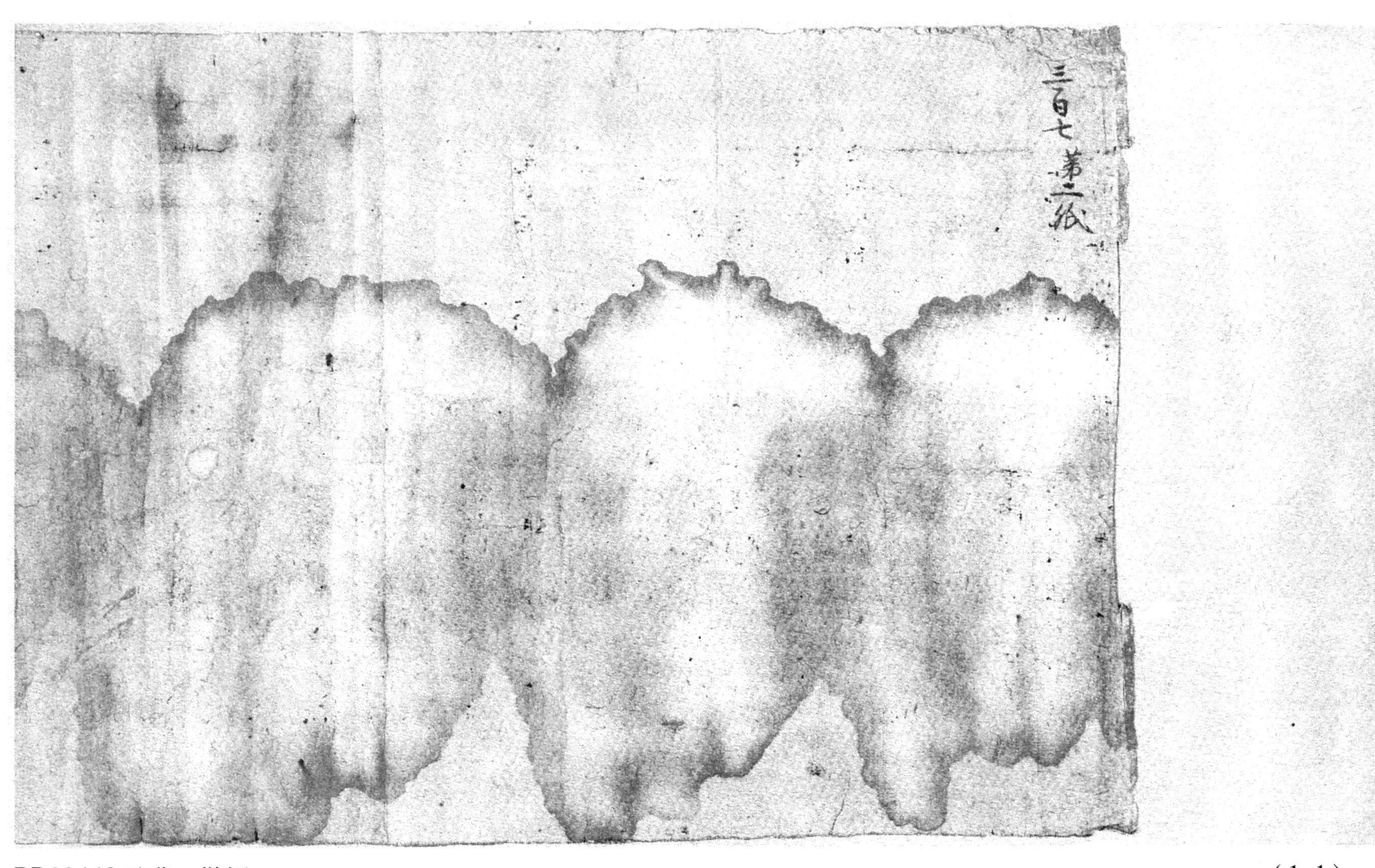
三百七 第二紙

BD00443號背　勘記　（1–1）

…辟支佛者求
悔語其人言汝
等去道甚遠終不能得一切種智所以者何
汝是放逸之人於道懈怠故又亦不應戲論
諸法有所諍競當於一切衆生起大悲想於
諸如來起慈父想於諸菩薩起大師想於十
方諸大菩薩常應深心恭敬禮拜於一切衆
生平等說法以順法故不多不少乃至深愛
法者亦不爲多說文殊師利是菩薩摩訶薩
於後末世法欲滅時有成就是第三安樂行
者說是法時无能惱亂得好同學共讀誦
是經亦得大衆而來聽受聽已能持持已能
誦誦已能說說已能書若使人書供養經卷
敬尊重讚歎尒時世尊欲重宣此義而說
偈言
若欲說是經　當捨嫉恚慢　諂誑邪僞心　常脩質直行
不輕蔑於人　亦不戲論法　不令他疑悔　云汝不得佛
是佛子說法　常柔和能忍　慈悲於一切　不生懈怠心
十方大菩薩　愍衆故行道　應生恭敬心　是則我大師
於諸佛世尊　生无上父想　破於憍慢心　說法无障礙
第三法如是　智者應守護　一心安樂行　无量衆所敬
又文殊師利菩薩摩訶薩於後末世法欲滅
時有持是法華經者於在家出家人中生大
慈心於非菩薩人中生大悲心應作是念如是

BD00444號　妙法蓮華經卷五　（2–1）

是經亦得大衆而來聽受聽已能持持已能
誦誦已能說說已能書若使人書供養經卷
敬尊重讚歎尒時世尊欲重宣此義而說
偈言
若欲說是經　當捨嫉恚慢　諂誑邪僞心　常脩質直行
不輕蔑於人　亦不戲論法　不令他疑悔　云汝不得佛
是佛子說法　常柔和能忍　慈悲於一切　不生懈怠心
十方大菩薩　愍衆故行道　應生恭敬心　是則我大師
於諸佛世尊　生无上父想　破於憍慢心　說法无障礙
第三法如是　智者應守護　一心安樂行　无量衆所敬
又文殊師利菩薩摩訶薩於後末世法欲滅
時有持是法華經者於在家出家人中生大
慈心於非菩薩人中生大悲心應作是念如是
之人則為大失如來方便隨宜說法不聞不知不
覺不問不信不解其人雖不問不信不解是經
我得阿耨多羅三藐三菩提時隨在何地
以神通力智慧力引之令得住是法中文
殊師利是菩薩摩訶薩於如來滅後有成
就此第四法者說是法時无有過失常為比
丘比丘尼優婆塞優婆夷國王王子大臣人
民婆羅門居士等供養恭敬尊重讚歎虛空

BD00444 號　妙法蓮華經卷五　（2–2）

大般若波羅蜜多經卷第五百一十六
第三分空相品第廿一之二　三藏法師玄奘奉　詔譯
復次善現若菩薩摩訶薩深行般若波羅蜜
多設經殑伽沙等大劫布施三寶所謂佛寶法
寶僧寶於意云何是菩薩摩訶薩由此因
緣獲福多不善現荅言甚多世尊甚多善逝
其福無量無數無邊不可思議不可稱計佛
告善現如是如是若菩薩摩訶薩依深般若
波羅蜜多經一晝夜如說而學所獲功德甚多
於彼無量無邊何以故甚深般若波羅蜜多
是諸菩薩摩訶薩乘諸菩薩摩訶薩乘
此乘故速到無上正等菩提轉妙法輪度有情
衆復次善現若菩薩摩訶薩離深般若波羅蜜
多設經殑伽沙等大劫供養預流一來不還應供
獨覺菩提如來於意云何是菩薩摩訶薩由此
因緣獲福多不善現荅言甚多世尊甚多善逝其
福無量無數無邊不可思議不可稱計
佛告善現如是如是若菩薩摩訶薩依深
般若波羅蜜多經一晝夜如說而學所獲功德
甚多於彼無量無邊何以故諸菩薩摩訶薩行
深般若波羅蜜多超諸聲聞獨覺等地速入菩薩
正性離生漸次修行諸菩薩行疾證無上正等菩提轉
妙法輪度有情衆復次善現若菩薩摩訶薩離
深般若波羅蜜多設經殑伽沙等大劫精勤修
學布施淨戒安忍精進靜慮般若於意云何是
菩薩摩訶薩由此因緣獲福多不善現荅言甚多

BD00445 號 A　大般若波羅蜜多經卷五一六　（1–1）

BD00445號A背　雜寫　　（1–1）

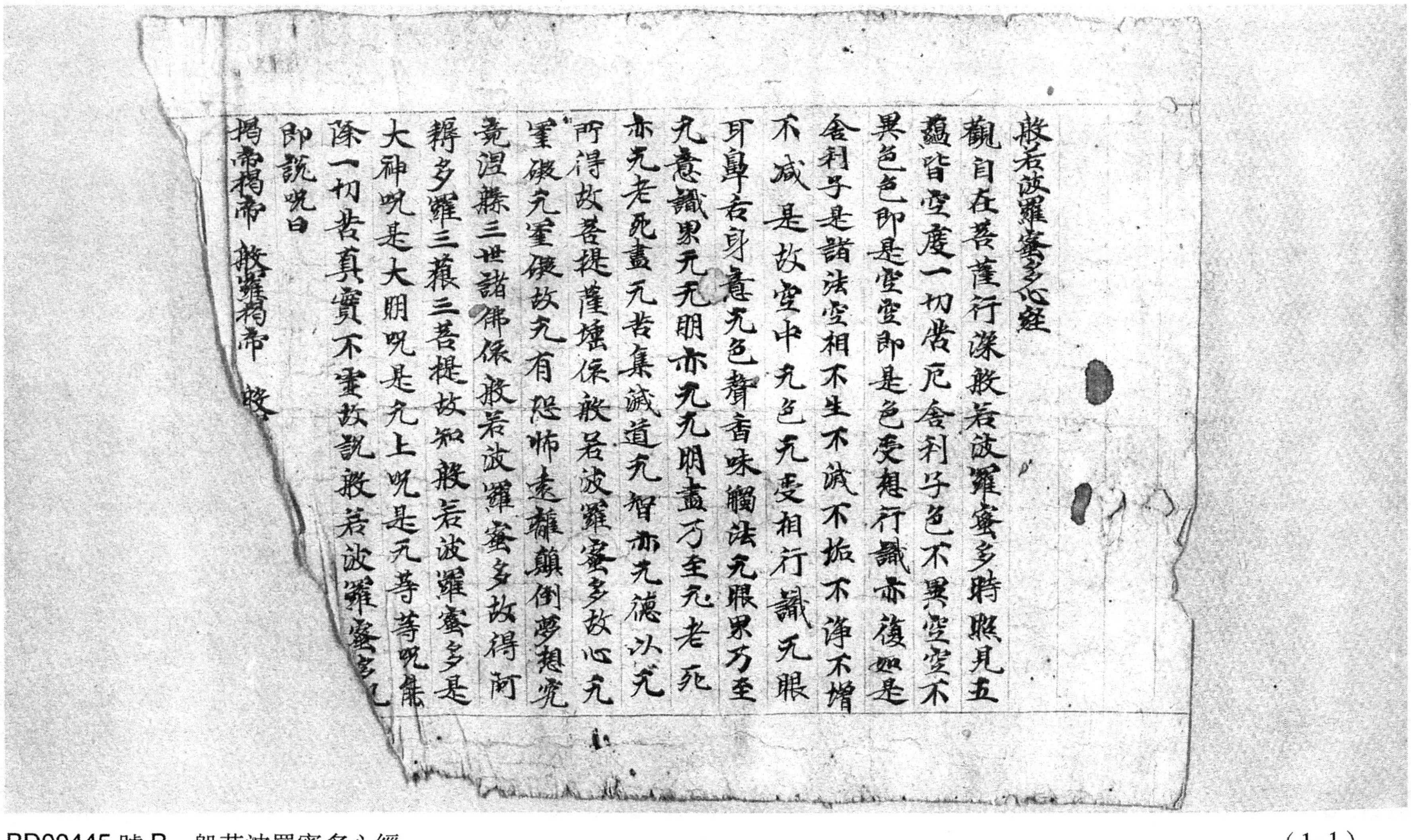

般若波羅蜜多心經

觀自在菩薩行深般若波羅蜜多時照見五

蘊皆空度一切苦厄舍利子色不異空空不

異色色即是空空即是色受想行識亦復如是

舍利子是諸法空相不生不滅不垢不淨不增

不減是故空中无色无受想行識无眼

耳鼻舌身意无色聲香味觸法无眼界乃至

无意識界无无明亦无无明盡乃至无老死

亦无老死盡无苦集滅道无智亦无得以无

所得故菩提薩埵依般若波羅蜜多故心无

罣礙无罣礙故无有恐怖遠離顛倒夢想究

竟涅槃三世諸佛依般若波羅蜜多故得阿

耨多羅三藐三菩提故知般若波羅蜜多是

大神呪是大明呪是无上呪是无等等呪能

除一切苦真實不虛故說般若波羅蜜多呪

即說呪曰

揭帝揭帝　般羅揭帝　般

BD00445號B　般若波羅蜜多心經　　（1–1）

在於生死不為汙行住於涅槃不永滅度是
菩薩行非凡夫行非賢聖行是菩薩行非垢
行非淨行是菩薩行雖過魔行而現降衆魔
是菩薩行求一切智无非時求是菩薩行雖
觀諸法不生而不入正位是菩薩行雖觀十
二緣起而入諸邪見是菩薩行雖攝一切衆
生而不愛著是菩薩行雖樂遠離而不依身
心盡是菩薩行雖行三界而不壞法性是菩
薩行雖行於空而殖衆德本是菩薩行雖行
无相而度衆生是菩薩行雖行无作而現受
身是菩薩行雖行无起而起諸善法是菩薩
行雖行六波羅蜜而遍知衆生心心數法是
菩薩行雖行六通而不盡漏是菩薩行雖行
四无量心而不貪著生於梵世是菩薩行雖
行禪定解脫三昧而不隨禪生是菩薩行雖
行四念處而不永離身受心法是菩薩行雖
行四正勤而不捨身心精進是菩薩行雖行
四如意足而得自在神通是菩薩行雖行五
根而分別衆生諸根利鈍是菩薩行雖行五
力而樂求佛十力是菩薩行雖行七覺分而
分別佛之智慧是菩薩行雖行八正道而樂
行无量佛道是菩薩行雖行止觀助道之法
而不畢竟墮於寂滅是菩薩行雖行諸法不
生不滅而以相好莊嚴其身是菩薩行雖現

BD00446號　維摩詰所說經卷中　（19–1）

而不畢竟墮於寂滅是菩薩行雖行諸法不
生不滅而以相好莊嚴其身是菩薩行雖現
聲聞辟支佛威儀而不捨佛法是菩薩行雖
隨諸法究竟淨相而隨所應為現其身是菩
薩行雖觀諸佛國土永寂如空而現種種清
淨佛土是菩薩行雖得佛道轉于法輪入於
涅槃而不捨於菩薩之道是菩薩行說是語
時文殊師利所將大衆其中八千天子皆發
阿耨多羅三藐三菩提心

維摩詰不思議品第六

介時舍利弗見此室中无有牀坐作是念斯
諸菩薩大弟子衆當於何坐長者維摩詰知
其意語舍利弗言云何仁者為法來耶求牀
坐耶舍利弗言我為法來非為牀坐維摩詰
言唯舍利弗夫求法者不貪軀命何況牀坐
夫求法者非有色受想行識之求非有界入
之求非有欲色无色之求唯舍利弗夫求法
者不著佛求不著法求不著衆求夫求法者
无見苦求无斷集求无造盡證修道之求所
以者何法无戲論若言我當見苦斷集證滅
修道是則戲論非求法也唯舍利弗法名寂
滅若行生滅是求生滅非求法也法名无染
若染於法乃至涅槃是則染著非求法也法
无行處若行於法是則行處非求法也法无
取捨若取捨法是則取捨非求法也法无處
所若著處所是則著處非求法也法名无相

BD00446號　維摩詰所說經卷中　（19–2）

无行處若行於法是則行處非求法也法无
取捨若取捨法是則取捨非求法也法无處
所若著處所是則著處非求法也法名无相
若隨相識是則求相非求法也法不可住若
住於法是則住法非求法也法不可見聞覺
知若行見聞覺知是則見聞覺知非求法也
法名无為若行有為是求有為非求法也是
故舍利弗若求法者於一切法應无所求說
是語時五百天子於諸法中得法眼淨
尒時長者維摩詰問文殊師利仁者游於无
量千萬億阿僧祇國何等佛土有好上妙功
德成就師子之座文殊師利言居士東方度三十
六恒河沙國有世界名須彌相其佛号須彌燈
王今現在彼佛身長八萬四千由旬其師子座
高八万四千由旬嚴飾第一於是長者維摩詰
現神通力即時彼佛遣三万二千師子座高廣
嚴淨來入維摩詰室諸菩薩大弟子釋梵四天
王等昔所未見其室廣博悉苞容受三万二千師
子座无所妨㝵於毗耶離城及閻浮提四天下亦不
迫迮悉見如故尒時維摩詰語文殊師利就師
子座與諸菩薩上人俱坐當自立身如彼坐像
其得神通菩薩即自變形為四万二千由旬坐師
子座諸新發意菩薩及大弟子皆不能昇尒時
維摩詰語舍利弗就師子坐舍利弗言居士此
座高廣吾不能昇維摩詰言唯舍利弗為須
彌燈王如來作礼乃可得坐於是新發意菩

BD00446號　維摩詰所說經卷中　(19–3)

座高廣吾不能昇維摩詰言唯舍利弗為須
彌燈王如來作礼乃可得坐於是新發意菩
薩及大弟子即為須彌燈王如來作礼便得
坐師子座舍利弗言居士未曾有也如是小
室乃容受此高廣之座於毗耶離城无所妨
㝵又於閻浮提聚落城邑及四天下諸天龍
王鬼神宮殿亦不迫迮維摩詰言唯舍利弗
諸佛菩薩有解脫名不可思議若菩薩住是
解脫者以須彌之高廣內芥子中无所增減
須彌山王本相如故而四天王忉利諸天不
覺不知己之所入唯應度者乃見須彌入芥
子中是名住不可思議解脫法門又以四大海
水入一毛孔不嬈魚鼈黿鼉水性之屬而彼
大海本相如故諸龍鬼神阿脩羅等不覺不
知己之所入於此衆生亦无所嬈又舍利弗
住不可思議解脫菩薩斷取三千大千世界
如陶家輪著右掌中擲過恒河沙世界之外
其中衆生不覺不知己之所往又復還置本
處都不使人有往來想而此世界本相如故
又舍利弗或有衆生樂久住世而可度者菩
薩即演七日以為一劫令彼衆生謂之一劫
或有衆生不樂久住而可度者菩薩即促一
劫以為七日令彼衆生謂之七日又舍利弗
住不可思議解脫菩薩以一切佛土嚴飾之
事集在一國示於衆生又菩薩以一佛土衆
生置之右掌飛到十方遍示一切而不動本

BD00446號　維摩詰所說經卷中　(19–4)

劫以爲七日令彼衆生謂之七日又舍利弗
住不可思議解脫菩薩以一切佛土嚴飾之
事集在一國示於衆生又菩薩以一佛土衆
生置之右掌飛到十方遍示一切而不動本
處又舍利弗十方衆生供養諸佛之具菩薩
於一毛孔皆令得見又十方國土所有日月
星宿於一毛孔普使見之又舍利弗十方世界
所有諸風菩薩悉能吸著口中而身无損外
諸樹木亦不摧折又十方世界劫盡燒時以
一切火内於腹中火事如故而不爲害又於
下方過恒河沙等諸佛世界取一佛土舉著
上方過恒河沙无數世界如持針鋒舉一棗
葉而无所嬈又舍利弗住不可思議解脫菩
薩能以神通現作佛身或現辟支佛身或
現聲聞身或現帝釋身或現梵王身或現世
主身或現轉輪王身又十方世界所有衆聲
上中下音皆能變之令作佛聲演出无常苦
空无我之音及十方諸佛所說種種之法皆
於其中普令得聞舍利弗我今略說菩薩不
可思議解脫之力若廣說者窮劫不盡是
時大迦葉聞說菩薩不可思議解脫法門歎未
曾有謂舍利弗譬如有人於盲者前現衆色
像非彼所見一切聲聞聞是不可思議解脫法
門不能解了爲若此也智者聞是其誰不發
阿耨多羅三藐三菩提心我等何爲永絕其
根於此大乘猶如敗種一切聲聞聞是不可
思議解脫法門皆應號泣聲震三千大千世

BD00446號　維摩詰所說經卷中　（19–5）

阿耨多羅三藐三菩提心我等何爲永絕其
根於此大乘猶如敗種一切聲聞聞是不可
思議解脫法門皆應號泣聲震三千大千世
界一切菩薩應大欣慶頂受此法若有菩薩
信解不可思議解脫法門者一切魔衆无如
之何大迦葉說是語時三萬二千天子皆發
阿耨多羅三藐三菩提心尒時維摩詰語大
迦葉仁者十方无量阿僧祇世界中作魔王
者多是住不可思議解脫菩薩以方便力教
化衆生現作魔王又迦葉十方无量菩薩或
有人從乞手足耳鼻頭目髓腦血肉皮骨聚
落城邑妻子奴婢象馬車乘金銀琉璃車渠
馬瑙珊瑚虎珀真珠珂貝衣服飲食如此乞
者多是住不可思議解脫菩薩以方便力而
往試之令其堅固所以者何住不可思議解
脫菩薩有威德力故行逼迫示諸衆生如是
難事凡夫下劣无有力勢不能如是逼迫菩
薩譬如龍象蹴蹋非驢所堪是名住不可思
議解脫菩薩智慧方便之門

維摩詰觀衆生品第七

尒時文殊師利問維摩詰言菩薩云何觀於
衆生維摩詰言譬如幻師見所幻人菩薩觀
衆生爲若此如智者見水中月如鏡中見其
面像如熱時焰如呼聲響如空中雲如水聚
沫如水上泡如芭蕉堅如電久住如第五大
如第六陰如第七情如十三入如十九界菩薩

BD00446號　維摩詰所說經卷中　（19–6）

衆生為若此如智者見水中月如鏡中見其
面像如熱時焰如呼聲響如空中雲如水聚
沫如水上泡如芭蕉堅如電久住如第五大
如第六陰如第七情如十三入如十九界菩薩
觀衆生為若此如无色界色如燋穀牙如
須陀洹身見如阿那含入胎如阿羅漢三毒如
得忍菩薩貪恚毀禁如佛煩惱習如盲者
見色如入滅盡定出入息如空中鳥跡如石
女兒如化人煩惱如夢所見已寤如滅度者
受身如无烟之火菩薩觀衆生為若此也
文殊師利言若菩薩作是觀者云何行慈維
摩詰言菩薩作是觀已自念我當為衆生
說如斯法是則真實慈也行寂滅慈无所生故
行不熱慈无煩惱故行等之慈等三世故行
无諍慈无所起故行不二慈内外不合故行
不壞慈畢竟盡故行堅固慈心无毀故行清
淨慈諸法性淨故行无邊慈如虚空故行阿
羅漢慈破結賊故行菩薩慈安衆生故行
如来慈得如相故行佛之慈覺衆生故行自
然慈无因得故行菩提慈等一味故行无等慈
斷諸愛故行大悲慈導以大乘故行无厭慈
觀空无我故行法施慈无遺惜故行持戒慈
化毀禁故行忍辱慈護彼我故行精進慈荷
負衆生故行禪定慈不受味故行智慧慈无不
知時故行方便慈一切示現故行无隱慈直
心清淨故行深心慈无雜行故行无誑慈不

負衆生故行禪定慈不受味故行智慧慈无不
知時故行方便慈一切示現故行无隱慈直
心清淨故行深心慈无雜行故行无誑慈不
虚假故行安樂慈令得佛樂故菩薩之慈
為若此也
文殊師利又問何謂為悲荅曰菩薩所作功
德皆與一切衆生共之何謂為喜荅曰有所
饒益歡喜无悔何謂為捨荅曰所作福祐无
所悕望文殊師利又問生死有畏菩薩當何
所依維摩詰言菩薩於生死畏中當依如来
功德之力文殊師利又問菩薩欲依如来功
德之力當依何住荅曰菩薩欲依如来功德
力者當住度脫一切衆生又問欲度衆生當
何所除荅曰欲度衆生除其煩惱又問欲除
煩惱當何所行荅曰當行正念又問云何行
於正念荅曰當行不生不滅又問何法不生
何法不滅荅曰不善不生善法不滅又問善
不善孰為本荅曰身為本又問身孰為本荅
曰貪欲為本又問貪欲孰為本荅曰虚妄分
別為本又問虚妄分別孰為本荅曰顛倒想
為本又問顛倒想孰為本荅曰无住為本又
問无住孰為本荅曰无住則无本文殊師利
從无住本立一切法
時維摩詰室有一天女見諸大人聞所說法
便現其身即以天華散諸菩薩大弟子上華
至諸菩薩即皆墮落至大弟子便著不墮一

時維摩詰室有一天女見諸大人聞所說法
便現其身即以天華散諸菩薩大弟子上華
至諸菩薩即皆墮落至大弟子便著不墮一
切弟子神力去華不能令去尒時天問舍利
弗何故去華荅曰此華不如法是以去之天
曰勿謂此華為不如法所以者何是華无所
分別仁者自生分別想耳若於佛法出家有
所分別為不如法若无所分別是則如法觀諸
菩薩華不著者以斷一切分別想故譬如人
畏時非人得其便如是弟子畏生死故色聲
香味觸得其便已離畏者一切五欲无能為
也結習未盡華著身耳結習盡者華不著
也舍利弗言天止此室其已久如荅曰我止此
室如耆年解脫舍利弗言止此久也天曰耆年
解脫亦何如久舍利弗嘿然不荅天曰如何
耆舊大智而嘿荅曰解脫者无所言說故
吾於是不知所云天曰言說文字皆解脫相
所以者何解脫者不內不外不在兩閒文字
亦不內不外不在兩閒是故舍利弗无離文
字說解脫也所以者何一切諸法是解脫相
舍利弗言不復以離婬怒癡為解脫乎天曰
佛為增上慢人說離婬怒癡為解脫耳若无
增上慢者佛說婬怒癡性即是解脫舍利弗
言善哉善哉天女汝何所得以何為證辯乃
如是天曰我无得无證故辯如是所以者何
若有得有證者則於佛法為增上慢

BD00446 號　維摩詰所說經卷中　（19–9）

言善哉善哉天女汝何所得以何為證辯乃
如是天曰我无得无證故辯如是所以者何
若有得有證者則於佛法為增上慢
舍利弗問天汝於三乘為何志求天曰以聲
聞法化眾生故我為聲聞以因緣法化眾生
故我為辟支佛以大悲法化眾生故我為大乘
舍利弗如人入瞻蔔林唯嗅瞻蔔不嗅餘香
如是若入此室但聞佛功德之香不樂聲聞
辟支佛功德香也舍利弗其釋梵四天王諸
天龍鬼神等入此室者聞斯上人講說正法
皆樂佛功德之香發心而出舍利弗吾止此
室十有二年初不聞說聲聞辟支佛法但聞
菩薩大慈大悲不可思議諸佛之法舍利弗
此室常現八未曾有難得之法何等為八此
室常以金色光照晝夜无異不以日月所照
為明是為一未曾有難得之法此室入者不
為諸垢之所惱也是為二未曾有難得之
法此室常有釋梵四天王他方菩薩來會不
絕是為三未曾有難得之法此室常說六波
羅蜜不退轉法是為四未曾有難得之法此
室常作天人第一之樂絃出无量法化之聲
是為五未曾有難得之法此室有四大藏眾
寶積滿周窮濟乏求得无盡是為六未曾有
難得之法此室釋迦牟尼佛阿彌陀佛阿閦
佛寶德寶炎寶月寶嚴難勝師子響一切利
成如是等十方无量諸佛是上人念時即皆

BD00446 號　維摩詰所說經卷中　（19–10）

佛寶德寶炎寶月寶嚴難勝師子響一切利
成如是等十方无量諸佛是上人念時即皆
為來廣說諸佛祕要法藏說已還去是為七
未曾有難得之法此室一切諸天嚴飾宮殿
諸佛淨土皆於中現是為八未曾有難得之
法舍利弗此室常現八未曾有難得之法誰
有見斯不思議事而復樂於聲聞法乎
舍利弗言汝何以不轉女身天曰我從十二年
來求女人相了不可得當何所轉譬如幻師
化作幻女若有人問何以不轉女身是人
為正問不舍利弗言不也幻无定相當何所
轉天曰一切諸法亦復如是无有定相云何
乃問不轉女身即時天女以神通力變舍利
弗令如天女天自化身如舍利弗而問言何
以不轉女身舍利弗以天女像而荅言我今
不知何轉而變為女身天曰舍利弗若能轉
此女身則一切女人亦當能轉如舍利弗非
女而現女身一切女人亦復如是雖現女身
而非女也是故佛說一切諸法非男非女即
時天女還攝神力舍利弗身還復如故天問
舍利弗女身色相今何所在舍利弗言女身
色相无在无不在天曰一切諸法亦復如是
无在无不在夫无在无不在者佛所說也舍
利弗問天汝於此沒當生何所天曰佛化所
生吾如彼生曰佛化所生非沒生也天曰眾
生猶然无沒生也舍利弗問天汝久如當得

BD00446號　維摩詰所說經卷中　（19–11）

无在无不在夫无在无不在者佛所說也舍
利弗問天汝於此沒當生何所天曰佛化所
生吾如彼生曰佛化所生非沒生也天曰眾
生猶然无沒生也舍利弗問天汝久如當得
阿耨多羅　三藐三菩提天曰如舍利弗還為
凡夫我乃當成阿耨多羅三藐三菩提舍利
弗言我作凡夫无有是處天曰我得阿耨多
羅三藐三菩提亦无是處所以者何菩提无
住處是故无有得者舍利弗言今諸佛得阿
耨多羅三藐三菩提已得當得如恒河沙皆
謂何乎天曰皆以世俗文字數故說有三世
非謂菩提有去來今天曰舍利弗汝得阿羅
漢道耶曰无所得故而得天曰諸佛菩薩亦
復如是无所得故而得尒時維摩詰語舍利
弗是天女已曾供養九十二億佛已能遊戲
菩薩神通所願具足得无生忍住不退轉以
本願故隨意能現教化眾生

維摩詰佛道品第八

尒時文殊師利問維摩詰言菩薩云何通
達佛道維摩詰言若菩薩行於非道是為通
達佛道又問云何菩薩行於非道荅曰若菩薩
行五无間而无惱恚至于地獄无諸罪垢至
于畜生无有无明憍慢等過至于餓鬼而具
足功德行色无色界道不以為勝示行貪欲
離諸染著示行瞋恚於諸眾生无有恚閡示
行愚癡而以智慧調伏其心示行慳貪而捨

BD00446號　維摩詰所說經卷中　（19–12）

足功德行色无色界道不以為勝示行貪欲
離諸染著示行瞋恚於諸衆生无有恚閡示
行愚癡而以智慧調伏其心示行慳貪而捨
内外所有不惜身命示行毁禁而安住淨戒
乃至小罪猶懷大懼示行瞋恚而常慈忍示
行懈怠而勤修功德示行亂意而常念定示
行愚癡而通達世間出世間慧示行諂偽而
善方便隨諸經義示行憍慢而於衆生猶如
橋梁示行諸煩惱而心常清淨示入於魔而
順佛智慧不隨他教示入聲聞而為衆生說
未聞法示入辟支佛而成就大悲教化衆生
示入　　有寶手功德无盡示入形殘而
具　　莊嚴示入下賤而生佛種性
中具諸功德示入羸劣醜陋而得那羅延身
一切衆生之所樂見示入老病而永斷病根超
越死畏示有資生而恒觀无常實无所貪
示有　　常遠離五欲淤泥現於訥
鈍而成就辯才總持无失示入邪濟而以正
濟度諸衆生現遍入諸道而斷其因緣現於
涅槃而不斷生死文殊師利菩薩能如是
行於非道是為通達佛道
詰問文殊師利何等為如來種文
利言有身為種无明有愛為種貪恚癡
為種四顛倒為種五蓋為種六入為種七識
處為種八邪法為種九惱處為種十不善道
為種以要言之六十二見及一切煩惱皆是佛

利言有身為種无明有愛為種貪恚癡
為種四顛倒為種五蓋為種六入為種七識
處為種八邪法為種九惱處為種十不善道
為種以要言之六十二見及一切煩惱皆是佛
種曰何謂也答曰若見无為入正位者不
能復發阿耨多羅三藐三菩提心譬如高原
陸地不生蓮華卑濕淤泥乃生此華如是見
无為法入正位者終不復能生於佛法煩惱
泥中乃有衆生起佛法耳又如殖種於空終
不得生糞壤之地乃能滋茂如是入无為正
位者不生佛法起於我見如須彌山猶能發
于阿耨多羅三藐三菩提心生佛法矣是故當
知一切煩惱為如來種譬如不下巨海不能
得无價寶珠不入煩惱大海則不能得
一切智寶
尒時大迦葉歎言善哉善哉文殊師利快說
此語誠如所言塵勞之疇為如來種我等今
者不復堪任發阿耨多羅三藐三菩提心乃
至五无間罪猶能發意生於佛法而今我等
永不能發譬如根敗之士其於五欲不能復
利如是聲聞諸結斷者於佛法中无所復益
永不志願是故文殊師利凡夫於佛法有反
復而聲聞无也所以者何凡夫聞佛法能起
无上道心不斷三寶正使聲聞終身聞佛法
力无畏等永不能發无上道意尒時會中
有菩薩名普現色身問維摩詰言居士父母
妻子親戚眷屬吏民知識悉為是誰奴婢僮

復而聲聞无也所以者何凡夫聞佛法能起
无上道心不斷三寶正使聲聞終身聞佛法
力无畏等永不能發无上道意尒時會中
有菩薩名普現色身問維摩詰言居士父母
妻子親戚眷屬吏民知識悉為是誰奴婢僮
僕象馬車乘皆何所在於是維摩詰以偈答曰
智度菩薩母　方便以為父　一切衆導師　无不由是生
法喜以為妻　慈悲心為女　善心誠實男　畢竟空寂舍
弟子衆塵勞　隨意之所轉　道品善知識　由是成正覺
諸度法等侶　四攝為伎女　歌詠誦法言　以此為音樂
總持之園苑　无漏法林樹　覺意淨妙華　解脫智慧菓
八解之浴池　定水湛然滿　布以七淨華　浴此无垢人
象馬五通馳　大乘以為車　調御以一心　遊於八正路
相具以嚴容　衆好飾其姿　慚愧之上服　深心為華鬘
富有七財寶　教授以滋息　如所說修行　迴向為大利
四禪為牀座　從於淨命生　多聞增智慧　以為自覺音
甘露法之食　解脫味為漿　淨心以澡浴　戒品為塗香
摧滅煩惱賊　勇健无能踰　降伏四種魔　勝幡建道場
雖知无起滅　示彼故有生　悉現諸國土　如日无不現
供養於十方　无量億如來　諸佛及己身　无有分別想
雖知諸佛國　及與衆生空　而常修淨土　教化於群生
諸有衆生類　形聲及威儀　无畏力菩薩　一時能盡現
覺知衆魔事　而示隨其行　以善方便智　隨意皆能現
或示老病死　成就諸群生　了知如幻化　通達无有閡
或現劫燒盡　天地皆洞然　衆人有常想　照令知无常
无數億衆生　俱來請菩薩　一時到其舍　化令向佛道

覺知衆魔事　而示隨其行　以善方便智　隨意皆能現
或示老病死　成就諸群生　了知如幻化　通達无有閡
或現劫燒盡　天地皆洞然　衆人有常想　照令知无常
无數億衆生　俱來請菩薩　一時到其舍　化令向佛道
經書禁呪術　工巧諸伎藝　盡現行此事　饒益諸群生
世間衆道法　悉於中出家　因以解人惑　而不墮邪見
或作日月天　梵王世界主　或時作地水　或復作風火
劫中有疾疫　現作諸藥草　若有服之者　除病消衆毒
劫中有飢饉　現身作飲食　先救彼飢渴　却以法語人
劫中有刀兵　為之起慈悲　化彼諸衆生　令住无諍地
若有大戰陣　立之以等力　菩薩現威勢　降伏使和安
一切國土中　諸有地獄處　輒往到于彼　勉濟其苦惱
一切國土中　畜生相食噉　皆現生於彼　為之作利益
示受於五欲　亦復現行禪　令魔心憒亂　不能得其便
火中生蓮華　是可謂希有　在欲而行禪　希有亦如是
或現作婬女　引諸好色者　先以欲鉤牽　後令入佛智
或為邑中主　或作商人導　國師及大臣　以祐利衆生
諸有貧窮者　現作无盡藏　因以勸導之　令發菩提心
我心憍慢者　為現大力士　消伏諸貢高　令住佛上道
其有恐懼衆　居前而慰安　先施以无畏　後令發道心
或現離婬欲　為五通仙人　開導諸群生　令住戒忍慈
見須供事者　現為作僮僕　既悅可其意　乃發以道心
隨彼之所須　得入於佛道　以善方便力　皆能給足之
如是道无量　所行无有涯　智慧无邊際　度脫无數衆
假令一切佛　於无數億劫　讚歎其功德　猶尚不能盡
誰聞如此法　不發菩提心　除彼不肖人　癡冥无智者
維摩詰入不二法門品第九

假令一切佛　於无數億劫　讃嘆其功德　猶上不能盡
誰聞如此法　不發菩提心　除彼不肖人　癡冥无智者
維摩詰入不二法門品第九
尒時維摩詰謂衆菩薩言諸仁者云何菩薩
入不二法門各隨所樂說之會中有菩薩名
法自在說言諸仁者生滅為二法本不生今
則无滅得此无生法忍是為入不二法門
德首菩薩曰我我所為二因有我故便有我
所若无有我則无我所是為入不二法門
不眴菩薩曰受不受為二若法不受則不可
得以不可得故无取无捨无作无行是為
入不二法門
德頂菩薩曰垢淨為二見垢實性則无淨相
順於滅相是為入不二法門
善宿菩薩曰是動是念為二不動則无念无
念即无分別通達此者是為入不二法門
善眼菩薩曰一相无相為二若知一相即是无
相亦不取无相入於平等是為入不二法
門
妙臂菩薩曰菩薩心聲聞心為二觀心相空
如幻化者无菩薩心无聲聞心是為入不二
法門
弗沙菩薩曰善不善為二若不起善不善入
无相際而通達者是為入不二法門
師子菩薩曰罪福為二若達罪性則與福无
異以金剛慧決了此相无縛无解者是為入

BD00446號　維摩詰所說經卷中　（19–17）

无相際而通達者是為入不二法門
師子菩薩曰罪福為二若達罪性則與福无
異以金剛慧決了此相无縛无解者是為入
不二法門
師子意菩薩曰有漏无漏為二若得諸法等
則不起漏不漏想不著於相亦不住无相是
為入不二法門
淨解菩薩曰有為无為為二若離一切數則
心如虛空以清淨慧无所閡者是為入不二
法門
那羅延菩薩曰世間出世間為二世間性空
即是出世間於其中不入不出不溢不散是
為入不二法門
善意菩薩曰生死涅槃為二若見生死性
則无生死无縛无解不然不滅如是解者是
為入不二法門
現見菩薩曰盡不盡為二法若究竟盡若不
盡皆是无盡相无盡相即是空空則无有盡
不盡相如是入者是為入不二法門
普守菩薩曰我无我為二我尚不可得非我
何可得見我實性者不復起二是為入不二
法門
電天菩薩曰明无明為二无明實性即是明
明亦不可取離一切數於其中平等无二者是
為入不二法門
喜見菩薩曰色色空為二色則是空非色滅
空色性自空如是受想行識識空為二識即

BD00446號　維摩詰所說經卷中　（19–18）

善意菩薩曰生死涅槃為二若見生死性
則无生死无縛无解不然不滅如是解者是
為入不二法門
現見菩薩曰盡不盡為二法若究竟盡若不
盡皆是无盡相无盡相即是空空則无有盡
不盡相如是入者是為入不二法門
普守菩薩曰我无我為二我尚不可得非我
何可得見我實性者不復起二是為入不二
法門
電天菩薩曰明无明為二无明實性即是明
明亦不可取離一切數於其中平等无二者是
為入不二法門
喜見菩薩曰色色空為二色則是空非色滅
空色性自空如是受想行識識空為二識即
是空非識滅空識性自空於其中而通達者
是為入不二法門
明相菩薩曰四種異空種異為二四種性即
是空種性如前際後際空故中際亦空若能
如是知諸種性者是為入不二法門

BD00446 號　維摩詰所說經卷中　（19–19）

大方廣華嚴十惡經
大覺世尊將欲涅槃
為諸衆生除諸病苦
切衆生在於世界分[illegible]
生樂為苦佛告迦葉
法要何以故譬如有
禱心念大乘常不放[illegible]
空山迥野有慈懼之心心[illegible]
譬如有人繫在獄中枷杻著[illegible]
不放捨譬如有人貧窮衣不蓋形食不充口
心念大乘常不放捨如是之人是真菩薩則
非凡夫諸善男子譬如國王統領國事多饒
金銀真珠摩瑙車磲馬瑙珊瑚虎珀琉璃寶瓔
珞不念大乘死入地獄譬如凡夫在於世界多
饒奴婢為馬牛羊繒帛疋布大小穀豆皆以
具足不念大乘死入地獄是故今日生苦為
衆生樂為苦
迦葉菩薩白佛言世尊實如聖教實如聖
教迦葉菩薩白佛言世尊何者為善佛告迦
葉一切衆生若脩善根一者不害衆生二者
不行放逸三者不飲酒四者不食肉五者常
行[illegible]如是[illegible]不[illegible]善[illegible]迦葉菩薩白佛

BD00447 號　大方廣華嚴十惡品經　（4–1）

業一切衆生若脩善根一者不害衆生二者
不行放逸三者不飲酒四者不食肉五者常
行大慈如是二人不斷善根迦葉菩薩白佛
言世尊如佛所説受佛教者不聽飲酒佛告
迦葉善哉善哉汝解我意一切衆生不飲酒
者是我真子則非凡夫善男子飲酒者或
君不識臣或臣不識君或子不識父或父不識
子或弟不識兄或兄不識弟或姊不識妹或
妹不識姊或妻不識夫或夫不識妻或師不
識弟子或弟子不識師或不識内外眷屬善
男子現前顛倒何况未來善男子一切衆生
不食酒肉者得阿耨多羅三藐三菩提心
尒時世尊告諸大衆言善男子汝好諦聽諦
聽舍婆提國有吉縣陁女爲人沽酒斂㧛
落在井中八万羅漢圍遶井住汲水飲之
即便昏醉不識如來尒時如來爲諸羅漢
演説法要是諸羅漢既聞法已酒便得醒
未至佛所白佛言世尊我今脩道得四道果
何故今日不識如來佛告諸善男子舍婆
提國有吉縣陁女爲人沽酒斂㧛落在井中汝
今飲水以便昏醉我今爲汝除却顛倒汝今
見我汝生惡心吉縣陁女爲人受苦墮鋸牀
地獄鋸此女身作其百段吹令微塵還復聚
合受形訖竟身長三尺顏色青黑頭上無
毛兩耳閉塞復無兩目亦無鼻孔下脣塞口

合受形訖竟身長三尺顏色青黑頭上無
毛兩耳閉塞復無兩目亦無鼻孔下脣塞口
手無十指脚無兩足皆由沽酒豈况飲酒之人
雖先飲酒又乃發路心生重悔如慚愧又莫
更飲譬如有人身遇重病乃值良師賣藥
塗之曰藥得差懺悔之人亦復如是心生重
悔又莫更作得發阿耨多羅三藐三菩提
尒時世尊告諸大衆言比丘比丘尼優婆塞
優婆夷若受五戒者若受二百五十戒者若
受威儀具足者若受戒者不聽飲酒者犯
波羅提木叉羅比丘比丘尼若犯此者即入
地獄若凡夫人犯突吉羅八万劫中入於地
獄迦葉菩薩白佛言世尊酒亦無命如來何
故試酒爲苦佛告迦葉舍婆提國有安巠摩
羅飲酒醉亂婬犯其母煞害其父母復與外
人共通持刀害之是故今日試酒爲苦尒時
世尊告迦葉菩薩言佛子我試諸白衣及出
家等受我戒者不聽酤酒與人不聽到酒家
不聽強勸人酒不聽共人麴釀聲聞弟子亦
復如是菩薩摩訶薩制心聲聞制形善男子
不聽酤酒與比丘若與者五百世無臂共比丘
麴釀五百世耳聵耳聽隔絶常不聞勿聲語
比丘酒家者五百世爲啞口不能語強勸比丘
酒者隨截膝地獄縱廣八万由旬縱廣正等
其中力士其數五百造其刀劍截其兩膝強

比丘酒家者五百世爲啞口不能語强勸比丘
酒者隨截膝地獄縱廣八万由旬縱廣正等
其中力士其數五百造其刀劒截其兩膝强
勸比丘酒者亦復如是
迦葉菩薩白佛言世尊食肉者得何等罪佛
告迦葉善哉善哉一切衆生不食肉者是吾
遺腹子則非凡夫善男子一切衆生若受大
乘大般涅槃善男子一切衆生若住一劫不聽
食肉若食肉者即食父母眷屬肉迦葉菩薩
白佛言世尊食肉者隨何處地獄佛告迦葉
食肉者隨阿鼻地獄縱廣正等八万由旬四
方有門一一門外各有猛火東西南北交過
通徹周迊鐵墻鐵網鐵枷鐵杻鐵銜鐵械上火
徹下下火徹上弥覆其地赤鐵監食肉之人
入此地獄受其大苦心生重悔而懷慙愧
又莫更食由如濁水置之明珠以珠威力水
即爲清如煙雲除月則清明作惡能悔亦復如是
佛告迦葉一切衆生食肉者斷大慈種不食

BD00447 號　大方廣華嚴十惡品經　　（4–4）

來白王言我有
當爲宣說王聞仙言歡喜
給所須採菓汲水拾薪
牀座身心無倦于時奉事
故精勤給侍令無所乏尒時
義而說偈言
我念過去劫　爲求大法故　雖作世國王
椎鍾告四方　誰有大法者　若爲我解
時有阿私仙　來白於大王　我有微
能修行者　吾當爲汝說　時王聞仙
即便隨仙人　供給於所須　採薪及菓蓏　隨時恭敬与
情存妙法故　身心無懈惓　普爲諸衆生　勤求於大法
亦不爲己身　及以五欲樂　故爲大國王　勤求獲此法
遂致得成佛　今故爲汝說
佛告諸比丘尒時王者則我身是時仙人者
今提婆達多是由提婆達多善知識故令我
具足六波羅蜜慈悲喜捨三十二相八十種
好紫磨金色十力四無所畏四攝法十八不
共神通道力成等正覺廣度衆生皆因提婆
達多善知識故告諸四衆提婆達多却後過
無量劫當得成佛号曰天王如來應供正遍
知明行足善逝世間解無上士調御丈夫天
人師佛世尊世界名天道時天王佛住世二
十中劫廣爲衆生說於妙法恒河沙衆生得

BD00448 號　妙法蓮華經（八卷本）卷五　　（23–1）

無量劫當得成佛号曰天王如来應供正遍
知明行足善逝世間解無上士調御丈夫天
人師佛世尊世界名天道時天王佛住世二
十中劫廣為衆生說於妙法恒河沙衆生得
阿羅漢果無量衆生發緣覺心恒河沙衆生
發無上道心得無生法忍至不退轉時天王
佛般涅槃後正法住世二十中劫全身舍利
起七寶塔高六十由旬縱廣四十由旬諸天
人民悉以雜華末香燒香塗香衣服瓔珞幢
幡寶蓋伎樂歌頌礼拜供養七寶妙塔無量
衆生得阿羅漢果無量衆生悟辟支佛不可
思議衆生發菩提心至不退轉佛告諸比丘未
来世中若有善男子善女人聞妙法華經提
婆達多品淨心信敬不生疑惑者不墮地獄
餓鬼畜生生十方佛前所生之處常聞此經
若生人天中受勝妙樂若在佛前蓮華化生
於時下方多寶世尊所從菩薩名曰智積白
多寶佛當還本土釋迦牟尼佛告智積曰善
男子且待須臾此有菩薩名文殊師利可與
相見論說妙法可還本土尒時文殊師利坐
千葉蓮華大如車輪俱来菩薩亦坐寶蓮華
於大海娑竭羅龍宮自然踊出住虛空中詣
靈鷲山從蓮華下至於佛所頭面敬礼二世尊
足脩敬已畢往智積所共相慰問却坐一面
智積菩薩問文殊師利仁往龍宮所化衆生
其數幾何文殊師利言其數無量不可稱計

BD00448號　妙法蓮華經（八卷本）卷五　　（23–2）

足脩敬已畢往智積所共相慰問却坐一面
智積菩薩問文殊師利仁往龍宮所化衆生
其數幾何文殊師利言其數無量不可稱計

非口所宣非心所測且待須臾自當有證所
言未竟無數菩薩坐寶蓮華從海踊出詣靈
鷲山住在虛空此諸菩薩皆是文殊師利之
所化度具菩薩行皆共論說六波羅蜜本聲
聞人在虛空中說聲聞行今皆脩行大乘空
義文殊師利謂智積曰於海教化其事如是
尒時智積菩薩以偈讚曰

大智德勇健　化度無量衆　今此諸大會　及我皆已見
演暢實相義　開闡一乘法　廣度諸衆生　令速成菩提

文殊師利言我於海中唯常宣說妙法華經
智積問文殊師利言此經甚深微妙諸經中
寶世所希有頗有衆生勤加精進脩行此經
速得佛不文殊師利言有娑竭羅龍王女年
始八歲智慧利根善知衆生諸根行業得陁
羅尼諸佛所說甚深秘藏悉能受持深入禪
定了達諸法於刹那頃發菩提心得不退轉
辯才無礙慈念衆生猶如赤子功德具足心
念口演微妙廣大慈悲仁讓志意和雅能至
菩提智積菩薩言我見釋迦如来於無量劫
難行苦行積功累德求菩提道未曾止息觀
三千大千世界乃至無有如芥子許無非菩
薩捨身命處為衆生故然後乃得成菩提道
不信此女於須臾頃便成正覺言論未訖時

BD00448號　妙法蓮華經（八卷本）卷五　　（23–3）

不信此女於須臾頃便成正覺言論未訖時
龍王女忽現於前頭面礼敬却住一面以偈
讚曰
深達罪福相　遍照於十方　微妙淨法身　具相三十二
以八十種好　用莊嚴法身　天人所戴仰　龍神咸恭敬
一切衆生類　無不宗奉者　又聞成菩提　唯佛當證知
我闡大乘教　度脫苦衆生
時舍利弗語龍女言汝謂不久得無上道是
事難信所以者何女身垢穢非是法器云何
能得無上菩提佛道懸曠經無量劫勤苦積
行具修諸度然後乃成又女人身猶有五障
一者不得作梵天王二者帝釋三者魔王四者
轉輪聖王五者佛身云何女身速得成佛
尒時龍女有一寶珠價直三千大千世界持
以上佛佛即受之龍女謂智積菩薩尊者舍
利弗言我獻寶珠世尊納受是事疾不荅
言甚疾女言以汝神力觀我成佛復速於此
當時衆會皆見龍女忽然之間變成男子具
菩薩行即往南方無垢世界坐寶蓮華成等
正覺三十二相八十種好普為十方一切衆
生演說妙法尒時娑婆世界菩薩聲聞天龍
八部人與非人皆遙見彼龍女成佛普為時
會人天說法心大歡喜悉遙敬礼無量衆生
聞法解悟得不退轉無量衆生得受道記無
垢世界六反震動娑婆世界三千衆生住不
退地三千衆生發菩提心而得受記智積菩

BD00448 號　妙法蓮華經（八卷本）卷五　（23–4）

聞法解悟得不退轉無量衆生得受道記無
垢世界六反震動娑婆世界三千衆生住不
退地三千衆生發菩提心而得受記智積菩
薩及舍利弗一切衆會默然信受
妙法蓮華經勸持品第十三
尒時藥王菩薩摩訶薩及大樂說菩薩摩訶
薩與二萬菩薩眷屬俱皆於佛前作是誓言
唯願世尊不以為慮我等於佛滅後當奉持
讀誦說此經典後惡世衆生善根轉少多增
上慢貪利供養增不善根遠離解脫雖難可
教化我等當起大忍力讀誦此經持說書寫
種種供養不惜身命尒時衆中五百阿羅漢
得受記者白佛言世尊我等亦自誓願於異
國土廣說此經復有學無學八千人得受記
者從座而起合掌向佛作是誓言世尊我等
亦當於他國土廣說此經所以者何是娑婆
國中人多弊惡懷增上慢功德淺薄瞋濁諂
曲心不實故尒時佛姨母摩訶波闍波提比
丘尼與學無學比丘尼六千人俱從座而起
一心合掌瞻仰尊顏目不暫捨於時世尊告
憍曇弥何故憂色而視如來汝心將無謂我
不說汝名得受阿耨多羅三藐三菩提記耶
憍曇弥我先摠說一切聲聞皆已授記今汝
欲知記者將來之世當於六萬八千億諸佛
法中為大法師及六千學無學比丘尼俱為
法師汝如是漸漸具菩薩道當得作佛号一
切衆生憙見如來應供正遍知明行足善逝

BD00448 號　妙法蓮華經（八卷本）卷五　（23–5）

法中為大法師及六千學無學比丘尼俱為
法師汝如是漸漸具菩薩道當得作佛号一
切衆生喜見如來應供正遍知明行足善逝
世間解無上士調御丈夫天人師佛世尊憍
曇弥是一切衆生喜見佛及六千菩薩轉次
授記得阿耨多羅三藐三菩提尒時羅睺羅
母耶輸陁羅比丘尼作是念世尊於授記中獨
不説我名佛告耶輸陁羅汝於來世百千萬
億諸佛法中修菩薩行為大法師漸具佛道
於善國中當得作佛号具足千萬光相如來
應供正遍知明行足善逝世間解無上士調
御丈夫天人師佛世尊佛壽無量阿僧祇劫
尒時摩訶波闍波提比丘尼及耶輸陁羅比
丘尼并其眷屬皆大歡喜得未曾有即於佛
前而説偈言
世尊導師　安隱天人　我等聞記　心安具足
諸比丘尼説是偈已白佛言世尊我等亦能
於他方國土廣宣此經尒時世尊視八十萬
億那由他諸菩薩摩訶薩是諸菩薩皆是阿
惟越致轉不退法輪得諸陁羅尼即從座起
至於佛前一心合掌而作是念若世尊告勅
我等持説此經者當如佛教廣宣斯法復作
是念佛今默然不見告勅我當云何時諸菩
薩敬順佛意并欲自滿本願便於佛前作師
子吼而發誓言世尊我等於如來滅後周旋
往反十方世界能令衆生書寫此經受持讀誦
解説其義如法脩行正憶念皆是佛之威力

子吼而發誓言世尊我等於如來滅後周旋
往反十方世界能令衆生書寫此經受持讀誦
解説其義如法脩行正憶念皆是佛之威力
惟願世尊在於他方遥見守護即時諸菩
薩俱同發聲而説偈言
惟願不為慮　於佛滅度後　恐怖惡世中　我等當廣説
有諸無智人　惡口罵詈等　及加刀杖者　我等皆當忍
惡世中比丘　邪智心諂曲　未得謂為得　我慢心充滿
或有阿練若　納衣在空閑　自謂行真道　輕賤人間者
貪著利養故　與白衣説法　為世所恭敬　如六通羅漢
是人懷惡心　常念世俗事　假名阿練若　好出我等過
而作如是言　此諸比丘等　為貪利養故　説外道論議
自作此經典　誑惑世間人　為求名聞故　分別於是經
常在大衆中　欲毀我等故　向國王大臣　婆羅門居士
及餘比丘衆　誹謗説我惡　謂是邪見人　説外道論議
我等敬佛故　悉忍是諸惡　為斯所輕言　汝等皆是佛
如此輕慢言　皆當忍受之　濁劫惡世中　多有諸恐怖
惡鬼入其身　罵詈毀辱我　我等敬信佛　當著忍辱鎧
為説是經故　忍此諸難事　我不愛身命　但惜無上道
我等於來世　護持佛所囑　世尊自當知　濁世惡比丘
不知佛方便　隨宜所説法　惡口而顰蹙　數數見擯出
遠離於塔寺　如是等衆惡　念佛告勅故　皆當忍是事
諸聚落城邑　其有求法者　我皆到其所　説佛所囑法
我是世尊使　處衆無所畏　我當善説法　願佛安隱住
我於世尊前　諸來十方佛　發如是誓言　佛自知我心
妙法蓮華經安樂行品第十四
尒時文殊師利法王子菩薩摩訶薩白佛言

我是世尊使 處衆無所畏 我當善說法 願佛安隱住
我於世尊前 諸來十方佛 發如是誓言 佛自知我心

妙法蓮華經安樂行品第十四

尒時文殊師利法王子菩薩摩訶薩白佛言
世尊是諸菩薩甚爲難有敬順佛故發大誓
願於後惡世護持讀誦是法華經世尊菩薩
摩訶薩於後惡世云何能說是經佛告文殊
師利若菩薩摩訶薩於後惡世欲說是經當
安住四法一者安住菩薩行處親近處能爲
衆生演說是經文殊師利云何名菩薩摩訶
薩行處若菩薩摩訶薩住忍辱地柔和善順
而不卒暴心亦不驚又復於法無所行而觀
諸法如實相亦不行不分別是名菩薩摩訶
薩行處云何名菩薩摩訶薩親近處菩薩
摩訶薩不親近國王王子大臣官長不親近
諸外道梵志尼揵子等及造世俗文筆讚詠
外書及路伽耶陁逆路伽耶陁者亦不親近諸
有凶戲相扠相撲及那羅等種種變現之
戲又不親近旃陁羅及畜猪羊雞狗畋獵漁
捕諸惡律儀如是人等或時來者則爲說法
無所悕望又不親近求聲聞比丘比丘尼優
婆塞優婆夷亦不問訊若於房中若經行處
若在講堂中不共住止或時來者隨宜說法
無所希求文殊師利又菩薩摩訶薩不應
於女人身取能生欲想相而爲說法亦不樂見若
入他家不與小女處女寡女等共語亦復不近
五種不男之人以爲親厚不獨入他家若

BD00448號 妙法蓮華經（八卷本）卷五 （23–8）

無所希求文殊師利又菩薩摩訶薩不應
於女人身取能生欲想相而爲說法亦不樂見若
入他家不與小女處女寡女等共語亦復不近
五種不男之人以爲親厚不獨入他家若
有因緣須獨入時但一心念佛若爲女人說
法不露齒笑不現胷臆乃至爲法猶不親
厚況復餘事不樂畜年少弟子沙弥小兒亦
不樂與同師常好坐禪在於閑處脩攝其心
文殊師利是名初親近處復次菩薩摩訶薩
觀一切法空如實相不顛倒不動不退不轉
如虛空無所有性一切語言道斷不生不出
不起無名無相實無所有無量無邊無礙無
障但以因緣有從顛倒生故說常樂觀如是
法相是名菩薩摩訶薩第二親近處尒時世
尊欲重宣此義而說偈言

若有菩薩 於後惡世 無怖畏心 欲說是經
應入行處 及親近處 常離國王 及國王子
大臣官長 凶險戲者 及旃陁羅 外道梵志
亦不親近 增上慢人 貪著小乘 三藏學者
破戒比丘 名字羅漢 及比丘尼 好戲笑者
深著五欲 求現滅度 諸優婆夷 皆勿親近
若是人等 以好心來 到菩薩所 爲聞佛道
菩薩則以 無所畏心 不懷悕望 而爲說法
寡女處女 及諸不男 皆勿親近 以爲親厚
亦莫親近 屠兒魁膾 畋獵漁捕 爲利殺害
販肉自活 衒賣女色 如是之人 皆勿親近
凶險相撲 種種嬉戲 諸婬女等 盡勿親近

BD00448號 妙法蓮華經（八卷本）卷五 （23–9）

販肉自活 衒賣女色 如是之人 皆勿親近
凶險相撲 種種嬉戲 諸婬女等 盡勿親近
莫獨屏處 為女說法 若說法時 無得戲笑
入里乞食 將一比丘 若無比丘 一心念佛
是則名為 行處近處 以此二處 能安樂說
又復不行 上中下法 有為無為 實不實法
亦不分別 是男是女 不得諸法 不知不見
是則名為 菩薩行處 一切諸法 空無所有
無有常住 亦無起滅 是名智者 所親近處
顛倒分別 諸法有無 是實非實 是生非生
在於閑處 修攝其心 安住不動 如須弥山
觀一切法 皆無所有 猶如虛空 無有堅固
不生不出 不動不退 常住一相 是名近處
若有比丘 於我滅後 入是行處 及親近處
說斯經時 無有怯弱 菩薩有時 入於靜室
以正憶念 隨義觀法 從禪定起 為諸國王
王子臣民 婆羅門等 開化演暢 說斯經典
其心安隱 無有怯弱 文殊師利 是名菩薩
安住初法 能於後世 說法華經
又文殊師利 如來滅後 於末法中 欲說是經
應住安樂行 若口宣說 若讀經時 不樂說人
及經典過 亦不輕慢諸餘法師 不說他人好
惡長短 於聲聞人 亦不稱名說其過惡 亦不
稱名讚歎其美 又亦不生怨嫌之心 善修如
是安樂心故 諸有聽者 不逆其意 有所難問
不以小乘法答 但以大乘而為解說 令得一

不以小乘法答 但以大乘而為解說 令得一
切種智 尒時世尊 欲重宣此義 而說偈言
菩薩常樂 安隱說法 於清淨地 而施牀座
以油塗身 澡浴塵穢 著新淨衣 內外俱淨
安處法座 隨問為說 若有比丘 及比丘尼
諸優婆塞 及優婆夷 國王王子 群臣士民
以微妙義 和顏為說 若有難問 隨義而答
因緣譬喻 敷演分別 以是方便 皆使發心
漸漸增益 入於佛道 除嬾惰意 及懈怠想
離諸憂惱 慈心說法 晝夜常說 無上道教
以諸因緣 無量譬喻 開示眾生 咸令歡喜
衣服臥具 飲食醫藥 而於其中 無所希望
但一心念 說法因緣 願成佛道 令眾亦尒
是則大利 安樂供養 我滅度後 若有比丘
能演說斯 妙法華經 心無嫉恚 諸惱障礙
亦無憂愁 及罵詈者 又無怖畏 加刀杖等
亦無擯出 安住忍故 智者如是 善修其心
能住安樂 如我上說 其人功德 千萬億劫
筭數譬喻 說不能盡
又文殊師利 菩薩摩訶薩 於後末世法欲滅
時受持讀誦斯經典者 無懷嫉妬諂誑之心
亦勿輕罵學佛道者 求其長短 若比丘比丘
尼優婆塞優婆夷 求聲聞者 求辟支佛者
求菩薩道者 無得惱之 令其疑悔 語其人言汝
等去道甚遠 終不能得一切種智 所以者何
汝是放逸之人 於道懈怠故 又亦不應戲論

諸法有所諍競當於一切衆生起大悲想於
諸如來起慈父想於諸菩薩起大師想於十
方諸大菩薩常應深心恭敬礼拜於一切衆
生平等說法以順法故不多不少乃至深愛
法者亦不為多說 文殊師利是菩薩摩訶薩
於後末世法欲滅時有成就是第三安樂行
者說是法時無能惱亂得好同學共讀誦是
經亦得大衆而來聽受聽已能持持已能誦
誦已能說說已能書若使人書供養經卷恭
敬尊重讚歎 尒時世尊欲重宣此義而說偈
言
若欲說是經 當捨嫉恚慢 諂誑邪偽心 常脩質直行
不輕蔑於人 亦不戲論法 不令他疑悔 云汝不得佛
是佛子說法 常柔和能忍 慈悲於一切 不生懈怠心
十方大菩薩 愍衆故行道 應生恭敬心 是則我大師
於諸佛世尊 生無上父想 破於憍慢心 說法無障礙
第三法如是 智者應守護 一心安樂行 無量衆所敬
又文殊師利菩薩摩訶薩於後末世法欲滅
時有持是法華經者於在家出家人中生大
慈心於非菩薩人中生大悲心應作是念如
是之人則為大失如來方便隨宜說法不聞
不知不覺不問不信不解其人雖不問不信
不解是經我得阿耨多羅三藐三菩提時隨
在何地以神通力智慧力引之令得住是法
中文殊師利是菩薩摩訶薩於如來滅後有
成就此第四法者說是法時

BD00448號　妙法蓮華經（八卷本）卷五　（23–12）

中文殊師利是菩薩摩訶薩於如來滅後有
成就此第四法者說是法時無有過失常為
比丘比丘尼優婆塞優婆夷國王王子大臣人
民婆羅門居士等供養恭敬尊重讚歎虛
空諸天為聽法故亦常隨侍若在聚落城邑
空閑林中有人來欲難問者諸天晝夜常為
法故而衛護之能令聽者皆得歡喜所以者
何此經是一切過去未來現在諸佛神力所
護故 文殊師利是法華經於無量國中乃至
名字不可得聞何況得見受持讀誦 文殊師
利譬如強力轉輪聖王欲以威勢降伏諸國
而諸小王不順其命時轉輪王起種種兵而往討
伐王見兵衆戰有功者即大歡喜隨功賞
賜或與田宅聚落城邑或與衣服嚴身之具
或與種種珍寶金銀瑠璃車渠馬瑙珊瑚虎
魄象馬車乘奴婢人民唯髻中明珠不以與
之所以者何獨王頂上有此一珠若以與之
王諸眷屬必大驚怪 文殊師利如來亦復
如是以禪定智慧力得法國土王於三界而
諸魔王不肯順伏如來賢聖諸將與之共戰
其有功者心亦歡喜於四衆中為說諸經令
其心悅賜以禪定解脫無漏根力諸法之財
又復賜與涅槃之城言得滅度引導其心皆
令歡喜而不為說是法華經 文殊師利如轉
輪王見諸兵衆有大功者心甚歡喜以此難

BD00448號　妙法蓮華經（八卷本）卷五　（23–13）

令歡喜而不為說是法華經文殊師利如轉
輪王見諸兵衆有大功者心甚歡喜以此難
信之珠久在髻中不妄與人而今與之如來
亦復如是於三界中為大法王以法教化一切
衆生見賢聖軍與五陰魔煩惱魔死魔共
戰有大功勳滅三毒出三界破魔網尒時如
來亦大歡喜此法華經能令衆生至一切智
一切世間多怨難信先所未說而今說之文
殊師利此法華經是諸如來第一之說於諸
說中最為甚深末後賜與如彼強力之王久
護明珠今乃與之文殊師利此法華經諸佛
如來祕密之藏於諸經中最在其上長夜守
護不妄宣說始於今日乃與汝等而敷演之
尒時世尊欲重宣此義而說偈言
常行忍辱　哀愍一切　乃能演說　佛所讚經
後末世時　持此經者　於家出家　及非菩薩
應生慈悲　斯等不聞　不信是經　則為大失
我得佛道　以諸方便　為說此法　令住其中
譬如強力　轉輪之王　兵戰有功　賞賜諸物
象馬車乘　嚴身之具　及諸田宅　聚落城邑
或與衣服　種種珍寶　奴婢財物　歡喜賜與
如有勇健　能為難事　王解髻中　明珠賜之
如來亦尒　為諸法王　忍辱大力　智慧寶藏
以大慈悲　如法化世　見一切人　受諸苦惱
欲求解脫　與諸魔戰　為是衆生　說種種法
以大方便　說此諸經　既知衆生　得其力已

BD00448號　妙法蓮華經（八卷本）卷五　（23–14）

欲求解脫　與諸魔戰　為是衆生　說種種法
以大方便　說此諸經　既知衆生　得其力已
末後乃為　說是法華　如王解髻　明珠與之
此經為尊　衆經中上　我常守護　不妄開示
今正是時　為汝等說
我滅度後　求佛道者　欲得安隱　演說斯經
應當親近　如是四法　讀是經者　常無憂惱
又無病痛　顏色鮮白　不生貧窮　卑賤醜陋
衆生樂見　如慕賢聖　天諸童子　以為給使
刀杖不加　毒不能害　若人惡罵　口則閉塞
遊行無畏　如師子王　智慧光明　如日之照
若於夢中　但見妙事　見諸如來　坐師子座
諸比丘衆　圍繞說法　又見龍神　阿脩羅等
數如恒沙　恭敬合掌　自見其身　而為說法
又見諸佛　身相金色　放無量光　照於一切
以梵音聲　演說諸法　佛為四衆　說無上法
見身處中　合掌讚佛　聞法歡喜　而為供養
得陀羅尼　證不退智　佛知其心　深入佛道
即為授記　成最正覺　汝善男子　當於來世
得無量智　佛之大道　國土嚴淨　廣大無比
亦有四衆　合掌聽法　又見自身　在山林中
脩習善法　證諸實相　深入禪定　見十方佛
諸佛身金色　百福相莊嚴　聞法為人說　常有是好夢
又夢作國王　捨宮殿眷屬　及上妙五欲　行詣於道場
在菩提樹下　而處師子座　求道過七日　得諸佛之智

BD00448號　妙法蓮華經（八卷本）卷五　（23–15）

又菩提樹下　而處師子座　求道過七日　得諸佛之智
成無上道已　起而轉法輪　為四衆說法　經千萬億劫
說無漏妙法　度無量衆生　後當入涅槃　如烟盡燈滅
若後惡世中　說是第一法　是人得大利　如上諸功德

妙法蓮華經從地踊出品第十五

尒時他方國土諸來菩薩摩訶薩過八恒河
沙數於大衆中起立合掌作礼而白佛言世
尊若聽我等於佛滅後在此娑婆世界勤加
精進護持讀誦書寫供養是經典者當於此
土而廣說之尒時佛告諸菩薩摩訶薩衆止
善男子不須汝等護持此經所以者何我娑
婆世界自有六萬恒河沙等菩薩摩訶薩
一一菩薩各有六萬恒河沙眷屬是諸人等能
於我滅後護持讀誦廣說此經佛說是語時
娑婆世界三千大千國土地皆震裂而於其
中有無量千萬億菩薩摩訶薩同時踊出是
諸菩薩身皆金色三十二相無量光明先盡
在此娑婆世界之下此界虛空中住是諸菩
薩聞釋迦牟尼佛所說音聲從下發來一一菩
薩皆是大衆唱導之首各將六萬恒河沙眷
屬況將五萬四萬三萬二萬一萬恒河沙等
眷屬者況復乃至一恒河沙半恒河沙四分
之一乃至千萬億那由他分之一況復千万
億那由他眷屬況復億万眷屬況復千万百
万乃至一万況復一千一百乃至一十況復

億那由他眷屬況復億万眷屬況復千万百
万乃至一万況復一千一百乃至一十況復
將五四三二一弟子者況復單己樂遠離行
如是等比無量無邊筭數譬喻所不能知是
諸菩薩從地出已各詣虛空七寶妙塔多寶
如來釋迦牟尼佛所到已向二世尊頭面礼
足及至諸寶樹下師子座上佛所亦皆作礼
右繞三帀合掌恭敬以諸菩薩種種讚法而
以讚嘆住在一面欣樂瞻仰於二世尊是諸
菩薩摩訶薩從初踊出以諸菩薩種種讚法
而讚於佛如是時間經五十小劫是時釋迦
牟尼佛默然而坐及諸四衆亦皆默然五十
小劫佛神力故令諸大衆謂如半日尒時四
衆亦以佛神力故見諸菩薩遍滿無量百千
万億國土虛空是菩薩衆中有四導師一名
上行二名無邊行三名淨行四名安立行是
四菩薩於其衆中最為上首唱導之師在
大衆前各共合掌觀釋迦牟尼佛而問訊言世
尊少病少惱安樂行不所應度者受教易不
不令世尊生疲勞耶尒時四大菩薩而說偈
言
世尊安樂　少病少惱　教化衆生　得無疲倦
又諸衆生　受化易不　不令世尊　生疲勞耶
尒時世尊於菩薩大衆中而作是言如是如是
諸善男子如來安樂少病少惱諸衆生等
易可化度無有疲勞所以者何是諸衆生世

諸善男子如來安樂少病少惱諸衆生等
易可化度無有疲勞所以者何是諸衆生世
世已來常受我化亦於過去諸佛供養尊重
種諸善根此諸衆生始見我身聞我所說即
皆信受入如來慧除先修習學小乘者如是
之人我今亦令得聞是經入於佛慧尒時諸
大菩薩而說偈言
善哉善哉　大雄世尊　諸衆生等　易可化度
能問諸佛　甚深智慧　聞已信行　我等隨喜
於時世尊讃歎上首諸大菩薩善哉善哉
善男子汝等能於如來發隨喜心尒時弥勒菩
薩及八千恒河沙諸菩薩衆皆作是念我等
從昔已來不見不聞如是大菩薩摩訶薩衆
從地踊出住世尊前合掌供養問訊如來時
弥勒菩薩摩訶薩知八千恒河沙諸菩薩等
心之所念并欲自決所疑合掌向佛以偈問曰
無量千万億　大衆諸菩薩　昔所未曾見　願兩足尊說
是從何所來　以何因緣集　巨身大神通　智慧叵思議
其志念堅固　有大忍辱力　衆生所樂見　為從何所來
一一諸菩薩　所將諸眷屬　其數無有量　如恒河沙等
或有大菩薩　將六万恒沙　如是諸大衆　一心求佛道
是諸大師等　六万恒河沙　俱來供養佛　及護持是經
將五万恒沙　其數過於是　四万及三万　二万至一万
一千一百等　乃至一恒沙　半及三四分　億万分之一
千万那由他　万億諸弟子　乃至於半億　其數復過上
百万至一万　一千及一百　五十與一十　乃至三二一

千万那由他　万億諸弟子　乃至於半億　其數復過上
百万至一万　一千及一百　五十與一十　乃至三二一
單己無眷屬　樂於獨處者　俱來至佛所　其數轉過上
如是諸大衆　若人行籌數　過於恒沙劫　猶不能盡知
是諸大威德　精進菩薩衆　誰為其說法　教化而成就
從誰初發心　稱揚何佛法　受持行誰經　修習何佛道
如是諸菩薩　神通大智力　四方地震裂　皆從中踊出
世尊我昔來　未曾見是事　願說其所從　國土之名号
我常遊諸國　未曾見是衆　我於此衆中　乃不識一人
忽然從地出　願說其因緣　今此之大會　無量百千億
是諸菩薩等　皆欲知此事　是諸菩薩衆　本末之因緣
無量德世尊　惟願決衆疑
尒時釋迦牟尼分身諸佛從無量千万億他
方國土來者在於八方諸寶樹下師子座上
結加趺坐其佛侍者各各見是菩薩大衆於
三千大千世界四方從地踊出住於虛空各
白其佛言世尊此諸無量無邊阿僧祇菩薩
大衆從何所來尒時諸佛各告侍者諸善男
子且待須臾有菩薩摩訶薩名曰弥勒釋迦
牟尼佛之所授記次後作佛已問斯事佛今
答之汝等自當因是得聞尒時釋迦牟尼佛告
弥勒菩薩言善哉善哉阿逸多乃能問佛如
是大事汝等當共一心被精進鎧發堅固意
如來今欲顯發宣示諸佛智慧諸佛自在
神通之力諸佛師子奮迅之力諸佛威猛大

神通之力諸佛師子奮迅之力諸佛威猛大
勢之力尒時世尊欲重宣此義而說偈言
當精進一心 我欲說此事 勿得有疑悔 佛智叵思議
汝今出信力 住於忍善中 昔所未聞法 今皆當得聞
我今安慰汝 勿得懷疑懼 佛無不實語 智慧不可量
所得第一法 甚深叵分別 如是今當說 汝等一心聽
尒時世尊說此偈已告弥勒菩薩我今於此
大眾宣告汝等阿逸多是諸大菩薩摩訶薩
無量無數阿僧祇從地踊出汝等昔所未見
者我於是娑婆世界得阿耨多羅三藐三菩
提已教化示導是諸菩薩調伏其心令發道
意此諸菩薩皆於是娑婆世界之下此界虛空
中住於諸經典讀誦通利思惟分別正憶念
阿逸多是諸善男子等不樂在眾多有所
說常樂靜處勤行精進未曾休息亦不依止
人天而住常樂深智無有障礙亦常樂於諸
佛之法一心精進求無上慧尒時世尊欲重
宣此義而說偈言
阿逸汝當知 是諸大菩薩 從無數劫來 脩習佛智慧
悉是我所化 令發大道心 此等是我子 依止是世界
常行頭陀事 志樂於靜處 捨大眾憒鬧 不樂多所說
如是諸子等 學習我道法 晝夜常精進 為求佛道故
在娑婆世界 下方空中住 志念力堅固 常勤求智慧
說種種妙法 其心無所畏 我於伽耶城 菩提樹下坐
得成最正覺 轉無上法輪 尒乃教化之 令初發道心

BD00448號　妙法蓮華經（八卷本）卷五　（23-20）

得成最正覺 轉無上法輪 尒乃教化之 令初發道心
今皆住不退 悉當得成佛 我今說實語 汝等一心信
我從久遠來 教化是等眾
尒時弥勒菩薩摩訶薩及無數諸菩薩等心
生疑惑怪未曾有而作是念云何世尊於少
時間教化如是無量無邊阿僧祇諸大菩薩
令住阿耨多羅三藐三菩提即白佛言世尊
如來為太子時出於釋宮去伽耶城不遠坐
於道場得成阿耨多羅三藐三菩提從是已
來始過四十餘年世尊云何於此少時大作
佛事以佛勢力以佛功德教化如是無量大
菩薩眾當成阿耨多羅三藐三菩提世尊
此大菩薩眾假使有人於千万億劫數不能盡
不得其邊斯等久遠已來於無量無邊諸
佛所殖諸善根成就菩薩道常脩梵行世尊
如此之事世所難信譬如有人色美髮黑年二
十五指百歲人言是我子其百歲人亦指年
少言是我父生育我等是事難信佛亦如是
得道已來其實未久而此大眾諸菩薩等已
於無量千万億劫為佛道故勤行精進善入
出住無量百千万億三昧得大神通久脩梵
行善能次第習諸善法巧於問荅人中之寶
一切世間甚為希有今日世尊方云得佛道
時初令發心教化示導令向阿耨多羅三藐
三菩提世尊得佛未久乃能作此大功德事

BD00448號　妙法蓮華經（八卷本）卷五　（23-21）

行善能次第習諸善法巧於問荅人中之寶一切世間甚為希有今日世尊方云得佛道時初令發心教化示導令向阿耨多羅三藐三菩提世尊得佛未久乃能作此大功德事我等雖復信佛隨宜所說佛所出言未曾虛妄佛所知者皆悉通達然諸新發意菩薩於佛滅後若聞是語或不信受而起破法罪業因緣唯然世尊願為解說除我等疑及未來世諸善男子聞此事已亦不生疑尒時彌勒菩薩欲重宣此義而說偈言

佛昔從釋種　出家近伽耶　坐於菩提樹　尒來尚未久
此諸佛子等　其數不可量　久已行佛道　住神通智力
善學菩薩道　不染世間法　如蓮華在水　從地而踊出
皆起恭敬心　住於世尊前　是事難思議　云何而可信
佛得道甚近　所成就甚多　願為除衆疑　如實分別說
譬如少壯人　年始二十五　示人百歲子　髮白而面皺
是等我所生　子亦說是父　父少而子老　舉世所不信
世尊亦如是　得道來甚近　是諸菩薩等　志固無怯弱
從無量劫來　而行菩薩道　巧於難問荅　其心無所畏
忍辱心決定　端正有威德　十方佛所讚　善能分別說
不樂在人衆　常好在禪定　為求佛道故　於下空中住
我等從佛聞　於此事無疑　願佛為未來　演說令開解
若有於此經　生疑不信者　即當墮惡道　願今為解說
是無量菩薩　云何於少時　教化令發心　而住不退地

BD00448號　妙法蓮華經（八卷本）卷五　（23–22）

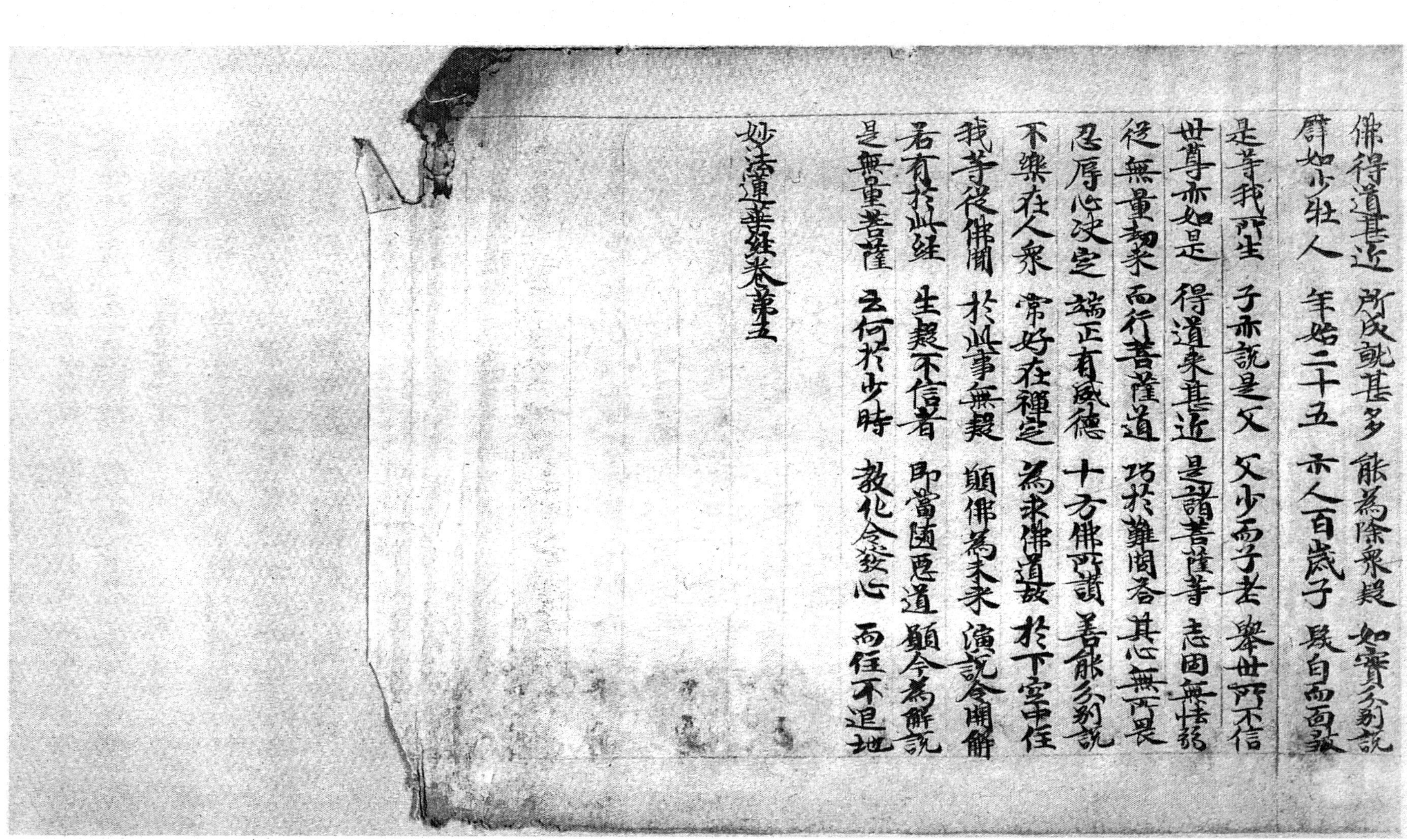

佛得道甚近　所成就甚多　願為除衆疑　如實分別說
譬如少壯人　年始二十五　示人百歲子　髮白而面皺
是等我所生　子亦說是父　父少而子老　舉世所不信
世尊亦如是　得道來甚近　是諸菩薩等　志固無怯弱
從無量劫來　而行菩薩道　巧於難問荅　其心無所畏
忍辱心決定　端正有威德　十方佛所讚　善能分別說
不樂在人衆　常好在禪定　為求佛道故　於下空中住
我等從佛聞　於此事無疑　願佛為未來　演說令開解
若有於此經　生疑不信者　即當墮惡道　願今為解說
是無量菩薩　云何於少時　教化令發心　而住不退地

妙法蓮華經卷第五

BD00448號　妙法蓮華經（八卷本）卷五　（23–23）

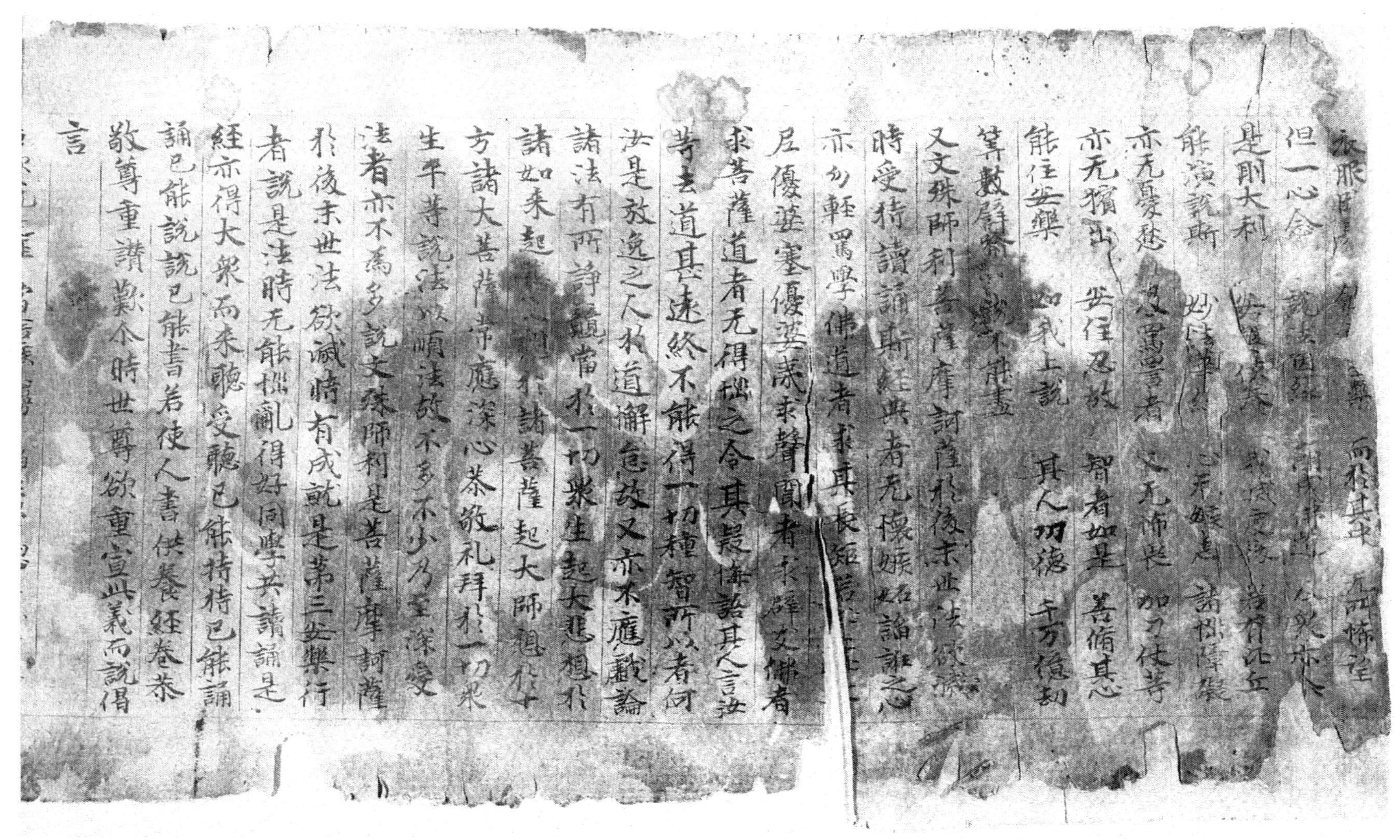

但一心念 說法因緣 願成佛道 令衆亦爾
是則大利 安樂供養 我滅度後 若有比丘
能演說斯 妙法華經 心无嫉恚 諸惱障礙
亦无憂愁 及罵詈者 又无怖畏 加刀杖等
亦无擯出 安住忍故 智者如是 善脩其心
能住安樂 如我上說 其人功德 千万億劫
筭數譬喻 說不能盡
又文殊師利菩薩摩訶薩於後末世法欲滅
時受持讀誦斯經典者无懷嫉妬諂誑之心
亦勿輕罵學佛道者求其長短若比丘比丘
尼優婆塞優婆夷求聲聞者求辟支佛者
求菩薩道者无得惱之令其疑悔語其人言汝
等去道甚遠終不能得一切種智所以者何
汝是放逸之人於道懈怠故又亦不應戲論
諸法有所諍競當於一切衆生起大悲想於
諸如來起慈父想於諸菩薩起大師想於十
方諸大菩薩常應深心恭敬禮拜於一切衆
生平等說法以順法故不多不少乃至深愛
法者亦不為多說文殊師利是菩薩摩訶薩
於後末世法欲滅時有成就是第三安樂行
者說是法時无能惱亂得好同學共讀誦是
經亦得大衆而來聽受聽已能持持已能誦
誦已能說說已能書若使人書供養經卷恭
敬尊重讚歎尒時世尊欲重宣此義而說偈
言

BD00449 號　妙法蓮華經卷五　（23–1）

誦已能說說已能書若使人書供養經卷恭
敬尊重讚歎尒時世尊欲重宣此義而說偈
言
若欲說是經 當捨嫉恚慢 諂誑邪偽心 常脩質直行
不輕蔑於人 亦不戲論法 不令他疑悔 云汝不得佛
是佛子說法 常柔和能忍 慈悲於一切 不生懈怠心
十方大菩薩 愍衆故行道 應生恭敬心 是則我大師
於諸佛世尊 生无上父想 破於憍慢心 說法无障礙
第三法如是 智者應守護 一心安樂行 无量衆所敬
又文殊師利菩薩摩訶薩於後末世法欲滅
時有持法華經者於在家出家人中生大慈
心於非菩薩人中生大悲心應作是念如是
之人則為大失如來方便隨宜說法不聞不
知不覺不問不信不解其人雖不問不信不
解是經我得阿耨多羅三藐三菩提時隨在
何地以神通力智慧力引之令得住是法中
文殊師利是菩薩摩訶薩於如來滅後有成
就此第四法者說是法時无有過失常為比
丘比丘尼優婆塞優婆夷國王王子大臣人
民婆羅門居士等供養恭敬尊重讚歎虛空
諸天為聽法故亦常隨侍若在聚落城邑空
閑林中有人來欲難問者諸天晝夜常為法
故而衛護之能令聽者皆得歡喜所以者何
此經是一切過去未來現在諸佛神力所護
故文殊師利是法華經於无量國中乃至名
字不可得聞何況得見受持讀誦文殊師利
譬如強力轉輪聖王欲以威勢降伏諸國而
諸小王不順其命時轉輪王起種種兵而往

BD00449 號　妙法蓮華經卷五　（23–2）

故文殊師利是法華經於无量國中乃至名
字不可得聞何况得見受持讀誦文殊師利
譬如強力轉輪聖王欲以威勢降伏諸國而
諸小王不順其命時轉輪王起種種兵而往
討伐王見兵衆戰有功者即大歡喜隨功賞
賜或與田宅聚落城邑或與衣服嚴身之具
或與種種珎寶金銀琉璃車渠馬瑙珊瑚虎
珀象馬車乘奴婢人民唯髻中明珠不以與
之所以者何獨王頂上有此一珠若以與之
王諸眷屬必大驚怪文殊師利如來亦復如
是以禪定智慧力得法國土王於三界而諸
魔王不肯順伏如來賢聖諸將與之共戰其
有功者心亦歡喜於四衆中為說諸經令其
心悅賜以禪定解脫无漏根力諸法之財又
復賜與涅槃之城言得滅度引導其心令皆
歡喜而不為說是法華經文殊師利如轉輪
王見諸兵衆有大功者心甚歡喜以此難信
之珠久在髻中不妄與人而今與之如來亦復
如是於三界中為大法王以法教化一切
衆生見賢聖軍與五陰魔煩惱魔死魔共戰
有大功勳滅三毒出三界破魔網尒時如來
亦大歡喜此法華經能令衆生至一切智一
切世間多怨難信先所未說而今說之文殊
師利此法華經是諸如來第一之說於諸說
中冣為甚深末後賜與如彼強力之王久護
明珠今乃與之文殊師利此法華經諸佛如
來祕密之藏於諸經中冣在其上長夜守護
不妄宣說始於今日乃與汝等而敷演之尒

明珠今乃與之文殊師利此法華經諸佛如
來祕密之藏於諸經中冣在其上長夜守護
不妄宣說始於今日乃與汝等而敷演之尒
時世尊欲重宣此義而說偈言
常行忍辱　哀愍一切　乃能演說　佛所讚經
後末世時　持此經者　於家出家　及非菩薩
應生慈悲　斯等不聞　不信是經　則為大失
我得佛道　以諸方便　為說此法　令住其中
譬如強力　轉輪之王　兵戰有功　賞賜諸物
象馬車乘　嚴身之具　及諸田宅　聚落城邑
或與衣服　種種珎寶　奴婢財物　歡喜賜與
如有勇健　能為難事　王解髻中　明珠賜之
如來亦尒　為諸法王　忍辱大力　智慧寶藏
以大慈悲　如法化世　見一切人　受諸苦惱
欲求解脫　與諸魔戰　為是衆生　說種種法
以大方便　說此諸經　既知衆生　得其力已
末後乃為　說是法華　如王解髻　明珠與之
此經為尊　衆經中上　我常守護　不妄開示
今正是時　為汝等說　我滅度後　求佛道者
欲得安隱　演說斯經　應當親近　如是四法
讀是經者　常无憂惱　又无病痛　顏色鮮白
不生貧窮　卑賤醜陋　衆生樂見　如慕賢聖
天諸童子　以為給使　刀杖不加　毒不能害
若人惡罵　口則閉塞　遊行无畏　如師子王
智慧光明　如日之照　若於夢中　但見妙事
見諸如來　坐師子座　諸比丘衆　圍繞說法
又見龍神　阿脩羅等　數如恒沙　恭敬合掌

智慧光明　如日之照　若於夢中　但見妙事
見諸如來　坐師子座　諸比丘衆　圍繞說法
又見龍神　阿脩羅等　數如恒沙　恭敬合掌
自見其身　而為說法　又見諸佛　身相金色
放无量光　照於一切　以梵音聲　演說諸法
佛為四衆　說无上法　見身處中　合掌讚佛
聞法歡喜　而為供養　得陁羅尼　證不退智
佛知其心　深入佛道　即為授記　成最正覺
汝善男子　當於來世　得无量智　佛之大道
國土嚴淨　廣大无比　亦有四衆　合掌聽法
又見自身　在山林中　脩習善法　證諸實相
深入禪定　見十方佛
諸佛身金色　百福相莊嚴　聞法為人說　常有是好夢
又夢作國王　捨宮殿眷屬　及上妙五欲　行詣於道場
在菩提樹下　而處師子座　求道過七日　得諸佛之智
成无上道已　起而轉法輪　為四衆說法　經千万億劫
說无漏妙法　度无量衆生　後當入涅槃　如烟盡燈滅
若後惡世中　說是第一法　是人得大利　如上諸功德

妙法蓮華經從地踊出品第十五

尒時他方國土諸來菩薩摩訶薩過八恒河
沙數於大衆中起合掌作礼而白佛言世尊
若聽我等於佛滅後在此娑婆世界勤加精
進護持讀誦書寫供養是經典者當於此土
而廣說之尒時佛告諸菩薩摩訶薩衆止善
男子不須汝等護持此經所以者何我娑婆
世界自有六万恒河沙等菩薩摩訶薩一一
菩薩各有六万恒河沙眷屬是諸人等能於
我滅後護持讀誦廣說此經佛說是時娑婆

BD00449號　妙法蓮華經卷五　（23–5）

而廣說之尒時佛告諸菩薩摩訶薩衆止善
男子不須汝等護持此經所以者何我娑婆
世界自有六万恒河沙等菩薩摩訶薩一一
菩薩各有六万恒河沙眷屬是諸人等能於
我滅後護持讀誦廣說此經佛說是時娑婆
世界三千大千國土地皆震裂而於其中有
无量千万億菩薩摩訶薩同時踊出是諸菩
薩身皆金色三十二相无量光明先盡在此
娑婆世界之下此界虛空中住是諸菩薩聞
釋迦牟尼佛所說音聲從下發來一一菩薩
皆是大衆唱導之首各將六万恒河沙眷屬
况將五万四万三万二万一万恒河沙等眷
屬者况復乃至一恒河沙半恒河沙四分之
一乃至千万億那由他分之一况復千万億
那由他眷屬况復億万眷屬况復千万百万
乃至一万况復一千一百乃至一十况復將
五四三二一弟子者况復單己樂遠離行如
是等比无量无邊算數譬喻所不能知是諸
菩薩從地出已各詣虛空七寶妙塔多寶如
來釋迦牟尼佛所到已向二世尊頭面礼足
及至諸寶樹下師子座上佛所亦皆作礼右
繞三帀合掌恭敬以諸菩薩種種讚法而以
讚歎住在一面欣樂瞻仰於二世尊是諸菩
薩摩訶薩從初踊出以諸菩薩種種讚法而
讚於佛如是時間經五十小劫是時釋迦牟
尼佛默然而坐及諸四衆亦皆默然五十小
劫佛神力故令諸大衆謂如半日尒時四衆
亦以佛神力故見諸菩薩遍滿无量百千万

BD00449號　妙法蓮華經卷五　（23–6）

尼佛黙然而坐及諸四衆亦皆黙然五十小
劫佛神力故令諸大衆謂如半日尒時四衆
亦以佛神力故見諸菩薩遍滿无量百千万
億國土虚空是菩薩衆中有四導師一名上
行二名无邊行三名浄行四名安立行是四
菩薩於其衆中冣為上首唱導之師在大衆
前各共合掌觀釋迦牟尼佛而問訊言世尊
少病少惱安樂行不所應度者受教易不不
令世尊生疲勞耶尒時四大菩薩而說偈言
世尊安樂　少病少惱　教化衆生　得无疲惓
又諸衆生　受化易不　不令世尊　生疲勞耶
尒時世尊於菩薩大衆中而作是言如是如
是諸善男子如来安樂少病少惱諸衆生等
易可化度无有疲勞所以者何是諸衆生世
世已来常受我化亦於過去諸佛供養尊重
種諸善根此諸衆生始見我身聞我所說即
皆信受入如来慧除先修習學小乗者如是
之人我今亦令得聞是經入於佛慧尒時諸
大菩薩而說偈言
善哉善哉　大雄世尊　諸衆生等　易可化度
能問諸佛　甚深智慧　聞已信行　我等隨喜
於時世尊讚歎上首諸大菩薩善哉善哉善
男子汝等能於如来發隨喜心尒時弥勒菩
薩及八千恒河沙諸菩薩衆皆作是念我等
從昔已来不見不聞如是大菩薩摩訶薩衆
從地踊出住世尊前合掌供養問訊如来時
弥勒菩薩摩訶薩知八千恒河沙諸菩薩等

BD00449 號　妙法蓮華經卷五　（23–7）

從昔已来不見不聞如是大菩薩摩訶薩衆
從地踊出住世尊前合掌供養問訊如来時
弥勒菩薩摩訶薩知八千恒河沙諸菩薩等
心之所念并欲自决所疑合掌向佛以偈問曰
无量千万億　大衆諸菩薩　昔所未曾見　願兩足尊說
是從何所来　以何因緣集　巨身大神通　智慧叵思議
其志念堅固　有大忍辱力　衆生所樂見　為從何所来
一一諸菩薩　所將諸眷屬　其數无有量　如恒河沙等
或有大菩薩　將六万恒河　如是諸大衆　一心求佛道
是諸大師等　六万恒河沙　俱来供養佛　及護持此經
將五万恒沙　其數過於是　四万及三万　二万至一万
一千一百等　乃至一恒沙　半及三四分　億万分之一
千万那由他　万億諸弟子　乃至於半億　其數復過上
百万至一万　一千及一百　五十與一十　乃至三二一
單己无眷屬　樂於獨處者　俱来至佛所　其數轉過上
如是諸大衆　若人行籌數　過於恒沙劫　猶不能盡知
是諸大威德　精進菩薩衆　誰為其說法　教化而成就
從誰初發心　稱揚何佛法　受持行誰經　修習何佛道
如是諸菩薩　神通大智力　四方地震裂　皆從中踊出
世尊我昔来　未曾見是事　願說其所從　國土之名号
我常遊諸國　未曾見是衆　我於此衆中　乃不識一人
忽然從地出　願說其因緣　今此之大會　无量百千億
是諸菩薩等　皆欲知此事　是諸菩薩衆　本末之因緣
无量德世尊　唯願決衆疑
尒時釋迦牟尼佛分身諸佛從无量千万億
他方國土来者在於八方諸寶樹下師子座
上結加趺坐其佛侍者各各見是菩薩大衆

BD00449 號　妙法蓮華經卷五　（23–8）

尒時釋迦牟尼佛分身諸佛從无量千万億
他方國土來者在於八方諸寶樹下師子座
上結跏趺坐其佛侍者各各見是菩薩大衆
於三千大千世界四方從地踊出住於虛空
各白其佛言世尊此諸无量无邊阿僧祇菩
薩大衆從何所來尒時諸佛各告侍者諸善
男子且待須臾有菩薩摩訶薩名弥勒釋迦
牟尼佛之所授記次後作佛已問斯事佛今
荅之汝等自當因是得聞尒時釋迦牟尼佛
告弥勒菩薩善哉善哉阿逸多乃能問佛如
是大事汝等當共一心被精進鎧發堅固意
如來今欲顯發宣示諸佛智慧諸佛自在神
通之力諸佛師子奮迅之力諸佛威猛大勢
之力尒時世尊欲重宣此義而說偈言
當精進一心　我欲說此事　勿得有疑悔　佛智叵思議
汝今出信力　住於忍善中　昔所未聞法　今皆當得聞
我今安慰汝　勿得懷疑懼　佛无不實語　智慧不可量
所得第一法　甚深叵分別　如是今當說　汝等一心聽
尒時世尊說此偈已告弥勒菩薩我今於此
大衆宣告汝等阿逸多是諸大菩薩摩訶薩
无量无數阿僧祇從地踊出汝等昔所未見
者我於是娑婆世界得阿耨多羅三藐三菩
提已教化示導是諸菩薩調伏其心令發道
意此諸菩薩皆於是娑婆世界之下此界虛
空中住於諸經典讀誦通利思惟分別正憶
念阿逸多是諸善男子等不樂在衆多有所
說常樂靜處勤行精進未曾休息亦不依止

空中住於諸經典讀誦通利思惟分別正憶
念阿逸多是諸善男子等不樂在衆多有所
說常樂靜處勤行精進未曾休息亦不依止
人天而住常樂深智无有障礙亦常樂於諸
佛之法一心精進求无上慧尒時世尊欲重
宣此義而說偈言
阿逸汝當知　是諸大菩薩　從无數劫來　脩習佛智慧
悉是我所化　令發大道心　此等是我子　依止是世界
常行頭陀事　志樂於靜處　捨大衆憒鬧　不樂多所說
如是諸子等　學習我道法　晝夜常精進　為求佛道故
在娑婆世界　下方空中住　志念力堅固　常勤求智慧
說種種妙法　其心无所畏　我於伽耶城　菩提樹下坐
得成最正覺　轉无上法輪　尒乃教化之　令初發道心
今皆住不退　悉當得成佛　我今說實語　汝等一心信
我從久遠來　教化是等衆
尒時弥勒菩薩摩訶薩及无數諸菩薩等心
生疑惑怪未曾有而作是念云何世尊於少
時間教化如是无量无邊阿僧祇諸大菩薩
令住阿耨多羅三藐三菩提即白佛言世尊
如來為太子時出於釋宮去伽耶城不遠坐
於道場得成阿耨多羅三藐三菩提從是已
來始過四十餘年世尊云何於此少時大作
佛事以佛勢力以佛功德教化如是无量大
菩薩衆當成阿耨多羅三藐三菩提世尊此
大菩薩衆假使有人於千万億劫數不能盡
不得其邊斯等久遠已來於无量无邊諸佛
所植諸善根成就菩薩道常脩梵行世尊如

大菩薩衆假使有人於千万億劫數不能盡
不得其邊斯等久遠已來於无量无邊諸佛
所值諸善根成就菩薩道常脩梵行世尊如
此之事世所難信譬如有人色美髮黑年二
十五指百歲人言是我子其百歲人亦指年
少言是我父生育我等是事難信佛亦如是
得道已來其實未久而此大衆諸菩薩等已
於无量千万億劫爲佛道故勤行精進善入
出住无量百千万億三昧得大神通久脩梵
行善能次第習諸善法巧於問答人中之寶
一切世間甚爲希有今日世尊方云得佛道
時初令發心教化示導令向阿耨多羅三藐
三菩提世尊得佛未久乃能作此大功德事
我等雖復信佛隨宜所說佛所出言未曾虛
妄佛所知者皆悉通達然諸新發意菩薩於
佛滅後若聞是語或不信受而起破法罪業
因緣唯然世尊願爲解說除我等疑及未來
世諸善男子聞此事已亦不生疑尒時弥勒
菩薩欲重宣此義而說偈言

佛昔從釋種　出家近伽耶　坐於菩提樹　尒時尚未久
此諸佛子等　其數不可量　久已行佛道　住神通智力
善學菩薩道　不染世間法　如蓮華在水　從地而踊出
皆起恭敬心　住於世尊前　是事難思議　云何而可信
佛得道甚近　所成就甚多　願爲除衆疑　如實分別說
譬如少壯人　年始二十五　示人百歲子　髮白而面皺
是等我所生　子亦說是父　父少而子老　舉世所不信
世尊亦如是　得道來甚近　是諸菩薩等　志固无怯弱

是等我所生　子亦說是父　父少而子老　舉世所不信
世尊亦如是　得道來甚近　是諸菩薩等　志固无怯弱
從无量劫來　而行菩薩道　巧於難問答　其心无所畏
忍辱心決定　端正有威德　十方佛所讚　善能分別說
不樂在人衆　常好在禪定　爲求佛道故　於下空中住
我等從佛聞　於此事无疑　願佛爲未來　演說令開解
若有於此經　生疑不信者　即當墮惡道　願今爲解說
是无量菩薩　云何於少時　教化令發心　而住不退地

妙法蓮華經如來壽量品第十六

尒時佛告諸菩薩及一切大衆諸善男子汝
等當信解如來誠諦之語復告大衆汝等當
信解如來誠諦之語又復告諸大衆汝等當
信解如來誠諦之語是時菩薩大衆弥勒爲
首合掌白佛言世尊唯願說之我等當信受
佛語如是三白已復言唯願說之我等當信
受佛語尒時世尊知諸菩薩三請不止而告
之言汝等諦聽如來秘密神通之力一切世
間天人及阿脩羅皆謂今釋迦牟尼佛出釋
氏宮去伽耶城不遠坐於道場得阿耨多羅
三藐三菩提然善男子我實成佛已來无量
无邊百千万億那由他劫譬如五百千万億
那由他阿僧祇三千大千世界假使有人末
爲微塵過於東方五百千万億那由他阿僧
祇國乃下一塵如是東行盡是微塵諸善
男子於意云何是諸世界可得思惟挍計知其
數不弥勒菩薩等俱白佛言世尊是諸世界

祇國乃下一塵如是東行盡是微塵諸善
男子於意云何是諸世界可得思惟挍計知其
數不彌勒菩薩等俱白佛言世尊是諸世界
无量无邊非筭數所知亦非心力所及一切
聲聞辟支佛以无漏智不能思惟知其限數
我等住阿惟越致地於是事中亦所不達世
尊如是諸世界无量无邊尒時佛告大菩薩
衆諸善男子今當分明宣語汝等是諸世界
若著微塵及不著者盡以為塵一塵一劫我
成佛已來復過於此百千万億那由他阿僧
祇劫自從是來我常在此娑婆世界說法教
化亦於餘處百千万億那由他阿僧祇國導
利衆生諸善男子於是中間我說然燈佛等
又復言其入於涅槃如是皆以方便分別諸
善男子若有衆生來至我所我以佛眼觀其
信等諸根利鈍隨所應度處處自說名字不
同年紀大小亦復現言當入涅槃又以種種
方便說微妙法能令衆生發歡喜心諸善男
子如來見諸衆生樂於小法德薄垢重者為
是人說我少出家得阿耨多羅三藐三菩提
然我實成佛已來久遠若斯但以方便教化
衆生令入佛道作如是說諸善男子如來所
演經典皆為度脫衆生或說已身或說他身
或示已身或示他身或示已事或示他事諸
所言說皆實不虛所以者何如來如實知見
三界之相无有生死若退若出亦无在世及
滅度者非實非虛非如非異不如三界見於

三界之相无有生死若退若出亦无在世及
滅度者非實非虛非如非異不如三界見於
三界如斯之事如來明見无有錯謬以諸衆
生有種種性種種欲種種行種種憶想分別
故欲令生諸善根以若干因緣譬喻言辞種
種說法所作佛事未曾暫廢如是我成佛已
來甚大久遠壽命无量阿僧祇劫常住不滅
諸善男子我本行菩薩道所成壽命今猶未
盡復倍上數然今非實滅度而便唱言當取
滅度如來以是方便教化衆生所以者何若
佛久住於世薄德之人不種善根貧窮下賤
貪著五欲入於憶想妄見網中若見如來常
在不滅便起憍恣而懷猒怠不能生難遭之
想恭敬之心是故如來以方便說比丘當知
諸佛出世難可值遇所以者何諸薄德人過
无量百千万億劫或有見佛或不見者以此
事故我作是言諸比丘如來難可得見斯衆
生等聞如是語必當生於難遭之想心懷戀
慕渴仰於佛便種善根是故如來雖不實滅
而言滅度又善男子諸佛如來法皆如是為
度衆生皆實不虛譬如良醫智慧聰達明練
方藥善治衆病其人多諸子息若十二十乃
至百數以有事緣遠至餘國諸子於後飲他
毒藥藥發悶亂宛轉于地是時其父還來歸
家諸子飲毒或失本心或不失者遙見其父
皆大歡喜拜跪問訊善安隱歸我等愚癡誤
服毒藥願見救療更賜壽命父見子等苦惱

家諸子飲毒或失本心或不失者遥見其父
皆大歡喜拜跪問訊善安隱歸我等愚癡誤
服毒藥願見救療更賜壽命父見子等苦惱
如是依諸經方求好藥草色香美味皆悉具
足擣篩和合與子令服而作是言此大良藥
色香美味皆悉具足汝等可服速除苦惱无
復衆患其諸子中不失心者見此良藥色香
俱好即便服之病盡除愈餘失心者見其父
來雖亦歡喜問訊求索治病然與其藥而不
肯服所以者何毒氣深入失本心故於此好
色香藥而謂不美父作是念此子可愍爲毒
所中心皆顛倒雖見我喜求索救療如是好
藥而不肯服我今當設方便令服此藥即作
是言汝等當知我今衰老死時已至是好良
藥今留在此汝可取服勿憂不差作是教已
復至他國遣使還告汝父已死是時諸子聞
父背喪心大憂惱而作是念若父在者慈愍
我等能見救護今者捨我遠喪他國自惟孤
露无復恃怙常懷悲感心遂醒悟乃知此藥
色味香美即取服之毒病皆愈其父聞子悉
已得差尋便來歸咸使見之諸善男子於意
云何頗有人能説此良醫虚妄罪不不也世
尊佛言我亦如是成佛已來无量无邊百千
万億那由他阿僧祇劫爲衆生故以方便力言
當滅度亦无有能如法説我虚妄過者尒
時世尊欲重宣此義而説偈言
自我得佛来　所經諸劫數　无量百千万　億載阿僧祇

自我得佛来　所經諸劫數　无量百千万　億載阿僧祇
常説法教化　无數億衆生　令入於佛道　尒來无量劫
爲度衆生故　方便現涅槃　而實不滅度　常住此説法
我常住於此　以諸神通力　令顛倒衆生　雖近而不見
衆見我滅度　廣供養舍利　咸皆懷戀慕　而生渇仰心
衆生既信伏　質直意柔軟　一心欲見佛　不自惜身命
時我及衆僧　俱出靈鷲山　我時語衆生　常在此不滅
以方便力故　現有滅不滅　餘國有衆生　恭敬信樂者
我復於彼中　爲説无上法　汝等不聞此　但謂我滅度
我見諸衆生　没在於苦惱　故不爲現身　令其生渇仰
因其心戀慕　乃出爲説法　神通力如是　於阿僧祇劫
常在靈鷲山　及餘諸住處　衆生見劫盡　大火所燒時
我此土安隱　天人常充滿　園林諸堂閣　種種寶莊嚴
寶樹多華菓　衆生所遊樂　諸天擊天鼓　常作衆伎樂
雨曼陁羅華　散佛及大衆　我淨土不毀　而衆見燒盡
憂怖諸苦惱　如是悉充滿　是諸罪衆生　以惡業因緣
過阿僧祇劫　不聞三寶名　諸有脩功德　柔和質直者
則皆見我身　在此而説法　或時爲此衆　説佛壽无量
久乃見佛者　爲説佛難値　我智力如是　慧光照无量
壽命无數劫　久脩業所得　汝等有智者　勿於此生疑
當斷令永盡　佛語實不虚　如醫善方便　爲治狂子故
實在而言死　无能説虚妄　我亦爲世父　救諸苦患者
爲凡夫顛倒　實在而言滅　以常見我故　而生憍恣心
放逸著五欲　墮於惡道中　我常知衆生　行道不行道
隨應所可度　爲説種種法　每自作是意　以何令衆生
得入无上道　速成就佛身
妙法蓮華經分別功德品第十七

得入无上道　速成就佛身
妙法蓮華經分別功德品第十七
尒時大會聞佛說壽命劫數長遠如是无量
无邊阿僧祇衆生得大饒益於時世尊告弥
勒菩薩摩訶薩阿逸多我說是如來壽命長
遠時六百八十万億那由他恒河沙衆生得无
生法忍復千倍菩薩摩訶薩得聞持陁羅
尼門復有一世界微塵數菩薩摩訶薩得樂
說无礙辯才復有一世界微塵數菩薩摩訶
薩得百千万億无量旋陁羅尼復有三千大千
世界微塵數菩薩摩訶薩能轉不退法輪復
有二千中國土微塵數菩薩摩訶薩能轉清
淨法輪復有小千國土微塵數菩薩摩訶薩
八生當得阿耨多羅三藐三菩提復有四四
天下微塵數菩薩摩訶薩四生當得阿耨多
羅三藐三菩提復有三四天下微塵數菩薩
摩訶薩三生當得阿耨多羅三藐三菩提復
有二四天下微塵數菩薩摩訶薩二生當得
阿耨多羅三藐三菩提復有一四天下微塵
數菩薩摩訶薩一生當得阿耨多羅三藐三
菩提復有八世界微塵數衆生皆發阿耨多
羅三藐三菩提心佛說是諸菩薩摩訶薩得
大法利時於虛空中雨曼陁羅華摩訶曼陁
羅華以散无量百千万億寶樹下師子座上
諸佛幷散七寶塔中師子座上釋迦牟尼佛
及久滅度多寶如來亦散一切諸大菩薩及
四部衆又雨細末栴檀沈水香等於虛空中

BD00449號　妙法蓮華經卷五　（23–17）

諸佛幷散七寶塔中師子座上釋迦牟尼佛
及久滅度多寶如來亦散一切諸大菩薩及
四部衆又雨細末栴檀沈水香等於虛空中
天鼓自鳴妙聲深遠又雨千種天衣垂諸瓔
珞真珠瓔珞摩尼珠瓔珞如意珠瓔珞遍於
九方衆寶香爐燒无價香自然周至供養大
會一一佛上有諸菩薩執持幡蓋次第而上
至于梵天是諸菩薩以妙音聲歌无量頌讚
歎諸佛尒時弥勒菩薩從座而起偏袒右肩
合掌向佛而說偈言
佛說希有法　昔所未曾聞　世尊有大力　壽命不可量
无數諸佛子　聞世尊分別　說得法利者　歡喜充遍身
或住不退地　或得陁羅尼　或无礙樂說　万億旋總持
或有大千界　微塵數菩薩　各各皆能轉　不退之法輪
或有中千界　微塵數菩薩　各各皆能轉　清淨之法輪
復有小千界　微塵數菩薩　餘各八生在　當得成佛道
復有四三二　如是四天下　微塵諸菩薩　隨數生成佛
或一四天下　微塵數菩薩　餘有一生在　當成一切智
如是等衆生　聞佛壽長遠　得无量无漏　清淨之果報
復有八世界　微塵數衆生　聞佛說壽命　皆發无上心
世尊說无量　不可思議法　多有所饒益　如虛空无邊
雨天曼陁羅　摩訶曼陁羅　釋梵如恒沙　无數佛土来
雨栴檀沈水　繽紛而亂墜　如鳥飛空下　供散於諸佛
天鼓虛空中　自然出妙聲　天衣千万種　旋轉而來下
衆寶妙香爐　燒无價之香　自然悉周遍　供養諸世尊
其大菩薩衆　執七寶幡蓋　高妙万億種　次第至梵天
一一諸佛前　寶幢懸勝幡　亦以千万偈　歌詠諸如來

BD00449號　妙法蓮華經卷五　（23–18）

其大菩薩衆　執七寶幡蓋　高妙万億種　次第至梵天
一一諸佛前　寶幢懸勝幡　亦以千万偈　歌詠諸如来
如是種種事　昔所未曾有　聞佛壽无量　一切皆歡喜
佛名聞十方　廣饒益衆生　一切具善根　以助无上心
尒時佛告弥勒菩薩摩訶薩阿逸多其有衆
生聞佛壽命長遠如是乃至能生一念信解
所得功德无有限量若有善男子善女人為
阿耨多羅三藐三菩提於八十万億那由他劫
行五波羅蜜檀波羅蜜尸羅波羅蜜羼提
波羅蜜毗梨耶波羅蜜禪波羅蜜除般若波
羅蜜以是功德比前功德百分千分百千万
億分不及其一乃至筭數譬喻所不能知若
善男子有如是功德於阿耨多羅三藐三菩
提退者无有是處尒時世尊欲重宣此義而
說偈言
若人求佛慧　於八十万億　那由他劫數　行五波羅蜜
於是諸劫中　布施供養佛　及緣覺弟子　并諸菩薩衆
珎異之飲食　上服與臥具　栴檀立精舍　以園林莊嚴
如是等布施　種種皆微妙　盡此諸劫數　以迴向佛道
若復持禁戒　清淨无缺漏　求於无上道　諸佛之所歎
若復行忍辱　住於調柔地　設衆惡來加　其心不傾動
諸有得法者　懷於增上慢　為此所輕惱　如是亦能忍
若復勤精進　志念常堅固　於无量億劫　一心不懈息
又於无數劫　住於空閑處　若坐若經行　除睡常攝心
以是因緣故　能生諸禪定　八十億万劫　安住心不亂
持此一心福　願求无上道　我得一切智　盡諸禪定際
是人於百千　万億劫數中　行此諸功德　如上之所說
有善男女等　聞我說壽命　乃至一念信　其福過於彼

BD00449號　妙法蓮華經卷五　（23–19）

是人於百千　万億劫數中　行此諸功德　如上之所說
有善男女等　聞我說壽命　乃至一念信　其福過於彼
若人悉无有　一切諸疑悔　深心須臾信　其福為如此
其有諸菩薩　无量劫行道　聞我說壽命　是則能信受
如是諸人等　頂受此經典　願我於未来　長壽度衆生
如今日世尊　諸釋中之王　道場師子吼　說法无所畏
我等未来世　一切所尊敬　坐於道場時　說壽亦如是
若有深心者　清淨而質直　多聞能摠持　隨義解佛語
如是諸人等　於此无有疑
又阿逸多若有聞佛壽命長遠解其言趣是
人所得功德无有限量能起如来无上之慧
何況廣聞是經若教人聞若自持若教人持
若自書若教人書若以華香瓔珞幢幡繒蓋
香油蘇燈供養經卷是人功德无量无邊能
生一切種智阿逸多若善男子善女人聞我
說壽命長遠深心信解則為見佛常在耆闍
崛山共大菩薩諸聲聞衆圍繞說法又見此
娑婆世界其地瑠璃坦然平正閻浮檀金以
界八道寶樹行列諸臺樓觀皆悉寶成其菩
薩衆咸處其中若有能如是觀者當知是為
深信解相又復如来滅後若聞是經而不毀
呰起隨喜心當知已為深信解相何況讀誦
受持之者斯人則為頂戴如来阿逸多是善
男子善女人不須為我復起塔寺及作僧坊
以四事供養衆僧所以者何是善男子善女
人受持讀誦是經典者為已起塔造立僧坊
供養衆僧則為以佛舍利起七寶塔高廣漸

BD00449號　妙法蓮華經卷五　（23–20）

以四事供養衆僧所以者何是男子善女
人受持讀誦是經典者為已起塔造立僧坊
供養衆僧則為以佛舍利起七寶塔高廣漸
小至于梵天懸諸幡蓋及衆寶鈴華香瓔珞
末香塗香燒香衆鼓伎樂簫笛箜篌種種舞
戲以妙音聲歌唄讚頌則為於无量千万億
劫作是供養已阿逸多若我滅後聞是經典
有能受持若自書若教人書則為起立僧坊
以赤栴檀作諸殿堂三十有二高八多羅樹
高廣嚴好百千比丘於其中止園林流池經
行禪窟衣服飲食床褥湯藥一切樂具充滿
其中如是僧坊堂閣若干百千万億其數无
量以此現前供養於我及比丘僧是故我說
如來滅後若有受持讀誦為他人說若自書
若教人書供養經卷不須復起塔寺及造僧
坊供養衆僧况復有人能持是經兼行布施
持戒忍辱精進一心智慧其德最勝无量无
邊譬如虛空東西南北四維上下无量无邊
是人功德亦復如是无量无邊疾至一切種
智若人讀誦受持是經為他人說若自書若
教人書復能起塔及造僧坊供養讚歎聲聞
衆僧亦以百千万億讚歎之法讚歎菩薩功
德又為他人種種因緣隨義解說此法華經
復能清淨持戒與柔和者而共同止忍辱无
瞋志念堅固常貴坐禪得諸深定精進勇猛
攝諸善法利根智慧善答問難阿逸多若我
滅後諸善男子善女人受持讀誦是經典者

BD00449號　妙法蓮華經卷五　（23–21）

瞋志念堅固常貴坐禪得諸深定精進勇猛
攝諸善法利根智慧善答問難阿逸多若我
滅後諸善男子善女人受持讀誦是經典者
復有如是諸善功德當知是人已趣道場近
阿耨多羅三藐三菩提坐道樹下阿逸多是
善男子善女人若坐若立若行處此中便應
起塔一切天人皆應供養如佛之塔尒時世
尊欲重宣此義而說偈言

若我滅度後　能奉持此經　斯人福无量　如上之所說
是則為具足　一切諸供養　以舍利起塔　七寶而莊嚴
表刹甚高廣　漸小至梵天　寶鈴千万億　風動出妙音
又於无量劫　而供養此塔　華香諸瓔珞　天衣衆伎樂
燃香油蘇燈　周帀常照明　惡世法末時　能持是經者
則為已如上　具足諸供養　若能持此經　則如佛現在
以牛頭栴檀　起僧坊供養　堂有三十二　高八多羅樹
上饌妙衣服　床卧皆具足　百千衆住處　園林諸流池
經行及禪窟　種種皆嚴好　若有信解心　受持讀誦書
若復教人書　及供養經卷　散華香末香　以須曼瞻蔔
阿提目多伽　薰油常然之　如是供養者　得无量功德
如虛空无邊　其福亦如是　况復持此經　兼布施持戒
忍辱樂禪定　不瞋不惡口　恭敬於塔廟　謙下諸比丘
遠離自高心　常思惟智慧　有問難不瞋　隨順為解說
若能行是行　功德不可量　若見此法師　成就如是德
應以天華散　天衣覆其身　頭面接足礼　生心如佛想
又應作是念　不久詣道樹　得无漏无為　廣利諸人天
其所住止處　經行若坐卧　乃至說一偈　是中應起塔
莊嚴令妙好　種種以供養　佛子住此地　則是佛受用

BD00449號　妙法蓮華經卷五　（23–22）

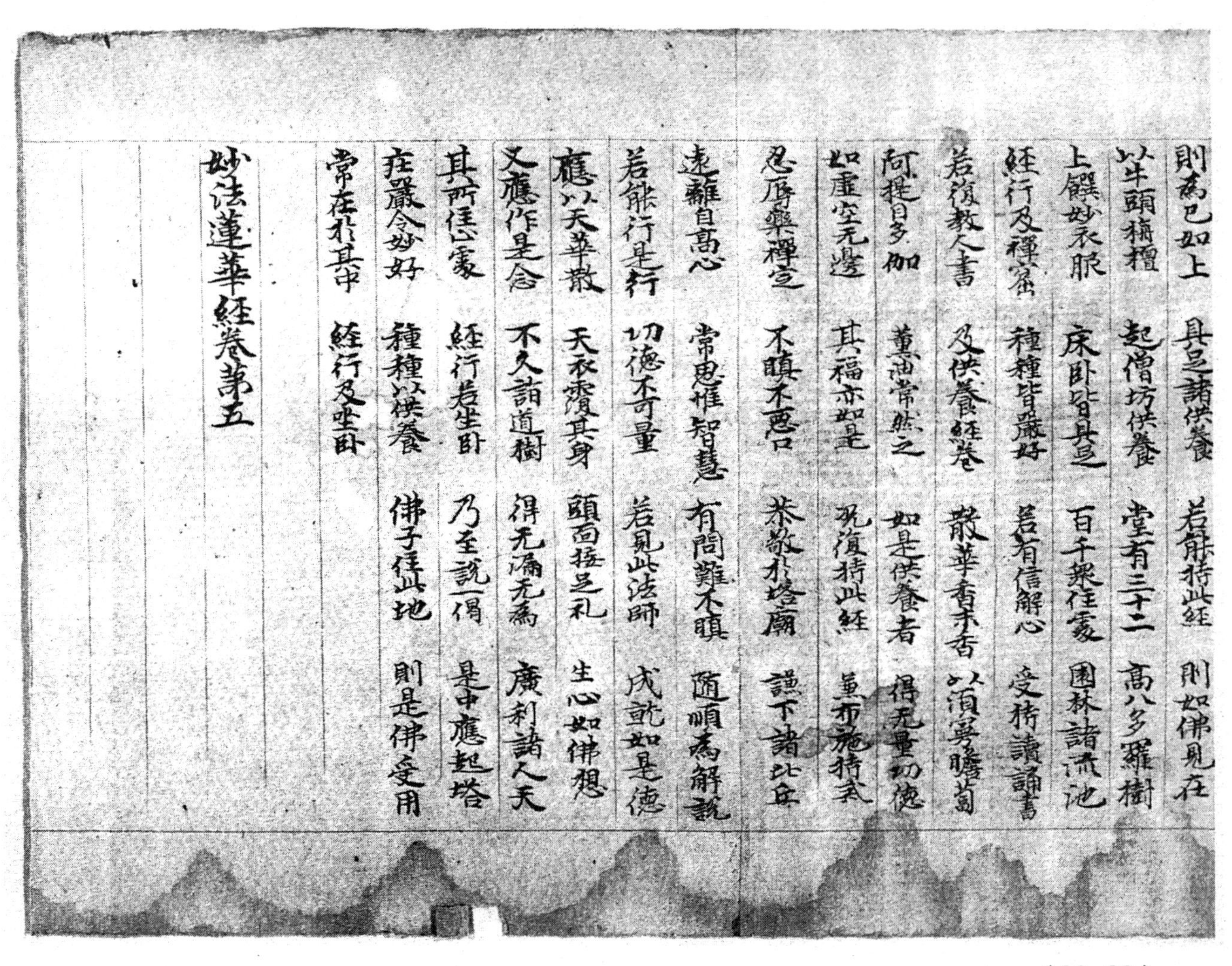

則爲已如上　具足諸供養　若能持此經　則如佛現在
以牛頭栴檀　起僧坊供養　堂有三十二　高八多羅樹
上饌妙衣服　床卧皆具足　百千衆住處　園林諸流池
經行及禪窟　種種皆嚴好　若有信解心　受持讀誦書
若復教人書　及供養經卷　散華香末香　以須曼瞻蔔
阿提目多伽　薰油常然之　如是供養者　得无量功德
如虛空无邊　其福亦如是　况復持此經　兼布施持戒
忍辱樂禪定　不瞋不惡口　恭敬於塔廟　謙下諸比丘
遠離自高心　常思惟智慧　有問難不瞋　隨順爲解說
若能行是行　功德不可量　若見此法師　成就如是德
應以天華散　天衣覆其身　頭面接足禮　生心如佛想
又應作是念　不久詣道樹　得无漏无爲　廣利諸人天
其所住止處　經行若坐卧　乃至說一偈　是中應起塔
莊嚴令妙好　種種以供養　佛子住此地　則是佛受用
常在於其中　經行及坐卧

妙法蓮華經卷第五

BD00449 號　妙法蓮華經卷五　（23–23）

BD00450 號 A　無量壽宗要經　（4–1）

他耶六怛姪他唵七薩婆桑悉迦囉八波唎輸底九達摩底十伽伽娜十一莎訶某持迦底十二莎婆婆毗輸底十三
摩訶娜耶十四波唎婆囉莎訶十五
若有自書教人書寫是無量宗要受持讀誦如同
書寫八万四千一切經典陁羅尼曰　南謨薄伽勃底一阿波唎蜜多二阿喻紇硯娜三須毗你悉
指陁四囉佐耶五怛他羯他耶六怛姪他唵七薩婆桑悉迦囉八波唎輸底九達摩底十伽伽娜十一莎訶某持
迦底十二莎婆婆毗輸底十三摩訶娜耶十四波唎婆囉莎訶十五　若有自書寫教人書寫是無
量壽宗要經即是書寫八万四千部建立塔廟陁羅尼曰　南謨薄伽勃底一阿波唎蜜多
阿喻紇硯娜三須毗你悉指陁四囉佐耶五怛他羯他耶六怛姪他唵七薩婆桑悉迦囉八波唎輸底九達摩底十伽
伽娜十一莎訶某持迦底十二莎婆婆毗輸底十三摩訶娜耶十四波唎婆囉莎訶十五
若有自書寫教人書寫是無量壽宗要經能消五無間等一切重罪陁羅尼曰　南謨薄伽勃底一阿
波唎蜜多二阿喻紇硯娜三須毗你悉指陁四囉佐耶五怛他羯他耶六怛姪他唵七薩婆桑悉迦囉八波唎輸底九達
摩底十伽伽娜十一莎訶某持迦底十二莎婆婆毗輸底十三摩訶娜耶十四波唎婆囉莎訶十五
若有自書寫教人書寫是無量壽宗要經受持讀誦設有重罪猶如須彌盡能除滅陁羅尼曰
南謨薄伽勃底一阿波唎蜜多二阿喻紇硯娜三須毗你悉指陁四囉佐耶五怛他羯他耶六怛姪他唵七
薩婆桑悉迦囉八波唎輸底九達摩底十伽伽娜十一莎訶某持迦底十二莎婆婆毗輸底十三摩訶娜耶
波唎婆囉莎訶十五　若有自書寫教人書寫是無量壽宗要經受持讀誦若魔魔
之眷屬夜叉羅刹不得其便終無枉死陁羅尼曰　南謨薄伽勃底一阿波唎蜜多二阿喻紇
硯娜三須毗你悉指陁四囉佐耶五怛他羯他耶六怛姪他唵七薩婆桑悉迦囉八波唎輸底九達摩
底十伽伽娜十一莎訶某持迦底十二莎婆婆毗輸底十三摩訶娜耶十四波唎婆囉莎訶十五
若有自書教人寫是無量壽宗要經受持讀誦當命終時有九十九俱胝現其人前蒙
千佛授手能遊一切佛剎莫於此經生於疑惑陁羅尼曰　南謨薄伽勃底一阿波唎蜜
多二阿喻紇硯娜三須毗你悉指陁四囉佐耶五怛他羯他耶六怛姪他唵七薩婆桑悉迦囉八波唎輸底九達摩
底十伽伽娜十一莎訶某持迦底十二莎婆婆毗輸底十三摩訶娜耶十四波唎婆囉莎訶十五
若有自書寫教人書寫是無量宗要經受持讀誦常得四天大王隨其衛護陁羅尼曰
南謨薄伽勃底一阿波唎蜜多二阿喻紇硯娜三須毗你悉指陁四囉佐耶五怛他羯他耶六怛姪他唵七薩婆桑
悉迦囉八波唎輸底九達摩底十伽伽娜十一莎訶某持迦底十二莎婆婆毗輸底十三摩訶娜耶十四波唎婆囉
莎訶十五　若有自書教人書寫是無量壽宗要經受持讀誦當得往生西方極樂世界阿
彌陁淨土陁羅尼曰　南謨薄伽勃底一阿波唎蜜多二阿喻紇硯娜三須毗你悉指陁四囉佐耶五怛他
羯他耶六怛姪他唵七薩婆桑悉迦囉八波唎輸底九達摩底十伽伽娜十一莎訶某持迦底十二莎婆婆毗輸底
摩訶娜耶十四波唎婆囉莎訶十五　若有方所自書寫使人書寫是無量壽經典之處則為是塔
皆應恭敬作礼若是畜生或為鳥獸得聞是經如是等類皆當不久得成一切種智陁羅尼曰

BD00450 號 A　無量壽宗要經　（4–2）

若有自書寫教人書寫是無量宗要經受持讀誦常得四天大王隨其衛護陁羅尼曰
南謨薄伽勃底一阿波唎蜜多二阿喻紇硯娜三須毗你悉指陁四囉佐耶五怛他羯他耶六怛姪他唵七薩婆桑
悉迦囉八波唎輸底九達摩底十伽伽娜十一莎訶某持迦底十二莎婆婆毗輸底十三摩訶娜耶十四波唎婆囉
莎訶十五　若有自書教人書寫是無量壽宗要經受持讀誦當得往生西方極樂世界阿
彌陁淨土陁羅尼曰　南謨薄伽勃底一阿波唎蜜多二阿喻紇硯娜三須毗你悉指陁四囉佐耶五怛他
羯他耶六怛姪他唵七薩婆桑悉迦囉八波唎輸底九達摩底十伽伽娜十一莎訶某持迦底十二莎婆婆毗輸底
摩訶娜耶十四波唎婆囉莎訶十五　若有方所自書寫使人書寫是無量壽經典之處則為是塔
皆應恭敬作礼若是畜生或為鳥獸得聞是經如是等類皆當不久得成一切種智陁羅尼曰
南謨薄伽勃底一阿波唎蜜多二阿喻紇硯娜三須毗你悉指陁四囉佐耶五怛他羯他耶六怛姪他唵七薩婆桑悉迦
囉八波唎輸底九達摩底十伽伽娜十一莎訶某持迦底十二莎婆婆毗輸底十三摩訶娜耶十四波唎婆囉莎
訶十五　若有於是無量壽經典自書寫使人書畢竟不受女人之身陁羅尼曰
南謨薄伽勃底一阿波唎蜜多二阿喻紇硯娜三須毗你悉指陁四囉佐耶五怛他羯他耶六怛姪他
唵七薩婆桑悉迦囉八波唎輸底九達摩底十伽伽娜十一莎訶某持迦底十二莎婆婆毗輸底十三
摩訶娜耶十四波唎婆囉莎訶十五　若有能於是經少分能惠施者等於三千大
千世界滿中七寶布施陁羅尼曰　南謨薄伽勃底一阿波唎蜜多二阿喻紇硯娜三
須毗你悉指陁四囉佐耶五怛他羯他耶六怛姪他唵七薩婆桑悉迦囉八波唎輸底九達摩底十伽
伽娜十一莎訶某持迦底十二莎婆婆毗輸底十三摩訶娜耶十四波唎婆囉莎訶十五
若有供養是經者則是供養一切諸經等無有異陁羅尼曰
南謨薄伽勃底一阿波唎蜜多二阿喻紇硯娜三須毗你悉指陁四囉佐耶五怛他羯他耶六怛姪他唵七薩婆
桑悉迦囉八波唎輸底九達摩底十伽伽娜十一莎訶某持迦底十二莎婆婆毗輸底十三摩訶娜耶十四波唎婆囉莎
訶十五　如是毗婆尸佛尸棄佛毗舍浮佛具留孫佛俱那含牟尼佛迦葉佛釋迦牟尼佛　若有
人以七寶供養如是七佛其福有限書寫受持是無量壽經典所有功德不可限量陁羅尼曰
南謨薄伽勃底一阿波唎蜜多二阿喻紇硯娜三須毗你悉指陁四囉佐耶五怛他羯他耶六怛姪他唵七薩婆桑
悉迦囉八波唎輸底九達摩底十伽伽娜十一莎訶某持迦底十二莎婆婆毗輸底十三摩訶娜耶十四波
唎婆囉莎訶十五　若有七寶等於須彌以用布施其福上能知其限量是無量壽經典其福
不可知數陁羅尼曰　南謨薄伽勃底一阿波唎蜜多二阿喻紇硯娜三須毗你悉指陁四囉佐耶五
怛他羯他耶六怛姪他唵七薩婆桑悉迦囉八波唎輸底九達摩底十伽伽娜十一莎訶某持迦底十二莎
婆婆毗輸底十三摩訶娜耶十四波唎婆囉莎訶十五　如是四大海水可知滴數是無量壽
經典所生果報不可數量陁羅尼曰　南謨薄伽勃底一阿喻紇硯娜三須毗你悉指陁四囉佐耶五怛他羯他
耶六怛姪他唵七薩婆桑悉迦囉八波唎輸底九達摩底十伽伽娜十一莎訶某持迦底十二莎婆婆毗輸底

BD00450 號 A　無量壽宗要經　（4–3）

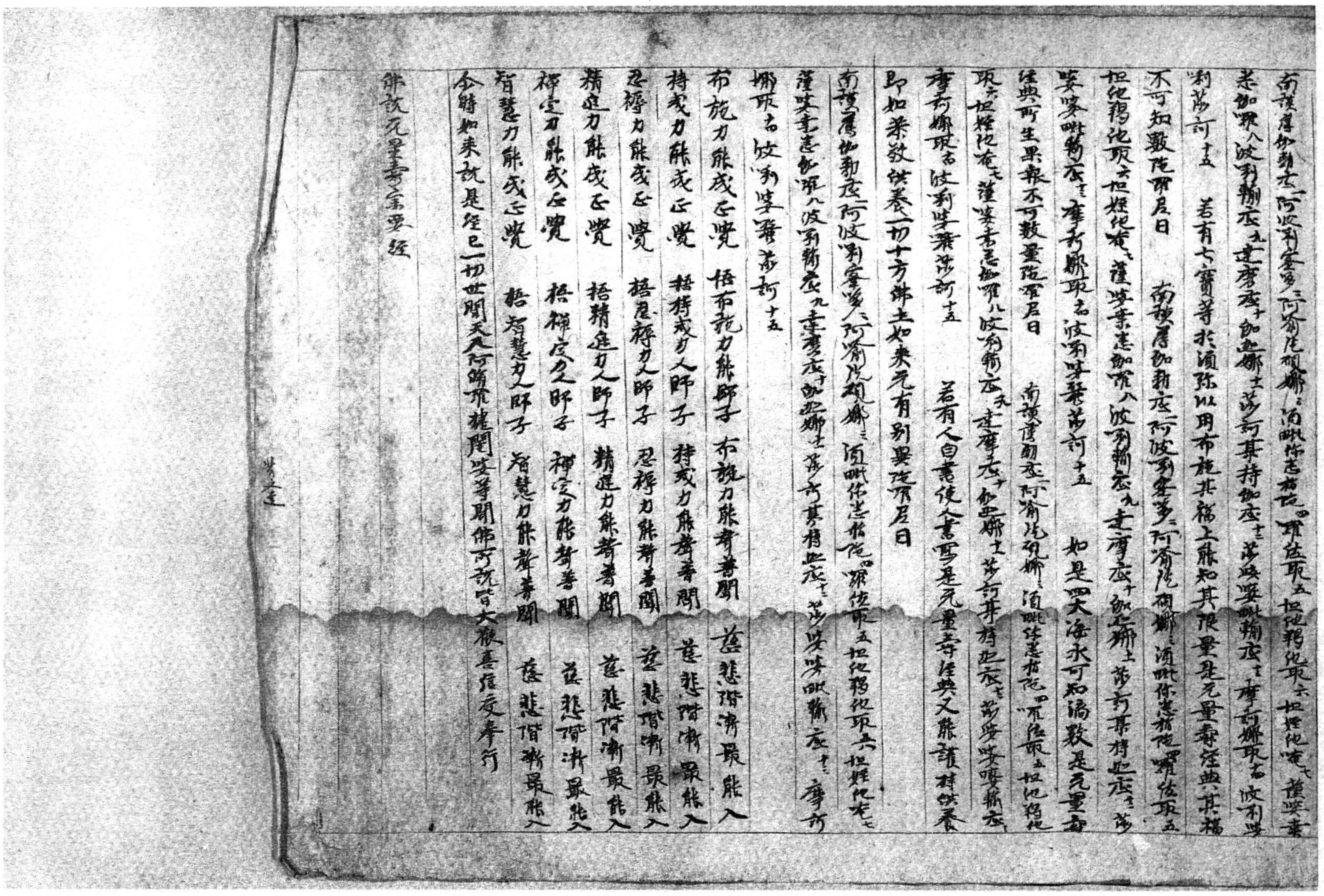

BD00450 號 A　無量壽宗要經　　　　（4–4）

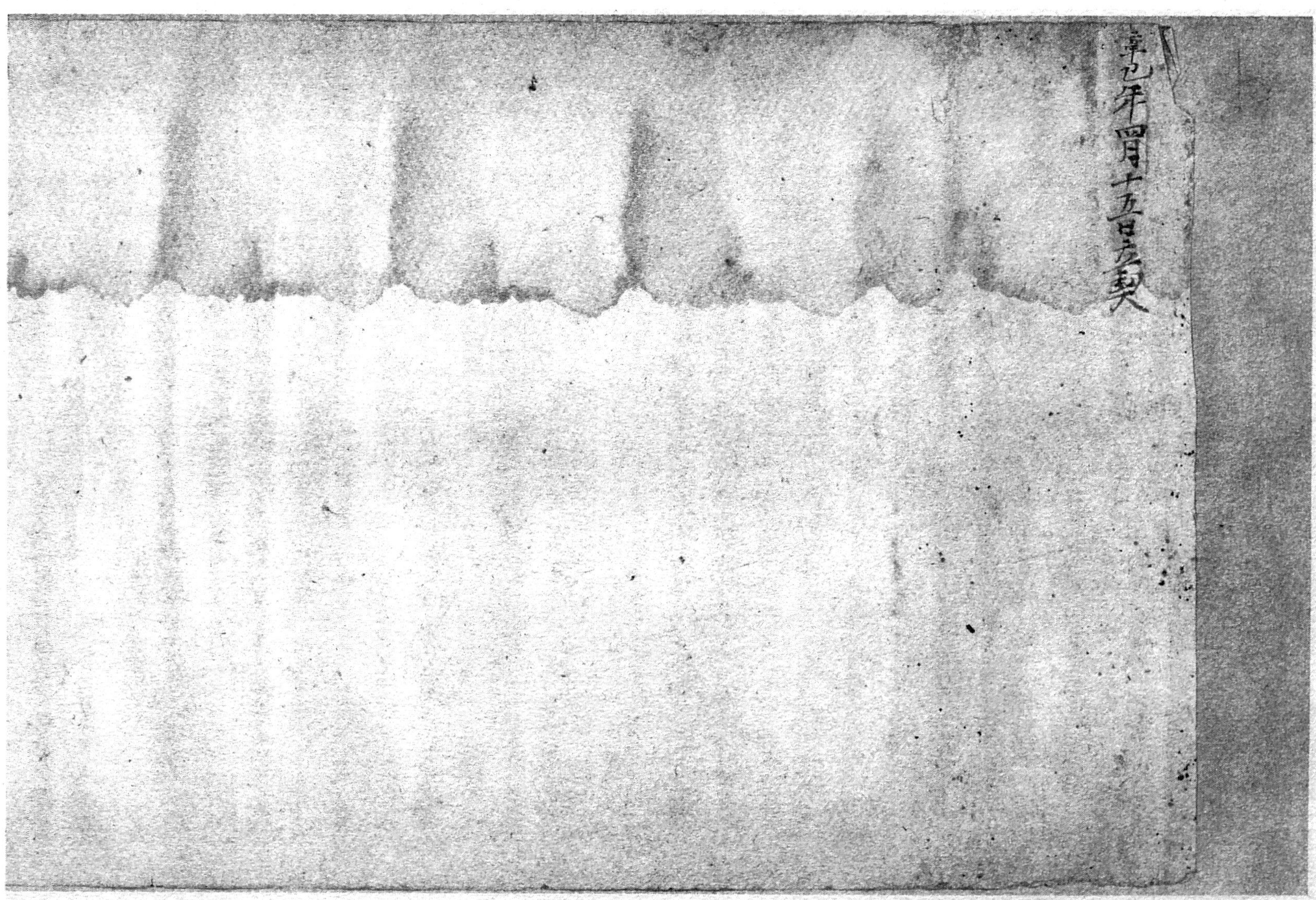

BD00450 號 A 背　雜寫　　　　（1–1）

南无東方須彌燈光明如來十方佛等一切諸佛
南无毗婆尸如來過去七佛等一切諸佛
南无普光如來五十三佛等一切諸佛
南无普光佛　南无普明佛
南无普淨佛　南无多摩羅跋旃檀香佛
南无旃檀光佛　南无摩尼幢佛
南无歡喜藏摩尼寶積佛　南无一切世間樂見上大精進佛
南无摩尼幢燈光佛　南无慧炬照佛
南无海德光明佛　南无金剛牢強普散金光佛
南无大強精進勇猛佛　南无大悲光佛
南无慈力王佛　南无慈藏佛
南无旃檀窟莊嚴勝佛　南无賢善首佛
南无善意佛　南无廣莊嚴王佛
南无金華光佛　南无寶蓋照空自在王佛
南无虛空寶華光佛　南无琉璃莊嚴王佛
南无普現色身光佛　南无不動智光佛
南无降伏諸魔王佛　南无才光明佛
南无智慧勝佛　南无彌勒仙光佛
南无世淨光佛　南无善寂月音妙尊智王佛
南无龍種上尊王佛　南无日月光佛
南无日月珠光佛　南无慧幢勝王佛
南无師子吼自在力王佛　南无妙音勝佛
南无常光幢佛　南无觀世燈佛
南无慧威燈王佛　南无法勝王佛
南无須彌光佛　南无須曼那華光佛
南无優曇鉢羅華殊勝王佛　南无大慧力王佛

BD00450 號 B　七階佛名經　（3–1）

南无常光幢佛　南无觀世燈佛
南无慧威燈王佛　南无法勝王佛
南无須彌光佛　南无須曼那華光佛
南无優曇鉢羅華殊勝王佛　南无大慧力王佛
南无阿閦毗歡喜光佛　南无无量音聲王佛
南无才光佛　南无金海光佛
南无山海慧自在通王佛　南无大通光佛
南无一切常滿王佛
南无東方善德如來十方佛等一切諸佛
南无拘那提如來賢劫千佛等一切諸佛
南无釋迦牟尼如來三十五佛等一切諸佛
南无釋迦牟尼佛　南无金剛不壞佛
南无寶光佛　南无龍尊王佛
南无精進軍佛　南无精進喜佛
南无寶火佛　南无寶月光佛
南无現无愚佛　南无寶月佛
南无无垢佛　南无離垢佛
南无勇施佛　南无清淨佛
南无清淨施佛　南无娑留那佛
南无水天佛　南无堅德佛
南无旃檀功德佛　南无无量掬光佛
南无光德佛　南无无憂德佛
南无那羅延佛　南无功德華佛
南无蓮華光遊戲神通佛　南无財功德佛
南无德念佛　南无善名稱功德佛
南无紅炎幢王佛　南无善遊步功德佛
南无鬪戰勝佛　南无善遊步佛
南无周匝莊嚴功德佛　南无寶華遊步佛
南无寶蓮華善住娑羅樹王佛

BD00450 號 B　七階佛名經　（3–2）

南无光德佛
南无郁羅延佛
南无重荒荒遊戚神樓
南无德念佛
南无紅焰憧胜佛
南无闊戟膝佛
南无圓还座廣功德羅
南无寶蓮華善住娑羅樹王佛
南无寶腾佛
南无成就盧舍那佛
南无盧舍那佛
南无大光明佛
南无阿彌陀佛
南无寶光明佛
南无燃燈火佛
南无无邊无垢佛
南无无邊稱佛
南无日光明佛
南无華膝佛
南无法光明清净開敷蓮花佛
南无虚空功德清净微塵等目端政功德
南无明華妓頭摩珊瑚光寶佛并香最上
相光明華妓頭摩珊瑚光寶佛并香最上
香彼眷號

南无无憂德佛
南无一切德華佛
南无咻一切德佛
南无善遊求一切德佛
南无寶華遊步佛
南无寶華佛
南无清净光明佛
南无无邊寶佛
南无妙身佛
南无得大无畏佛
南无大精進佛
南无聲如來
南无环重佛
南无盧舍那頻懷像佛

BD00450 號 B 七階佛名經 (3-3)

BD00450 號 B 背 雜寫 (1-1)

南无大冠佛
南无大冠慧佛
南无一寶憧佛

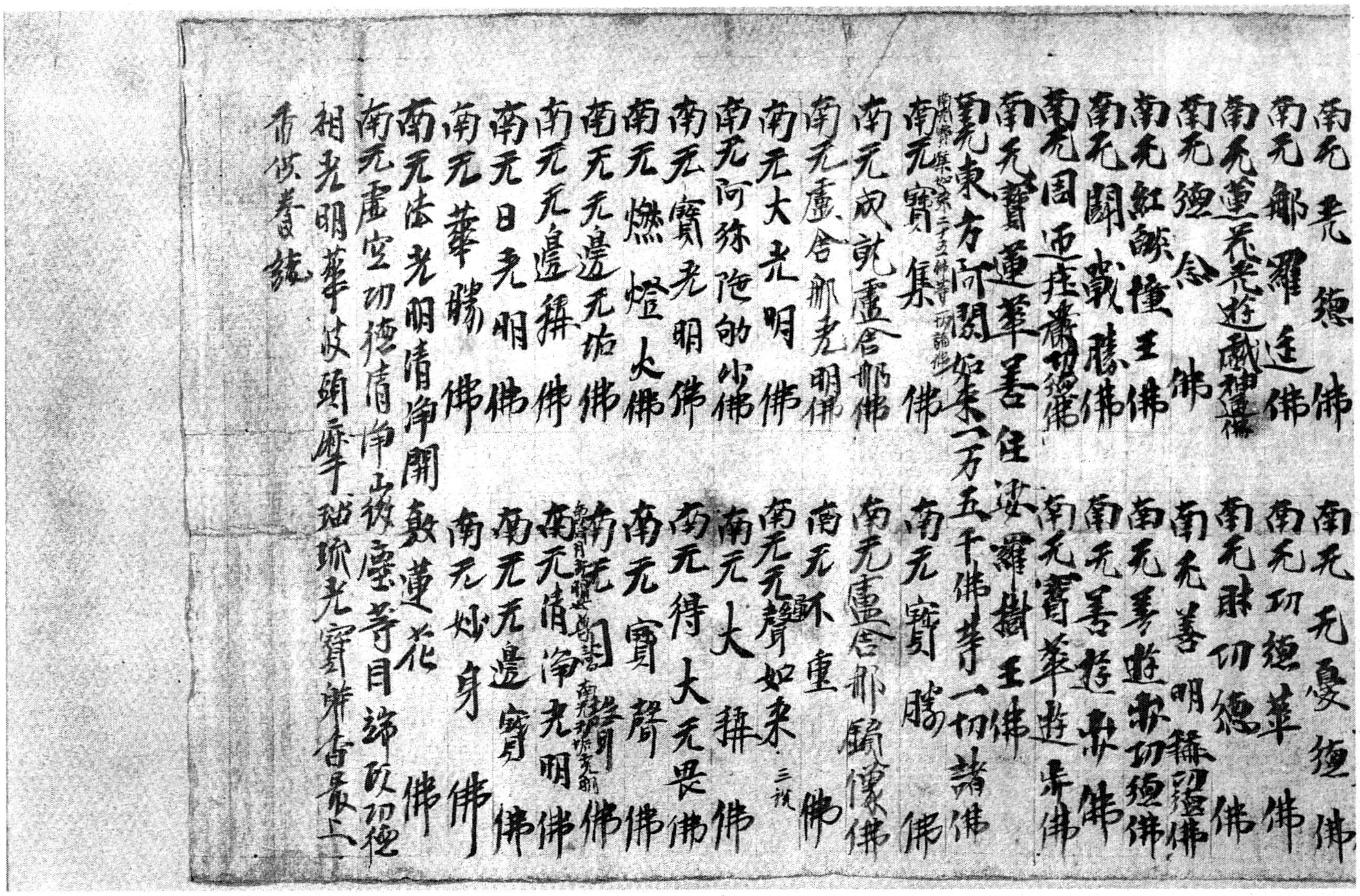

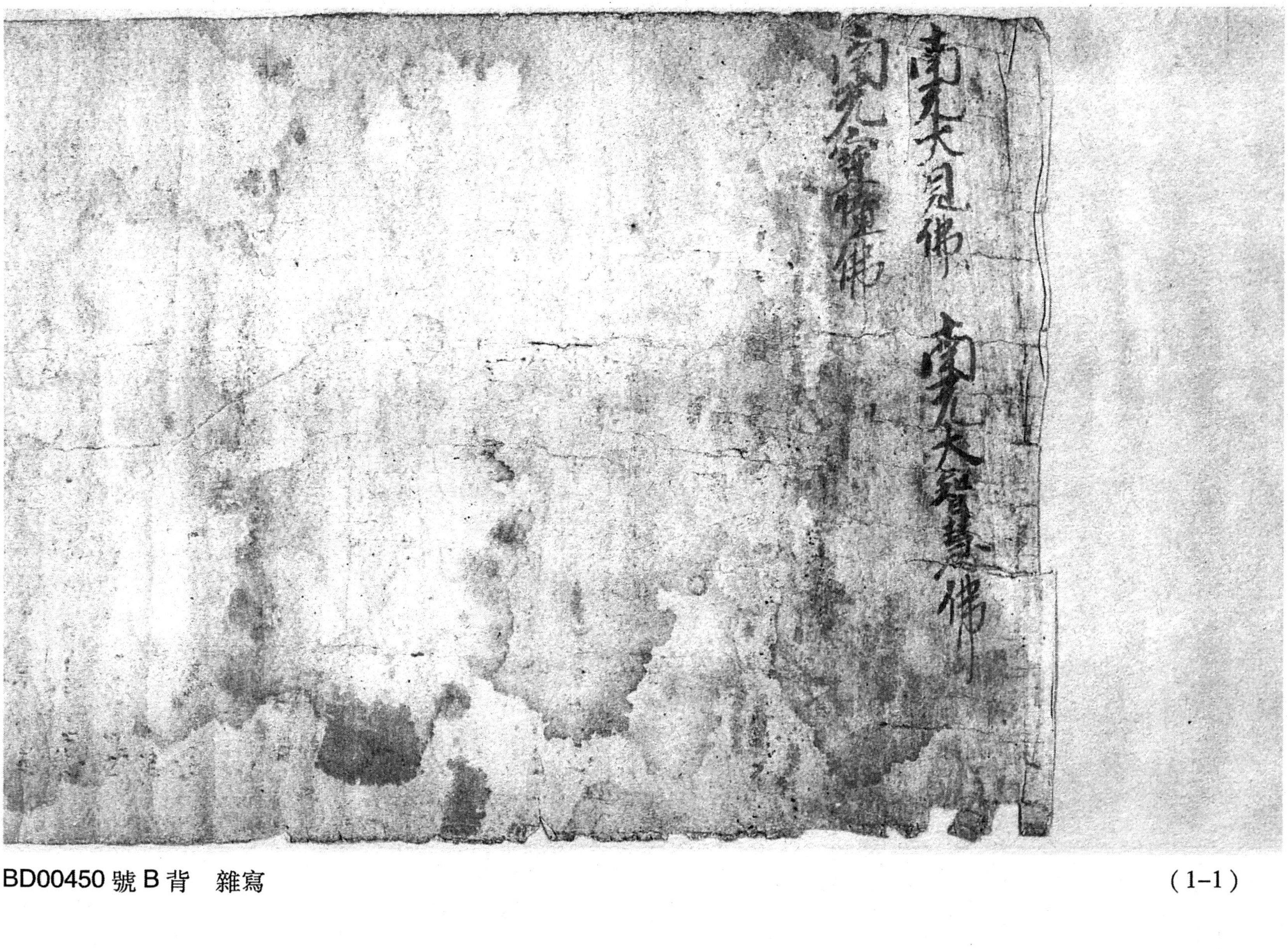

世
是
珞燒香末香
之香如是等種種諸
國城妻子布施亦所不及善
之施於諸施中最尊最上以法供養諸如來
故作是語已而各嘿然其身火燃千二百歲
過是已後其身乃盡一切衆生憙見菩薩作
如是法供養已命終之後復生日月淨明德
佛國中於淨德王家結加趺坐忽然化生即
為其父而說偈言
大王今當知　我經行彼處　即時得一切　現諸身三昧
勤行大精進　捨所愛之身
說是偈已而白父言日月淨明德佛今故現
在我先供養佛已得解一切衆生語言陀羅
尼復聞是法華經八百千万億那由他甄迦
羅頻婆羅阿閦婆等偈大王我今當還供養
此佛白已即坐七寶之臺上昇虛空高七多
羅樹往到佛所頭面礼足合十指爪以偈讚
佛
容顏甚奇妙　光明照十方　我適曾供養　今復還親近
尒時一切衆生憙見菩薩說是偈已而白佛
言世尊世尊猶故在世尒時日月淨明德佛
告一切衆生憙見菩薩善男子我涅槃時到
滅盡時至汝可安施床座我於今夜當般涅
槃又勅一切衆生憙見菩薩善男子我以佛

BD00451 號　妙法蓮華經卷六　（6–1）

言世尊世尊猶故在世尒時日月淨明德佛
告一切衆生憙見菩薩善男子我涅槃時到
滅盡時至汝可安施床座我於今夜當般涅
槃又勅一切衆生憙見菩薩善男子我以佛
法囑累於汝及諸菩薩大弟子并阿耨多羅
三藐三菩提法亦以三千大千七寶世界諸
寶樹寶臺及給侍諸天悉付於汝我滅度後
所有舍利亦付囑汝當令流布廣設供養應
起若干千塔如是日月淨明德佛勅一切衆
生憙見菩薩已於夜後分入於涅槃尒時一
切衆生憙見菩薩見佛滅度悲感懊惱戀慕
於佛即以海此岸栴檀為積供養佛身而以
燒之火滅已後收取舍利作八万四千寶瓶
以起八万四千塔高三世界表剎莊嚴垂諸
幡蓋懸衆寶鈴尒時一切衆生憙見菩薩復
自念言我雖作是供養心猶未足我今當更
供養舍利便語諸菩薩大弟子及天龍夜叉
等一切大衆汝等當一心念我今供養日月
淨明德佛舍利作是語已即於八万四千塔
前燃百福莊嚴臂七万二千歲而以供養令
无數求聲聞衆无量阿僧祇人發阿耨多羅
三藐三菩提心皆使得住現一切色身三昧
尒時諸菩薩天人阿脩羅等見其无臂憂惱
悲哀而作是言此一切衆生憙見菩薩是我
等師教化我者而今燒臂身不具足于時一
切衆生憙見菩薩於大衆中立此誓言我捨
兩臂必當得佛金色之身若實不虛令我兩
[illegible]

BD00451 號　妙法蓮華經卷六　（6–2）

悲哀而作是言此一切衆生憙見菩薩是我
等師教化我者而今燒臂身不具足于時一
切衆生憙見菩薩於大衆中立此誓言我捨
兩臂必當得佛金色之身若實不虛令我兩
臂還復如故作是誓已自然還復由斯菩薩
福德智慧淳厚所致當尒之時三千大千世
界六種震動天雨寶華一切人天得未曾有
佛告宿王華菩薩於汝意云何一切衆生憙
見菩薩豈異人乎今藥王菩薩是也其所捨
身布施如是无量百千万億那由他數宿王
華若有發心欲得阿耨多羅三藐三菩提者
能燃手指乃至足一指供養佛塔勝以國城
妻子及三千大千國土山林河池諸珍寶物
而供養者若復有人以七寶滿三千大千世
界供養於佛及大菩薩辟支佛阿羅漢是人
所得功德不如受持此法華經乃至一四句
偈其福最多宿王華譬如一切川流江河諸
水之中海爲第一此法華經亦復如是於諸
如來所說經中最爲深大又如土山黑山小
鐵圍山大鐵圍山及十寶山衆山之中須弥
山爲第一此法華經亦復如是於諸經中最
爲其上又如衆星之中月天子最爲第一此
法華經亦復如是於千万億種諸經法中最
爲照明又如日天子能除諸闇此經亦復如
是能破一切不善之闇又如諸小王中轉輪
聖王最爲第一此經亦復如是於衆經中最
爲其尊又如帝釋於三十三天中王此經亦

BD00451 號　妙法蓮華經卷六 （6–3）

是能破一切不善之闇又如諸小王中轉輪
聖王最爲第一此經亦復如是於衆經中最
爲其尊又如帝釋於三十三天中王此經亦
復如是諸經中王又如大梵天王一切衆生
之父此經亦復如是一切賢聖學无學及發
菩薩心者之父又如一切凡夫人中須陀洹
斯陀含阿那含阿羅漢辟支佛爲第一此經
亦復如是一切如來所說若菩薩所說若聲
聞所說諸經法中最爲第一有能受持是經
典者亦復如是於一切衆生中亦爲第一一
切聲聞辟支佛中菩薩爲第一此經亦復如
是於一切諸經法中最爲第一如佛爲諸法
王此經亦復如是諸經中王宿王華此經能
救一切衆生者此經能令一切衆生離諸苦
惱此經能大饒益一切衆生充滿其願如清
涼池能滿一切諸渴乏者如寒者得火如裸
者得衣如商人得主如子得母如渡得船如
病得醫如暗得燈如貧得寶如民得王如賈
客得海如炬除暗此法華經亦復如是能令
衆生離一切苦一切病痛能解一切生死之
縛若人得聞此法華經若自書若使人書所
得功德以佛智慧籌量多少不得其邊若書
是經卷華香瓔珞燒香末香塗香幡蓋衣服
種種之燈蘇燈油燈諸香油燈瞻蔔油燈須
曼那油燈波羅羅油燈婆利師迦油燈那婆摩
利油燈供養所得功德亦復无量宿王華若
有人聞是藥王菩薩本事品者亦得无量无

BD00451 號　妙法蓮華經卷六 （6–4）

種種之燈蘇燈油燈諸香油燈瞻蔔油燈須
曼油燈波羅羅油燈婆利師迦油燈那婆摩
利油燈供養所得功德亦復无量宿王華若
有人聞是藥王菩薩本事品者亦得无量无
邊功德若有女人聞是藥王菩薩本事品能
受持者盡是女身後不復受若如來滅後後
五百歲中若有女人聞是經典如說脩行於
此命終即往安樂世界阿弥陁佛大菩薩衆
圍繞住處生蓮華中寶座之上不復為貪欲
所惱亦復不為瞋恚愚癡所惱亦復不為憍
慢嫉妬諸垢所惱得菩薩神通无生法忍得
是忍已眼根清淨以是清淨眼根見七百万
二千億那由他恒河沙等諸佛如來是時諸
佛遥共讚言善哉善哉善男子汝能於釋迦
牟尼佛法中受持讀誦思惟是經為他人說
所得福德无量无邊火不能燒水不能漂汝
之功德千佛共說不能令盡汝今已能破諸
魔賊壞生死軍諸餘怨敵皆悉摧滅善男子
百千諸佛以神通力共守護汝於一切世間
天人之中无如汝者唯除如來其諸聲聞辟
支佛乃至菩薩智慧禪定无有與汝等者宿
王華此菩薩成就如是功德智慧之力若有
人聞是藥王菩薩本事品能隨喜讚善者是
人現世口中常出青蓮華香身毛孔中常出
牛頭栴檀香所得功德如上所說是故宿王
華以此藥王菩薩本事品囑累於汝我滅度
後後五百歲中廣宣流布於閻浮提无令斷
絕惡魔魔民諸天龍夜叉鳩槃荼等得其便

BD00451號　妙法蓮華經卷六　（6-5）

人現世口中常出青蓮華香身毛孔中常出
牛頭栴檀香所得功德如上所說是故宿王
華以此藥王菩薩本事品囑累於汝我滅度
後後五百歲中廣宣流布於閻浮提无令斷
絕惡魔魔民諸天龍夜叉鳩槃荼等得其便
世宿王華汝當以神通之力守護是經所以
者何此經則為閻浮提人病之良藥若人有
病得聞是經病即消滅不老不死宿王華汝
若見有受持是經者應以青蓮華盛滿末香
供散其上散已作是念言此人不久必當取
草坐於道場破諸魔軍當吹法螺擊大法鼓
度脫一切衆生老病死海是故求佛道者見
有受持是經典人應當如是生恭敬心說是
藥王菩薩本事品時八万四千菩薩得解一
切衆生語言陁羅尼多寶如來於寶塔中讚
宿王華菩薩言善哉善哉宿王華汝成就不
可思議功德乃能問釋迦牟尼佛如此之事
利益无量一切衆生

妙法蓮華經卷第六

BD00451號　妙法蓮華經卷六　（6-6）

即　四无㝵解十八佛
增語是菩薩摩訶薩不不也世尊
相十力若增語是菩薩摩訶薩不不也世
尊即四无所畏四无㝵解十八佛不共法若
增語是菩薩摩訶薩不不也世尊即佛十力
我增語是菩薩摩訶薩不不也世尊即四
畏四无㝵解十八佛不共法我增語是菩
薩摩訶薩不不也世尊即佛十力无我增語
是菩薩摩訶薩不不也世尊即四无所畏四
無㝵解十八佛不共法無我增語是菩薩摩
訶薩不不也世尊即佛十力淨增語是菩薩
摩訶薩不不也世尊即四无所畏四无㝵解
十八佛不共法淨增語是菩薩摩訶薩不不
也世尊即佛十力不淨增語是菩薩摩訶薩
不不也世尊即四无所畏四无㝵解十八佛
不共法不淨增語是菩薩摩訶薩不不也世
尊即佛十力変增語是菩薩摩訶薩不不也
世尊即四无所畏四无㝵解十八佛不共法
変增語是菩薩摩訶薩不不也世尊即佛十
力不変增語是菩薩摩訶薩不不也世尊即
四无所畏四无㝵解十八佛不共法不変增
語是菩薩摩訶薩不不也世尊即佛十力有
相增語是菩薩摩訶薩不不也世尊即四无
所畏四無㝵解十八佛不共法有相增語是
菩薩摩訶薩不不也世尊即佛十力无相增
語是菩薩摩訶薩不不也世尊即四无所畏

BD00452號　大般若波羅蜜多經卷二二　（21–1）

所畏四無㝵解十八佛不共法有相增語是
菩薩摩訶薩不不也世尊即佛十力无相增
語是菩薩摩訶薩不不也世尊即四无所畏
四无㝵解十八佛不共法无相增語是菩薩
摩訶薩不不也世尊即佛十力有願增語是
菩薩摩訶薩不不也世尊即四无所畏四无
㝵解十八佛不共法有願增語是菩薩摩訶
薩不不也世尊即佛十力无願增語是菩薩
摩訶薩不不也世尊即四无所畏四无㝵解
十八佛不共法无願增語是菩薩摩訶薩不
不也世尊即佛十力寂靜增語是菩薩摩訶
薩不不也世尊即四無所畏四無㝵解十八
佛不共法寂靜增語是菩薩摩訶薩不不也
世尊即佛十力不寂靜增語是菩薩摩訶薩
不不也世尊即四无所畏四无㝵解十八佛不
共法不寂靜增語是菩薩摩訶薩不不也
世尊即佛十力遠離增語是菩薩摩訶薩不
不也世尊即四无所畏四无㝵解十八佛不
共法遠離增語是菩薩摩訶薩不不也世尊
即佛十力不遠離增語是菩薩摩訶薩不不
也世尊即四無所畏四无㝵解十八佛不共法
法不遠離增語是菩薩摩訶薩不不也世尊
即佛十力有為增語是菩薩摩訶薩不不也
世尊即四无所畏四无㝵解十八佛不共法有
為增語是菩薩摩訶薩不不也世尊即佛
十力無為增語是菩薩摩訶薩不不也世尊
即四无所畏四无㝵解十八佛不共法无為增
增語是菩薩摩訶薩不不也世尊即佛十力

BD00452號　大般若波羅蜜多經卷二二　（21–2）

十力無爲增語是菩薩摩訶薩不不也世尊
即四无所畏四无礙解十八佛不共法无爲增
語是菩薩摩訶薩不不也世尊即佛十力
有漏增語是菩薩摩訶薩不不也世尊即四
无所畏四无無礙解十八佛不共法有漏增語
是菩薩摩訶薩不不也世尊即佛十力無漏
增語是菩薩摩訶薩不不也世尊即四无所畏
四无礙解十八佛不共法无漏增語是菩薩
摩訶薩不不也世尊即佛十力生增語是菩
薩摩訶薩不不也世尊即四无所畏四无
礙解十八佛不共法生增語是菩薩摩訶薩
不不也世尊即佛十力滅增語是菩薩摩訶
薩不不也世尊即四无所畏四无礙解十八
佛不共法滅增語是菩薩摩訶薩不不也世
尊即佛十力善增語是菩薩摩訶薩不不也
世尊即四无所畏四无礙解十八佛不共法善
善增語是菩薩摩訶薩不不也世尊即佛十
力非善增語是菩薩摩訶薩不不也世尊即
四無所畏四无礙解十八佛不共法非善增語
是菩薩摩訶薩不不也世尊即佛十力有罪
增語是菩薩摩訶薩不不也世尊即四無
所畏四无礙解十八佛不共法有罪增語是
菩薩摩訶薩不不也世尊即佛十力無罪增
語是菩薩摩訶薩不不也世尊即四无所畏
四无礙解十八佛不共法无罪增語是菩薩
摩訶薩不不也世尊即佛十力有煩惱增語
是菩薩摩訶薩不不也世尊即四无所畏四
無礙解十八佛不共法有煩惱增語是菩薩
[illegible]

是菩薩摩訶薩不不也世尊即四无所畏四
無礙解十八佛不共法有煩惱增語是菩薩
摩訶薩不不也世尊即佛十力无煩惱增語
是菩薩摩訶薩不不也世尊即四无無所畏四
无礙解十八佛不共法无煩惱增語是菩薩
摩訶薩不不也世尊即佛十力世間增語是
菩薩摩訶薩不不也世尊即四无所畏四无
礙解十八佛不共法世間增語是菩薩摩訶
菩不不也世尊即佛十力出世間增語是菩
薩摩訶薩不不也世尊即四无所畏四无礙
解十八佛不共法出世間增語是菩薩摩訶
薩不不也世尊即佛十力雜染增語是菩薩
摩訶薩不不也世尊即四无所畏四无礙解
十八佛不共法雜染增語是菩薩摩訶薩不
不也世尊即佛十力清淨增語是菩薩摩訶
薩不不也世尊即四无所畏四无礙解十八
佛不共法清淨增語是菩薩摩訶薩不不也
世尊即佛十力屬生死增語是菩薩摩訶薩
不不也世尊即四无所畏四无礙解十八佛
不共法屬生死增語是菩薩摩訶薩不不也
世尊即佛十力屬涅槃增語是菩薩摩訶薩
不不也世尊即四无所畏四无礙解十八佛
不共法屬涅槃增語是菩薩摩訶薩不不也
世尊即佛十力在內增語是菩薩摩訶薩不
不也世尊即四无所畏四无礙解十八佛不
共法在內增語是菩薩摩訶薩不不也世尊
即佛十力在外增語是菩薩摩訶薩不不也
世尊即四无所畏四无礙解十八解不共法
在外增語是菩薩摩訶薩不不也世尊即佛

共法在內增語是菩薩摩訶薩不不也世尊
即佛十力在外增語是菩薩摩訶薩不不也
世尊即四无所畏四无礙解十八解不共法
在外增語是菩薩摩訶薩不不也世尊即佛
十力在兩間增語是菩薩摩訶薩不不也世
尊即四无所畏四无礙解十八佛不共法在
兩間增語是菩薩摩訶薩不不也世尊即佛
十力可得增語是菩薩摩訶薩不不也世尊
即四无所畏四无礙解十八佛不共法可得
增語是菩薩摩訶薩不不也世尊即佛十力
不可得增語是菩薩摩訶薩不不也世尊即
四无所畏四无礙解十八佛不共法不可得
增語是菩薩摩訶薩不不也世尊
復次善現所言菩薩摩訶薩者於意云何即
大慈增語是菩薩摩訶薩不不也世尊即大
悲大喜大捨增語是菩薩摩訶薩不不也世
尊即大慈常增語是菩薩摩訶薩不不也
世尊即大悲大喜大捨常增語是菩薩摩訶薩
不不也世尊即大慈无常增語是菩薩摩訶
薩不不也世尊即大悲大喜大捨无常增語
是菩薩摩訶薩不不也世尊即大慈樂增語
是菩薩摩訶薩不不也世尊即大悲大喜大
捨樂增語是菩薩摩訶薩不不世也尊即大
慈苦增語是菩薩摩訶薩不不也世尊即大
悲大喜大捨苦增語是菩薩摩訶薩不不也
世尊即大慈我增語是菩薩摩訶薩不不也
世尊即大悲大喜大捨我增語是菩薩摩訶
薩不不也世尊即大慈无无我增語是菩薩摩

世尊即大慈我增語是菩薩摩訶薩不不也
世尊即大悲大喜大捨我增語是菩薩摩訶
薩不不也世尊即大慈无无我增語是菩薩摩
訶薩不不也世尊即大悲大喜大捨无我增
語是菩薩摩訶薩不不也世尊即大慈淨增
語是菩薩摩訶薩不不也世尊即大悲大喜
大捨淨增語是菩薩摩訶薩不不也世尊即
大慈不淨增語是菩薩摩訶薩不不也世尊
即大悲大喜大捨不淨增語是菩薩摩訶薩
不不也世尊即大慈空增語是菩薩摩訶薩
不不也世尊即大悲大喜大捨空增語是菩
薩摩訶薩不不也世尊即大慈不空增語是
菩薩摩訶薩不不也世尊即大悲大喜大捨
不空增語是菩薩摩訶薩不不也世尊即大
慈有相增語是菩薩摩訶薩不不也世尊即
大悲大喜大捨有相增語是菩薩摩訶薩不
不也世尊即大慈無相增語是菩薩摩訶薩
不不也世尊即大悲大喜大捨无相增語是
菩薩摩訶薩不不也世尊即大慈有願增語
是菩薩摩訶薩不不也世尊即大悲大喜大
捨有願增語是菩薩摩訶薩不不也世尊即
大慈無願增語是菩薩摩訶薩不不也世尊
即大悲大喜大捨无願增語是菩薩摩訶薩
不不也世尊即大慈寂靜增語是菩薩摩訶
薩不不也世尊即大悲大喜大捨寂靜增語
是菩薩摩訶薩不不也世尊即大慈不寂靜
增語是菩薩摩訶薩不不也世尊即大悲大
喜大捨不寂靜增語是菩薩摩訶薩不不也

喜大捨不寂靜增語是菩薩摩訶薩不不也
世尊即大慈遠離增語是菩薩摩訶薩不不
也世尊即大悲大喜大捨遠離增語是菩薩
摩訶薩不不也世尊即大慈不遠離增語是
菩薩摩訶薩不不也世尊即大悲大喜大捨
不遠離增語是菩薩摩訶薩不不也世尊即
大慈有為增語是菩薩摩訶薩不不也世尊
即大悲大喜大捨有為增語是菩薩摩訶薩
不不也世尊即大慈无為增語是菩薩摩訶
薩不不也世尊即大悲大喜大捨无為增語
是菩薩摩訶薩不不也世尊即大慈有漏增
語是菩薩摩訶薩不不也世尊即大悲大喜
大捨有漏增語是菩薩摩訶薩不不也世尊
即大慈无漏增語是菩薩摩訶薩不不也世
尊即大悲大喜大捨无漏增語是菩薩摩訶
薩不不也世尊即大慈生增語是菩薩摩訶
薩不不也世尊即大悲大喜大捨生增語是
菩薩摩訶薩不不也世尊即大慈滅增語是
菩薩摩訶薩不不也世尊即大悲大喜大捨
滅增語是菩薩摩訶薩不不也世尊即大慈
善增語是菩薩摩訶薩不不也世尊即大悲
大喜大捨善增語是菩薩摩訶薩不不也世
尊即大慈非善增語是菩薩摩訶薩不不也
世尊即大悲大喜大捨非善增語是菩薩摩
訶薩不不也世尊即大慈有罪增語是菩薩
摩訶薩不不也世尊即大悲大喜大捨有罪
增語是菩薩摩訶薩不不也世尊即大慈無
罪增語是菩薩摩訶薩不不也世尊即大悲

BD00452 號　大般若波羅蜜多經卷二二　（21–7）

摩訶薩不不也世尊即大悲大喜大捨有罪
增語是菩薩摩訶薩不不也世尊即大慈無
罪增語是菩薩摩訶薩不不也世尊即大悲
大喜大捨无罪增語是菩薩摩訶薩不不也
世尊即大慈有煩惱增語是菩薩摩訶薩不
不也世尊即大悲大喜大捨有煩惱增語是
菩薩摩訶薩不不也世尊即大慈无煩惱增
語是菩薩摩訶薩不不也世尊即大悲大喜
大捨无煩惱增語是菩薩摩訶薩不不也世
尊即大慈世間增語是菩薩摩訶薩不不也
世尊即大悲大喜大捨世間增語是菩薩摩
訶薩不不也世尊即大慈出世間增語是菩
薩摩訶薩不不也世尊即大悲大喜大捨出世
間增語是菩薩摩訶薩不不也世尊即大
慈雜染增語是菩薩摩訶薩不不也世尊即
大悲大喜大捨雜染增語是菩薩摩訶薩不
不也世尊即大慈清淨增語是菩薩摩訶薩
不不也世尊即大悲大喜大捨清淨增語是
菩薩摩訶薩不不也世尊即大慈屬生死增
語是菩薩摩訶薩不不也世尊即大悲大喜
大捨屬生死增語是菩薩摩訶薩不不也世
尊即大慈屬涅槃增語是菩薩摩訶薩不不
也世尊即大悲大喜大捨屬涅槃增語是菩
菩摩訶薩不不也世尊即大慈在內增語是
菩薩摩訶薩不不也世尊即大悲大喜大捨
在內增語是菩薩摩訶薩不不也世尊即大
慈在外增語是菩薩摩訶薩不不也世尊即
大悲大喜大捨在外增語是菩薩摩訶薩不

BD00452 號　大般若波羅蜜多經卷二二　（21–8）

大悲大喜大捨在外增語是菩薩摩訶薩不
不也世尊即大慈在兩間增語是菩薩摩訶
薩不不也世尊即大悲大喜大捨在兩間增
語是菩薩摩訶薩不不也世尊即大慈可得
增語是菩薩摩訶薩不不也世尊即大悲大
喜大捨可得增語是菩薩摩訶薩不不也世
尊即大慈不可得增語是菩薩摩訶薩不不
也世尊即大悲大喜大捨不可得增語是菩
薩摩訶薩不不也世尊
復次善現所言菩薩摩訶薩者於意云何即
三十二大士相增語是菩薩摩訶薩不不也
世尊即八十隨好增語是菩薩摩訶薩不不
也世尊即三十二大士相常增語是菩薩摩
訶薩不不也世尊即八十隨好常增語是菩薩
摩訶薩不不也世尊即三十二大士相无常
增語是菩薩摩訶薩不不也世尊即八十
隨好無常增語是菩薩摩訶薩不不也世尊
即三十二大士相樂增語是菩薩摩訶薩不
不也世尊即八十隨好樂增語是菩薩摩訶
薩不不也世尊即三十二大士相苦增語是
菩薩摩訶薩不不也世尊即八十隨好苦增
語是菩薩摩訶薩不不也世尊即三十二大
士相我增語是菩薩摩訶薩不不也世尊即
八十隨好我增語是菩薩摩訶薩不不也世
尊即三十二大士相无我增語是菩薩摩訶
薩不不也世尊即八十隨好无我增語是菩
薩摩訶薩不不也世尊即三十二大士相淨
增語是菩薩摩訶薩不不也世尊即八十隨
好淨增語是菩薩摩訶薩不不也世尊即三

BD00452號　大般若波羅蜜多經卷二二　（21–9）

增語是菩薩摩訶薩不不也世尊即八十隨
好淨增語是菩薩摩訶薩不不也世尊即三
十二大士相不淨增語是菩薩摩訶薩不不
也世尊即八十隨好不淨增語是菩薩摩訶
薩不不也世尊即三十二大士相空增語是
菩薩摩訶薩不不也世尊即八十隨好空增
語是菩薩摩訶薩不不也世尊即三十二大
士相不空增語是菩薩摩訶薩不不也世尊
即八十隨好不空增語是菩薩摩訶薩不不
也世尊即三十二大士相有相增語是菩薩
摩訶薩不不也世尊即八十隨好有相增語
是菩薩摩訶薩不不也世尊即三十二大士
相无相增語是菩薩摩訶薩不不也世尊即
八十隨好无相增語是菩薩摩訶薩不不也
世尊即三十二大士相有願增語是菩薩摩
訶薩不不也世尊即八十隨好有願增語是菩
菩薩摩訶薩不不也世尊即三十二大士相
无願增語是菩薩摩訶薩不不也世尊即八
十隨好无願增語是菩薩摩訶薩不不也世
尊即三十二大士相寂靜增語是菩薩摩訶
薩不不也世尊即八十隨好寂靜增語是菩
薩摩訶薩不不也世尊即三十二大士相不
寂靜增語是菩薩摩訶薩不不也世尊即八
十隨好不寂靜增語是菩薩摩訶薩不不也
世尊即三十二大士相遠離增語是菩薩摩
訶薩不不也世尊即八十隨好遠離增語是
菩薩摩訶薩不不也世尊即三十二大士相
不遠離增語是菩薩摩訶薩不不也世尊即

BD00452號　大般若波羅蜜多經卷二二　（21–10）

訶薩不不也世尊即八十隨好遠離增語是
菩薩摩訶薩不不也世尊即三十二大士相
不遠離增語是菩薩摩訶薩不不也世尊即
八十隨好不遠離增語是菩薩摩訶薩不不
也世尊即三十二大士相有為增語是菩薩
摩訶薩不不也世尊即八十隨好有為增語
是菩薩摩訶薩不不也世尊即三十二大士
相无為增語是菩薩摩訶薩不不也世尊即
八十隨好无為增語是菩薩摩訶薩不不也
世尊即三十二大士相有漏增語是菩薩摩
訶薩不不也世尊即八十隨好有漏增語是
菩薩摩訶薩不不也世尊即三十二大士相无
漏增語是菩薩摩訶薩不不也世尊即八
十隨好无漏增語是菩薩摩訶薩不不也世
尊即三十二大士相生增語是菩薩摩訶薩
不不也世尊即八十隨好生增語是菩薩摩
訶薩不不也世尊即三十二大士相滅增語
是菩薩摩訶薩不不也世尊即八十隨好滅
增語是菩薩摩訶薩不不也世尊即三十二
大士相善增語是菩薩摩訶薩不不也世尊
即八十隨好善增語是菩薩摩訶薩不不也
世尊即三十二大士相非善增語是菩薩摩
訶薩不不也世尊即八十隨好非善增語是
菩薩摩訶薩不不也世尊即三十二大士相
有罪增語是菩薩摩訶薩不不也世尊即八
十隨好有罪增語是菩薩摩訶薩不不也世
尊即三十二大士相无罪增語是菩薩摩訶
薩不不也世尊即八十隨好无罪增語是菩

BD00452 號　大般若波羅蜜多經卷二二　（21–11）

尊即三十二大士相无罪增語是菩薩摩訶
薩不不也世尊即八十隨好无罪增語是菩
薩摩訶薩不不也世尊即三十二大士相有
煩惱增語是菩薩摩訶薩不不也世尊即八
十隨好有煩惱增語是菩薩摩訶薩不不也
世尊即三十二大士相无煩惱增語是菩薩
摩訶薩不不也世尊即八十隨好无煩惱增
語是菩薩摩訶薩不不也世尊即三十二大
士相世間增語是菩薩摩訶薩不不也世尊
即八十隨好世間增語是菩薩摩訶薩不不
也世尊即三十二大士相出世間增語是菩
薩摩訶薩不不也世尊即八十隨好出世間
增語是菩薩摩訶薩不不也世尊即三十二
大士相雜染增語是菩薩摩訶薩不不也世
尊即八十隨好雜染增語是菩薩摩訶薩不
不也世尊即三十二大士相清淨增語是菩
薩摩訶薩不不也世尊即八十隨好清淨增
語是菩薩摩訶薩不不也世尊即三十二大
士相屬生死增語是菩薩摩訶薩不不也世
尊即八十隨好屬生死增語是菩薩摩訶薩
不不也世尊即三十二大士相屬涅槃增語
是菩薩摩訶薩不不也世尊即八十隨好屬
涅槃增語是菩薩摩訶薩不不也世尊即三
十二大士相在內增語是菩薩摩訶薩不不
也世尊即八十隨好在內增語是菩薩摩訶
薩不不也世尊即三十二大士相在外增語
是菩薩摩訶薩不不也世尊即八十隨好在
外增語是菩薩摩訶薩不不也世尊即三十

BD00452 號　大般若波羅蜜多經卷二二　（21–12）

薩不不也世尊即三十二大士相在外增語
是菩薩摩訶薩不不也世尊即八十隨好在
外增語是菩薩摩訶薩不不也世尊即三十
二大士相在兩間增語是菩薩摩訶薩不不
也世尊即八十隨好在兩間增語是菩薩摩
訶薩不不也世尊即三十二大士相可得增語
是菩薩摩訶薩不不也世尊即八十隨好可
得增語是菩薩摩訶薩不不也世尊即三
十二大士相不可得增語是菩薩摩訶薩不
不也世尊即八十隨好不可得增語是菩薩
摩訶薩不不也世尊
復次善現所言菩薩摩訶薩者於意云何即
无忘失法增語是菩薩摩訶薩不不也世尊
即恒住捨性增語是菩薩摩訶薩不不也世尊
即無忘失法常增語是菩薩摩訶薩不不
也世尊即恒住捨性常增語是菩薩摩訶薩
不不也世尊即無忘失法無常增語是菩薩
摩訶薩不不也世尊即恒住捨性无常增語是
是菩薩摩訶薩不不也世尊即无忘失法樂
增語是菩薩摩訶薩不不也世尊即恒住捨性
樂增語是菩薩摩訶薩不不也世尊即無忘
失法苦增語是菩薩摩訶薩不不也世尊
即恒住捨性苦增語是菩薩摩訶薩不不也
世尊即無忘失法我增語是菩薩摩訶薩不
不也世尊即恒住捨性我增語是菩薩摩訶
薩不不也世尊即無忘失法无我增語是菩
薩摩訶薩不不也世尊即恒住捨性無我增
語是菩薩摩訶薩不不也世尊即無忘失法

BD00452 號　大般若波羅蜜多經卷二二　（21–13）

薩摩訶薩不不也世尊即恒住捨性無我增
語是菩薩摩訶薩不不也世尊即無忘失法
淨增語是菩薩摩訶薩不不也世尊即恒住
捨性淨增語是菩薩摩訶薩不不也世尊即
無忘失法不淨增語是菩薩摩訶薩不不也
世尊即恒住捨性不淨增語是菩薩摩訶薩
不不也世尊即无忘失法空增語是菩薩摩
訶薩不不也世尊即恒住捨性空增語是菩
薩摩訶薩不不也世尊即无忘失法不空增
語是菩薩摩訶薩不不也世尊即恒住捨性
不空增語是菩薩摩訶薩不不也世尊即无
忘失法有相增語是菩薩摩訶薩不不也世
尊即恒住捨性有相增語是菩薩摩訶薩不
不也世尊即无忘失法无相增語是菩薩摩
訶薩不不也世尊即恒住捨性无相增語是
菩薩摩訶薩不不也世尊即无忘失法有願
增語是菩薩摩訶薩不不也世尊即恒住捨
性有願增語是菩薩摩訶薩不不也世尊即
无忘失法无願增語是菩薩摩訶薩不不也
世尊即恒住捨性无願增語是菩薩摩訶薩
不不也世尊即无忘失法寂靜增語是菩薩
摩訶薩不不也世尊即恒住捨性寂靜增語
是菩薩摩訶薩不不也世尊即無忘失法不寂
靜增語是菩薩摩訶薩不不也世尊即恒
住捨性不寂靜增語是菩薩摩訶薩不不也
世尊即无忘失法遠離增語是菩薩摩訶薩
不不也世尊即恒住捨性遠離增語是菩薩

BD00452 號　大般若波羅蜜多經卷二二　（21–14）

世尊即无忘失法遠離增語是菩薩摩訶薩
不不也世尊即恒住捨性遠離增語是菩薩
摩訶薩不不也世尊即无忘失法不遠離增
語是菩薩摩訶薩不不也世尊即恒住捨性
不遠離增語是菩薩摩訶薩不不也世尊即
无忘失法有為增語是菩薩摩訶薩不不也
世尊即恒住捨性有為增語是菩薩摩訶薩
不不也世尊即无忘失法无為增語是菩薩
摩訶薩不不也世尊即恒住捨性無為增語
是菩薩摩訶薩不不也世尊即无忘失法有
漏增語是菩薩摩訶薩不不也世尊即恒住
捨性有漏增語是菩薩摩訶薩不不也世尊
即无忘失法无漏增語是菩薩摩訶薩不不也
世尊即恒住捨性無漏增語是菩薩摩訶薩
不不也世尊即无忘失法生增語是菩薩摩
訶薩不不也世尊即恒住捨性生增語是菩
薩摩訶薩不不也世尊即无忘失法滅增語
是菩薩摩訶薩不不也世尊即恒住捨性滅
增語是菩薩摩訶薩不不也世尊即无忘失
法善增語是菩薩摩訶薩不不也世尊即恒住
捨性善增語是菩薩摩訶薩不不也世尊即
無忘失法非善增語是菩薩摩訶薩 不
不也世尊即恒住捨性非善增語是菩薩摩
訶薩不不也世尊即无忘失法有罪增語是
菩薩摩訶薩不不也世尊即恒住捨性有罪
增語是菩薩摩訶薩不不也世尊即无忘失
法无罪增語是菩薩摩訶薩不不也世尊即
恒住捨性无罪增語是菩薩摩訶薩不不也

BD00452號　大般若波羅蜜多經卷二二　（21–15）

法无罪增語是菩薩摩訶薩不不也世尊即
恒住捨性无罪增語是菩薩摩訶薩不不也
世尊即无忘失法有煩惱增語是菩薩摩訶
薩不不也世尊即恒住捨性有煩惱增語是
菩薩摩訶薩不不也世尊即無忘失法无煩
惱增語是菩薩摩訶薩不不也世尊即恒住
捨性无煩惱增語是菩薩摩訶薩不不也世
尊即无忘失法世間增語是菩薩摩訶薩不
不也世尊即恒住捨性世間增語是菩薩摩
訶薩不不也世尊即无忘失法出世間增語
是菩薩摩訶薩不不也世尊即恒住捨性出
世間增語是菩薩摩訶薩不不也世尊即无
忘失法雜染增語是菩薩摩訶薩不不也世
尊即恒住捨性雜染增語是菩薩摩訶薩不
不也世尊即無忘失法清淨增語是菩薩摩
訶薩不不也世尊即恒住捨性清淨增語是
菩薩摩訶薩不不也世尊即无忘失法屬生
死增語是菩薩摩訶薩不不也世尊即恒住
捨性屬生死增語是菩薩摩訶薩不不也世
尊即无忘失法屬涅槃增語是菩薩摩訶薩
不不也世尊即恒住捨性屬涅槃增語是菩
薩摩訶薩不不也世尊即无忘失法在內增
語是菩薩摩訶薩不不也世尊即恒住捨性
在內增語是菩薩摩訶薩不不也世尊即无
忘失法在外增語是菩薩摩訶薩不不也世
尊即恒住捨性在外增語是菩薩摩訶薩不
不也世尊即无忘失法在兩間增語是菩薩
摩訶薩不不也世尊即恒住捨性在兩間增

BD00452號　大般若波羅蜜多經卷二二　（21–16）

尊即恒住捨性在外增語是菩薩摩訶薩不不也世尊即无忘失法在兩間增語是菩薩摩訶薩不不也世尊即恒住捨性在兩間增語是菩薩摩訶薩不不也世尊即无忘失法可得增語是菩薩摩訶薩不不也世尊即恒住捨性可得增語是菩薩摩訶薩不不也世尊即无忘失法不可得增語是菩薩摩訶薩不不也世尊即恒住捨性不可得增語是菩薩摩訶薩不不也世尊

復次善現所言菩薩摩訶薩者於意云何即一切智增語是菩薩摩訶薩不不也世尊即道相智一切相智增語是菩薩摩訶薩不不也世尊即一切智常增語是菩薩摩訶薩不不也世尊即道相智一切相智常增語是菩薩摩訶薩不不也世尊即一切智无常增語是菩薩摩訶薩不不也世尊即道相智一切相智无常增語是菩薩摩訶薩不不也世尊即一切智樂增語是菩薩摩訶薩不不也世尊即道相智一切相智樂增語是菩薩摩訶薩不不也世尊即一切智苦增語是菩薩摩訶薩不不也世尊即道相智一切相智苦增語是菩薩摩訶薩不不也世尊即一切智我增語是菩薩摩訶薩不不也世尊即道相智一切相智我增語是菩薩摩訶薩不不也世尊即一切智无我增語是菩薩摩訶薩不不也世尊即道相智一切相智无我增語是菩薩摩訶薩不不也世尊即一切智淨增語是菩薩摩訶薩不不也世尊即道相智一切相

也世尊即道相智一切相智无我增語是菩薩摩訶薩不不也世尊即一切智淨增語是菩薩摩訶薩不不也世尊即道相智一切相智淨增語是菩薩摩訶薩不不也世尊即一切智不淨增語是菩薩摩訶薩不不也世尊即道相智一切相智不淨增語是菩薩摩訶薩不不也世尊即一切智空增語是菩薩摩訶薩不不也世尊即道相智一切相智空增語是菩薩摩訶薩不不也世尊即一切智不空增語是菩薩摩訶薩不不也世尊即道相智一切相智不空增語是菩薩摩訶薩不不也世尊即一切智有相增語是菩薩摩訶薩不不也世尊即道相智一切相智有相增語是菩薩摩訶薩不不也世尊即一切智无相增語是菩薩摩訶薩不不也世尊即道相智一切相智无相增語是菩薩摩訶薩不不也世尊即一切智有願增語是菩薩摩訶薩不不也世尊即道相智一切相智有願增語是菩薩摩訶薩不不也世尊即一切智无願增語是菩薩摩訶薩不不也世尊即道相智一切相智无願增語是菩薩摩訶薩不不也世尊即一切智寂靜增語是菩薩摩訶薩不不也世尊即道相智一切相智寂靜增語是菩薩摩訶薩不不也世尊即一切智不寂靜增語是菩薩摩訶薩不不也世尊即道相智一切相智不寂靜增語是菩薩摩訶薩不不也世尊即一切智遠離增語是菩薩摩訶薩不不也世尊即道相智一切相智遠離增語是

世尊即一切智遠離增語是菩薩摩訶薩不
不也世尊即道相智一切相智遠離增語是
菩薩摩訶薩不不也世尊即一切智不遠離
增語是菩薩摩訶薩不不也世尊即道相智
一切相智不遠離增語是菩薩摩訶薩不不
也世尊即一切智有為增語是菩薩摩訶薩
不不也世尊即道相智一切相智有為增語
是菩薩摩訶薩不不也世尊即一切智无為
增語是菩薩摩訶薩不不也世尊即道相智一
切相智無為增語是菩薩摩訶薩不不也
世尊即一切智有漏增語是菩薩摩訶薩不
不也世尊即道相智一切相智有漏增語是
菩薩摩訶薩不不也世尊即一切智無漏增
語是菩薩摩訶薩不不也世尊即道相智一
切相智無漏增語是菩薩摩訶薩不不也世
尊即一切智生增語是菩薩摩訶薩不不也
世尊即道相智一切相智生增語是菩薩摩
訶薩不不也世尊即一切智滅增語是菩薩
摩訶薩不不也世尊即道相智一切相智滅
增語是菩薩摩訶薩不不也世尊即一切智
善增語是菩薩摩訶薩不不也世尊即道相
智一切相智善增語是菩薩摩訶薩不不也
世尊即一切智非善增語是菩薩摩訶薩不
不也世尊即道相智一切相智非善增語是
菩薩摩訶薩不不也世尊即一切智有罪增
語是菩薩摩訶薩不不也世尊即道相智一
切相智有罪增語是菩薩摩訶薩不不也世
尊即一切智无罪增語是菩薩摩訶薩不不
也世尊即道相智一切相智无罪增語是菩

BD00452號　大般若波羅蜜多經卷二二　（21–19）

菩薩摩訶薩不不也世尊即一切智有罪
語是菩薩摩訶薩不不也世尊即道相智一
切相智有罪增語是菩薩摩訶薩不不也世
尊即一切智无罪增語是菩薩摩訶薩不不
也世尊即道相智一切相智无罪增語是菩
薩摩訶薩不不也世尊即一切智有煩惱增
語是菩薩摩訶薩不不也世尊即道相智一
切相智有煩惱增語是菩薩摩訶薩不不也
世尊即一切智无煩惱增語是菩薩摩訶
薩不不也世尊即道相智一切相智无煩惱增
語是菩薩摩訶薩不不也世尊即一切智世
間增語是菩薩摩訶薩不不也世尊即道相
智一切相智世間增語是菩薩摩訶薩不不
也世尊即一切智出世間增語是菩薩摩訶
薩不不也世尊即道相智一切相智出世間
增語是菩薩摩訶薩不不也世尊即一切智
雜染增語是菩薩摩訶薩不不也世尊即道
相智一切相智雜染增語是菩薩摩訶薩不
不也世尊即一切智清淨增語是菩薩摩訶
薩不不也世尊即道相智一切相智清淨增
語是菩薩摩訶薩不不也世尊即一切智屬
生死增語是菩薩摩訶薩不不也世尊即道
相智一切相智屬生死增語是菩薩摩訶薩
不不也世尊即一切智屬涅槃增語是菩薩
摩訶薩不不也世尊即道相智一切相智屬
涅槃增語是菩薩摩訶薩不不也世尊即一
切智在內增語是菩薩摩訶薩不不也世尊
即道相智一切相智在內增語是

BD00452號　大般若波羅蜜多經卷二二　（21–20）

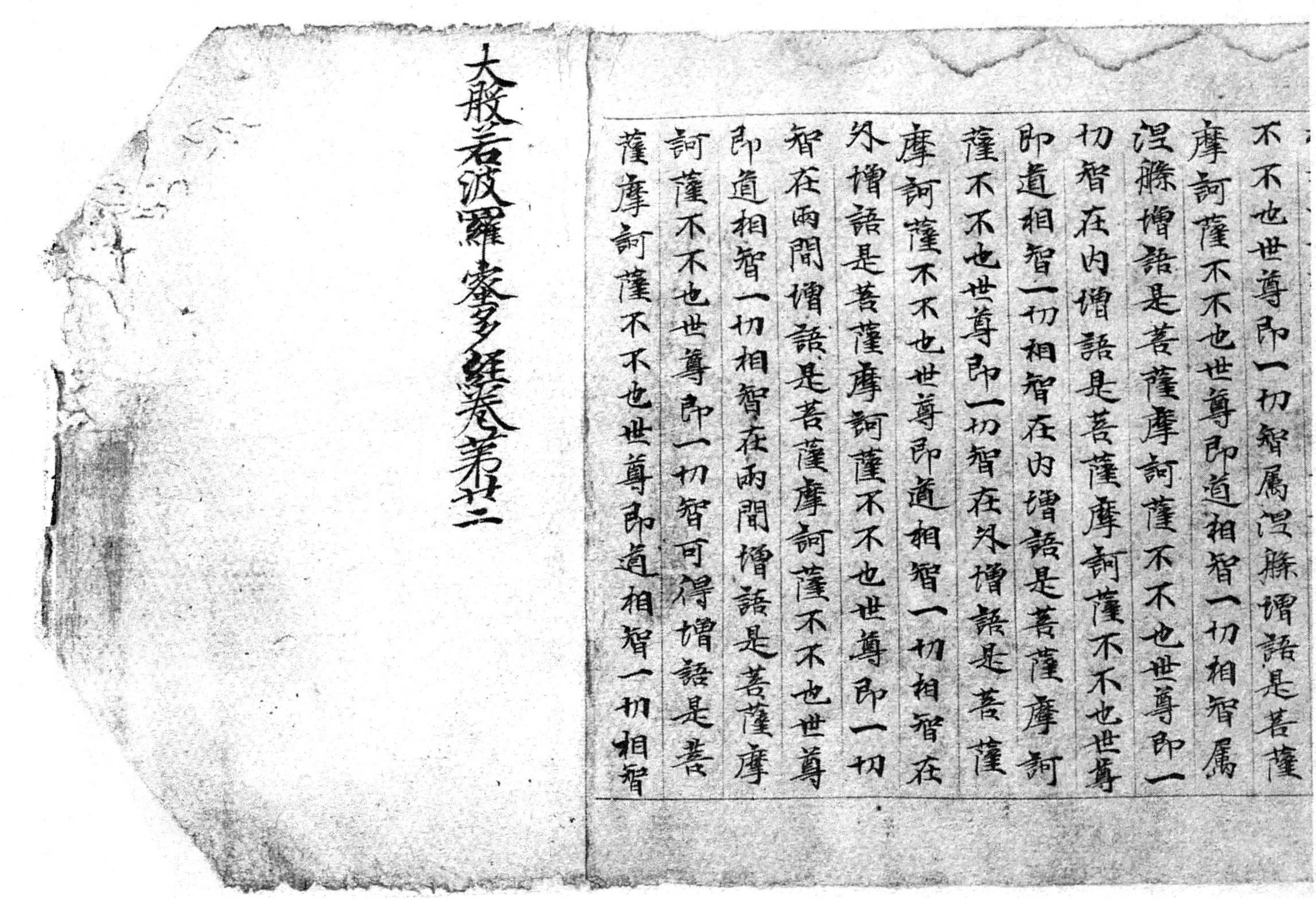

大般若波羅蜜多經卷第廿二

不不也世尊即一切智屬涅槃增語是菩薩
摩訶薩不不也世尊即道相智一切相智屬
涅槃增語是菩薩摩訶薩不不也世尊即一
切智在内增語是菩薩摩訶薩不不也世尊
即道相智一切相智在内增語是菩薩摩訶
薩不不也世尊即一切智在外增語是菩薩
摩訶薩不不也世尊即道相智一切相智在
外增語是菩薩摩訶薩不不也世尊即一切
智在兩間增語是菩薩摩訶薩不不也世尊
即道相智一切相智在兩間增語是菩薩摩
訶薩不不也世尊即一切智可得增語是菩
薩摩訶薩不不也世尊即道相智一切相智

BD00452 號　大般若波羅蜜多經卷二二　　（21–21）

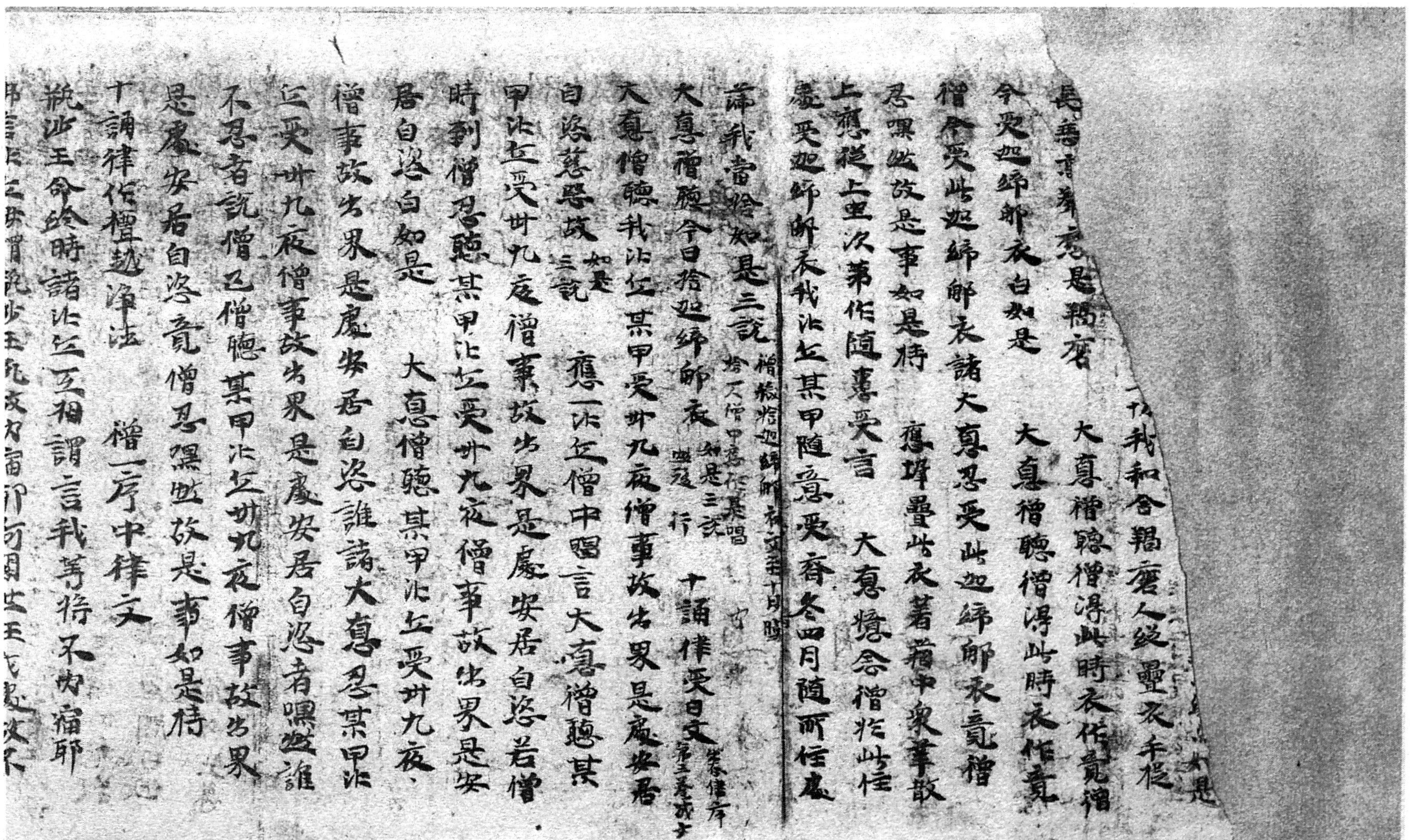

BD00453 號 1　大僧與比丘作羯磨文（擬）　　（10–1）

瓶沙王命終時諸比丘互相謂言我等得不失宿耶
佛言比丘語謂瓶沙王死故失宿耶阿闍世王代處故不
失宿　七法蘗法中律文佛言從今日不聽汝作淨地
羯磨若得作突吉羅罪先者應捨　此捨淨地經文
非此一處有捨淨地經文　依十誦律不聽許計淨地一切
僧食具謂一向衣作施主語言衆僧今請檀越作施主
僧食所有一切飲食具皆作檀越物貢於衆僧受用
如是淨施主施主許施貢僧家自有更餘處得乘但使
一切處僧生飲食具皆不犯内宿内煑若先不作淨今始
欲立者先所有凡器大僧鑰者盡是不淨將與比丘
尼及白衣家博換所得乘器大僧不得手觸若銅錢
失號即淨不須博易若寺先有貴寺檀越然須請作
施主何以如此衆僧家物不必盡是一施主家所出要須
請作施主竟後更餘處得來者然屬此檀越主衆僧
得淨也　分衣物及忘者衣物法第八　僧分物羯磨文
大德僧聽此處若衣若非衣現前僧應分若僧時到僧忍
僧今與比丘某甲彼比丘某甲當還與僧白如是
大德僧聽此住處若衣若非衣現前僧應分僧今與比丘
某甲彼比丘某甲當還與僧誰諸長老忍此住處若衣若非
衣現前僧應分僧今與比丘某甲彼比丘某甲當還與僧者
默然誰不忍者說僧已忍與比丘某甲彼比丘某甲當還
與僧竟僧忍默然故是事如是持　若有處三人二人得施衣物應各各相向作如是說言
長老一心念是住處得可分衣物現前僧應分是中无僧此
衣物屬我及長老我受用　如是三說有人應心念口言　是住處得所分衣
物現前僧應分是中无僧此衣物屬我〻受用　如是三說

BD00453 號 1　大僧與比丘作羯磨文（擬）　（10–2）

物現前僧應分是中无僧此衣物屬我〻受用　如是三說
聽病人持忘者衣物至僧中白文　大德僧聽比丘某
甲此住處命過所有衣鉢坐具鍼筒盛衣儲器此住處
現前僧應分若僧時到僧忍聽僧今與比丘某甲白如是
大德僧聽比丘某甲命過所有衣鉢坐具鍼筒盛衣
儲器現前僧應分僧今與比丘某甲看病人誰諸長
老忍僧與比丘某甲看病人衣鉢坐具針筒盛衣儲
器者默然誰不忍者說僧已忍與比丘某甲看病人
衣鉢坐具針筒盛衣儲器竟僧忍默然故是事如是持
僧分忘者餘衣物羯磨文　大德僧聽比丘某甲
命過所有若衣若非衣現前僧應分若僧時到僧
忍聽僧今與比丘某甲比丘某甲當還與僧白如是
大德僧聽比丘某甲命過所有若衣若非衣現前僧應
分僧今與比丘某甲當還與僧誰諸長老忍比丘某甲
命過所有若衣若非衣現前僧應分僧今與比丘
某甲當還與僧者默然誰不忍者說僧已忍與某甲
比丘某甲當還與僧竟僧忍默然故是事　若住處有三人二人命過亡者
如是持　若三人二人分忘者衣物之　衣物應各各相向作如是言
長老一心念比丘某甲命過所有若衣若非衣現前僧
應分此處无僧是衣屬我及長老屬我受用　如是三說若獨一人應心口念言
比丘某甲命過所有若衣若非衣現前僧應分此處
无僧是衣屬我及長老及我受用　如是三說若獨一人心口念言
某甲比丘命過所有若衣若非衣現前僧應分此處
无僧是衣物應屬我〻受用　如是三說　自爲作旁及
乞畜長鉢囊等第九

BD00453 號 1　大僧與比丘作羯磨文（擬）　（10–3）

聚中比丘命過所有若衣若非衣現前僧應分此衣
无僧是衣物應屬我我受用 如是三說 自為作房及
乞畜長鉢囊諸藥也
乞作小房羯磨文　大德僧聽我比丘某甲自乞作房
无主自為己我今從乞知无難處无妨處 如是三說僧應當觀此
比丘若可信即聽若不可信一切僧應當到彼處看若是處可信者已應作羯磨
大德僧聽比丘某甲自乞欲房无主自為己今從乞
處六无難處无妨處若僧時到僧忍聽僧今與比丘
某甲處六无難處无妨處白如是
大德僧聽此比丘某甲自乞作房无主為己從僧乞
處六无難處无妨處諸長老忍僧今與比丘某甲處
六无難處无妨處誰諸長老忍僧與比丘某甲處六
无難處无妨處者默然誰不忍者說僧已忍与比丘
某甲處六无難處竟僧已忍默然故是事如是持
作大房羯磨与房同但稱有主為異
老病比丘畜長鉢囊文　大德僧聽比丘某甲老
病不能无林絡囊而行今從眾僧乞畜林絡囊若僧
時到僧忍聽比丘某甲畜林絡囊白如是
大德僧聽比丘某甲老病不能无林絡囊而行今從眾
僧乞畜林絡囊僧今聽比丘某甲畜林絡囊誰諸長老忍僧
僧聽比丘某甲畜林絡囊誰諸長老忍僧聽林絡囊竟僧
忍默然故是事如是持　若作營事人及結淨地
法第十　羯磨作法人文 使如法作飲食淨菓菜掃枝如是等
大德僧聽若僧時到僧忍聽僧今比丘某甲能為僧作
淨法人白如是　大德僧聽比丘某甲能為僧作

BD00453號1　大僧與比丘作羯磨文（擬）　（10–4）

大德僧聽若僧時到僧忍聽僧今比丘某甲能為僧作
淨法人白如是　大德僧聽比丘某甲能為僧作
淨法人誰諸長老忍比丘某甲作淨法人者默然誰
不忍者說僧已比丘某甲作淨法竟僧忍默然故是事
如是持 若故僧伽藍起先有淨地聽僧伽藍已然後更結作淨地
入聚落及諸淨法第十一　非時入村囑授文
長老一心念我某甲非時入聚落至某甲家
為如是緣事白長老令知彼答言莫放逸受清淨已
食前食後入村囑授文
長老一心念我比丘某甲已受某甲請有緣事欲入
聚落至某甲家白長老令知 彼答言莫放逸
真實淨施文　長老一心我比丘某甲有此長
衣未作淨今為淨故捨与長老為真實淨故
展轉淨施文　長老一心念我比丘某甲有
此長衣未作淨為展轉淨故施与長老 彼受請者應如是言
長老一心念如有此長衣未作淨為展轉淨故施与我
我已受之 受已當問彼言如施主是誰也 彼應語言施主是某甲
主淨者應語如是言　長老一心念如有是長老衣未作淨
為展轉淨故施与我我已受之是衣某甲已有如物其
甲故予誰持用隨意 作真實淨施者應問主然後得用也
展轉淨施者若問不問隨意　是食已受殘食文
應持食至彼比丘前語如是言　長老　大德僧聽一心念我已足食長
老看是如是作餘食法 彼應取少許食已語言我已止汝取食之
受請已作殘食文 應持食至彼比丘前作如是言　大德一心念我已受
請長老看是如是作餘食法 彼應取少許食已語言也

BD00453號1　大僧與比丘作羯磨文（擬）　（10–5）

BD00453 號 1　大僧與比丘作羯磨文（擬）　　（10–6）

BD00453 號 2　大僧與比丘尼作羯磨文（擬）

BD00453 號 2　大僧與比丘尼作羯磨文（擬）　　（10–7）

如是三說 僧已忍為某甲受大戒竟和上尼某甲僧忍
嘿然故是事如是持 善女諦聽如來无所著等正
覺說八波羅夷法若比丘尼犯者非比丘尼非釋種女
不作不淨行行婬欲法若比丘尼作不淨行行婬欲法
乃至共畜生此非比丘尼非釋種女是中盡形壽不
得犯能持不 答言能 不得偷盜乃至草葉若比丘尼
盜人五錢若自取教人取若自破教人破若自斫
教人斫若自燒若埋若壞色非比丘尼非釋種女是中
盡形壽不得犯能持不 答言能 不得偷盜乃至草葉
若比丘尼盜人五錢若自取教人取若自破教人破若
自破教人破若自燒若埋若壞色非比丘尼非釋種女是
中盡形壽不得犯能持不 答言能 不得斷衆生命乃至蟻
子若比丘尼自手斷人命持刀授與人若教死讚死
與人非藥若墮人胎禱咒術若自作方便教人作方便此非
比丘尼非釋種女是中盡形壽不得犯能持不 答言能
若比丘尼不真實非已有自稱言得上人法得禪得解脫三
昧正受得須陀洹果斯陀含果阿那含果阿羅漢果言天
來龍來鬼神來供養我彼非比丘尼非釋種女是中盡
形壽不得犯能持不 答言能 不得身相觸乃至共
畜生若比丘尼有染污心與染污男子身相觸從
腋已下膝已上若摩若逆摩若順摩若牽若推若
舉若下若捉若急捺彼非比丘尼非釋種女是中盡
形壽不得犯能持不 答言能 不得此八事乃至共畜
生若比丘尼有染污心男子若捉手若捉衣若至屏
處若屏處語若共行若身相近若共期行犯此八
事彼非比丘尼非釋種女是中盡形壽不得犯能持不
答言能 不得覆藏他重罪乃至突吉羅惡說若
比丘尼犯波羅夷不自舉亦不白僧不語人令知後於
異時此非比丘尼若休道若滅儐若作不共住若入外
道作如是言我先知此人作如是如是覆藏他重罪彼
非比丘尼非釋種女是中盡形壽不得犯能持不 答言能

BD00453 號 2　大僧與比丘尼作羯磨文（擬）　　（10–8）

比丘尼犯波羅夷不自舉亦不白僧不語人令知後於
異時此非比丘尼若休道若滅儐若作不共住若入外
道作如是言我先知此人作如是如是覆藏他重罪彼
非比丘尼非釋種女是中盡形壽不得犯能持不 答言能
不得隨彼舉比丘語乃至沙彌若比丘尼知比丘為僧所
舉如法如律如佛所教犯威儀未懺悔不作共住便
隨順彼比丘彼比丘尼人諫此比丘尼言大姊彼比丘為僧所
舉如法如律如佛所教犯威儀未懺悔不作共住
莫隨順彼比丘尼諫此比丘尼時堅持不捨彼比丘尼
應乃至三諫捨此事故乃至三諫捨者善不捨者彼比丘
尼非釋種女隨舉是中盡形壽不得犯能持不 答言能
善男子女人諦聽如來无所著等正覺說四依法比
丘尼依此出家受大戒是比丘尼法依糞掃衣出家受
大戒是比丘尼法是中盡形壽不得犯能持不 答言能
若得長利衣若檀越施衣若得轉衣若得割截衣
應受 依乞食是出家受大戒是比丘尼法是中盡形
壽不得犯能持不 答言能 若得長利僧伐養食若
檀越送食月八日食十五日食月初日食衆僧常食檀越
請食應受 依樹下坐出家受大戒是比丘尼法是中盡形壽能
持不 答言能 若得長利若加加房樓閣小房石室兩
房一戶應受 依腐爛藥出家受大戒是比丘尼法是
中盡形壽能持不 答言能 若得長利蘇油生蘇蜜石蜜
應受 汝以受大戒竟白四羯磨如法成就得處所
和上尼如法阿闍梨如法二僧具足汝當善受教法
當勤供養佛法僧和上阿闍梨一切如法教不得違

BD00453 號 2　大僧與比丘尼作羯磨文（擬）　　（10–9）

BD00453 號 2　大僧與比丘尼作羯磨文（擬）　　（10–10）

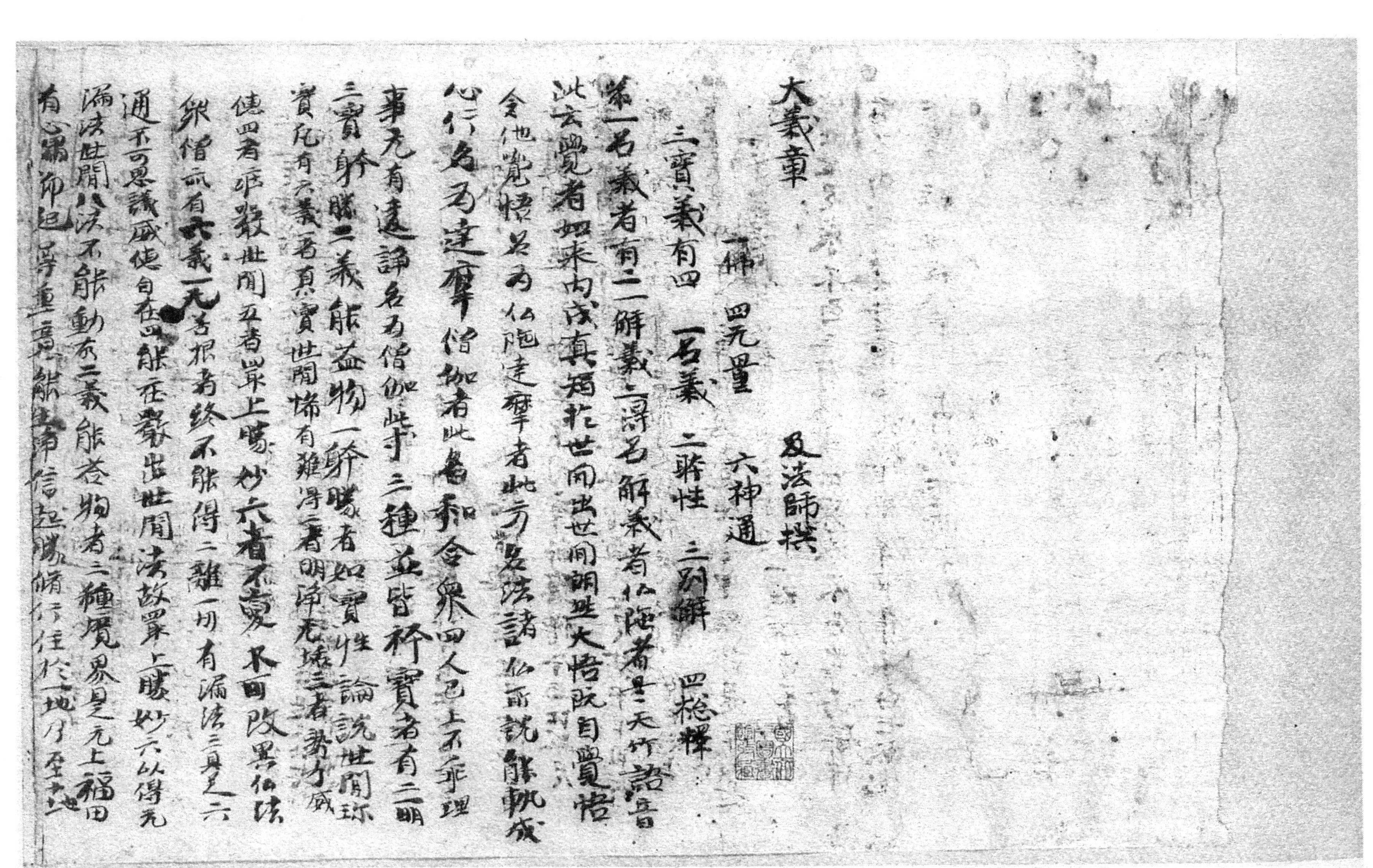

BD00453 號背　大義章　　（11–1）

衆僧亦有六義一无善根者終不能得二離一切有漏法三具足六
通不可思議威德自在四能莊嚴出世間法故最上殊妙六以得无
漏法世間八法不能動前二義能益物者二種覺界是无上福田
有心歸仰迴尋重喜能生淨信起勝脩行往於十地乃至土地
得无上菩提六覺外道師及弟子遠能討絕從使當作
求受終无此利譬如意寶珠能令安蘇不起生利无窮
有物可此故名為寶諸餘无物事无此用故擧事
况法三皆名寶得名者仏就用受稱法者當軆僧
者就義得名第二歸性就三種受歸一名字三寶二別歸
三寶三一歸寶名字三寶歸者土木金銅綵畫形像紙素
經卷此二以色法為歸凡夫比丘剃髮染衣身被法服二有
事和之義四人已上和合衆為歸若就僧四人為歸人
別用陰為歸別歸三寶歸者有二明小乘別歸三寶
明大乘別體三寶小乘中有一依離心明別歸二依成實論離心
論云明仏有二種一生身二法身生身歸者謂新生
壽智相好之身及諸漏四相是生身仏歸法身者从无漏智
惠及有漏智種方便現起是法身仏歸法寶歸者有四種
謂理教助道涅槃為歸僧寶歸者僧有二種第一義僧及寸
僧第一義僧者出家三果阿羅漢人无漏五陰為體僧者衆人為
僧四子說无漏三學通子其德若是義和合衆為體寸僧者
如名字中說 二依成實合同異本有假名法起陰集成人是
仏寶歸故論云仏名自然人若歸用俱論以五分法身為歸
法寶歸者有四種与離心同理中又增諸法性空果中通道
法空之心為果 僧寶歸者僧有二種一德僧二威儀僧者是无

BD00453 號背　大義章　（11–2）

仏寶歸故論云仏名自然人若歸用俱論以五分法身為歸
法寶歸者有四種与離心同理中又增諸法性空果中通道
法空之心為果 僧寶歸者僧有二種一德僧二威儀僧者是无
漏理人威儀設通凡聖出歸与仏寶同威儀中聖人德
僧同凡夫与寸僧同 依大乘定歸性者就五生作用明歸
性眾後生為仏寶餘四為菩薩僧寶界此仏僧能以
語業演說法義名為法寶仏僧陰集成用假名人為歸法者
理教行果為歸 一歸三寶歸性者有二一就名一義異
二就名義俱異名一義異者名之所依法歸義取能依三
法是為名一義異經云佛常法常比丘僧常々者是頭
時性歸从法常故三義是常就歸章一常通三處能
依義別所以說三故果品云若能計三寶常住同真諦
此則是諸仏最上之願三寶是義真諦是所依性體義
從體生體非義外三義雖殊从一種常法為歸故名常
住同真諦名義俱異者从名說義々異故名異解義
不同仏取智用法取軌則僧取和合經云仏名為
覺法名不覺僧名和合約智取人恩是常住行
陰合餘四仏以常寶常果五陰為歸終德恩
為主故擧智收餘種法者是仏僧一時證常住
功德可行為歸僧者是大地已上義菩薩僧的歸
无遠二与法界大菩薩衆理事不乖名之為僧亦
从常住非異五陰為歸法僧在仏三義寸无處前義同
過相對法僧論不論異 問曰軌則名法有何故乃
云法名覺不解云仏人稟智義歸 覺了對此智

BD00453 號背　大義章　（11–3）

過相對法僧滿不滿異　問曰軌則名法者何故乃
靈法名覺不解云仏人家緇義解　覺了對此緇
因法義則覺不盡名昭故以不覺解法非謂解
无方軌　第三別解　有五一次弟　二說三所以四解義
四對三歸辨同異　五明福田益物　一次弟者有二
循證次弟二起說次弟　循證次弟者先法次弟僧
故仏法是不可真性依法起學名循證隨者仏如前性品云諸
仏所歸所謂法也以法常故諸仏亦常先舉法後明仏僧在中
聞說始終為語所目自利執一人循入時語二起說次弟者仏
為濟至法是所說僧是行法人故寶性論云一者周御師三調
御師法三調御師弟子故先仏次法後僧二說三所以
者有種意一為離過二為成善離過者遠離三種
過歸法仏捨事天神歸法離於煞生歸僧不依邪衆如
三歸偈說歸依仏者名真憂婆塞終不更歸依其餘諸
天神歸依於法者則離於煞害歸依眾僧者不求
於外道如是歸三寶則得无所畏二成善者為攝
三乘諸人生長善法故說三寶故寶性論云一者大乘三
者中乘三者小乘四信仏五信法六信僧第一弟
四是菩薩人為大乘故信仏起供養循行得菩
薩提以是故立仏寶第二第五為中乘人自然知深
因因緣法成辟支仏以是義故說法寶弟六為
小乘人從他聞法得聲聞證以是義故立僧寶
三解義者於中有三一解名字二解別三辯一解言名字
三寶者簡過真容紙素文字凡夫盛儀歸佛生

BD00453 號背　大義章　（11–4）

小乘人從他聞法得聲聞證以是義故立僧寶
三解義者於中有三一解名字二解別三辯一解言名字
三寶者簡過真容紙素文字凡夫盛儀歸佛生
善假与名字於未是真故曰名字三寶若仏在世若
仏滅後義該始終不唯來運此名字有人或言是
住持三寶然住持者理通真偽大小俱有三寶能
力故皆有住持益物不止在初獨以名字說為
住持　言別解者有人是別相然三寶義分仏法
僧異而通真偽乃至一解有名義俱異故不得
偏以別解名為別相於中有二種一者小乘二大乘大
乘之有二依雜心二依成實雜心論主明仏有
二種者生身二者法身有在見道已前循集諸行
及相報業因父母所生身有卅二相八十種好發心
出家道成号仏論此相好名生身仏法身者
九地煩惱下之八地六行斷除非想一地見循
二種並用无漏卅三心无學四智為解脫果
此身中空觀无漏及有漏種智五分功德名法身
仏仏是覺照法身則有報身亦智及諸漏四相並无
覺照相從名仏相從名相好為器非復斯非是仏
為仏所得又學功德所依是故仏猶如乳瓶乳瓶了非是執
以斷執故名為乳瓶仏亦如是以身從法通名理之
仏法寶者謂理法教法助道法涅槃法此寸
並有軌則稱之為法理為［illegible］論十六行

BD00453 號背　大義章　（11–5）

並有軌則稱之爲法理名爲諦□□諦十六行
苦四行苦无常空无我集四行因集有緣
滅四行滅止妙離道四行道正跡乘於
世間出世間因果作十六諦觀義道異別
緣名爲教法教法者是十二部詮音聲
名字章句名爲教法故論云經律所
明曇是名俗正法助道法者謂菩薩辟支
仏在家三果天中聖人无漏五陰有理和
无事和无事和非僧寶是助道法寶是攝
此說不壞緣若雜緣三寶名爲壞緣故論
云若於仏法辟支仏法聲聞法起无漏信
是名壞緣法不壞淨涅槃法者謂仏涅
槃法者謂仏涅槃聲聞涅槃辟支仏涅槃不同聚身不
滅相從名仏見理事二和復非僧寶是涅槃法寶攝焰
然上下有此四法若依論主仏法僧各有二
種法中二者謂第一義涅槃及无我法同前
說苦集義合教法前說滅諦後涅槃
法道前說諦後助道法今何
爲復說教法助道法涅槃法餘云前說道
相理觀皆以總攝但此三有別功能是故須
說教能明助道義能除鄣涅槃是心期
之所以復論之　僧寶者有二種一者第一義僧

BD00453 號背　大義章　（11-6）

相理觀皆以總攝但此三有別功能是故須
說教能明助道義能除鄣涅槃是心期
之所以復論之　僧寶者有二種一者第一義僧
二者等僧第一義僧者出家二果及所證證
此等聖人悟四真諦得空无我解成就无
漏諸陰名第一義僧等僧者始從凡地乃
至未入見道已前出家凡夫未得无漏觀用
世俗等諦名爲等僧雖无理和以有事
和通名爲僧　問曰前助道中有理和无
事和今等僧中有事和无理和何故
名僧　解云者依成實即是德僧雜心
論主多取威儀等僧雖內无聖德外有
威儀事和入僧寶　二依成實論法於
餘處生時有假名作用陰集成人人是仏
實人所成德法在法寶故論云信仏有
諦是名信仏此真諦則是信法法寶者有四種
一理法謂四聖諦及觀此四諦入法无我法四
諦即是空行所觀法无我行所觀此義
如二聖行中說二教法謂十二部經三助
道法謂仏无漏道一切聖人无漏道
及出觀名用无漏名助道法四涅槃

BD00453 號背　大義章　（11-7）

道法謂仏无漏道一切聖人无漏道
及出觀名用无漏名助道法四温槃
果法是忍无度乃道所剋名果僧者
有二種一者德僧二是威儀僧德僧有
始於聞思乃至菩薩因有聖德以德
成人名為僧人是僧數德在法中此義
如前仏寶中說聖者勝聰明小乘別
體三歸三乘諸人除仏並入僧寶大智
論亦云除一切人衆皆念僧三時所緣
二依大乘解別體三寶於中有二一因果
相對據說二通相別說據就有於清
淨時方便位居第十生相續於果
身无師自悟亦成正覺一三千二三千乃
至无量三千一時成一時轉名為仏寶
信地已上乃至法雲以慈悲願力示、
受四生始於身、苦乃至增六世皆成
就聖德不簡威儀並入菩薩僧寶即此代
僧能以僧能以辭樂演說十種法義攝
取衆生名為法寶二通別說者始於信地
聖人能以生德四種於十方國示作
五生攝取有緣衆後生者即是仏寶作
四生者名菩薩僧寶仏僧二人能以辭

BD00453 號背　大義章

（11–8）

五生攝取有緣衆後生者即是仏寶作
四生者名菩薩僧寶仏僧二人能以辭
辯演說法義名為法寶如信地菩薩起
此權用十住十行十迴向十地及仏下使
中盡於法界顯行廣大微窮後際皆依生
德四種示受五生五衆後生身名為仏寶
法僧二種如前所說大地以前生德生相並
是無常生回起用大地已上乃至諸仏生
使是常生相無常是依因起用一體三
寶者於中有三因果相對明一體三寶從
初地已去乃盡仏地並在常中攝不異攝
義分因果初地菩薩有真性生身名
為菩薩僧乃至十地亦名為僧寶金
剛已後常住報身无相无為是仏寶義
僧所證所行及仏成就万德万行名為法
寶唯就因者十地菩薩所成德行真
智照境覺用名仏其所成就出世真軌
名之為法德行相狀事業遠淨名僧寶　唯缺早
者於无學地万德滿是智用照境名之為
仏其所證法出世真軌名之為法真常万德遠
諍相盡名為僧寶四對三歸辯同異者三寶
直舉境界出禍三歸以人對境歸向婆沙云

BD00453 號背　大義章

（11–9）

諸相盡名爲僧寶四藥三歸義同異者三寶
直舉境界生福三歸以人對境歸向婆沙云
歸是歸趣救護義是歸趣義涅槃解脫中說歸如群
庶怖衆獨師善得一憐則喻一歸如是三難則
一喻歸如是三難則喻三歸衆生亦尒怖衆
口處惡獨歸故受三歸依受三歸故則守衆三寶則
寬通於真諦三歸則使唯在真中名爲三寶一向不入三
歸一體三寶盡入三歸境界別體三寶有是非界
依雜心論二種身中但歸法身中歸佛所得无學
无漏不歸有漏種智法中但歸涅槃僧中歸學无學无漏
法故論云歸依佛者歸依諸佛所得无學法涅槃法无上法僧
學无學法歸佛所得无學法名歸佛不歸佛无教
等諸有漏法自性不能脫故亦除生身　問曰但
歸佛无漏法者損佛生身應无逆罪解云生身
是法身所依如懷瓶寶故成无間法中
唯歸涅槃无上法者論云歸依愛盡名歸
法善故常故以餘法无善及常故又歸依歸僧學无
學者以僧成就非學非无學法及生身以有
漏故不歸依亦非等僧如可壞故成實論明
別體三寶義能生善皆可歸依故又无成說
總相作語　大乘中有二別體三寶是少分歸
依一體三寶是究竟具足於中有二　一就性體
明三歸寶　二就德明三歸義　性體者義說
[illegible]皆有三歸體實謂佛性法僧
性故性僧品云其有宣說是經[illegible]

BD00453 號背　大義章　（11–10）

等諸有漏法自性不能脫故亦除生身　問曰但
歸佛无漏法者損佛生身應无逆罪解云生身
是法身所依如懷瓶寶故成无間法中
唯歸涅槃无上法者論云歸依愛盡名歸
法善故常故以餘法无善及常故又歸依歸僧學无
學者以僧成就非學非无學法及生身以有
漏故不歸依亦非等僧如可壞故成實論明
別體三寶義能生善皆可歸依故又无成說
總相作語　大乘中有二別體三寶是少分歸
依一體三寶是究竟具足於中有二　一就性體
明三歸寶　二就德明三歸義　性體者義說
[illegible]皆有三歸體實謂佛性法僧
性故性僧品云其有宣說是經典者皆言身中盡有佛性如
是之人則不遠求三歸依處何以故我身於未來世即當成就三
寶就不遠求是性具足未來成就是德具足德中有三對　一
因果相對　二唯就因　三唯果　此義前已說　且依寶性論及勝
對小乘法僧明少分究竟義寶性論云可[illegible]及
[illegible]是所說法一

BD00453 號背　大義章　（11–11）

稽首禮諸佛 及法比丘僧 今演毗尼法 令正法久住
戒如海无涯 如寶求无厭 欲護聖法財 衆集聽我說
欲除四弃法 及滅僧殘法 障三十捨墮 衆集聽我說
毗婆尸式弃 毗舍拘留孫 拘那含牟尼 迦葉釋迦文
諸世尊大德 為我說是事 我今欲善說 諸賢咸共聽
譬如人毀足 不堪有所涉 毀戒亦如是 不得生天人
欲得生天上 若生人間者 常當護戒足 勿令有毀損
如御入險道 失轄折軸憂 毀戒亦如是 死時懷恐懼
如人自照鏡 好醜生欣慼 說戒亦如是 全毀生憂喜
如兩陣共戰 勇怯有進退 說戒亦如是 淨穢生畏懼
世間王為最 衆流海為最 衆星月為最 衆聖佛為最
一切衆律中 戒經為上最 如來立禁戒 半月半月說
和合僧集會未受大戒者出 有者遣出遣已答言已出无者答无
不來諸比丘說欲及清淨 有依法說 无答言无 誰遣比丘尼來請教誡
[illegible] 僧今和合何所作為 答云說戒羯磨 大德
僧聽今 白月當稱十五日黑月若大亦云十五日若小應稱十四日
衆僧說戒若僧時到僧忍聽和合說戒白如是
諸大德我今欲說波羅提木叉戒汝等諦聽善思念
之若自知有犯者即應自懺悔不犯者默然默然者知
諸大德清淨若有他問者亦如是答如是比丘在於衆
中乃至三問憶念有罪不懺悔者得故忘語罪故忘語

之若自知有犯者即應自懺悔不犯者默然默然者知
諸大德清淨若有他問者亦如是答如是比丘在於衆
中乃至三問憶念有罪不懺悔者得故忘語罪故忘語
者佛說障道法若彼比丘憶念有罪欲求清淨者
應懺悔懺悔得安樂 諸大德我已說戒經序今問諸
大德是中清淨不 至三 諸大德是中清淨默然故是事如是持
諸大德是四波羅夷法半月半月說戒經中來
若比丘共比丘同戒若不還戒戒羸不自悔犯不淨行
乃至共畜生是比丘波羅夷不共住
若比丘若在村落若閑靜處不與盜心取隨不與取
法若為王王大臣所捉若殺若縛若駈出國汝是賊
汝癡汝无所知是比丘波羅夷不共住
若比丘故自手斷人命持刀與人歎譽死快勸死咄男
子用此惡活為寧死不生作如是心思惟種種方便歎
譽死快勸死是比丘波羅夷不共住
若比丘實無所知自稱言我得上人法我已入聖智勝
法我知是我見是彼於異時若問若不問欲自清
淨故作是說我實不知不見言知言見虛誑妄語
除增上慢是比丘波羅夷不共住
諸大德我已說四波羅夷法若比丘犯一一波羅夷法不
得與諸比丘共住如前後亦如是是比丘得波羅夷
罪不應共住今問諸大德是中清淨不 三說
諸大德是中清淨默然故是事如是持
諸大德是十三僧伽婆尸沙法半月半月說戒經中來
若比丘故弄陰出精除夢中僧伽婆尸沙
若比丘婬欲意與女人身相觸若捉手若捉髮若

……半月半月說戒經中來
若比丘故弄陰出精除夢中僧伽婆尸沙
若比丘婬欲意與女人身相觸若捉手若捉髮若
觸一一身分者僧伽婆尸沙
若比丘婬欲意與女人麁惡婬欲語隨麁惡婬欲語
者僧伽婆尸沙
若比丘婬欲意於女人前自歎身言大妹我修梵行
持戒精進修善法可持是婬欲法供養我如是供
養第一最僧伽婆尸沙
若比丘往來彼此媒嫁持男意語女持女意語男若
為成婦事若為私通事乃至須臾頃僧伽婆尸沙
若比丘自求作屋無主自為己當應量作是中量者
長佛十二磔手內廣七磔手當將餘比丘指授處所彼
比丘當指示處所無難處無妨處若比丘有難處妨
處自求作屋無主自為己不將餘比丘指授處所若
過量作者僧伽婆尸沙
若比丘欲作大房有主為己作當將餘比丘往指授處
所彼比丘應指授處所无難處无妨處若比丘有難
處妨處作大房有主為己作不將餘比丘指授處
所者僧伽婆尸沙
若比丘瞋恚所覆故非波羅夷比丘以无根波羅夷法謗
欲壞彼清淨行彼於異時若問若不問知此事无根
說我瞋恚故作是語若比丘作是語者僧伽婆尸沙
若比丘以瞋恚故於異分事中取片非波羅夷比丘
以无根波羅夷法謗欲壞彼清淨行彼於異時若
問若不問知是異分事中取片是比丘自言我瞋恚
故作是語作是語者僧伽婆尸沙

BD00454號　四分律比丘戒本　（8–3）

……謗欲壞彼清淨行彼於異時若
問若不問知是異分事中取片是比丘自言我瞋恚
故作是語作是語者僧伽婆尸沙
若比丘欲壞和合僧方便受壞和合僧法堅持不捨彼
比丘應諫是比丘言大德莫壞和合僧莫方便壞和
合僧莫受壞僧法堅持不捨大德應與僧和合與僧
和合歡喜不諍同一師學如水乳合於佛法中有
增益安樂住是比丘如是諫時堅持不捨彼比丘應三
諫捨此事故乃至三諫捨者善不捨者僧伽婆尸沙
若比丘有餘伴黨若一若二若三乃至无數彼比丘語是
比丘言大德莫諫此比丘此比丘是法語比丘律語比丘此
比丘所說我等喜樂此比丘所說我等忍可彼比丘
言大德莫作是說言此比丘是法語比丘律語比丘此
比丘所說我等喜樂此比丘所說我等忍可然此比丘
非法語比丘非律語比丘大德莫破壞和合僧汝等當
樂欲和合僧大德應與僧和合歡喜不諍同一師
學如水乳合於佛法中有增益安樂住是比丘如是諫
時堅持不捨彼比丘應三諫捨此事故乃至三諫捨者
善不捨者僧伽婆尸沙
若比丘依聚落若城邑住汙他家行惡行汙他家亦
見亦聞行惡行亦見亦聞諸比丘當語是比丘言大德
汝汙他家行惡行汙他家亦見亦聞行惡行亦見亦聞
大德汝汙他家行惡行今可遠此聚落去不須住此
是比丘語彼比丘作如是言大德諸比丘有愛有恚有
怖有癡有如是同罪比丘有驅者有不驅者諸比丘
報言大德莫作是語言僧有愛有恚有怖有癡有
如是同罪比丘……

BD00454號　四分律比丘戒本　（8–4）

報言大德，莫作是語，言僧有愛有恚有怖有癡，有
如是同罪比丘，有驅者，有不驅者。而諸比丘不愛不恚
不怖不癡。大德汙他家行惡行，汙他家亦見亦聞，行
惡行亦見亦聞。是比丘如是諫時，堅持不捨。彼比丘應
三諫，捨此事故。乃至三諫，捨者善；不捨者，僧伽婆尸沙。
若比丘惡性不受人語，於戒法中諸比丘如法諫已，自身
不受諫語，言諸大德，莫向我說若好若惡，我亦不向
諸大德說若好若惡。諸大德且止，莫諫我。彼比丘諫是
比丘言：大德莫自身不受諫語，大德自身當受諫語，
大德如法諫諸比丘，諸比丘亦如法諫大德。如是佛弟子眾
得增益，展轉相諫，展轉相教，展轉懺悔。是比丘如
是諫時，堅持不捨。彼比丘應三諫，捨此事故。乃至
三諫，捨者善；不捨者，僧伽婆尸沙。
諸大德，我已說十三僧伽婆尸沙法，九初犯，四乃至三諫。若
比丘犯一一法，知而覆藏，應強與波利婆沙。行波利婆
沙竟，增上與六夜摩那埵。行摩那埵已，餘有出
罪，應二十僧中出。是比丘罪，若少一人不滿二十眾出
是比丘罪，是比丘罪不得除，諸比丘亦可呵，此是時。今
問諸大德，是中清淨不？（如是至三）
諸大德，是中清淨，默然故，是事如是持。
諸大德，是二不定法，半月半月說，戒經中來。
若比丘共女人獨在屏處覆處障處，可作婬處坐，說
非法語，有住信優婆夷，於三法中一一法說，若波羅夷，
若僧伽婆尸沙，若波逸提。是坐比丘自言我犯是罪，
於三法中應一一治，若波羅夷，若僧伽婆尸沙，若波
逸提，如住信優婆夷所說，應如法治是比丘。是名不定法。

BD00454號　四分律比丘戒本　（8–5）

於三法中應一一治，若波羅夷，若僧伽婆尸沙，若波
逸提，如住信優婆夷所說，應如法治是比丘。是名不定法。
若比丘共女人在露現處，不可作婬處坐，作麤惡語，
有住信優婆夷，於二法中一一法說，若僧伽婆尸沙，若
波逸提。是坐比丘自言我犯是事，於二法中應一一
治，若僧伽婆尸沙，若波逸提，如住信優婆夷
所說，應如法治是比丘。是名不定法。
諸大德，我已說二不定法。今問諸大德，是中清淨不？（如是至三）
諸大德，是中清淨，默然故，是事如是持。
諸大德，是三十尼薩耆波逸提法，半月半說，戒經中來。
若比丘衣已竟，迦絺那衣已出，畜長衣經十日，不淨施得
畜，若過十日，尼薩耆波逸提。
若比丘衣已竟，迦絺那衣已出，三衣中離一一衣異處宿，
除僧羯磨，尼薩耆波逸提。
若比丘衣已竟，迦絺那衣已出，若比丘得非時衣，欲須
便受，受已疾疾成衣，若足者善；若不足者，得畜經
一月，為滿足故。若過畜者，尼薩耆波逸提。
若比丘從非親里比丘尼取衣，除貿易，尼薩耆波逸提。
若比丘令非親里比丘尼浣故衣，若染，若打，尼薩耆波逸提。
若比丘從非親里居士若居士婦乞衣，除餘時，尼薩
耆波逸提。餘時者，若比丘奪衣、失衣、燒衣、漂衣，是為餘時。
若比丘失衣、奪衣、燒衣、漂衣，若非親里居士、居士
婦自恣請多與衣，是比丘當知足受衣。若過受者，
尼薩耆波逸提。
若比丘居士居士婦為比丘辦衣價，買如是衣與某甲

BD00454號　四分律比丘戒本　（8–6）

尼薩耆波逸提
若比丘居士居士婦為比丘辦衣價買如是衣與某甲
比丘是比丘先不受自恣請到居士家作如是說善
哉居士為我買如是如是衣與我為好故若得衣
者尼薩耆波逸提
若比丘二居士居士婦與比丘辦衣價持如是衣價買
如是衣與某甲比丘是比丘先不受居士自恣請到
二居士家作如是言善哉居士辦如是衣價與我
共作一衣為好故若得衣者尼薩耆波逸提
若比丘若王若大臣若婆羅門若居士居士婦遣使
為比丘送衣價持如是衣價與某甲比丘彼使人至
比丘所語比丘言大德今為汝故送是衣價受取是
比丘應語彼使如是言我不應受此衣價我若須
衣合時清淨當受彼使語比丘言大德有執事人
不須衣比丘應語言有若僧伽藍民若優婆塞此
是比丘執事人常為諸比丘執事時彼使往至執
事人所與衣價已還至比丘所作如是言大德所示某
甲執事人我已與衣價大德知時往彼當得衣須衣
比丘當往執事人所若二反三反為作憶念應語言
我須衣若二反三反為作憶念若得衣者善若不得衣
應四反五反六反在前默然立若四反五反六反在前
默然住得衣者善若不得衣過是求得衣者尼薩
耆波逸提若不得衣從所得衣價處若自往若
遣使往語言汝先遣使持衣價與某甲比丘是比丘
竟不得衣汝還取莫使失此是時
若比丘雜野蠶綿作新臥具者尼薩耆波逸提
若比丘以新純黑羺羊毛作新臥具者尼薩耆波

BD00454 號　四分律比丘戒本　（8–7）

事人所與衣價已還至比丘所作如是言大德所示某
甲執事人我已與衣價大德知時往彼當得衣須衣
比丘當往執事人所若二反三反為作憶念應語言
我須衣若二反三反為作憶念若得衣者善若不得衣
應四反五反六反在前默然立若四反五反六反在前
默然住得衣者善若不得衣過是求得衣者尼薩
耆波逸提若不得衣從所得衣價處若自往若
遣使往語言汝先遣使持衣價與某甲比丘是比丘
竟不得衣汝還取莫使失此是時
若比丘雜野蠶綿作新臥具者尼薩耆波逸提
若比丘以新純黑羺羊毛作新臥具者尼薩耆波
逸提
若比丘作新臥具應用二分純黑羊毛三分白四分尨
若比丘不用二分黑毛三分白四分尨作新臥具者
尼薩耆波逸提
若比丘作新臥具持至滿六年若減六年不捨

BD00454 號　四分律比丘戒本　（8–8）

次菩薩具足煩惱為壞惡覩所受諸苦脩平
等心是故復名不可思議復次菩薩若見諸
惡不善衆生若可責若軟語若驅儐若棄
捨之有惡性者現為軟語有憍慢者現為大
慢而其內心實无憍慢是名菩薩方便不可思
議復次菩薩具足煩惱以財物時而求者多
心不迮小是名菩薩不可思議復次菩薩於佛
出時知佛功德為衆生故於无佛處受邊
地身如聾如瘂如癖是名菩薩不可思議
復次菩薩深知衆生所有罪過為度脫故常與
共行雖隨其意罪垢不汙是故復名不可思
議復次菩薩了了知見无衆生相无煩惱
汙无脩集道離煩惱者雖為菩提无菩提行
亦无成就菩提行者无有受苦及破苦者而
亦能為衆生壞苦行菩提行是故復名不可
思議復次菩薩受後邊身處兜率天是亦名
為不可思議何以故兜率陀天欲界中勝在
下天者其心放逸在上天者諸根闇鈍是故
名勝脩施脩戒得上下身脩施戒定得兜率
身一切菩薩毀呰諸有破壞諸有終不造作
兜率天業受彼天身何以故菩薩若處其餘
諸有亦能教化成就衆生實无欲心而生欲
界是故復名不可思議菩薩摩訶薩生兜率

BD00455號　大般涅槃經（北本）卷三二　（4–1）

兜率天業受彼天身何以故菩薩若處其餘
諸有亦能教化成就衆生實无欲心而生欲
界是故復名不可思議菩薩摩訶薩生兜率
天有三事勝一者命二者色三者名菩薩摩
訶薩實不求於命色名稱雖无求心而所得勝
菩薩摩訶薩深樂涅槃然有因亦勝是故復
名不可思議菩薩摩訶薩如是三事雖勝諸
天而諸天等於菩薩所終不生於瞋心妬心
憍慢之心常生喜心菩薩於天亦不憍慢是
故復名不可思議菩薩摩訶薩不造命業而
於彼天畢竟壽命是名命勝亦无色業而妙色
身光明遍滿是名色勝菩薩摩訶薩處彼天
宮不樂五欲唯為法事是故名稱充滿十方
是名名勝是故復名不可思議菩薩摩訶薩
下兜率天是故大地六種震動是故復名不
可思議何以故菩薩下時欲色諸天悉來侍
送發大音聲讚歎菩薩以口風氣故令地動
復有菩薩人中為王人中為王名為龍王龍
王初入胎時有諸龍王在此地下或怖或喜
是故大地六種震動是故復名不可思議菩
薩摩訶薩知入胎時住時出時知父知母不
淨不汙如帝釋縣青色寶珠是故復名不可
思議善男子大涅槃經亦復如是不可思議
善男子譬如大海有八不可思議何等為八
一者漸漸轉深二者深難得底三者同一醎

BD00455號　大般涅槃經（北本）卷三二　（4–2）

善男子譬如大海有八不可思議何等爲八
一者漸漸轉深二者深難得底三者同一鹹
味四者潮不過限五者有種種寶藏六者大
身衆生在中居住七者不宿死屍八者一切
万流大雨投之不增不減善男子漸漸轉深
有三事何等爲三一者衆生福力二者順風
而行三者河水入故乃至不增不減亦各有
三是大涅槃微妙經典亦復如是有八不思
議一者漸深所謂優婆塞戒沙弥戒比丘戒
菩薩戒須陁洹果斯陁含果阿那含果阿羅
漢果辟支佛果菩薩果阿耨多羅三藐三菩
提果是涅槃經說如是等法是名漸深是故
此經名漸漸深二者深難得底如來世尊不
生不滅不得阿耨多羅三藐三菩提不轉法
輪不食不受不行惠施是故名爲常樂我淨
一切衆生悉有佛性佛性非色不離於色非
受想行識乃至不離於識是常可見了因非
作因須陁洹乃至辟支佛當得阿耨多羅三
藐三菩提亦无煩惱亦无住處雖无煩惱不
名爲常是故名深復有甚深於是經中或時
說我或說无我或時說常或說无常或時說
淨或說不淨或時說樂或時說苦或時說空
或說不空或說一切有或說一切无或說三
乘或說一乘或說五陰即是佛性金剛三昧
及以中道首楞嚴三昧十二因緣第一義空

或說不空或說一切有或說一切无或說三
乘或說一乘或說五陰即是佛性金剛三昧
及以中道首楞嚴三昧十二因緣第一義空
慈悲平等於諸衆生頂智信心知諸根力一
切法中无礙智雖有佛性不說決定是故
名深三者一味一切衆生同有佛性皆同一
乘同一解脫一因一果同一甘露一切當得
常樂我淨是名一味四者潮不過限如是經
中制諸比丘不得受畜八不淨物若我弟子
有能受持讀誦書寫解說分別是大涅槃微
妙經典寧失身命終不犯之是名潮不過限
五者寶藏是經即是无量寶藏所言寶者謂
四念處四正勤四如意分五根五力七覺分
八聖道分嬰兒行聖行梵行天行諸善方便
衆生佛性菩薩功德如來功德聲聞功德緣
覺功德六波羅蜜无量三昧无量智慧是名
寶藏六者大身衆生所居住處大身衆生者謂
佛菩薩大智慧故名大衆生大身故大心故
大莊嚴故大調伏故大方便故大說法故大

BD00456號背　大般若波羅蜜多經卷八一護首　（1–1）

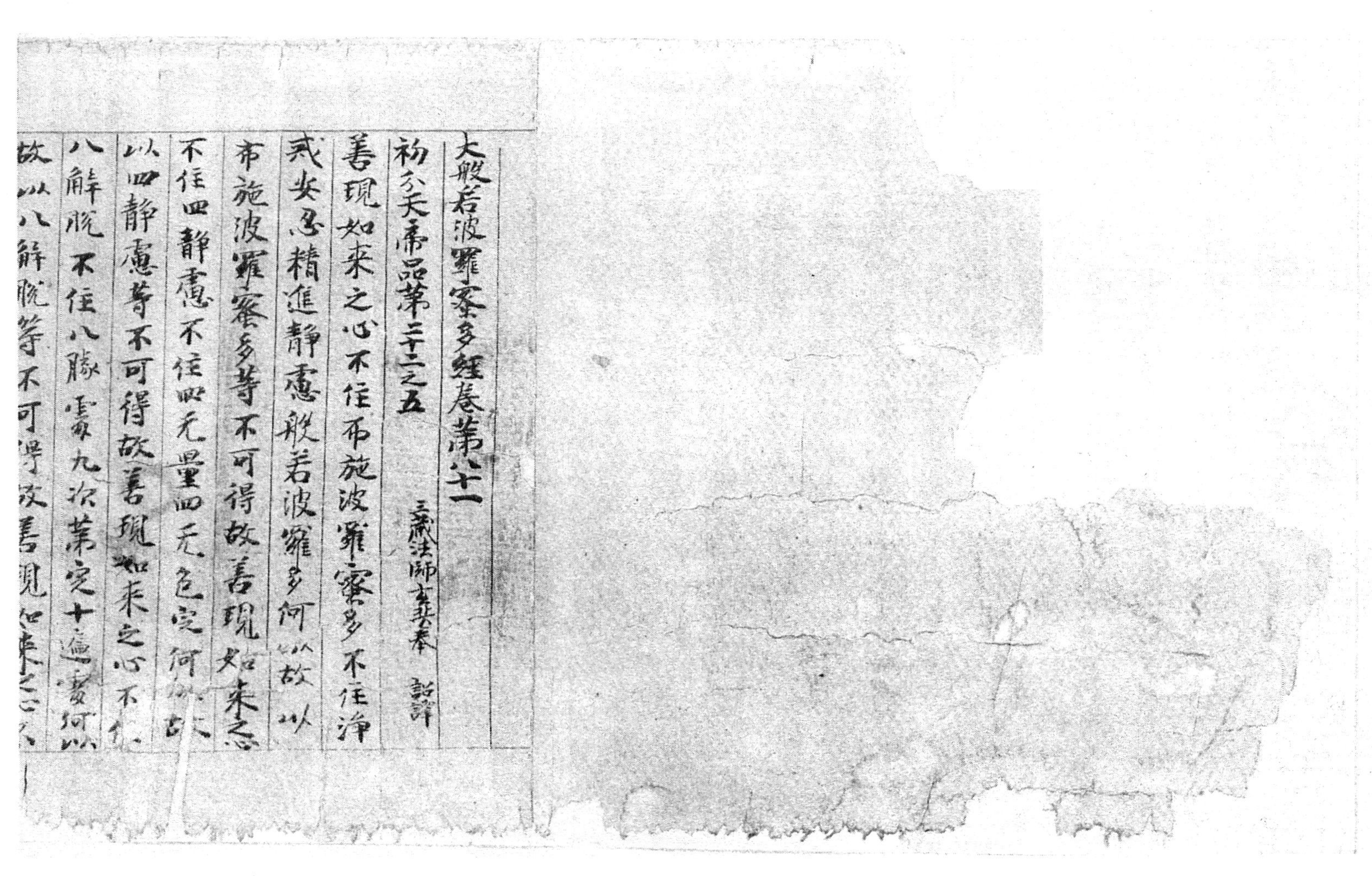

大般若波羅蜜多經卷第八十一

三藏法師玄奘奉　詔譯

初分天帝品第二十二之五

善現如來之心不住布施波羅蜜多不住淨
戒安忍精進靜慮般若波羅蜜多何以故以
布施波羅蜜多等不可得故善現如來之心
不住四靜慮不住四無量四無色定何以故
以四靜慮等不可得故善現如來之心不住
八解脫不住八勝處九次第定十遍處何以
故以八解脫等不可得故善現如來之心不

BD00456號　大般若波羅蜜多經卷八一　（8–1）

不住四静慮不住四无量四无色定何以故
以四静慮等不可得故善現如來之心不住
八解脱不住八勝處九次第定十遍處何以
故以八解脱等不可得故善現如來之心不
住四念住不住四正斷四神足五根五力七
等覺支八聖道支何以故以四念住等不可
得故善現如來之心不住空解脱門不住無
相無願解脱門何以故以空解脱門等不可
得故善現如來之心不住五眼不住六神通
何以故以五眼等不可得故善現如來之心
不住佛十力不住四无所畏四无礙解大慈
大悲大喜大捨十八佛不共法何以故以佛
十力等不可得故善現如來之心不住無忘
失法不住恒住捨性何以故以無忘失法等
不可得故善現如來之心不住一切陁羅尼
門不住一切三摩地門何以故以一切陁羅
尼門等不可得故善現如來之心不住一切
智不住道相智一切相智何以故以一切智
等不可得故善現如來之心不住聲聞乘不
住獨覺乘無上乘何以故以聲聞乘等不可
得故善現如來之心不住預流及預流向果
不住一來不還阿羅漢及一來不還阿羅漢
向果何以故以預流等不可得故善現如來
之心不住獨覺及獨覺菩提不住菩薩如來
及菩薩如來法何以故以獨覺等不可得故
善現如來之心不住極喜地及法不住離垢
地發光地焰慧地極難勝地現前地遠行地

及菩薩如來法何以故以獨覺等不可得故
善現如來之心不住極喜地及法不住離垢
地發光地焰慧地極難勝地現前地遠行地
不動地善慧地法雲地及法何以故以極喜
地等不可得故善現如來之心不住異生地
及法不住種姓地第八地具見地薄地離欲
地已辦地獨覺地菩薩地如來地及法何以
故以異生地等不可得故如是善現如來之
心於一切法都無所住亦非不住
時具壽善現謂舍利子言如是菩薩摩訶薩
雖住般若波羅蜜多而同如來於一切法都
無所住亦非不住所以者何舍利子菩薩摩
訶薩雖住般若波羅蜜多而於色非住非不
住於受想行識亦非住非不住何以故以色
蘊等無二相故舍利子菩薩摩訶薩雖住般
若波羅蜜多而於眼處非住非不住於耳鼻
舌身意處亦非住非不住何以故以眼處等
無二相故舍利子菩薩摩訶薩雖住般若波
羅蜜多而於色處非住非不住於聲香味觸
法處亦非住非不住何以故以色處等無二
相故舍利子菩薩摩訶薩雖住般若波羅蜜
多而於眼界非住非不住於色界眼識界及
眼觸眼觸為緣所生諸受亦非住非不住何
以故以眼界等無二相故舍利子菩薩摩訶
薩雖住般若波羅蜜多而於耳界非住非不
住於聲界耳識界及耳觸耳觸為緣所生諸
受亦非住非不住何以故以耳界等無二相

住於聲界耳識界及耳觸耳觸為緣所生諸
受亦非住非不住何以故以耳界等無二相
故舍利子菩薩摩訶薩雖住般若波羅蜜多
而於鼻界非住非不住於香界鼻識界及鼻
觸鼻觸為緣所生諸受亦非住非不住何以
故以鼻界等無二相故舍利子菩薩摩訶薩
雖住般若波羅蜜多而於舌界非住非不住
於味界舌識界及舌觸舌觸為緣所生諸受
亦非住非不住何以故以舌界等無二相故
舍利子菩薩摩訶薩雖住般若波羅蜜多而
於身界非住非不住於觸界身識界及身觸
身觸為緣所生諸受亦非住非不住何以故
以身界等無二相故舍利子菩薩摩訶薩雖
住般若波羅蜜多而於意界非住非不住於
法界意識界及意觸意觸為緣所生諸受亦
非住非不住何以故以意界等無二相故舍
利子菩薩摩訶薩雖住般若波羅蜜多而於
地界非住非不住於水火風空識界亦非住
非不住何以故以地界等無二相故舍利子
菩薩摩訶薩雖住般若波羅蜜多而於苦聖
諦非住非不住於集滅道聖諦亦非住非不
住何以故以苦聖諦等無二相故舍利子菩
薩摩訶薩雖住般若波羅蜜多而於無明非
住非不住於行識名色六處觸受愛取有生
老死愁歎苦憂惱亦非住非不住何以故以
無明等無二相故舍利子菩薩摩訶薩雖住

BD00456號　大般若波羅蜜多經卷八一　（8–4）

老死愁歎苦憂惱亦非住非不住何以故以
無明等無二相故舍利子菩薩摩訶薩雖住
般若波羅蜜多而於內空非住非不住於外
空內外空空空大空勝義空有為空無為空
畢竟空無際空散空無變異空本性空自
空共相空一切法空不可得空無性空自
空無性自性空亦非住非不住何以故以
空等無二相故舍利子菩薩摩訶薩雖住
若波羅蜜多而於真如非住非不住於法
法性不虛妄性不變異性平等性離生性
定法住實際虛空界不思議界亦非住非
住何以故以真如等無二相故
舍利子菩薩摩訶薩雖住般若波羅蜜多
於布施波羅蜜多非住非不住於淨戒安
精進靜慮般若波羅蜜多亦非住非不住何
以故以布施波羅蜜多等無二相故舍利子
菩薩摩訶薩雖住般若波羅蜜多而於四靜
慮非住非不住於四無量四無色定亦非住
非不住何以故以四靜慮等無二相故舍利
子菩薩摩訶薩雖住般若波羅蜜多而於八
解脫非住非不住於八勝處九次第定十遍
處亦非住非不住何以故以八解脫等無二
相故舍利子菩薩摩訶薩雖住般若波羅蜜
多而於四念住非住非不住於四正斷四神
足五根五力七等覺支八聖道支亦非住非
不住何以故以四念住等無二相故舍利子

BD00456號　大般若波羅蜜多經卷八一　（8–5）

足五根五力七等覺支八聖道支亦非住非
不住何以故以四念住等無二相故舍利子
菩薩摩訶薩雖住般若波羅蜜多而於空解
脫門非住非不住於無相無願解脫門亦非
住非不住何以故以空解脫門等無二相故
舍利子菩薩摩訶薩雖住般若波羅蜜多而
於五眼非住非不住於六神通亦非住非不
住何以故以五眼等無二相故舍利子菩薩
摩訶薩雖住般若波羅蜜多而於佛十力非
住非不住於四無所畏四無礙解大慈大悲
大喜大捨十八佛不共法亦非住非不住何
以故以佛十力等無二相故舍利子菩薩摩
訶薩雖住般若波羅蜜多而於無忘失法非
住非不住於恒住捨性亦非住非不住何以
故以無忘失法等無二相故舍利子菩薩摩
訶薩雖住般若波羅蜜多而於一切陁羅尼
門非住非不住於一切三摩地門亦非住非
不住何以故以一切陁羅尼門等無二相故
舍利子菩薩摩訶薩雖住般若波羅蜜多而
於一切智非住非不住於道相智一切相智
亦非住非不住何以故以一切智等無二相
故舍利子菩薩摩訶薩雖住般若波羅蜜多
而於聲聞乘非住非不住於獨覺乘無上乘
亦非住非不住何以故以聲聞乘等無二相
故舍利子菩薩摩訶薩雖住般若波羅蜜多
而於預流及預流向果非住非不住於一來

亦非住非不住何以故以聲聞乘等無二相
故舍利子菩薩摩訶薩雖住般若波羅蜜多
而於預流及預流向果非住非不住於一來
不還阿羅漢及一來不還阿羅漢向果亦非
住非不住何以故以預流等無二相故舍利
子菩薩摩訶薩雖住般若波羅蜜多而於獨
覺及獨覺菩提非住非不住於菩薩如來及
菩薩如來法亦非住非不住何以故以獨覺
等無二相故舍利子菩薩摩訶薩雖住般若
波羅蜜多而於極喜地及法非住非不住於
離垢地發光地焰慧地極難勝地現前地遠
行地不動地善慧地法雲地及法亦非住非
不住何以故以極喜地等無二相故舍利子
菩薩摩訶薩雖住般若波羅蜜多而於異生
地及法非住非不住於種姓地第八地具見
地薄地離欲地已辦地獨覺地菩薩地如來
地及法亦非住非不住何以故以異生地等
無二相故舍利子菩薩摩訶薩於般若波羅
蜜多隨非住非不住以無所所得為方便應如
是學

初分諸天子品第二十三

尒時會中有諸天子竊作是念諸藥叉等言
詞呪句雖復隱密而尚可知尊者善現於此
般若波羅蜜多雖以種種言詞顯示而我等
輩竟不能解善現知彼心之所念便告之言
汝等天子於我所說不能解邪諸天子言如
是如是具壽善現復告彼言我曾於此不說

詞呪句雖復隱密而尚可知尊者善現於此
般若波羅蜜多雖以種種言詞顯示而我等
輩竟不能解善現知彼心之所念便告之言
汝等天子於我所說不能解耶諸天子言如
是如是具壽善現復告彼言我曾於此不說
一字汝亦不聞當何所解何以故甚深般若
波羅蜜多文字言說皆遠離故由此於中說
者聽者及能解者皆不可得一切如來應正
等覺所證無上正等菩提其相甚深亦復如
是天子當知如佛化身化作無量苾芻苾芻
尼鄔波索迦鄔波斯迦俱來集會復化作一
能說法人於此衆中宣揚妙法於意云何是
中有實能說能聽能解者不諸天子言不也
大德善現告言如是天子一切法皆如化故
般若中說者聽者及能解者都不可得天子
當知如在夢中夢見有佛教誡教授菩薩聲
聞於意云何是中有實能說能聽能解者不
諸天子言不也大德善現告言如是天子一
切法皆如夢故般若中說者聽者及能解者

BD00456號　大般若波羅蜜多經卷八一　（8–8）

[illegible]分別撰擇如
[illegible]擇法覺分若念法擇法善法猶
[illegible]捨法以智攝取精進勇猛欲不退轉
懃脩進趣不捨本意行於正道是名精進覺
分於所脩行无量清淨勝樂法中心生悅豫
无有懈怠是喜踴躍能除身心所有煩惱是
名喜覺分若除身心諸煩惱垢離於諸蓋入
定境界令心正[illegible]猗覺分如所入定悉
能覺了非不入定是覺了法又了諸見煩惱
結縛其心平等一切諸法无別異相能如是
覺是名定覺分若憂喜其心不沒亦復不
爲世法所牽无高无下正住不動无有諸漏
无喜无著无諸諍尋隨順真諦正直之道是
名捨覺分大王當知沙門瞿曇畢竟成就如
是七覺分是故我言无有過失
王言大師何者如來八正道分荅言大王八
聖道分者所謂正見正思惟正語正業正命
正精進正念正定大王當知沙門瞿曇正見
者若見出世不起我人衆生壽命養育丈夫
斷見常見有見无見亦復不起善以不善无
記等見乃至不起生死涅槃二相之見是名

BD00457號　大薩遮尼乾子所說經（異卷）卷九　（16–1）

斷見常見有見无見亦復不起善以不善无
記等見乃至不起生死涅槃二相之見是名
正見若能起彼貪欲瞋癡諸煩惱等是名不
正不起是事唯思戒定知慧解脫解脫知見
能如是思惟戒聚中名正思惟凡所有說不
令自身及以他身而有煩惱成就如是善好
語言起於正道是名正語若業是黑有黑果
報白有白報若業黑白有黑白報[illegible]不敢作
若業非黑非白有非黑非白報若業能盡業
是業必作是名正業脩行聖種頭陁威儀不
動不轉无諸姧諂不為世間利養所牽見他
得利心不生熱於己利養常知止足如是正
行聖人所讚是名正命若精進向邪非聖所
讚所謂貪欲瞋恚愚癡煩惱是正精進發不
為之若法能入正諦聖道寂滅涅槃是正精
進若念不失不動於法正直不曲見生死過
進求涅槃繫心不忘不失正道是名正念若
定不亂於一切法住是定時式正決定是意
定大王當知住是三昧者為一切衆生得解
脫故成正決定是名正定是八聖道悉是過
去未來現在諸佛所行是名聖道大王當知
沙門瞿曇具足成就如是三十七助菩提法
依此法故沙門瞿曇名為如來應正遍知是
故我言无有過失而說偈言
瞿曇念處　及四正懃　禪定諸三昧　於中得自在

BD00457 號　大薩遮尼乾子所說經（異卷）卷九　（16–2）

故我言无有過失而說偈言
瞿曇念處　及四正懃　禪定諸三昧　於中得自在
唯瞿曇究竟　更无第二人　是故說瞿曇　无有諸過失
瞿曇如意道　寂勝无有比　脩諸四无畏　具足到彼岸
大聖能善解　解脫[illegible]　是故如意知　能淨諸衆生
梵行得自在　慈悲及喜捨　得正見寂靜　是故无過失
八聖正道水　清淨无垢濁　洗諸罪衆生　服七覺寶衣
持置彼不動　无畏涅槃處　是故說瞿曇　无有諸過失
瞿曇如牛王　獨勝過諸群　衆聖皆尊仰　世間无等倫
離諸一切惡　具足諸功德　常念利世間　是故无過失
大王當知沙門瞿曇畢竟成就十種智力王
言大師何者是如來十種智力荅言大王十
力者所謂知是處非處智力知業集智力知
性智力知信智力知根智力知至處道智力
知定智力知宿命智力知天眼智力知漏盡
智力大王當知沙門瞿曇是處非處智力者
攝定[illegible]王當知
決定了知因果中智知從是因能生是果不
生是果知行不善定得苦報不生樂報脩行
善因定得樂果不善果是處者有是報非
處者无是報是名處非處智力
大王當知沙門瞿曇知業集智力者如實能
知過去未來現在諸業所得果報知處知事
知因知果或謂過去事滅皆无沙門瞿曇說
於過去雖无現相是業能得未來世報若有

BD00457 號　大薩遮尼乾子所說經（異卷）卷九　（16–3）

於過去雖无現相是業能得未來世報若有
作業是聲聞因是辟支佛因是菩薩因是如
來因沙門瞿曇悉能了知是名知業集智力
大王當知沙門瞿曇知欲力者如實能知一
切衆生種種欲樂知是衆生樂於五欲知是
衆生樂於脩道知是衆生住邪定聚知是衆
生住正定聚知是衆生住不定聚知是衆生
樂聲聞道知是衆生樂辟支佛道知是衆生
樂无上道如是知已隨宜說法廣度一切諸
衆生等是名知欲智力
大王當知沙門瞿曇知性力者如實能知一
切衆生无量種性有漏種性无漏種性世間
性出世間性常性无常性法界性无差別性
又知衆生所樂習成難改之性從性起欲知
其所樂及知所起善性不善性起聲聞性辟
支佛性无上菩提性皆如實知隨宜說法是
名知性智力
大王當知沙門瞿曇知根力者如實能知一
切衆生諸根差別知有漏根无漏根利根鈍
根知增知減能知貪欲瞋恚愚癡有无量種
各有輕重悉如實知知有根能增長生死知
有根能損減生死知善根不善根知非善非
不善根知眼根耳根鼻根舌根身根意根男
根女根命根苦根樂根憂根喜根捨根信根
精進根念根定根慧根未知欲知根知根知

BD00457號　大薩遮尼乾子所說經（異卷）卷九　（16–4）

不善根知眼根耳根鼻根舌根身根意根男
根女根命根苦根樂根憂根喜根捨根信根
精進根念根定根慧根未知欲知根知根知
已根知眼根因乃至意根因知耳根因作眼
根緣知鼻根因作舌根緣知舌根因作身根
緣知戒莊嚴能脩於施知施莊嚴能脩於戒
能知誰可說施說戒乃至智慧亦復如是能
知誰可說四念處乃至八正道子知誰可為
說聲聞乘辟支佛乘无上佛乘知緣覺根學
聲聞乘知正覺根學聲聞乘辟支佛乘知下
根人能脩上根上根之人脩於下根知衆生
根未可調者則生捨心可調伏者為說正法
知根熟不熟相不熟熟相不熟相熟者
熟相知生死根知解脫根知莊嚴根知具足
根如是知已而為說法是名知根智力
大王當知沙門瞿曇知至處道力者如實能
知行是道者墮於地獄乃至生天行是道者
得至涅槃是業皆從根欲性生知有漏業故
生於五道无漏業故得至涅槃如是能知正
定聚邪定聚及不定聚知於因力及果報力
知過去世福德因緣知現在世莊嚴因緣難
調易調略說廣解廣說略解知是衆生能得
解脫知是衆生不得解脫知不定者遇善知
識住正定聚不得善友則无解脫如是知已

BD00457號　大薩遮尼乾子所說經（異卷）卷九　（16–5）

解脫知是衆生不得解脫知不定者遇善知
識住正定聚不得善友則无解脫如是知已
隨所應聞而為說法是名能知至處道力
大王當知沙門瞿曇知禪定力者如實能知
禪定解脫三昧三摩拔提知垢知淨知住知
增知諸衆生以是因緣貪樂生死以是因緣
貪樂涅槃云何名因云何名緣知諸衆生思
惟不善是生死因緣因不善思惟故生長无
明是故不善為因无明為緣因无明故則生
於行是故无明為因諸行為緣如是乃至因
生則有老死等苦是故生則為因老死為緣
煩惱為因諸業為緣諸見為因愛結為緣煩
惱為因五蓋為緣是名為因是名為緣而諸
衆生以是因緣貪樂生死何因緣故貪樂涅
槃有二因二法令諸衆生樂於涅槃一者善
樂聽法二者樂正思惟復有二法一者舍摩
他二者毗婆舍那又知說法因緣得聲聞三
昧緣覺三昧菩薩三昧如是知已而為說法
是名知定智力
大王當知沙門瞿曇知宿命智力者如實能
知自身過去一切生處有色无色種姓名字
飲食色狠形相苦樂壽命長短念他有滅生
於他有如知自身知他亦尒知是衆生所有
業因是諸衆生造是業因得他有身知諸衆
生心及因緣如是滅已次第生心悉知二世

業因是諸衆生造是業因得他有身知諸衆
生心及因緣如是滅已次第生心悉知二世
无有始終勸諸衆生觀諸過去所作善惡果
報苦樂如是知已隨所應聞而為說法是名
知宿命智力
大王當知沙門瞿曇天眼智力者如實知見
一切衆生生滅墮落若受善色若受惡色若
生善有若生惡有知諸業因皆悉明了知是
衆生身口意惡誹謗聖人增長邪見以惡業
故捨此身已即墮地獄如是衆生身口意善
不謗聖人增長正見以是業緣捨此身已即
生善有能見十方諸佛世界无有邊際猶如
虛空无有限量悉見生生時滅時見諸世
界成時壞時亦知衆生發菩提心生時滅時
見一切佛如成正覺轉正法輪入涅槃時見
諸聲聞證解脫已取涅槃時見諸緣覺以神
通力教諸衆生施信恩時如是等事一切五
通聲聞緣覺及諸菩薩所不能見沙門瞿曇
天眼成就如是功德以天眼故觀諸衆生誰
應為佛之所化度誰復應為聲聞緣覺之所
化度如是見已隨應度者示現其身而為說
法是名知天眼智力
大王當知沙門瞿曇知漏盡智力者諸漏已

大王當知沙門瞿曇知漏盡智力者諸漏已
盡畢竟解脫是故唱言我生已盡梵行已立所
作已辦更无後有佛漏盡智清淨微妙言清
淨者无習氣故聲聞之智有邊有量何以故
有習氣故辟支佛智亦有邊量何以故无大
悲故佛漏盡智无量无邊何以故知一切行
故具足成就一切智故永斷一切諸習氣故
攝取大慈大悲莊嚴四无畏故於一切法无
取相習一切世間所不能勝行住坐卧无諸
過失猶如虛空清淨无㝵不離烟雲佛漏盡
智亦復如是不離一切煩惱習故能為一切
衆生說法令彼聞者斷諸煩惱是名知漏盡
智力大王當知沙門瞿曇畢竟成就如是十
種智力以是莊嚴故名如來應正遍知是故
我言无有過失而說偈言
是處及非處　諸佛如實知　天尊實語者　是故无過失
於諸過去世　聖照无鄣㝵　未來及現在　智慧不迷沒
業及業果報　所有果因智　皆能如實知　是故名為佛
世人无量性　種種如實知　於性中善解　是名无等人
世間種種信　及无量信者　如實智慧知　是故无異語
如實知下根　及知中根者　如實知根熟　於根得自在
至一切處道　世尊如實知　力通根禪定　覺分解脫者
知染及清淨　著別如實解　如來无有鄣　以離諸鄣故
過去无量生　種種知力見　自身及他身　智者如實知
佛淨眼无垢　過天人世間　依彼清淨眼　見衆生生道
知諸漏盡智　及知於解脫　所有无漏界　聖人如實知
是力无等等　佛世尊自在　於心中現　而心无分別
不取亦不捨　自然而現前　如輪依本業　自然而迴轉
一念如實知　衆諸心念　於心及衆生　不起二種相
於一切法中　具足諸功德　是故說瞿曇　自在无過失
大王當知沙門瞿曇畢竟成就四无所畏王

BD00457號　大薩遮尼乾子所說經（異卷）卷九　（16–8）

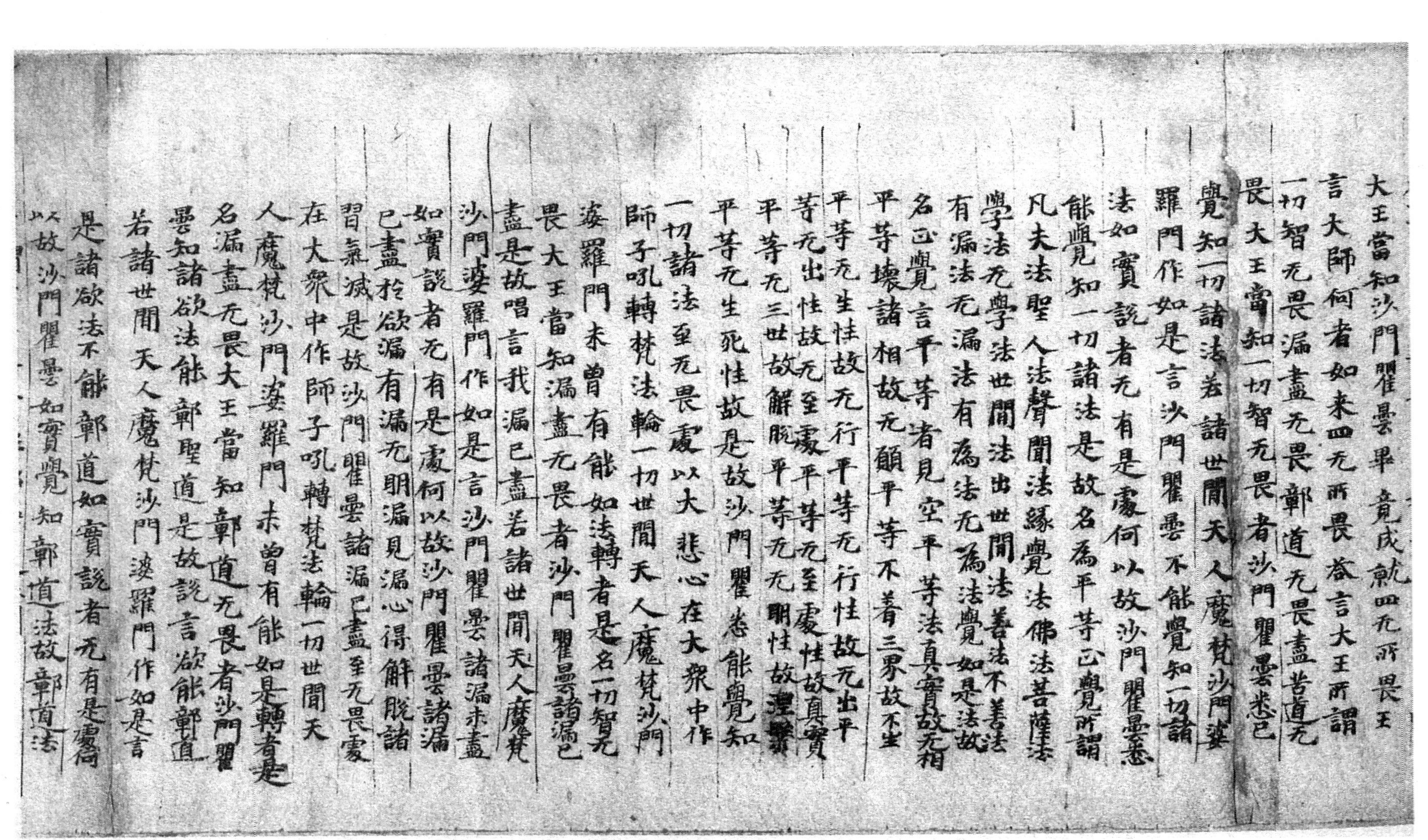
大王當知沙門瞿曇畢竟成就四无所畏王
言大師何者如來四无所畏荅言大王所謂
一切智无畏漏盡无畏鄣道无畏盡苦道无
畏大王當知一切智无畏者沙門瞿曇悉已
覺知一切諸法若諸世間天人魔梵沙門婆
羅門作如是言沙門瞿曇不能覺知一切諸
法如實說者无有是處何以故沙門瞿曇悉
能覺知一切諸法是故名為平等正覺所謂
凡夫法聖人法聲聞法緣覺法佛法菩薩法
學法无學法世間法出世間法善法不善法
有漏法无漏法有為法无為法覺如是法故
名正覺言平等者見空平等法真實故无相
平等壞諸相故无願平等不著三界故不生
平等无生性故无行平等无行性故无出平
等无出性故无至處平等无至處性故真實
平等无三世故解脫平等无无明性故涅槃
平等无生死性故是故沙門瞿曇能覺知
一切諸法至无畏處以大悲心在大衆中作
師子吼轉梵法輪一切世間天人魔梵沙門
婆羅門未曾有能如法轉者是名一切智无
畏大王當知漏盡无畏者沙門瞿曇諸漏已
盡是故唱言我漏已盡若諸世間天人魔梵
沙門婆羅門作如是言沙門瞿曇諸漏未盡
如實說者无有是處何以故沙門瞿曇諸漏
已盡於欲漏有漏无明漏見漏心得解脫諸
習氣滅是故沙門瞿曇諸漏已盡至无畏處
在大衆中作師子吼轉梵法輪一切世間天
人魔梵沙門婆羅門未曾有能如是轉者是
名漏盡无畏大王當知鄣道无畏者沙門瞿
曇知諸欲法能鄣聖道是故說言欲能鄣道
若諸世間天人魔梵沙門婆羅門作如是言
是諸欲法不能鄣道如實說者无有是處何
以故沙門瞿曇如實覺知鄣道法故鄣道法

BD00457號　大薩遮尼乾子所說經（異卷）卷九　（16–9）

是諸欲法不能離道如實說者无有是處何
以故沙門瞿曇如實覺知離道法故離道法
者謂十不善業能離聖道沙門瞿曇能如實
知至无畏處在大衆中作師子吼轉梵法輪
一切世間天人魔梵沙門婆羅門未曾有能
如法轉者是名離道无畏大王當知盡苦道
无畏者沙門瞿曇說言脩習聖道能盡苦際
得无上解脫若諸世間天人魔梵沙門婆
羅門作如是言脩習聖道不能畢竟盡諸苦
際如實說者无有是處何以故沙門瞿曇已
證无上解脫盡諸苦故云何名為真實聖道
所謂乘復有二種謂舍摩他毗婆舍那復
有三種謂空三昧无相无願三昧復有七法
謂四念處乃至八聖道是名畢竟真實聖道
畢竟道者无增无減无取无捨无執无放非
正非耶非一非二是名真實畢竟正道沙門
瞿曇如實能知至无畏處在大衆中作師子
吼轉梵法輪一切世間天人魔梵沙門婆羅
門未曾有能如法轉者是名盡苦道无畏大
王當知沙門瞿曇畢竟成就如是四无畏智
能師子吼是故我言无有過失而說偈言
瞿曇師子 處衆无畏說 世間无與等 何況有勝者
瞿曇諮請法 如實不虛妄 以是實見故 出師子王說
若有能說言 瞿曇說不正 瞿曇不能見 无有如是處
以不見相者 在於天命 自在師子吼 出妙无畏聲
瞿曇漏已盡 已得无漏身 過天人世間 是故言无等
瞿曇為衆生 說諸離道法 一切皆如實 故不虛妄說
瞿曇說進取 自證如是說 脩行彼法者 无有諸鄣㝵
瞿曇如是知 至勝无畏處 得无畏妙樂 瞿曇安隱住
轉梵正法輪 餘未曾轉彼 世人不能轉 除兩足尊者
大王當知沙門瞿曇畢竟成就不共之法王
言大師何者如來不共之法荅言大王沙門
瞿曇不共法者所謂无有一切過名不共法
何以故沙門瞿[illegible]

言大師何者如來不共之法荅言大王沙門
瞿曇不共法者所謂无有一切過名不共法
何以故沙門瞿曇身業无失故无一切唱名
不共法何以故沙門瞿曇口業无失故无一
切忘名不共法何以故沙門瞿曇意業无失
故无種種相名不共法何以故沙門瞿曇若
得供養不生高心若得毀辱不生下心故无
不定心名不共法何以故沙門瞿曇若行若
住若坐若卧若語若默常在定故无不作心
捨心名不共法何以故沙門瞿曇脩身故脩
戒故脩心故脩慧故斷疑故是名聖捨欲无
休息名不共法何以故沙門瞿曇大慈大悲
說法度人安住寂靜无增減故精進无休息
名不共法何以故沙門瞿曇為一切衆生於
无量劫受大苦惱不生疲厭故念无休息名
不共法何以故沙門瞿曇初得道時遍觀一
切去來現在衆生之心後為說法不須更觀
不失先念故智慧无休息名不共法何以故沙
門瞿曇於三世中憶念不忘故解脫无休息
名不共法何以故沙門瞿曇不從師學自然
覺悟不同二乘從他聞故因緣生故解脫知
見无休息名不共法何以故沙門瞿曇得无
閡智知一切義一切字一切句於一句法无
量劫說義无窮盡故一切身業智為本智展
轉名不共法何以故沙門瞿曇所有身業隨
智行故一切口業智為本智展轉名不共法何
以故沙門瞿曇所有口業隨智行故一切意
業智為本智展轉名不共法何以故沙門瞿
曇所有意業隨智行故過去世无鄣无閡名
不共法何以故沙門瞿曇具宿命明故知未
來世无鄣无閡名不共法何以故沙門瞿曇
得天眼明故知現在世无鄣无閡名不共法
何以故沙門瞿曇得漏盡明故无見頂者名
不共法何以故沙門瞿曇无邊身故无能勝
者名不共法何以故沙門瞿曇過諸天人聲
聞辟支佛故衆生各見在己前名不共法

聞辟支佛故衆生名見在已前名不共法
何以故沙門瞿曇身不可思議故所有言説
聞者生善名不共法何以故沙門瞿曇成就
一切諸功德説法之音隨受者聞名不共法
何以故沙門瞿曇善知餘者聞无益故出言
清淨名不共法何以故沙門瞿曇口常不説
非義語故出口所説廣言濡語聞法歡喜名
不共法何以故沙門瞿曇其心平等離怨
親故所説言音聞者无厭名不共法何以故
沙門瞿曇説微妙故處衆无畏名不共法何
以故沙門瞿曇清淨一切諸智鄣故於衆言
説不生怯弱名不共法何以故沙門瞿曇畢
竟成就四无畏故隨意言説名不共法何以
故沙門瞿曇善知一切衆生心故弟子寂靜
名不共法何以故沙門瞿曇所有徒衆隨順
受教故見者離惱除諸不善名不共法何以
故沙門瞿曇常願其身如藥樹王故觀者无
厭名不共法何以故沙門瞿曇能令見者覺
一切法故動身迴顧如大象王名不共法何
以故沙門瞿曇視如龍王威儀清淨故在於
四衆能師子吼名不共法何以故沙門瞿曇
具足十力善決衆疑故常受上供名不共法
何以故沙門瞿曇无上福田故功德无盡名
不共法何以故沙門瞿曇所脩諸行不求果
報故一切天人魔王梵衆无能壞者名不共
法何以故二節中有那羅延力故所記之
事无有虛謬名不共法何以故善知一切諸
根使故知一切行名不共法何以故沙門瞿
曇覺一切法故所有智慧无有疑滯名不共
法何以故沙門瞿曇善知三世智清淨故煩
惱習盡名不共法何以故沙門瞿曇善能清
淨煩惱因故於諸世間天人魔梵沙門婆羅

BD00457號　大薩遮尼乾子所説經（異卷）卷九　（16–12）

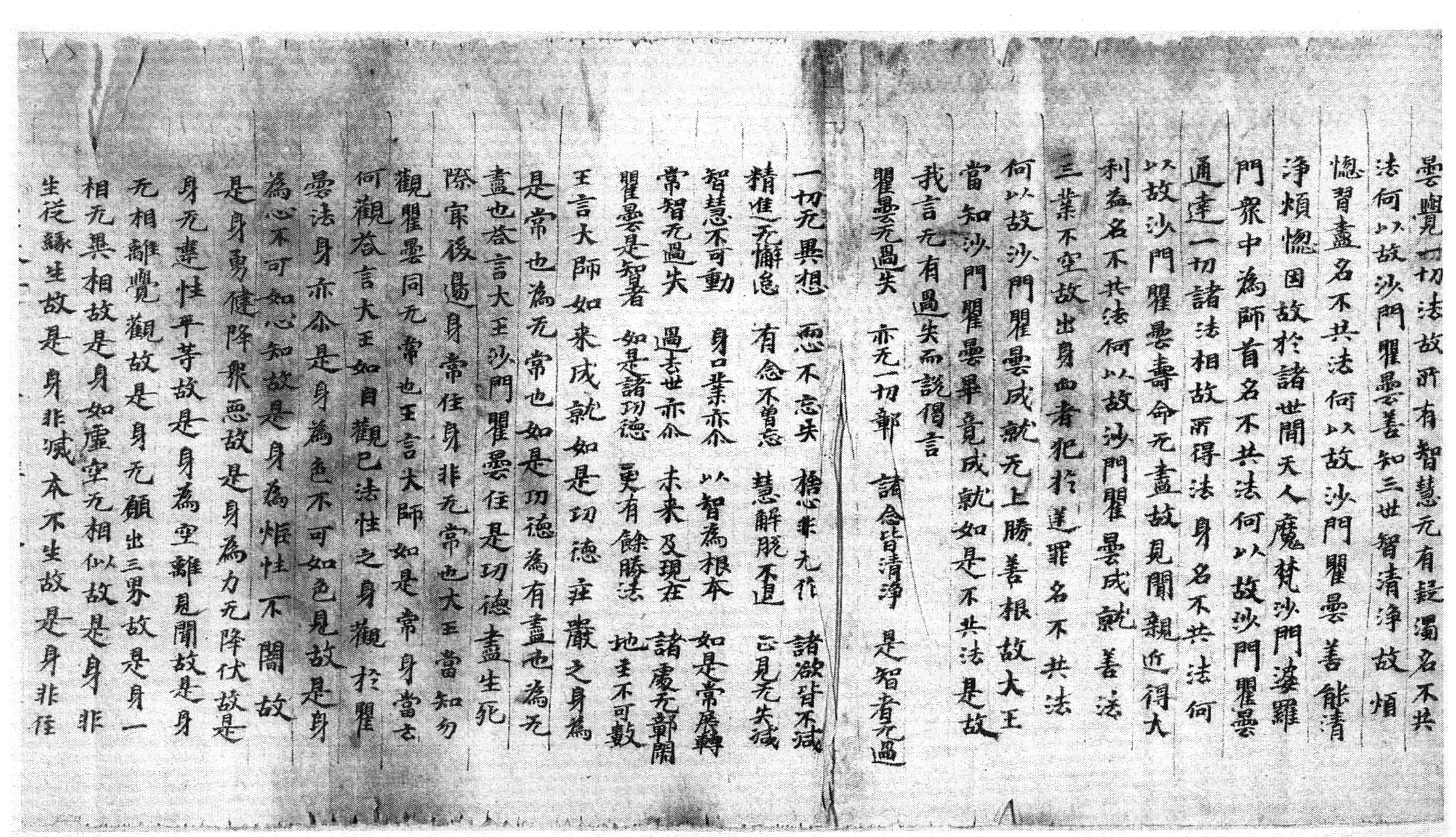

曇覺一切法故所有智慧无有疑滯名不共
法何以故沙門瞿曇善知三世智清淨故煩
惱習盡名不共法何以故沙門瞿曇善能清
淨煩惱因故於諸世間天人魔梵沙門婆羅
門衆中爲師首名不共法何以故沙門瞿曇
通達一切諸法相故所得法身名不共法何
以故沙門瞿曇壽命无盡故見聞親近得大
利益名不共法何以故沙門瞿曇成就善法
三業不空故出身血者犯於逆罪名不共法
何以故沙門瞿曇成就无上勝善根故大王
當知沙門瞿曇畢竟成就如是不共法是故
我言无有過失而説偈言
瞿曇无過失　亦无一切鄣　諸念皆清淨　是智者无過
一切无異想　念不忘失　捨心非无作　諸欲皆不減
精進无懈怠　有念不曾忘　慧解脱不退　正見无失滅
智慧不可動　身口業亦尒　以智爲根本　如是常展轉
常智无過失　過去世亦尒　未來及現在　諸處无鄣閡
瞿曇是智者　如是諸功德　更有餘勝法　地主不可數
王言大師如來成就如是功德莊嚴之身爲
是常也爲无常也如是功德爲有盡也爲无
盡也荅言大王沙門瞿曇住是功德盡生死
際寂後邊身常住身非无常也大王當知勿
觀瞿曇同无常也王言大師如是常身當云
何觀荅言大王如自觀己法性之身觀於瞿
曇法身亦尒是身爲色不可如色見故是身
爲心不可如心知故是身爲炬性不闇故
是身勇健降衆惡故是身爲力无降伏故是
身无盡性平等故是身爲空離見聞故是身
无相離覺觀故是身无願出三界故是身一
相无異相故是身如虛空无相似故是身非
生從緣生故是身非滅本不生故是身非住

BD00457號　大薩遮尼乾子所説經（異卷）卷九　（16–13）

身无盡性平等故是身為空離見聞故是身
无相離覺觀故是身无願出三界故是身一
相无異相故是身如虛空无相似故是身非
生從緣生故是身非滅本不生故是身非住
非三世故是身非方不離方故是身非衆生
不離一切衆生故大王當知如是觀者名觀
常身名見法身大王當知如是觀者名為正
觀若他觀者名為邪觀王言大師云何非生
而從緣生大王當知法身非生從緣生故王
言大師云何從緣生大王當知從緣生者從
无量功德智慧生從戒生從定生從慧生從
解脫生從解脫知見生從慈悲喜捨生從布
施生從持戒生從忍辱生從精進生從禪定
生從智慧生從解脫三昧生從諸方便波羅
蜜生從六通生從三明生從四无畏生從十
力四无所畏十八不共法生從斷一切不善
法集一切善法生從實慧生從不放逸生大
王當知從如是无量清淨功德法生瞿曇身
功德无盡故法身无盡王言大師生法有盡
云何有生而无有盡荅言大王本不生故而
无有盡王言大師何者本不生故荅言大王
法身非生以本有故以緣生故名之為生王
言大師如是緣者无量无邊若欲行者以何
為本從何為始荅言大王一切功德助道之
行舉要言之以戒為本持戒為始若不持戒
乃至不得疥野干身何況當得功德之身大
王當知以戒淨故不斷佛種成等正覺不斷
法種分別法性不斷僧種脩无為道以持淨
戒相續不斷故功德无盡王言大師一切戒
善皆无有盡亦有盡也荅言大王非一切盡
亦非不盡何以故相續斷故有盡不斷故无
盡王言大師何者相續斷何者相續不斷荅

BD00457 號　大薩遮尼乾子所說經（異卷）卷九　（16–14）

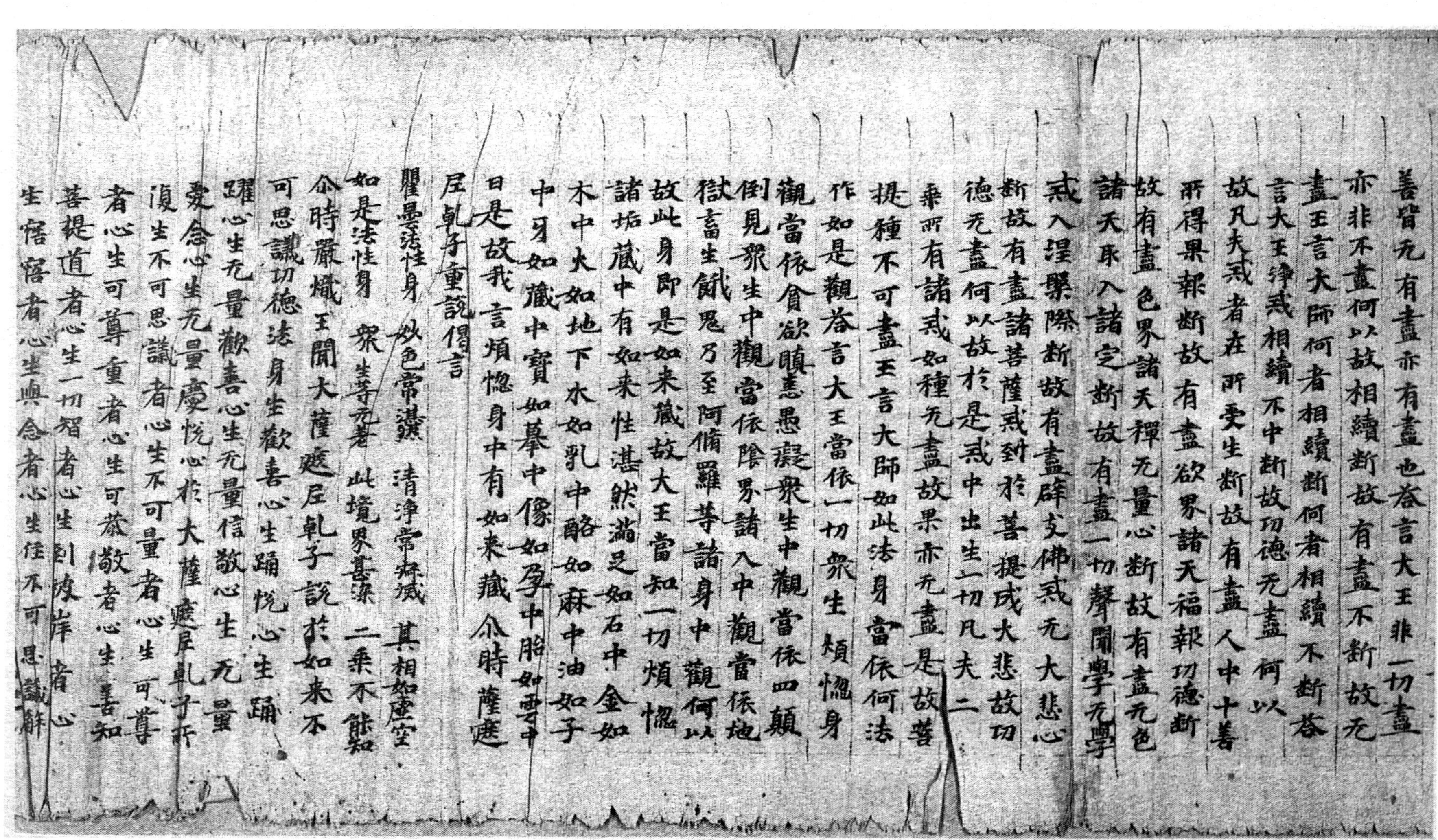
善皆无有盡亦有盡也荅言大王非一切盡
亦非不盡何以故相續斷故有盡不斷故无
盡王言大師何者相續斷何者相續不斷荅
言大王淨戒相續不中斷故功德无盡何以
故凡夫戒者在所受生斷故有盡人中十善
所得果報斷故有盡欲界諸天福報功德斷
故有盡色界諸天禪无量心斷故有盡无色
諸天取入諸定斷故有盡一切聲聞學无學
戒入涅槃際斷故有盡辟支佛戒无大悲心
斷故有盡諸菩薩戒到於菩提成大悲故功
德无盡何以故於是戒中出生一切凡夫二
乘所有諸戒如種无盡故果亦无盡是故菩
提種不可盡王言大師如此法身當依何法
作如是觀荅言大王當依一切衆生煩惱身
觀當依貪欲瞋恚愚癡衆生中觀當依四顛
倒見衆生中觀當依陰界諸入中觀當依地
獄畜生餓鬼乃至阿脩羅等諸身中觀何以
故此身即是如来藏故大王當知一切煩惱
諸垢藏中有如来性湛然滿足如石中金如
木中火如地下水如乳中酪如麻中油如子
中牙如藏中寶如摹中像如孕中胎如雲中
日是故我言煩惱身中有如来藏尒時薩遮
尼乾子重說偈言
瞿曇法性身　妙色常湛然　清淨常寂滅　其相如虛空
如是法性身　衆生等无差　此境界甚深　二乘不能知
尒時嚴熾王聞大薩遮尼乾子說於如来不
可思議功德法身生歡喜心生踊悅心生踊
躍心生无量歡喜心生无量信敬心生无量
愛念心生无量慶悅心於大薩遮尼乾子所
復生不可思議者心生不可量者心生可尊
者心生可尊重者心生可恭敬者心生善知
菩提道者心生一切智者心生到彼岸者心
生信信者心生與念者心生住不可思議解

BD00457 號　大薩遮尼乾子所說經（異卷）卷九　（16–15）

諸垢藏中有如来性湛然滿足如石中金如
木中火如地下水如乳中酪如麻中油如子
中牙如藏中寶如摹中像如孕中胎如雲中
日是故我言煩惱身中有如来藏尒時薩遮
尼乹子重說偈言
瞿曇法性身　妙色常湛然　清淨常寂滅　其相如虛空
如是法性身　衆生等无差　此境界甚深　二乘不能知
尒時嚴熾王聞大薩遮尼乹子說於如来不
可思議功德法身生歡喜心生踊悅心生踊
躍心生无量歡喜心生无量信敬心生无量
愛念心生无量慶悅心於大薩遮尼乹子所
復生不可思議者心生不可量者心生可尊
者心生可尊重者心生可恭敬者心生善知
菩提道者心生一切智者心生到彼岸者心
生寤寤者心生與念者心生住不可思議解
脫菩薩心生如是等不可思議希有心已以
價直百千万阿僧祇瓔珞及
衣持用奉施薩遮大師復
薩遮尼乹能說如是勝
作是言薩遮大師師所
智此法能

BD00457號　大薩遮尼乾子所說經（異卷）卷九　（16–16）

南无上香德佛　南无虛空德佛
南无拯高行佛　南无作方所佛
南无拯高称樓佛　南无无导眼佛
南无娑伽羅佛　南无須称肩佛
南无善安王佛　南无上衆嚴佛
南无三同号上衆佛　南无空性佛
南无名聞力王佛　南无放光佛
南无離垢佛　南无雜華香佛
南无无相音佛　南无離怖畏佛
南无无导眼佛　南无旃檀香佛
南无大聲眼佛　南无寶積佛
南无香為王佛　南无一華善佛
南无二同号称樓肩佛　南无網明佛
南无寶華德佛　南无智華寶明德佛
南无增十光佛　南无增千光佛
南无智光佛　南无智出光佛
南无滅諸怖畏佛　南无无邊光明佛
南无无导智佛　南无網光佛
南无寶意佛　南无善出光佛
南无无邊陳佛　南无邊自在佛
南无智住佛　南无優波羅德佛

BD00458號　十方千五百佛名經（二卷本）卷上　（9–1）

南无无导智佛　南无網光佛
南无寶意佛　南无善出光佛
南无无邊陳佛　南无邊自在佛
南无智住佛　南无優波羅德佛
南无釋迦文佛　南无智流布佛
南无調御佛　南无娑羅寶王佛
南无寶婆羅佛　南无寶行列佛
南无德王佛　南无不虛稱王佛
南无流布王佛　南无不盡力佛
南无香明佛　南无无导音佛
南无多安王佛　南无多聞力佛
南无須弥高頂王佛　南无蓮華上佛
南无寶高德佛　南无方流布嚴佛
南无普守增上雲音王佛　南无无邊明佛
南无法積佛　南无无邊慧成佛
南无无邊功德智明佛　南无華生德佛
南无華出王佛　南无本淨佛
南无善德佛　南无寶光月殿妙尊音王佛
南无須弥燈光明佛
現在東南方一百五十佛名　佛告舍利弗若善男子善女人其有聞此諸佛名号
持諷誦念至心信樂无有疑悔此諸如來皆授其決
住不退地若有女人聞諸佛名歡喜信樂礼敬之
者從是以後所生之處不受女身不爲三毒之
所纏縛應受无量億劫之罪自然消滅如淨天
金獨步无畏魔鬼外道所不能壞所得
功德不可思議滅八万千億生死之罪
南无東南方无憂德佛　南无八釋進佛
南无進精進佛　南无德明王佛
南无除衆惑佛　南无師子音佛
南无師子相佛　南无阿閦佛

BD00458號　十方千五百佛名經（二卷本）卷上　（9–2）

南无東南方无憂德佛　南无八釋進佛
南无進精進佛　南无德明王佛
南无除衆惑佛　南无師子音佛
南无師子相佛　南无阿閦佛
南无須弥頂佛　南无一切緣中能覺佛
南无念離佛　南无畏手佛
南无无邊緣中現佛　南无蓮華敷力佛
南无網明佛　南无无邊明佛
南无寶花佛　南无婆羅佛
南无發心即轉法輪佛　南无華聚佛
南无增千光佛　南无无上光佛
南无不動力佛　南无无邊出力佛
南无无邊願佛　南无无邊自在力佛
南无无量願佛　南无无定願佛
南无轉胎佛　南无轉諸難佛
南无一切緣脩脩佛　南无一億同字不沙佛
南无无勝莊嚴佛　南无方无憂功德佛
南无法自在師子遊戲佛　南无虛空佛
南无有德佛　南无道自在佛
南无寧王佛　南无師子吼王佛
南无八辟勝雷佛　南无難俎壞王閻浮提佛
南无弥寶藏功德吼佛　南无大藏佛
南无星宿稱佛　南无功德力娑羅王佛
南无妙音自在佛　南无娑羅勝叱婆王佛
南无妙音自在寶佛　南无明自在佛
南无寶掌龍王佛　南无雨音自在法佛
南无月光明佛　南无燈光明佛

BD00458號　十方千五百佛名經（二卷本）卷上　（9–3）

南无寶掌龍王佛　南无雨音自在法佛
南无月光明佛　南无燈光明佛
南无勝音山佛　南无稱音王佛
南无梵音王佛　南无堅音佛
南无快樂尊佛　南无導師佛
南无普光佛　南无須弥燈王佛
南无寶莊嚴佛　南无无斷光言佛
南无離垢清光海業佛　南无水王光佛
南无世界佛　南无樂蓮華首佛
南无離垢光佛　南无守寂佛
南无須弥燈王佛　南无寶德佛
南无寶炎佛　南无藥王佛
南无寶顏佛　南无寶嚴佛
南无難勝佛　南无師子響佛
南无一切利成佛　南无迦葉佛
南无寶莊嚴佛　南无尊伏欲王佛
南无普賢佛　南无一切智王佛
南无龍種尊佛　南无惟越莊嚴佛
南无一燈王佛　南无普現佛
南无賢王佛　南无日華佛
南无大香王佛　南无須曼那佛
南无持戒王佛　南无善淨王佛
南无梵增益佛　南无閻浮影佛
南无富樓那佛　南无勝妙佛
南无寶山佛　南无海藏佛
南无那羅延佛　南无尸棄佛
南无南无尼佛　南无覺尊佛

BD00458號　十方千五百佛名經（二卷本）卷上　（9–4）

南无寶山佛　南无海藏佛
南无那羅延佛　南无尸棄佛
南无南无尼佛　南无覺尊佛
南无憍陳如佛　南无師子力佛
南无智幢佛　南无佛音聲佛
南无尊勝佛　南无離世尊佛
南无利益佛　南无師子尊佛
南无寂靜智佛　南无難陁佛
南无尸拘羅王佛　南无金色目佛
南无得自在佛　南无日樂佛
南无寶勝佛　南无善目佛
南无梵善樂佛　南无梵音佛
南无法月佛　南无亦現義佛
南无稱樂佛　南无稱增益佛
南无端嚴佛　南无善香佛
南无眼勝佛　南无善觀佛
南无攝聚義佛　南无善意願佛
南无勝慧佛　南无金幢佛
南无善目佛　南无天明佛
南无淨飯佛　南无善見佛
南无毗流離幢佛　南无毗樓博叉手佛
南无梵音佛　南无功德成佛
南无有功德淨佛　南无寶光明佛
南无師子稱佛　南无功德通王佛
南无雨法華佛　南无造光明佛
南无增益山王佛　南无普明佛
南无那延勝業佛　南无愛清淨佛

BD00458號　十方千五百佛名經（二卷本）卷上　（9–5）

南无增益山王佛　南无普眼佛
南无耶延勝業佛　南无愛清淨佛
南无日月光佛　南无普光自在王佛
南无梵天佛　歸命敬礼者却一万六百劫生死之罪
南无不退轉輪成首佛　一心敬礼者却一億劫生死之罪
南无大興光明佛　一心敬礼者却八万六千劫生死之罪
南无法種尊佛　一心敬礼者却四百劫生死之罪
南无成首佛　南无興光明佛
南无法種尊佛　南无寶藏莊嚴佛
現在南方一百五十佛名　佛言若善男子善女人聞南方佛名不懷疑結
信吾道眼執持礼拜者於現在世中功德具足遂
得五法一者除去吾我常值佛世二者獲尊世
轉輪聖王三者遂得揔持執御經典誠信无量四
者成卅二大人之相至得佛道樂行倫卷五者
遂五神通无所弊㝵是為五事若有女人聞
此佛名至心敬礼則離女身生淨佛國上神
通具足能却七百
万億劫生死之罪
南无南方純寶藏佛　南无旃檀德佛
南无日月燈明佛　南无名聞光佛
南无大炎肩佛　南无須弥燈佛
南无无量精進佛　南无虛空住佛
南无常滅佛　南无寶辯佛
南无不捨精進佛　南无破煩惱光明佛
南无寶炎佛　南无无憂佛
南无无憂德佛　南无不退轉上手佛
南无樹根華王佛　南无二千億同号日月燈明佛
南无无相嚴佛　南无明德聚佛
南无日意佛　南无那羅延佛
南无離垢相佛　南无求金剛佛
南无淨意佛　南无求利安佛

BD00458號　十方千五百佛名經（二卷本）卷上　（9–6）

南无離垢相佛　南无求金剛佛
南无淨意佛　南无求利安佛
南无善思嚴佛　南无壞怨賊佛
南无憂鉢德佛　南无流布力王佛
南无雜華佛　南无无邊明佛
南无轉男女相佛　南无上香德佛
南无寶高王佛　南无香弥樓佛
南无智見一切衆生所樂佛　南无智德佛
南无无导香嚴佛　南无純弥寶藏佛
南无无動力佛　南无迦葉佛
南无亦一切緣佛　南无調御佛
南无成利佛　南无生德佛
南无生德王佛　南无壞衆疑佛
南无德味佛　南无宿王佛
南无智德佛　南无无量相佛
南无旃檀佛　南无網明佛
南无梵音佛　南无无量性德佛
南无不緣一切法佛　南无能斷嚴佛
南无无邊自在佛　南无亦一切法佛
南无普現諸法佛　南无无邊德生佛
南无智出光佛　南无華上佛
南无方生佛　南无華生德佛
南无於衆堅固佛　南无智明佛
南无智衆佛　南无離胎佛
南无醫王佛　南无壞諸煩惱佛
南无无邊智讚佛　南无旃檀窟佛
南无具佛　南无華生佛

BD00458號　十方千五百佛名經（二卷本）卷上　（9–7）

南无无邊智讚佛　南无旃檀窟佛
南无具佛　南无華生佛
南无娑羅王安力佛　南无月出光佛
南无調御佛　南无須弥堅佛
南无施名聞佛　南无轉諸難佛
南无名雜佛　南无名堅固佛
南无離憂佛　南无華生德王佛
南无演華相佛　南无普放香光佛
南无聲眼佛　南无放炎佛
南无名流十方佛　南无高明佛
南无寶照明佛　南无大然佛
南无三界自在力佛　南无名輪佛
南无空自在佛　南无盡自在佛
南无鼓音佛　南无普自在佛
南无智流布佛　南无山王佛
南无明力高王佛　南无安立佛
南无自在嚴佛　南无積諸切德佛
南无寶德佛　南无智生德佛
南无智生明德佛　南无聚華生王佛
南无上法自在成就佛　南无半月光佛
南无香為佛　南无无量明佛
南无蓮華聚佛　南无華生德佛
南无旃檀德佛　南无演聚佛
南无上名慧佛　南无作安佛
南无无邊德王佛　南无明相佛
南无无邊積佛　南无衆德生佛
南无一切德生佛　南无華德生佛

BD00458號　十方千五百佛名經（二卷本）卷上　（9–8）

南无旃檀德佛　南无演聚佛
南无上名慧佛　南无作安佛
南无无邊德王佛　南无明相佛
南无无邊積佛　南无衆德生佛
南无一切德生佛　南无華德生佛
南无持炬佛　南无熾高王佛
南无宿王佛　南无无邊弥樓佛
南无虛淨王佛　南无无量音佛
南无无量明佛　南无寶弥樓佛
南无雜寶華嚴佛　南无上衆佛
南无離垢嚴佛　南无金華佛
南无寶窟佛　南无雜華生佛
南无放光佛　南无華生佛
南无華蓋佛　南无不嚴虛佛
南无流布力王佛　南无梵音佛
南无自在力佛　南无无邊衆佛
南无調御佛　南无无导佛
南无无导眼佛　南无无量華佛
南无純寶藏佛　南无虛空住佛
南无常滅佛　南无旃檀德佛
南无樹根華生佛　南无旃檀香
現在西南方一百五十佛名　佛告舍利若善女人得聞

BD00458號　十方千五百佛名經（二卷本）卷上　（9–9）

南无欲法道善……
南无一切生知……
南无降伏魔力堅固意佛
南无精進自在寶王佛
南无威德藏　佛
南无見利益一切歡喜佛　南无種種日佛
南无大步佛王佛
南无聲分[illegible]寶吼佛
南无无垢法王佛
南无不退精進示現佛
南无莊嚴佛國土王佛
南无智根本華佛
南无不稱涅槃佛
南无一切龍摩尼藏佛
南无樂法自在佛
南无得法相自在佛
南无无邊寶功德藏佛
南无清淨華山佛
南无大法王拘摩勝佛

BD00459號　佛名經（十二卷本　異卷）卷八　（28–1）

南无清淨華山佛
南无大法王拘摩勝佛
南无一切盡不盡藏佛
南无華弥留善佛　南无虛空智山佛
南无智力王佛　南无无礙聲智佛
南无无邊佛聲藏佛
南无智王不盡稱佛
南无心慧奮迅王佛
南无自性清淨智佛
南无智自在法王佛
南无正見佛　南无語見佛
南无滿足法香見佛
南无龍月佛
南无因陁羅山无礙王佛
南无寶自在娑羅王佛
南无見一切衆生佛
南无水任持光明王佛
南无覺一切法佛
南无智寶法勝佛
南无精進自在意法藏佛
南无无礙山佛　南无无垢鬚佛
南无放光明照佛
南无弥留力自在藏佛
南无[illegible]自在[illegible]佛

BD00459號　佛名經（十二卷本　異卷）卷八　（28–2）

南无弥留力自在藏佛
南无焰自在誠佛
南无精進自在弥留獅自在佛
南无堅无畏功德佛
南无堅勇猛寶佛
南无堅猛獅静王佛
南无降伏閻弥留山王佛
南无勝丈夫芬陁利佛
南无聖聲藏佛
南无普賢芬陁利佛
南无法平等法身佛
南无難勝佛　南无難可意佛
南无不動佛　南无妙聲佛
南无勝聲佛　南无莎羅奮迅佛
南无寶勝佛　南无愛見佛
南无然燈佛　南无須弥劫佛
南无月光佛　南无日光佛
南无法界佛　南无樂樹王佛
南无星宿佛　南无覺佛
南无授記佛　南无愛作佛
南无无畏作佛　南无華寶旃檀佛
南无龍功德佛　南无盧舍那佛
南无无垢佛　南无无煩惱佛

南无无垢佛　南无无煩惱佛
南无善来佛　南无金色色佛
南无无根本佛　南无須弥登佛
南无可樂見光佛　南无能作光佛
南无一切濁佛　南无无染佛
南无善淨佛　南无解脱佛
南无華樹佛　南无法性佛
南无善護聲佛　南无得意佛
南无斷愛佛　南无内外佛
南无成就幢佛　南无梵聲佛
南无妙聲佛　南无勝聲佛
南无南无佛　南无大通佛
南无无畏佛　南无離一切煩惱佛
南无離怖佛 七千　南无離怯弱佛
南无不可動佛　南无樂解脱佛
南无成佛　南无二足尊佛
南无一切種智佛　南无相莊嚴佛
南无不可量言佛　南无不畏言佛
南无常相應言佛　南无梵衆相應佛
南无三十天衆相應佛
南无字金色佛　南无捨結佛
南无莎羅華佛　南无金華佛
南无拘牟頭相佛　南无須勝佛

南无娑羅華佛　南无金華佛
南无拘牟頭相佛　南无須勝佛
南无一切通智佛
南无得一切法彼岸佛
南无不可相佛　南无善住佛
南无莊嚴相佛　南无妙竒佛
南无捨浮羅奮迅佛
南无清淨衆生佛　南无常香佛
南无畢竟大悲佛　南无成就堅佛
南无常微咲佛　南无離濁佛
南无百相功德佛　南无隨順佛
南无勝藏佛　南无般若幢佛
南无寶般若畢竟佛
南无滿足意佛
南无觀世自在王佛
南无大焰聚佛
南无勝功德威德佛
南无梵勝天佛
南无內寶佛
南无三菩提幢佛　南无勝燈佛
南无善擇頻起勝娑羅王佛
南无无垢光明佛　南无照闇佛
南无无畏觀佛　南无樂說莊嚴佛
南无无垢月離光稱佛

BD00459號　佛名經（十二卷本　異卷）卷八　（28–5）

南无无畏觀佛　南无樂說莊嚴佛
南无无垢月離光稱佛
南无華莊嚴光明作佛
南无大奮迅佛　南无寶上佛
南无无畏智觀佛
南无師子奮迅齊佛
南无遠離一切驚怖毛竪等稱光佛
南无伽耶王光明威德佛
南无觀世音佛
南无尼弥佛　南无寶火佛
南无寶山佛　南无自在佛
南无寶精進日月光明莊嚴威德黠聲王佛
南无初發心念觀一切疑即斷煩惱佛
南无斷闇三昧勝王佛
南无寶焰佛　南无大聚佛
南无旃檀香佛　南无虛空平等佛
南无礼拜增上佛　南无不動作佛
南无歡喜佛　南无離畏佛
南无善清淨勝佛　南无光明王佛
南无不可降伏幢佛
南无勝一切佛　南无聞聲勝佛
南无善辟佛　南无寶高佛
南无善解佛　南无月高佛

BD00459號　佛名經（十二卷本　異卷）卷八　（28–6）

南无善膚佛　南无寶高佛
南无善解佛　南无月高佛
南无善見佛　南无照賢首勝佛
南无得聖佛　南无成就一切事佛
南无山峰佛
南无普寶蓋莊嚴佛
南无廣光明王佛　南无寶善喜佛
南无清淨一切顧威德勝王佛
南无照賢勝佛　南无樂日佛
南无普賢佛　南无功德王光明佛
南无普光明佛　南无普香佛
南无善清淨佛
舍利弗舉要言之現在諸佛說不可盡舍利
弗譬如東方恒河沙世界南方恒河沙世界
西方恒河沙世界北方恒河沙世界上下四
維恒河沙世界彼一切世界下至水際上至
有頂滿中微塵舍利弗於意云何彼如是微
塵可知數不舍利弗言不也世尊佛告舍利
弗如是同名釋迦牟尼佛現在世者我現前
見彼諸佛母同名摩訶摩耶父同名輸頭檀
王城同名迦毗羅彼諸佛第一聲聞弟子同
名舍利弗目揵連侍者弟子同名阿難何況
種種異名母異名父異名城異名弟子異名
侍者舍利弗彼若干世界彼人於何等世界

名舍利弗目揵連侍
種種異名母異名父異名城異名弟子異名
侍者舍利弗彼若干世界彼人於何等世界
著微塵何等世界不著微塵彼諸世界若著
微塵及不著者下至水際上至有頂舍利弗
復有第二人取彼微塵彼若干微塵數尒所
佛國土阿僧祇億百千万那由他世界過尒
所世界為一步舍利弗彼人復過若干微塵
數世界為一步彼人如是過百千万億那由
他阿僧祇劫行乃下一塵如是盡諸微塵舍
利弗如是若干世界若著微塵及不著者滿
中微塵復更著十方世界舍利弗復過是世
界若著微塵及不著者彼諸世界下至水際
上至有頂滿中微塵舍利弗復有第三人聚
彼尒所微塵過彼尒所微塵數世界為過一
步彼若干百千万億那由他阿僧祇劫行乃
下一塵如是盡諸微塵復有第四人彼若干
微塵數世界若著微塵及不著者下至水際
上至有頂滿中微塵舍利弗於意云何微塵
可知數不舍利弗言不也世尊佛告舍利弗
彼若干微塵可知其數然彼同名釋迦牟尼
佛母同名摩訶摩耶父同名輸頭檀王城同
名迦毗羅第一弟子同名舍利弗目揵連侍
者弟子同名阿難隨彼佛不可知數舍利弗

名迦毗羅第一[illegible]
者弟子同名阿難陁彼佛不可知數舍利弗
如是第五人第六第七第八第九第十人舍
利弗復有第十一人是人彼若干微塵中取
一微塵破爲十分若干世界微塵數分如是
餘微塵亦悉破爲若干世界微塵數分舍利
弗於意云何彼微塵分可知數不舍利弗言
不也世尊佛告舍利弗復有人彼若干微塵
分佛國土爲過一步如是速疾神通行東方世
界无量无邊劫下一微塵東方盡如是微塵
若著微塵及不著者下至水際上至有頂滿
中微塵如是南方乃至十方下至水際上至
有頂滿中微塵舍利弗於意云何彼微塵可
知數不舍利弗言不也世尊佛告舍利弗彼
若干微塵分可知其數然現今在世同名釋
迦牟尼佛母同名摩訶摩耶父同名輸頭檀
王城同名迦毗羅第一弟子同名舍利弗目
揵連侍者弟子同名阿難陁不可數知何況
種種異名佛異名母異名父異名城異名弟子
異名侍者舍利弗我若干微塵數劫住世說
一同名釋迦牟尼佛不可窮盡如是同名然
燈佛同名提波延佛同名燈光明佛同名一（七十二百）
切勝佛同名稱佛同名波頭摩勝佛同名毗
婆尸佛同名尸棄佛同名毗舍浮佛同名拘

切勝佛同名稱佛同名波頭摩勝佛同名毗
婆尸佛同名尸棄佛同名毗舍浮佛同名拘
留孫佛同名拘那含佛同名迦葉佛如是等
異名乃至異名侍者現在世者我今悉知決
等應當一心敬礼
尒時佛告舍利弗若善男子善女人求阿耨
多羅三藐三菩提者當先懺悔一切諸罪若
比丘犯四重罪比丘尼犯八重罪式叉摩那
沙弥沙弥尼犯出家根本罪若優婆塞犯優
婆塞重戒優婆夷犯優婆夷重戒欲懺悔者
當淨洗浴著新淨衣不食葷辛當在靖處脩
治室内以諸幡華莊嚴道場香泥塗晝懸四
十九枚幡莊嚴佛坐安置佛像燒種種香旃
檀沉水薰陸多伽羅蕪揵陁種種末香塗香
燒如是等種種妙香散種種華興大慈悲願
救苦衆生未度者令度未解者令解未安者
令安未涅槃者令得涅槃晝夜思惟如來本
行苦行於无量劫受諸苦惱不生疲猒爲求
无上菩提故於一切衆生自生下心如僮僕心
若比丘懺四重罪如是晝夜四十九日當對八
清淨比丘發露所犯罪七日一對發露至心
慇重悔昔所作一心歸命十方諸佛稱名礼
拜隨力隨分如是至心滿四十九日罪必除
滅是人得清淨時當有相現若於覺中若於

滅是人得清淨時當有相現若於覺中若於
夢中見十方諸佛與其記莂或見菩薩與其
記莂將詣道場共為己伴或與摩頂示滅罪
相或自見身入大會中處在衆次或自見身
處衆說法或見諸師淨行沙門將詣道場示
其諸佛舍利弗若比丘懺悔罪時若見如是
相者當知是人罪垢得滅除不至心若比丘
尼懺悔八重罪者當如比丘法滿足四十九日
當得清淨除不至心若式叉摩沙弥沙弥尼
懺悔根本重罪當對四清淨比丘比丘尼如
上法滿二十一日當知清淨除不至心若優
婆塞優婆夷懺重式罪應當至心恭敬三寶
若見沙門恭敬礼拜生難遭想當請詣道場
設種種供養當請一比丘心敬重者就其發露
所犯諸罪至心懺悔一心歸命十方諸佛稱
名礼拜如是滿足七日必得清淨除不至心
尒時世尊而說偈言
得成菩提降伏魔　自在經行道樹下
證无鄣礙眼及身　法界平等如虛空
十億國土微塵數　菩薩弟子衆圍遶
得於一切寂靜心　善住普賢諸行中
佛身相好妙莊嚴　放於種種无量光
普照十方諸國土　諸佛不可思議力
見諸國土悉无垢　无量妙色清淨滿
諸佛所有勝妙事　承佛神力見大衆
東方世界名寶幢　遠離諸垢妙莊嚴
彼處自在寶燈佛　於今現在彼世界
南无東方自在寶燈佛

BD00459號　佛名經（十二卷本　異卷）卷八　（28–11）

南无東方自在寶燈佛
南方頗梨燈國土　清淨妙色普嚴淨
摩尼清淨雲如來　現今在世說妙法
南无南方摩尼清淨雲佛
西方无垢清淨主　名為安樂妙世界
彼自在佛无量壽　菩薩弟子現圍遶
南无西方无量壽佛
北方世界名香燈　國主清淨甚嚴飾
无染光幢佛所化　現今自在道場樹
南无北方无染光幢佛
瑠璃光明真妙色　國主清淨勝莊嚴
无导光雲佛如來　於今現在東北方
南无東北方无导光雲佛
光照照幢世界中　現見滿足諸菩薩
自在吼聲佛彼處　現今在於東南方
南无東南方自在吼聲佛
種種樂樂佛世界　摩尼莊嚴妙无垢
勝妙智月如須弥　現見在於西南方
南无西南方勝妙智月佛
現見西北方如來　弥留光明平等界
彼處大聖自在佛　弟子菩薩衆圍遶
南无西北方大聖自在佛
下方世界自在光　國主清淨寶焰藏
光明妙輪不空見　佛今住彼妙國主
南无下方光明妙輪不空見佛

BD00459號　佛名經（十二卷本　異卷）卷八　（28–12）

南无下方光明妙輪不空見佛
上方世界光炎藏　彼世界名淨无垢
普眼功德光明雲　現見菩提樹下坐
南无上方普眼功德光明雲佛
尒時舍利弗等大衆承佛神力見十方過
去未来現在諸佛无量无邊尒時舍利弗
在大衆中悲泣流淚白佛言希有世尊若
善男子善女人不發阿耨多羅三藐三菩
提心者不得成佛我等昔来猶如蔥草雖
經春陽无悕秋實尒時舍利弗即從坐起
徧袒右肩右膝著地合掌白佛言世尊願
更廣說十方所有諸佛名号我等樂聞
尒時佛告舍利弗汝當至心諦聽我為
汝說得聞彼佛一心敬礼
舍利弗從此世界東方過百千億世界
有佛世界名燃燈彼國土有佛名寶集
阿羅呵三藐三佛陁現今說法
南无寶集佛
舍利弗若有善男子善女人聞彼佛名至
心受持憶念是善男子善女人畢竟得
七覺分三昧得不退轉阿耨多羅三藐
三菩提心超越世間六十劫尒時世尊以
偈頌曰
東方燃燈界有佛名寶集　若人聞名者　超世六十劫
舍利弗東方有世界名寶集彼世界有佛

舍利弗東方有世界名寶集彼世界有佛
名寶勝阿羅呵三藐三佛陁現在說法
南无寶勝佛
若善男子善女人聞彼佛名至心受持憶
念讀誦合掌礼拜若復有善男子善女
人以滿足三千大千世界珎寶布施如是
日日布施滿足一百歲如此布施福德比
前至心礼拜功德百分不及一千分不及
一百千分不及一乃至筭數譬喻所不
及一尒時世尊以偈頌曰
寶集世界　有佛寶勝　若人聞名　施不及一
舍利弗從此東方過八百世界有佛世界
名香積彼世界有佛名成就盧舍那阿羅
呵三藐三佛陁現今說法若人聞彼佛名
受持讀誦憶念礼拜超越世間五百劫
南无成就盧舍那佛
舍利弗從此世界東方過千世界名樹提
跋提彼世界有佛名盧舍那鏡像阿羅
訶三藐三佛陁現今說法善男子善女人
聞彼佛名受持讀誦至心憶念恭敬礼
拜得脫三趣
南无盧舍那鏡像佛　七千三百
舍利弗從此東方過二千世界有國土名
无量光明功德彼有佛名盧舍那光明阿
羅訶三藐三佛陁若善男子善女人聞

羅訶三藐三佛陁若善男子善女人聞
彼佛名五體投地深心敬重受持讀誦
恭敬礼拜是人超越世間卅劫
南无盧舍那光明佛
舍利弗東方過千世界有佛國土名可樂
彼佛名不動應供正遍知若善男子善女
人聞彼佛名受持讀誦恭敬礼拜是人
畢竟不退阿耨多羅三藐三菩提一切諸
魔所不能動
南无不動佛
舍利弗東方過千世界有佛國土名不可
量彼處有佛名光明阿羅訶三藐三佛
陁現今說法若善男子善女人聞彼光明
佛名受持讀誦恭敬礼拜是人常不離
一切諸佛菩薩畢竟得不退轉阿耨多
羅三藐三菩提心
南无大光明佛
舍利弗從此世界東方過六十千世界有
國土名然燈佛名不可量聲阿羅訶三藐
三佛陁現在說法若善男子善女人聞彼
不可量聲名三稱者是人畢竟不墮三惡
道定心阿耨多羅三藐三菩提
南无无量聲如來
舍利弗復過彼世界度千國土有世界名
无塵彼有佛名阿弥陁劬沙阿羅訶三
藐三佛陁現今說法若善男子善女人聞

无塵彼有佛名阿弥陁劬沙阿羅訶三
藐三佛陁現今說法若善男子善女人聞
彼佛名深心敬重受持讀誦恭敬礼拜
是人超越世間十二劫
南无阿弥陁劬沙佛
舍利弗復過廿千國土有世界名難勝
彼處有佛名大稱阿羅訶三藐三佛陁
若善男子善女人聞彼佛名合掌作如
是言
南无大稱如來
若復有人以須弥山等七寶日日布施
滿一百歲比聞此佛名礼拜功德百分
不及一乃至筭數亦不及一
舍利弗復過三千世界有國土名光明佛
号寶光明阿羅訶三藐三佛陁若善男子
善女人受持彼佛名超越世間一百劫得不
退轉阿耨多羅三藐三菩提若人不信聞
名得福者是人定墮阿鼻地獄滿足一百
劫
南无寶光明佛
舍利弗東方過十千國土有世界名光明
照彼處有佛名得大无畏阿羅訶三藐
三佛陁現今說法若善男子善女人聞彼
佛名受持讀誦恭敬礼拜是人畢竟得
大无畏攝取无量无邊功德聚
舍利弗過第七千佛國土有世界名摩尼

大无長攝取无量无邊功德聚
舍利弗過第七千佛國土有世界名摩尼
光明彼處有佛名燃燈火阿羅訶三藐
三佛陁現在說法若善男子善女人聞佛
名至心恭敬礼拜受持讀誦是人攝得
如來十力
南无燃燈火佛
舍利弗復過八千佛國土有世界名真寶
彼有佛号寶聲阿羅訶三藐三佛陁現
在說法善男子善女人聞彼佛名受持讀
誦至心礼拜是人畢竟得四聖諦畢竟得
阿耨多羅三藐三菩提
南无寶聲佛
舍利弗復過廿千國土有世界名光明佛
名无邊无垢阿羅訶三藐三佛陁現今說
法若善男子善女人聞彼佛名至心生信
受持讀誦恭敬礼拜若復有人以滿三千
大千世界七寶布施比聞无垢佛名受持
讀誦功德千万分不及一乃至筭數所不
能及何以故若衆生罪根深厚不得聞无
垢佛名若有善男子善女人聞此如來名
者是人非於一佛所種諸善根亦非十佛所
種諸善根是人乃是人乃是百千万佛所
種諸善根是人超越世間卌八劫
南无无邊无垢佛
舍利弗東方過九千佛國土有世界名妙

BD00459號　佛名經（十二卷本　異卷）卷八　（28–17）

南无无邊无垢佛
舍利弗東方過九千佛國土有世界名妙
聲佛号月聲阿羅訶三藐三佛陁現在
說法若善男子善女人聞彼佛名受持讀
誦至心礼拜是人所得一切功德白法具足
如滿月畢竟得阿耨多羅三藐三菩
提
南无月聲佛
舍利弗復過十千佛國土有世界名无畏
佛名无邊稱阿羅訶三藐三佛陁現在說
法若善男子善女人聞彼佛名受持讀誦
合掌作如是言
南无无邊稱如來
若復有人以七寶如須弥山布施日日如
是滿足百年此福德聚比持佛名功德
百分不及一乃至筭數譬喻不不能
及
舍利弗復過一千五百佛國土有世界名燃
燈佛号日月光明阿羅訶三藐三佛陁現在
說法若善男子善女人聞彼佛名受持讀誦
踟跪合掌右膝著地三遍作如是言南无日
月光明世尊南无日月光明世尊南无日月

BD00459號　佛名經（十二卷本　異卷）卷八　（28–18）

月光明世尊南无日月光明世尊南无日月
光明世尊是人速成阿耨多羅三藐三菩提
舍利弗復過三十千佛國土有世界名无垢
佛名无垢光明阿羅訶三藐三佛陁現在説
法若善男子善女人天龍夜叉羅剎若人非
人聞是佛名畢竟不退阿耨多羅三藐三菩
提不入惡道
舍利弗東方過十千佛國土有世界名百光
明佛名清淨光明阿羅訶三藐三佛陁現在
説法若天龍夜叉非人聞名者必得人身遠
貪瞋癡煩惱若人聞不信者六十千劫墮大
地獄
舍利弗復過百佛國土有世界名善德佛名
日光明阿羅訶三藐三佛陁現在説法若人
畢竟清淨心稱佛名所得功德滿足如日輪
畢竟能伏一切諸魔外道超越世間三十劫
舍利弗復過六十千佛國土有世界名住七
覺分佛名无邊寶阿羅訶三藐三佛陁現在
説法若人聞彼佛名是人具足得七覺分能
置衆生着七覺中畢竟成就无量功德聚
舍利弗復過五百佛國土有世界名華鏡像
佛名華勝阿羅訶三藐三佛陁現在説法若
人聞彼佛名信心敬重彼人一切善法成就

BD00459號　佛名經（十二卷本　異卷）卷八　（28–19）

人聞彼佛名信心敬重彼人一切善法成就
如華數超越世間五十五劫
舍利弗復過百千億佛國土有世界名遠離
一切憂惱佛名妙身阿羅訶三藐三佛陁現
在説法若人聞彼佛名至心敬重礼拜供養
是人畢竟遠離一切諸鄣不入惡道超越世
間无量劫
舍利弗若比丘比丘尼優婆塞優婆夷欲懺
悔諸罪當淨洗浴着新淨衣淨治室内敷高
坐安置佛像懸卅五枚幡種種華香供養誦
此二十五佛名日夜六時懺悔滿卅五日滅
四重八重等罪式叉摩那沙弥沙弥尼亦如
是尒時舍利弗白佛言世尊唯願世尊爲我
説過去七佛姓名壽命長短我等樂聞佛告
舍利弗諦聽諦聽當爲汝説舍利弗過去九
十一劫有佛名毗婆尸如來過去卅劫有佛
名尸棄如來彼劫中復有毗舍浮如來自此
以後无量无邊劫空過无佛至賢劫中有四
佛拘留孫佛拘那含牟尼佛迦葉佛我釋迦
牟尼佛毗婆尸佛壽命八十千劫尸棄佛壽
命六十千劫毗舍浮佛壽命二千劫拘留孫
佛壽命十四小劫拘那含牟尼佛壽命卅小劫
迦葉佛壽命二小劫我現在冣少壽命一百

BD00459號　佛名經（十二卷本　異卷）卷八　（28–20）

迦葉佛壽命二小劫我現在冣少壽命一百
歲毗婆尸佛尸棄佛毗舍浮佛剎利家生拘留
孫佛拘那含佛迦葉佛婆羅門家生舍利弗
我釋迦牟尼剎利家生毗婆尸佛尸棄佛毗
舍浮佛三佛姓拘隣拘留孫佛拘那含牟尼
佛迦葉佛此三佛姓迦葉舍利弗我釋迦牟
尼佛姓瞿曇舍利弗毗婆尸佛波吒羅樹下
得阿耨多羅三藐三菩提尸棄佛分陁利
樹下得阿耨多羅三藐三菩提毗舍浮佛莎
羅樹下得阿耨多羅三藐三菩提拘那含牟
尼佛尸利沙樹下得阿耨多羅三藐三菩提
拘留孫佛憂頭跋樹下得阿耨多羅三藐三菩
提迦葉佛尼拘律樹下得阿耨多羅三藐
三菩提我釋迦牟尼佛阿說他樹下得阿耨多
羅三藐三菩提毗婆尸佛三集聲聞尸棄佛
三集聲聞毗舍浮佛再集聲聞拘留孫佛一
集聲聞拘那含牟尼佛一集聲聞迦葉佛一
集聲聞我釋迦牟尼佛一集聲聞毗婆尸佛
第一聲聞弟子一名吉沙二名耆荼尸棄佛
第一聲聞弟子一名勝二名自在毗舍浮佛
第一聲聞弟子一名星宿二名上拘留孫佛
第一聲聞弟子一名疾二名力拘那含牟尼佛
第一聲聞弟子一名活二名毗頭羅迦葉佛
第一聲聞弟子一名輸耶二名頗羅墮我釋

第一聲聞弟子一名活二名毗頭羅迦葉佛
第一聲聞弟子一名輸耶二名頗羅墮我釋
迦牟尼佛第一聲聞弟子一名舍利弗二名
目揵連如上二人等前者智慧第一後神通
第一毗婆尸佛侍者名无憂尸棄佛侍者名
離畏毗舍浮佛侍者名寂拘留孫佛侍者名
智拘那含文尼佛侍者名親迦葉佛侍者名
迦夫我侍者名歡喜毗婆尸佛子名成陰尸
棄佛子名不可量毗舍浮佛子名善智拘留
孫佛子名上拘那含文尼佛子名勝迦葉佛
子名導師我子名羅睺羅毗婆尸佛父名槃頭
母名槃頭意城名槃頭尸棄佛父名鉤那母名
勝城名阿樓那跋提毗舍浮佛父名阿樓那
天子母名稱意城名隨意拘留孫佛父婆羅
門種名功德母名廣被天子名无畏城亦名
无畏拘那含文尼佛父婆羅門種名大德母
名難勝天子名莊嚴城亦名莊嚴迦葉佛父
婆羅門種名淨德母名善才天子名知使城
亦名知使令時波羅柰城是我令父名輸頭
檀王母名摩訶摩耶城名迦毗羅
舍利弗應當敬礼我本師謂釋迦牟尼佛
稱妙佛　降伏一切佛　然燈光佛
无畏佛　法　勝　佛
如是等初一大阿僧祇劫有八十億佛

如是等初一大阿僧祇劫有八十億佛
最後名釋迦牟尼佛第二阿僧祇劫初寶勝
佛然燈佛妙聲佛勝成佛善見佛善眼佛持
提羅吒佛師子无畏自在不違善眼善山善
意旃檀降伏熱降伏闇師子奮迅妙聲无量
威德淨德焰見第一義復有釋迦牟尼妙行
勝妙寂靜妙身功德梵命佛月降自在調山
目陁羅財山是第二大阿僧祇劫有如是等
七十二億佛應當敬礼
舍利弗大力大精進淨德大明陽焰復有釋
迦牟尼大龍大威德堅行旃檀寶山因陁羅
幢无畏作富樓那寶髻波頭摩勝妙勝无垢
與光明降伏怨波斯他大幢頗羅墮毘沙星
宿毗婆尸尸棄拘隣毗舍浮能作光明不可
勝復有尸棄善見最後釋迦牟尼第三大阿
僧祇劫中有如是等七十一億佛應當敬礼
舍利弗如是等過去无量佛汝等應當敬礼
南无歡喜增長佛　南无人自在王佛
南无不動佛　南无大聖佛
南无歡喜佛　南无自在佛
南无普光明佛　南无滿足佛
南无拘隣佛　南无安隱佛
南无大精進佛　南无智慧佛

南无大精進佛　南无智慧佛
南无大稱佛　南无阿㝹律佛
南无妙勝佛　南无不猒足佛
南无大光焰聚佛　南无月光佛
南无大威德佛　南无普寶蓋佛
南无那羅延光明佛
南无師子乘光明佛
南无離一切憂惱光明佛
南无堅固光明佛　南无雲王光明佛
南无无垢辟光明佛
南无成就義光明佛
南无勝讃光明佛
南无梵勝天王光明佛
南无如是等同名不可說不可說佛
舍利弗汝應當敬礼无量壽佛國安樂世界
觀世音菩薩得大勢菩薩以為上首
及无量无邊菩薩如是摩梨支世界難勝佛
國土光明幢菩薩光明勝菩薩以為上首及
无量无邊阿僧祇菩薩衆如是可樂世界阿
閦佛國土香為菩薩妙香像菩薩以為上首
及无量无邊菩薩衆如是盧舍那世界日月
佛國土師子菩薩師子慧菩薩以為上首及
无量无邊菩薩衆如是不瞬世界善月佛國
土沙羅胎菩薩一切法得自在菩薩以為上

土莎羅胎菩薩一切法得自在菩薩以為上
首及无量无邊菩薩衆如是光明世界普照
佛國土月輪菩薩寶炬菩薩以為上首及无
量无邊菩薩衆樂成世界寶焔如来佛國土
不空奮迅菩薩不空見菩薩以為上首及无
量无邊菩薩衆觀世界普觀如来佛國土雲
王菩薩法王菩薩以為上首及无量无邊菩
薩衆見愛世界觀世音王如来佛國土降伏
魔菩薩山王菩薩以為上首及无量无邊菩
薩衆如是等十方世界一切佛國土一切菩
薩我皆歸命（從此已上七千二百）
舍利弗歸命善清淨无垢寶切德集勝王佛
南无因陁羅幢佛　南无普照佛
南无清淨光明王佛
南无金色光明師子奮迅王佛
南无普勝山切德佛
南无善住切德摩尼山王佛
南无普見王佛　南无金剛勝佛
南无普賢佛　南无普照佛
南无寶法勝決定佛
南无无畏王佛
南无无量意切德王佛　南无无盡光佛
南无地自在王佛

南无地自在王佛　南无无盡光佛
南无離塵切德佛
南无難知佛　南无金剛妙佛
南无无垢勝佛　南无月勝佛
南无一味勝佛　南无槃頭華佛
南无鑄香勝佛
南无多魔羅跋香勝佛
南无月藏佛　南无沉水香佛
南无樹提光明佛　南无海香佛
南无龍藏佛　南无寶光明佛
南无大雲藏佛　南无智德佛
南无金剛藏佛　南无住持地佛
南无虛空平等佛　南无勝藏佛
南无奕語佛　南无有德佛
南无山藏佛　南无妙鼓佛
南无愛勝佛　南无鼓增上佛
南无歡喜藏佛　南无因藏佛
南无行勝佛　南无寶語佛
南无智勝佛　南无妙聲佛
南无自在勝佛　南无勝妙勝佛
南无佛寶幢佛　南无隨順式佛
南无寶勝佛　南无无垢瑠璃佛
南无滿足金剛住持佛
南无甘露幢佛　南无成就切德佛

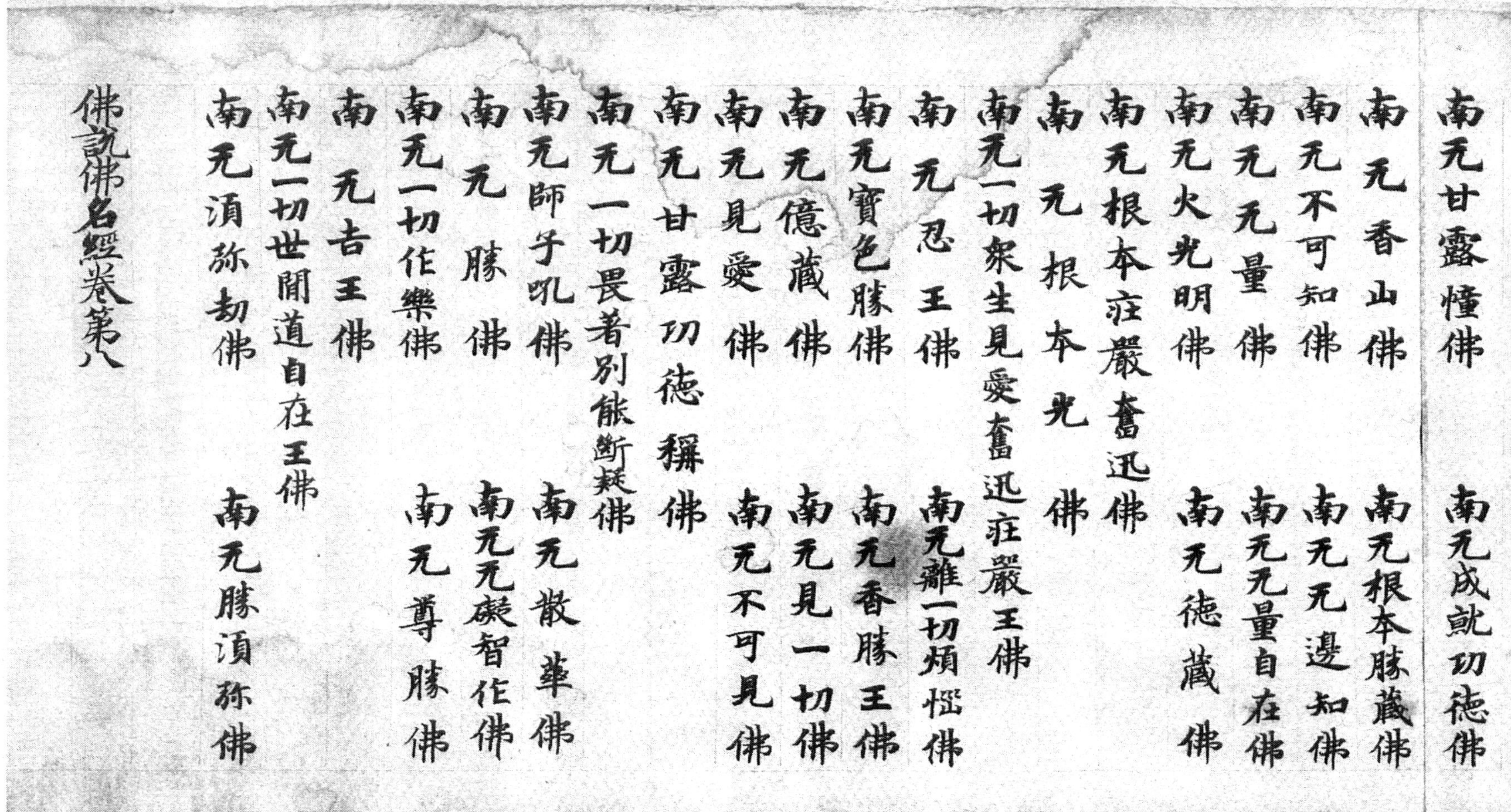
南无甘露幢佛　南无成就功德佛
南无香山佛　南无根本勝藏佛
南无不可知佛　南无无邊知佛
南无无量佛　南无无量自在佛
南无火光明佛　南无德藏佛
南无根本莊嚴奮迅佛
南无根本光佛
南无一切衆生見愛奮迅莊嚴王佛
南无忍王佛　南无離一切煩惱佛
南无寶色勝佛　南无香勝王佛
南无億藏佛　南无見一切佛
南无見愛佛　南无不可見佛
南无甘露功德稱佛
南无一切畏着別能斷疑佛
南无師子吼佛　南无散華佛
南无勝佛　南无无礙智作佛
南无一切作樂佛　南无尊勝佛
南无吉王佛
南无一切世間道自在王佛
南无須弥劫佛　南无勝須弥佛
佛說佛名經卷第八

BD00459號　佛名經（十二卷本　異卷）卷八　（28–27）

南无師子吼佛　南无散華佛
南无勝佛　南无无礙智作佛
南无一切作樂佛　南无尊勝佛
南无吉王佛
南无一切世間道自在王佛
南无須弥劫佛　南无勝須弥佛
佛說佛名經卷第八

BD00459號　佛名經（十二卷本　異卷）卷八　（28–28）

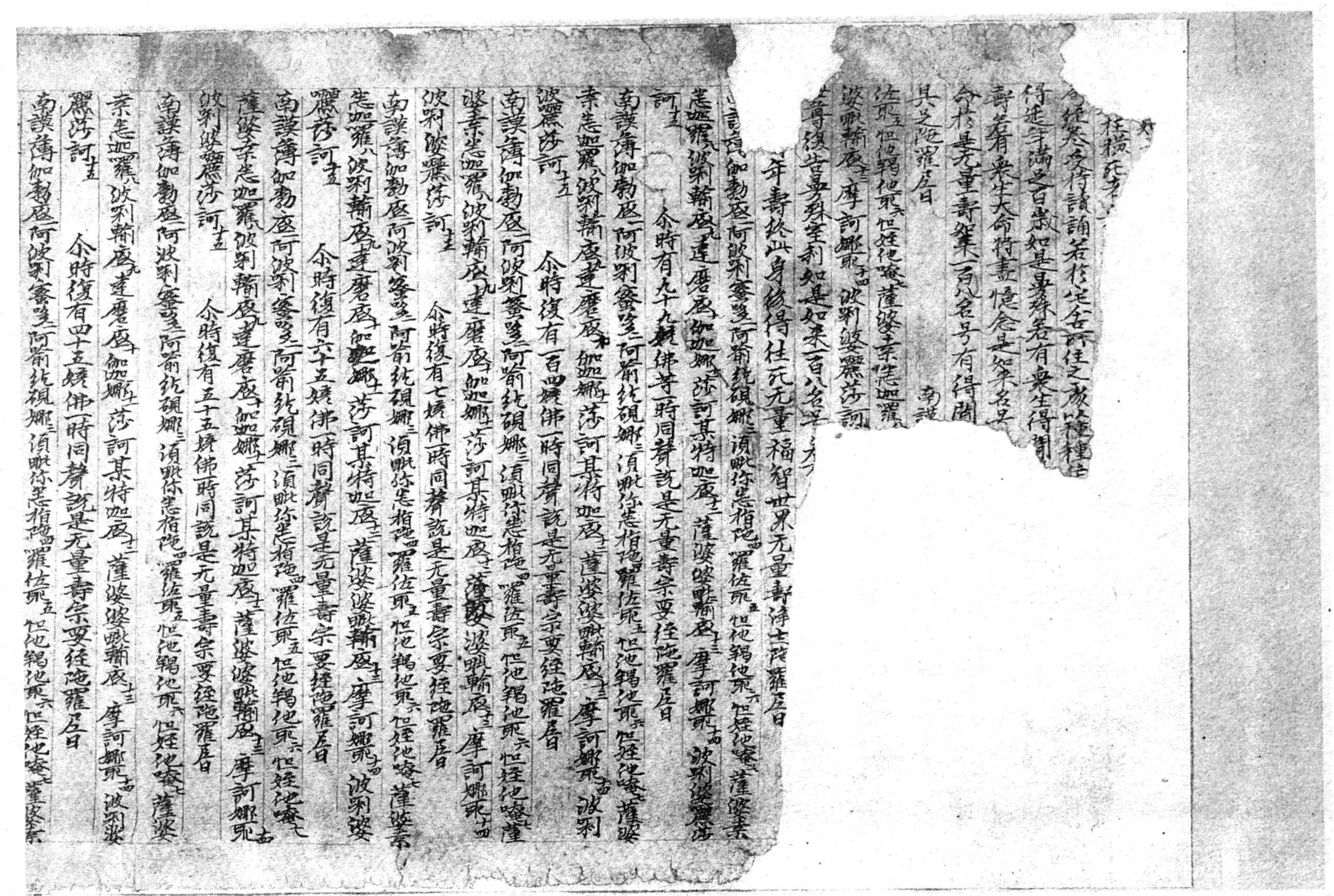

BD00460號1　無量壽宗要經　　(9–1)

BD00460號1　無量壽宗要經　　(9–2)

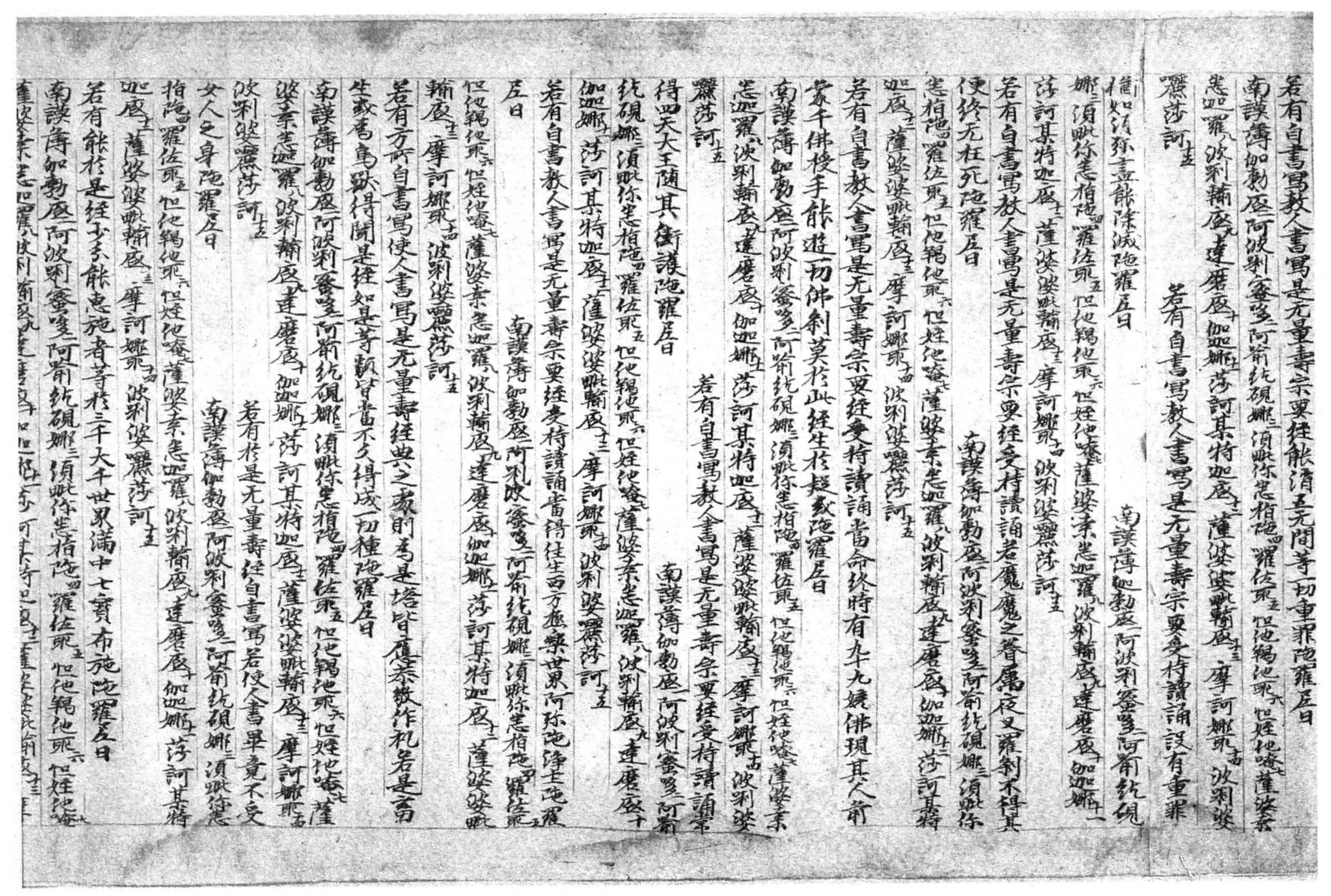

BD00460 號 1　無量壽宗要經　（9–3）

BD00460 號 1　無量壽宗要經　（9–4）

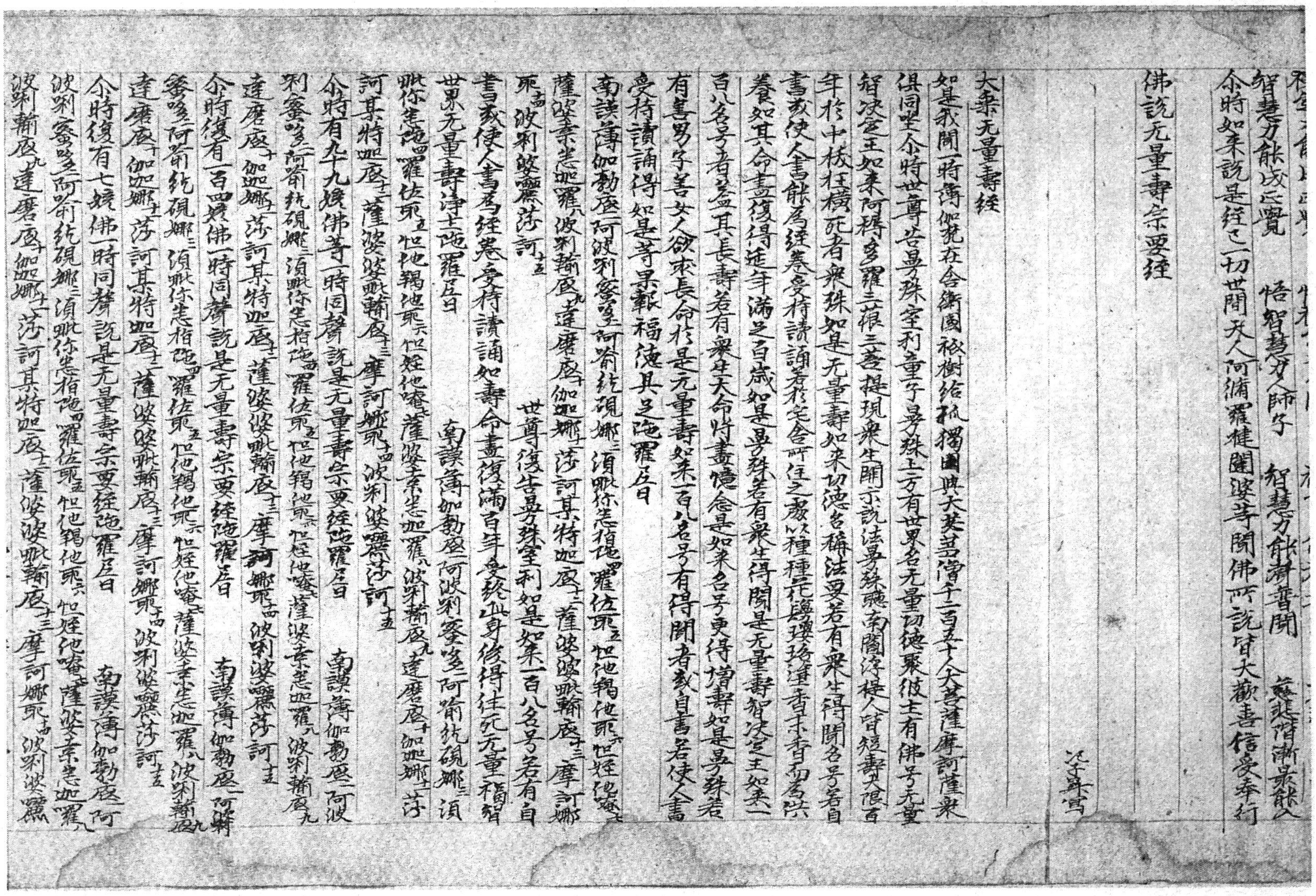

智慧力能成正覺　悟智慧力人師子　智慧力能得普聞　慈悲門中慈悲能入
尒時如來說是經已一切世間天人阿脩羅揵闥婆等聞佛所說皆大歡喜信受奉行

佛說无量壽宗要經

氾子昇寫

大乘无量壽經

如是我聞一時薄伽梵在舍衛國祇樹給孤獨園與大苾芻僧千二百五十人大菩薩摩訶薩衆
俱。尒時世尊告曼殊室利童子曼殊上方有世界名无量功德聚彼土有佛号无量
智決定王如來阿羅訶三藐三菩提現爲衆生開示說法曼殊聽南閻浮提人皆短壽大限百
年於中枉橫死者衆殊如是无量壽如來功德名稱法要若有衆生得聞名号若自
書教使人書能爲經卷受持讀誦者於舍宅所住之處以種種花鬘瓔珞塗香末香而爲供
養如其命盡復得延年滿足百歲如是曼殊若有衆生得聞是无量壽智決定王如來一
百八名号者益其長壽若有衆生大命將盡憶念是如來名号更得增壽如是曼殊若
有善男子善女人欲求長命於是无量壽如來一百八名号有得聞者教自書若使人書
受持讀誦得如是等果報福德具足陁羅尼曰
南謨薄伽勃底一阿波唎蜜多二阿喻紇硯娜三須毗你失指陁四羅佐耶五怛他羯他耶六怛姪他唵七
薩婆桑塞迦羅八波唎輸底九達磨底十伽迦娜十一莎訶某特迦底十二薩婆婆毗輸底十三摩訶娜
耶十四波唎婆嚟莎訶十五　世尊復告曼殊室利如是如來一百八名号若有自
書教使人書爲經卷受持讀誦如壽命盡復滿百年受終此身後得往生无量福智
世界无量壽淨土陁羅尼曰　南謨薄伽勃底一阿波唎蜜多二阿喻紇硯娜三須
毗你失指陁四羅佐耶五怛他羯他耶六怛姪他唵七薩婆桑塞迦羅八波唎輸底九達磨底十伽迦娜十一莎
訶某特迦底十二薩婆婆毗輸底十三摩訶娜耶十四波唎婆嚟莎訶十五
尒時有九十九殑伽沙佛等一時同聲說是无量壽宗要經陁羅尼曰　南謨薄伽勃底一阿波
唎蜜多二阿喻紇硯娜三須毗你失指陁四羅佐耶五怛他羯他耶六怛姪他唵七薩婆桑塞迦羅八波唎輸底九
達磨底十伽迦娜十一莎訶某特迦底十二薩婆婆毗輸底十三摩訶娜耶十四波唎婆嚟莎訶十五
尒時復有一百四殑伽沙佛一時同聲說是无量壽宗要經陁羅尼曰　南謨薄伽勃底一阿喻
蜜多二阿喻紇硯娜三須毗你失指陁四羅佐耶五怛他羯他耶六怛姪他唵七薩婆桑塞迦羅八波唎輸底九
達磨底十伽迦娜十一莎訶某特迦底十二薩婆婆毗輸底十三摩訶娜耶十四波唎婆嚟莎訶十五
尒時復有七殑伽沙佛一時同聲說是无量壽宗要經陁羅尼曰　南謨薄伽勃底一阿
波唎蜜多二阿喻紇硯娜三須毗你失指陁四羅佐耶五怛他羯他耶六怛姪他唵七薩婆桑塞迦羅八
波唎輸底九達磨底十伽迦娜十一莎訶某特迦底十二薩婆婆毗輸底十三摩訶娜耶十四波唎婆嚟

BD00460 號 1　無量壽宗要經　BD00460 號 2　無量壽宗要經　（9–5）

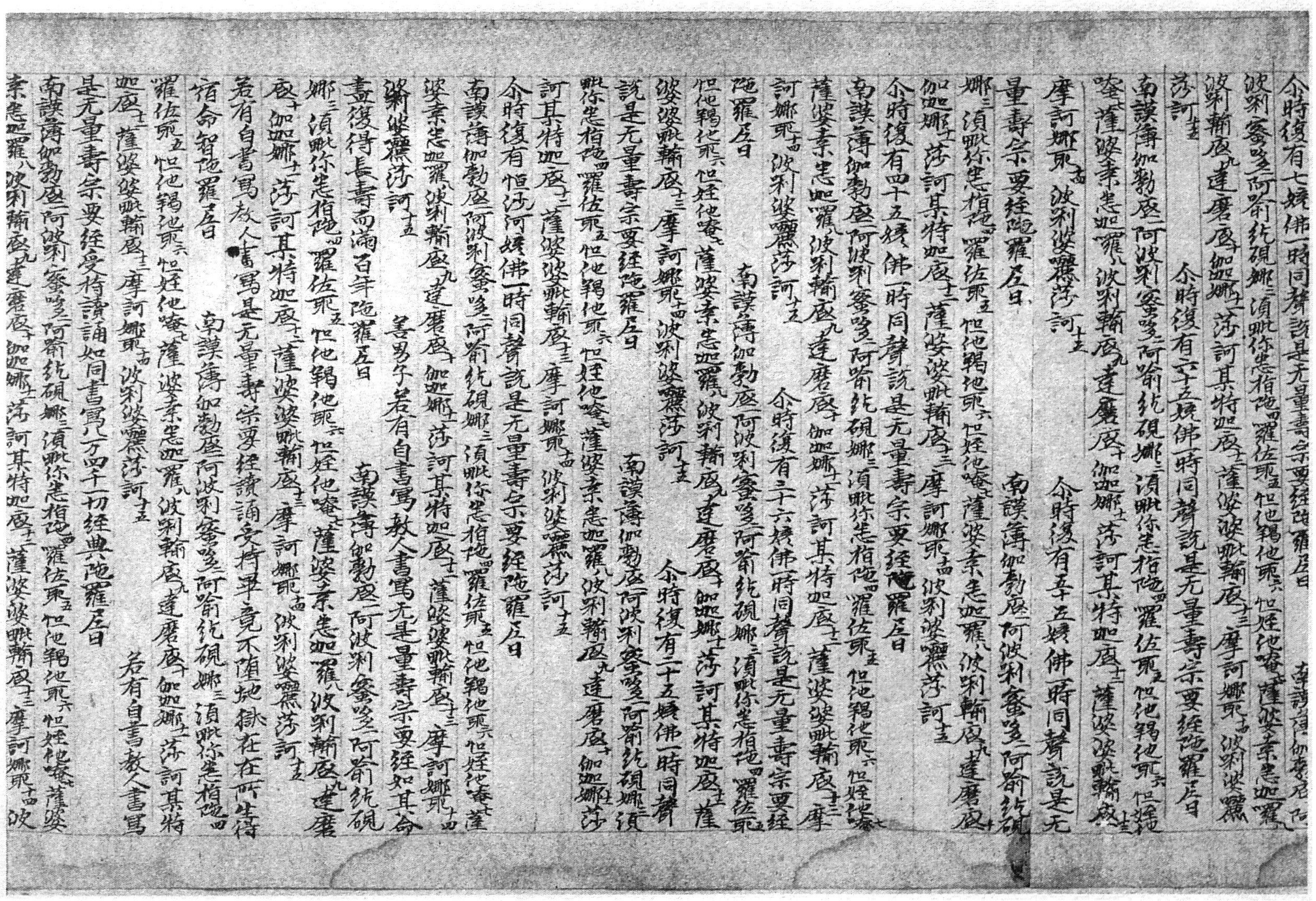

尒時復有七殑伽沙佛一時同聲說是无量壽宗要經陁羅尼曰　南謨薄伽勃底一阿
波唎蜜多二阿喻紇硯娜三須毗你失指陁四羅佐耶五怛他羯他耶六怛姪他唵七薩婆桑塞迦羅八
波唎輸底九達磨底十伽迦娜十一莎訶某特迦底十二薩婆婆毗輸底十三摩訶娜耶十四波唎婆嚟
莎訶十五　尒時復有六十五殑伽沙佛一時同聲說是无量壽宗要經陁羅尼曰
南謨薄伽勃底一阿波唎蜜多二阿喻紇硯娜三須毗你失指陁四羅佐耶五怛他羯他耶六怛姪
他唵七薩婆桑塞迦羅八波唎輸底九達磨底十伽迦娜十一莎訶某特迦底十二薩婆婆毗輸底十三
摩訶娜耶十四波唎婆嚟莎訶十五　尒時復有五十五殑伽沙佛一時同聲說是无
量壽宗要經陁羅尼曰　南謨薄伽勃底一阿波唎蜜多二阿喻紇硯
娜三須毗你失指陁四羅佐耶五怛他羯他耶六怛姪他唵七薩婆桑塞迦羅八波唎輸底九達磨底十
伽迦娜十一莎訶某特迦底十二薩婆婆毗輸底十三摩訶娜耶十四波唎婆嚟莎訶十五
尒時復有四十五殑伽沙佛一時同聲說是无量壽宗要經陁羅尼曰
南謨薄伽勃底一阿波唎蜜多二阿喻紇硯娜三須毗你失指陁四羅佐耶五怛他羯他耶六怛姪他唵七
薩婆桑塞迦羅八波唎輸底九達磨底十伽迦娜十一莎訶某特迦底十二薩婆婆毗輸底十三摩
訶娜耶十四波唎婆嚟莎訶十五　尒時復有三十六殑伽沙佛一時同聲說是无量壽宗要經
陁羅尼曰　南謨薄伽勃底一阿波唎蜜多二阿喻紇硯娜三須毗你失指陁四羅佐耶五
怛他羯他耶六怛姪他唵七薩婆桑塞迦羅八波唎輸底九達磨底十伽迦娜十一莎訶某特迦底十二薩
婆婆毗輸底十三摩訶娜耶十四波唎婆嚟莎訶十五　尒時復有二十五殑伽沙佛一時同聲
說是无量壽宗要經陁羅尼曰　南謨薄伽勃底一阿波唎蜜多二阿喻紇硯娜三須
毗你失指陁四羅佐耶五怛他羯他耶六怛姪他唵七薩婆桑塞迦羅八波唎輸底九達磨底十伽迦娜十一莎
訶某特迦底十二薩婆婆毗輸底十三摩訶娜耶十四波唎婆嚟莎訶十五
尒時復有恒沙河殑佛一時同聲說是无量壽宗要經陁羅尼曰
南謨薄伽勃底一阿波唎蜜多二阿喻紇硯娜三須毗你失指陁四羅佐耶五怛他羯他耶六怛姪他唵七薩
婆桑塞迦羅八波唎輸底九達磨底十伽迦娜十一莎訶某特迦底十二薩婆婆毗輸底十三摩訶娜耶十四
波唎婆嚟莎訶十五　善男子若有自書寫教人書寫是无量壽宗要經如其命
盡復得長壽而滿百年陁羅尼曰　南謨薄伽勃底一阿波唎蜜多二阿喻紇硯
娜三須毗你失指陁四羅佐耶五怛他羯他耶六怛姪他唵七薩婆桑塞迦羅八波唎輸底九達磨
底十伽迦娜十一莎訶某特迦底十二薩婆婆毗輸底十三摩訶娜耶十四波唎婆嚟莎訶十五
若有自書寫教人書寫是无量壽宗要經讀誦受持畢竟不墮地獄在在所生得
宿命智陁羅尼曰　南謨薄伽勃底一阿波唎蜜多二阿喻紇硯娜三須毗你失指陁四
羅佐耶五怛他羯他耶六怛姪他唵七薩婆桑塞迦羅八波唎輸底九達磨底十伽迦娜十一莎訶某特
迦底十二薩婆婆毗輸底十三摩訶娜耶十四波唎婆嚟莎訶十五　若有自書教人書寫
是无量壽宗要經受持讀誦如同書寫八万四千一切經典陁羅尼曰
南謨薄伽勃底一阿波唎蜜多二阿喻紇硯娜三須毗你失指陁四羅佐耶五怛他羯他耶六怛姪他唵七薩婆
桑塞迦羅八波唎輸底九達磨底十伽迦娜十一莎訶某特迦底十二薩婆婆毗輸底十三摩訶娜耶十四波

BD00460 號 2　無量壽宗要經　（9–6）

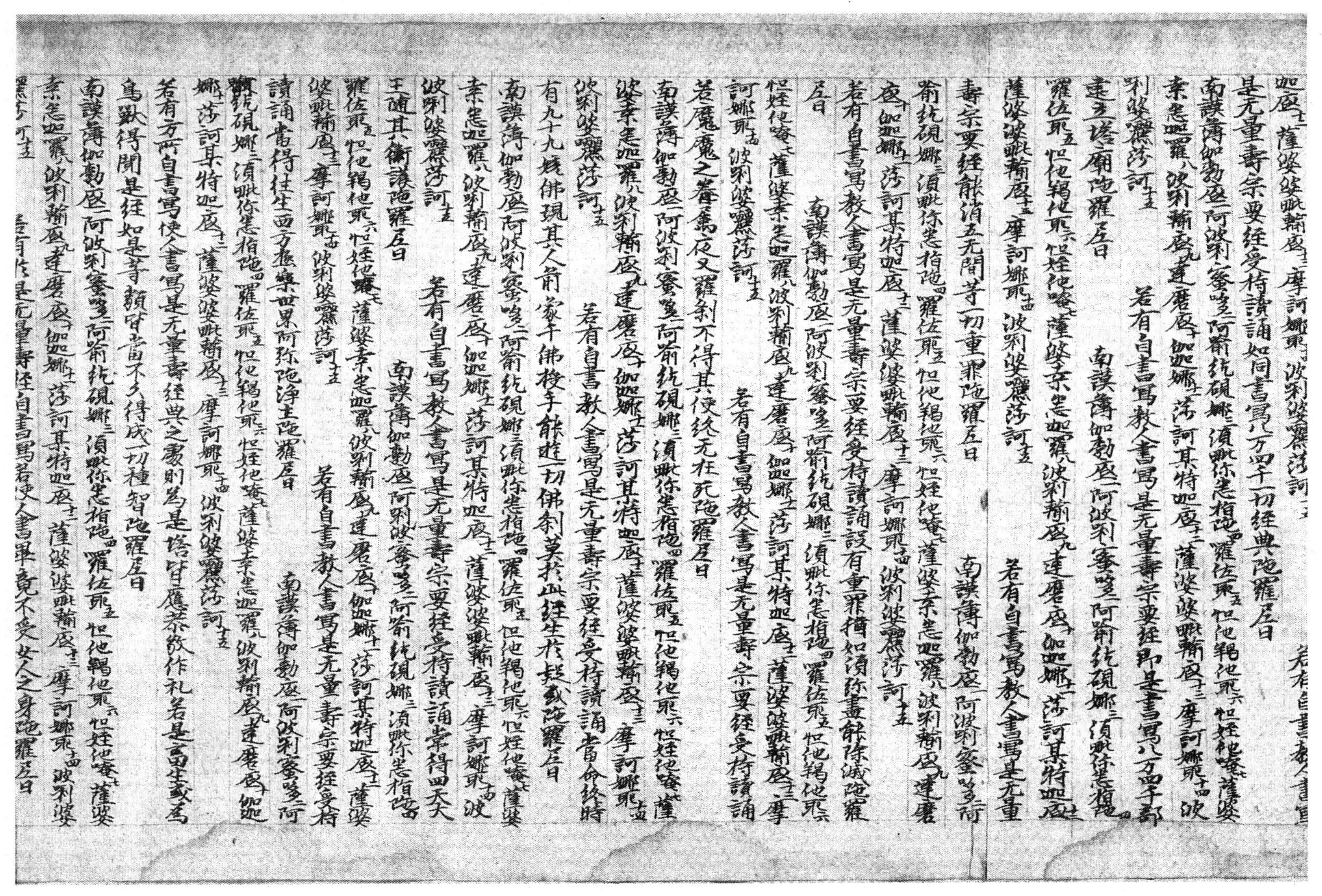

伽底十二 薩婆娑毗輸底十三 摩訶娜耶十四 波唎婆囉莎訶十五 若有自書教人書寫
是无量壽宗要經受持讀誦如同書寫八万四千一切經典陀羅尼曰
南謨薄伽勃底一 阿波唎蜜多二 阿喻紇硯娜三 須毗你悉指陀四 囉佐耶五 怛他羯他耶六 怛姪他唵七 薩婆
桑悉迦囉八 波唎輸底九 達磨底十 伽伽娜十一 莎訶某特伽底十二 薩婆娑毗輸底十三 摩訶娜耶十四 波
唎婆囉莎訶十五 若有自書寫教人書寫是无量壽宗要經即是書寫八万四千部
建立塔廟陀羅尼曰 南謨薄伽勃底一 阿波唎蜜多二 阿喻紇硯娜三 須毗你悉指陀四
囉佐耶五 怛他羯他耶六 怛姪他唵七 薩婆桑悉迦囉八 波唎輸底九 達磨底十 伽伽娜十一 莎訶某特伽底十二
薩婆娑毗輸底十三 摩訶娜耶十四 波唎婆囉莎訶十五 若有自書寫教人書寫是无量
壽宗要經能消五无間等一切重罪陀羅尼曰 南謨薄伽勃底一 阿波唎蜜多二 阿
喻紇硯娜三 須毗你悉指陀四 囉佐耶五 怛他羯他耶六 怛姪他唵七 薩婆桑悉迦囉八 波唎輸底九 達磨
底十 伽伽娜十一 莎訶某特伽底十二 薩婆娑毗輸底十三 摩訶娜耶十四 波唎婆囉莎訶十五
若有自書寫教人書寫是无量壽宗要經受持讀誦設有重罪猶如須弥盡能除滅陀羅
尼曰 南謨薄伽勃底一 阿波唎蜜多二 阿喻紇硯娜三 須毗你悉指陀四 囉佐耶五 怛他羯他耶六
怛姪他唵七 薩婆桑悉迦囉八 波唎輸底九 達磨底十 伽伽娜十一 莎訶某特伽底十二 薩婆娑毗輸底十三 摩
訶娜耶十四 波唎婆囉莎訶十五 若有自書寫教人書寫是无量壽宗要經受持讀誦
若魔魔之眷屬夜叉羅剎不得其便終无枉死陀羅尼曰
南謨薄伽勃底一 阿波唎蜜多二 阿喻紇硯娜三 須毗你悉指陀四 囉佐耶五 怛他羯他耶六 怛姪他唵七 薩
婆桑悉迦囉八 波唎輸底九 達磨底十 伽伽娜十一 莎訶某特伽底十二 薩婆娑毗輸底十三 摩訶娜耶十四
波唎婆囉莎訶十五 若有自書教人書寫是无量壽宗要經受持讀誦當命終時
有九十九姟佛現其人前來千佛授手能遊一切佛剎莫於此經生於疑惑陀羅尼曰
南謨薄伽勃底一 阿波唎蜜多二 阿喻紇硯娜三 須毗你悉指陀四 囉佐耶五 怛他羯他耶六 怛姪他唵七 薩婆
桑悉迦囉八 波唎輸底九 達磨底十 伽伽娜十一 莎訶某特伽底十二 薩婆娑毗輸底十三 摩訶娜耶十四 波
唎婆囉莎訶十五 若有自書寫教人書寫是无量壽宗要經受持讀誦常得四天大
王隨其衛護陀羅尼曰 南謨薄伽勃底一 阿唎波蜜多二 阿喻紇硯娜三 須毗你悉指陀四
囉佐耶五 怛他羯他耶六 怛姪他唵七 薩婆桑悉迦囉八 波唎輸底九 達磨底十 伽伽娜十一 莎訶某特伽底十二 薩婆
娑毗輸底十三 摩訶娜耶十四 波唎婆囉莎訶十五 若有自書教人書寫是无量壽宗要經受持
讀誦當得往生西方極樂世界阿弥陀淨土陀羅尼曰 南謨薄伽勃底一 阿波唎蜜多二 阿
喻紇硯娜三 須毗你悉指陀四 囉佐耶五 怛他羯他耶六 怛姪他唵七 薩婆桑悉迦囉八 波唎輸底九 達磨底十 伽
伽娜十一 莎訶某特伽底十二 薩婆娑毗輸底十三 摩訶娜耶十四 波唎婆囉莎訶十五
若有方所自書寫使人書寫是无量壽經典之處則為是塔皆應恭敬作礼若是畜生或為
鳥獸得聞是經如是等類皆當不久得成一切種智陀羅尼曰
南謨薄伽勃底一 阿波唎蜜多二 阿喻紇硯娜三 須毗你悉指陀四 囉佐耶五 怛他羯他耶六 怛姪他唵七 薩婆
桑悉迦囉八 波唎輸底九 達磨底十 伽伽娜十一 莎訶某特伽底十二 薩婆娑毗輸底十三 摩訶娜耶十四 波唎婆
囉莎訶十五 若有作是无量壽經自書寫若使人書畢竟不受女人之身陀羅尼曰

BD00460號2　無量壽宗要經　（9–7）

鳥獸得聞是經如是等類皆當不久得成一切種智陀羅尼曰
南謨薄伽勃底一 阿波唎蜜多二 阿喻紇硯娜三 須毗你悉指陀四 囉佐耶五 怛他羯他耶六 怛姪他唵七 薩婆
桑悉迦囉八 波唎輸底九 達磨底十 伽伽娜十一 莎訶某特伽底十二 薩婆娑毗輸底十三 摩訶娜耶十四 波唎婆
囉莎訶十五 若有於是无量壽經自書寫若使人書畢竟不受女人之身陀羅尼曰
南謨薄伽勃底一 阿波唎蜜多二 阿喻紇硯娜三 須毗你悉指陀四 囉佐耶五 怛他羯他耶六 怛姪他唵七 薩婆桑
悉迦囉八 波唎輸底九 達磨底十 伽伽娜十一 莎訶某特伽底十二 薩婆娑毗輸底十三 摩訶娜耶十四 波唎婆囉
莎訶十五 若有能於是經少分能惠施者等於三千大千世界滿中七寶布施陀羅尼曰
南謨薄伽勃底一 阿波唎蜜多二 阿喻紇硯娜三 須毗你悉指陀四 囉佐耶五 怛他羯他耶六 怛姪他唵七 薩
婆桑悉迦囉八 波唎輸底九 達磨底十 伽伽娜十一 莎訶某特伽底十二 薩婆娑毗輸底十三 摩訶娜耶十四
波唎婆囉莎訶十五 若有能供養是經者則是供養一切諸經等无有異陀羅尼曰
南謨薄伽勃底一 阿波唎蜜多二 阿喻紇硯娜三 須毗你悉指陀四 囉佐耶五 怛他羯他耶六 怛姪他唵七 薩婆桑悉
迦囉八 波唎輸底九 達磨底十 伽伽娜十一 莎訶某特伽底十二 薩婆娑毗輸底十三 摩訶娜耶十四 波唎婆囉莎訶十五
如是毗婆尸佛 尸棄佛 毗舍浮佛 俱留孫佛 俱那含牟尼佛 加葉佛 釋迦牟尼佛
若有人以七寶供養如是七佛其福有限書寫受持是无量壽經典所有功德不可限量陀
羅尼曰 南謨薄伽勃底一 阿波唎蜜多二 阿喻紇硯娜三 須毗你悉指陀四 囉佐耶五 怛他羯
他耶六 怛姪他唵七 薩婆桑悉迦囉八 波唎輸底九 達磨底十 伽伽娜十一 莎訶某特伽底十二 薩婆娑毗輸底十三 摩
訶娜耶十四 波唎婆囉莎訶十五 若有七寶等於須弥以用布施其福上能知其限量
是无量壽經典其福不可知數陀羅尼曰 南謨薄伽勃底一 阿波唎蜜多二 阿喻
紇硯娜三 須毗你悉指陀四 囉佐耶五 怛他羯他耶六 怛姪他唵七 薩婆桑悉迦囉八 波唎輸底九 達磨底十 伽
伽娜十一 莎訶某特伽底十二 薩婆娑毗輸底十三 摩訶娜耶十四 波唎婆囉莎訶十五
如是四大海水可知渧數是无量壽經典所生果報不可數量陀羅尼曰
南謨薄伽勃底一 阿波唎蜜多二 阿喻紇硯娜三 須毗你悉指陀四 囉佐耶五 怛他羯他耶六 怛姪他唵七 薩婆
桑悉迦囉八 波唎輸底九 達磨底十 伽伽娜十一 莎訶某特伽底十二 薩婆娑毗輸底十三 摩訶娜耶十四 波
唎婆囉莎訶十五 若有自書使人書寫是无量壽經典又能讚持供養即如恭敬
供養一切十方佛土如來无有異別陀羅尼曰
南謨薄伽勃底一 阿波唎蜜多二 阿喻紇硯娜三 須毗你悉指陀四 囉佐耶五 怛他羯他耶六 怛姪他唵七 薩婆
桑悉迦囉八 波唎輸底九 達磨底十 伽伽娜十一 莎訶某特伽底十二 薩婆娑毗輸底十三 摩訶娜耶十四 波唎
婆囉莎訶十五
布施力能成正覺　悟布施力人師子　布施力能聲普聞　慈悲階漸最能入
持戒力能成正覺　悟持戒力人師子　持戒力能聲普聞　慈悲階漸最能入
忍辱力能成正覺　悟忍辱力人師子　忍辱力能聲普聞　慈悲階漸最能入
精進力能成正覺　悟精進力人師子　精進力能聲普聞　慈悲階漸最能入
禪定力能成正覺　悟禪定力人師子　禪定力能聲普聞　慈悲階漸最能入

BD00460號2　無量壽宗要經　（9–8）

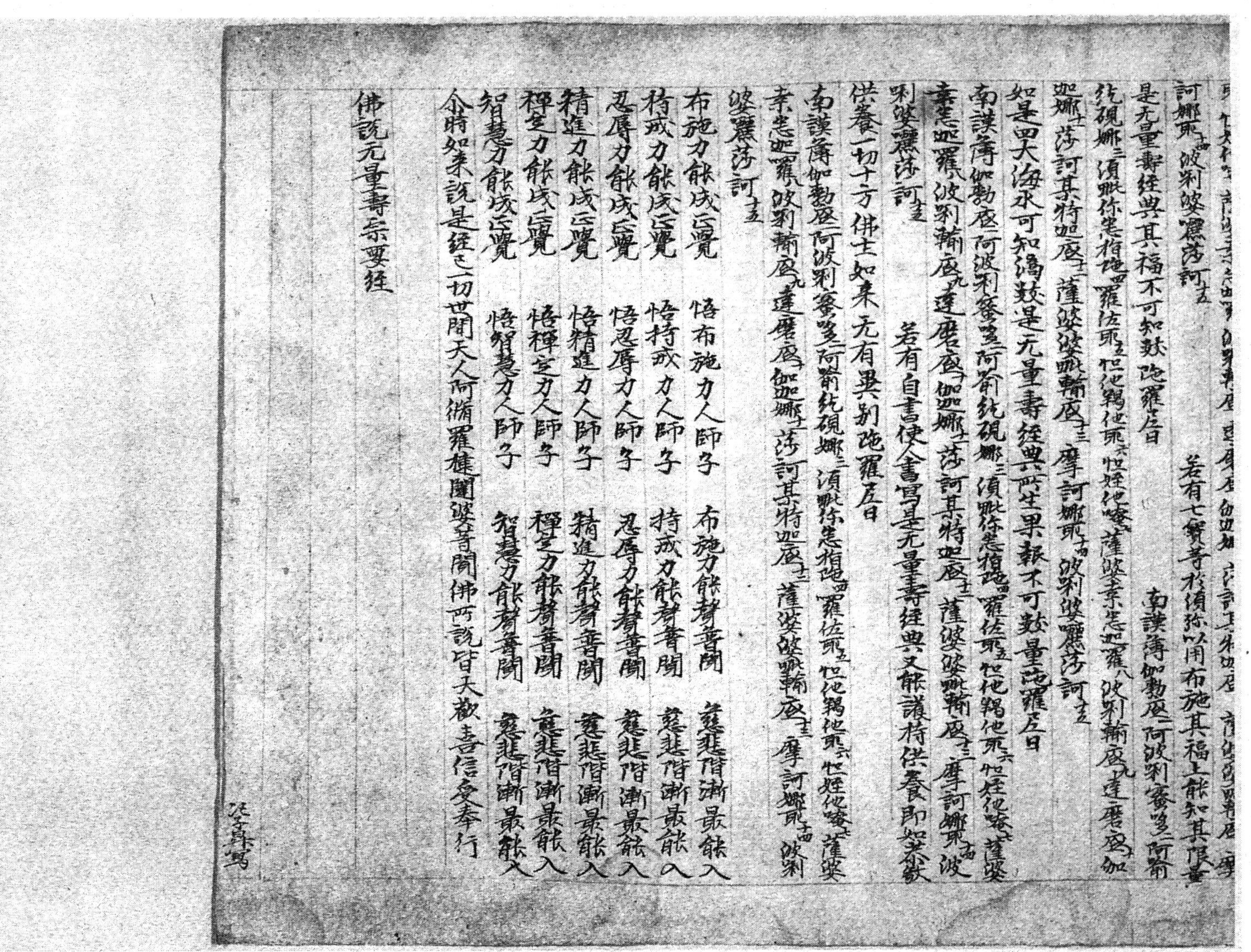

BD00460號2　無量壽宗要經　（9–9）

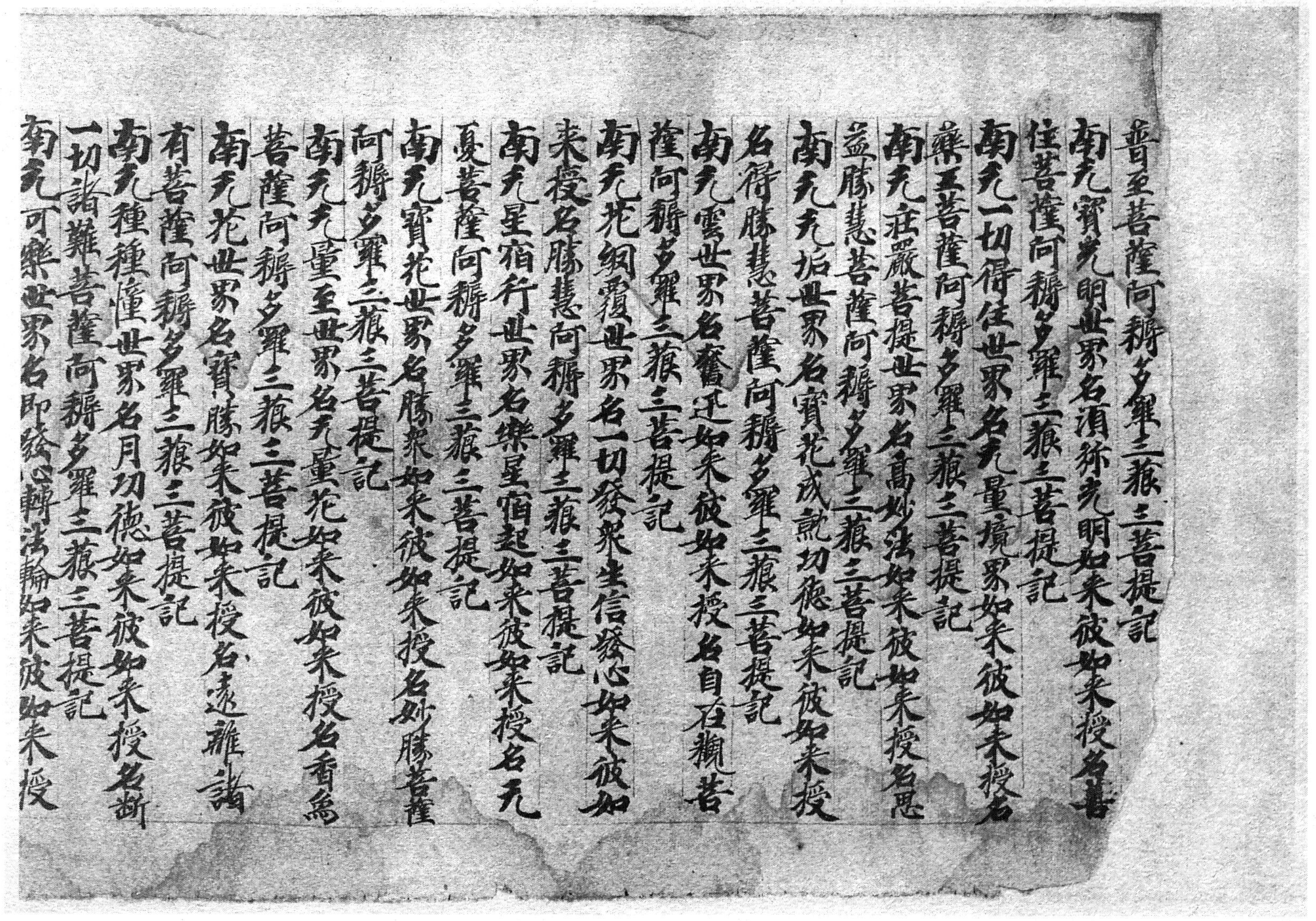

BD00461號　佛名經（十六卷本）卷三　（20–1）

佛說無量壽宗要經

余時如來說是經已一切世閒天人阿脩羅犍闥婆等聞佛所說皆大歡喜信受奉行

悟布施力人師子
悟持戒力人師子
悟忍辱力人師子
悟精進力人師子
悟禪定力人師子
悟智慧力人師子

布施力能成正覺
持戒力能成正覺
忍辱力能成正覺
精進力能成正覺
禪定力能成正覺
智慧力能成正覺

慈悲階漸最能入
慈悲階漸最能入
慈悲階漸最能入
慈悲階漸最能入
慈悲階漸最能入
慈悲階漸最能入

南無寶光明世界名須彌光明如來彼如來授名普
　至菩薩阿耨多羅三藐三菩提記
南無一切得住世界名無量境界如來彼如來授名
　住菩薩阿耨多羅三藐三菩提記
南無莊嚴世界名寶花成就功德如來彼如來授名
　藥王菩薩阿耨多羅三藐三菩提記
南無高妙滿如來彼如來授名自在觀菩
　益子勝慧菩薩阿耨多羅三藐三菩提記
南無雲世界名舊迹如來彼如來授名恩
　薩阿耨多羅三藐三菩提記
南無花綱覆世界名一切發衆生信發心如來彼如
　名符勝慧菩薩阿耨多羅三藐三菩提記
南無花宿行世界名樂星宿超如來彼如來授名元
　来授名勝慧菩薩阿耨多羅三藐三菩提記
南無寶花世界名樂星宿超如來彼如來授名無
　夏菩薩阿耨多羅三藐三菩提記
南無無量至世界名寶勝如來彼如來授名香為
　阿耨多羅三藐三菩提記
南無花世界名寶勝如來彼如來授名遠離諸
　菩薩阿耨多羅三藐三菩提記
南無種種憧世界名月切德如來彼如來授名斷
　一切諸難菩薩阿耨多羅三藐三菩提記
南無可樂世界名即發心轉法輪如來彼如來授
　有菩薩阿耨多羅三藐三菩提記

南无種種幢世界名月功德如来彼如来授名菩
一切諸難菩薩阿耨多羅三藐三菩提記
南无可樂世界名即發心轉法輪如来彼如来授
名不退轉輪菩薩阿耨多羅三藐三菩提記
南无无畏世界名十方稱名如来彼如来授名智
稱菩薩阿耨多羅三藐三菩提記。
南无自在世界迦陵伽佛
南无安樂世界日輪燈明佛
南无无畏世界寶勝佛
南无智成就世界智起佛
南无純樂世界功德王住佛
南无蓋行花世界无障导眼佛
南无金剛輪世界无畏佛
南无發起世界智積佛
南无善清淨世界无觀相發行佛
南无普光明世界光明輪威德王勝佛
南无高幢世界慧佛
南无得世界那羅延佛
南无垢世界无垢幢佛
南无遠離一切憂障世界安隱佛
南无賢上世界遠離諸煩惱佛
南无一切安樂清淨慧佛
南无无量功德具足世界善思惟發佛
南无平等世界降伏諸怨佛
南无无畏世界憂波羅勝佛
南无十方光明世界勝力王佛
南无常光明世界无量光明雲香彌留佛

BD00461號　佛名經（十六卷本）卷三　（20–2）

南无平等世界降伏諸怨佛
南无无畏世界憂波羅勝佛
南无十方光明世界勝力王佛
南无常光明世界无量光明雲香彌留佛
南无常莊嚴世界降伏眾生佛
南无沈水香世界種種花佛
南无香蓋世界无邊智佛
南无旃檀香世界寶上王佛
南无香世界彌留佛
南无普善世界知見一切眾生信佛
南无不可量世界无邊聲佛
南无佛花莊嚴世界智功德勝佛
南无善住世界不動步佛
南无花世界无障导吼聲佛
南无月世界普寶藏佛
南无堅住世界迦葉佛
南无普波頭摩世界觀一切境界鏡佛
南无旃檀世界上首佛
南无寶世界成就義佛
南无有月世界成就勝佛
南无无障导世界名稱佛
南无安樂世界斷一切疑佛
南无王世界智勝佛
南无普畏世界月佛
南无種種成就世界功德微佛
南无種種花世界星宿王佛
南无廣世界无量幢佛

BD00461號　佛名經（十六卷本）卷三　（20–3）

南无種種成就世界[illegible]佛
南无種種花世界星宿王佛
南无廣世界无量幢佛
南无羅網世界羅網光明佛
南无无驚怖世界淨齊佛
南无可樂世界現寶勝佛
南无離觀世界一切法无所發佛
南无常稱世界不斷一切衆生發行佛
南无常歡喜世界无量奮迅佛
南无普鏡世界遠一切法佛
南无普照世界普見一切佛
南无一切功德成就世界成就无邊勝功德佛
南无无垢世界智起光佛
南无怖優鉢羅世界波頭摩勝佛
南无波頭摩怖世界十方勝佛
南无天世界堅固衆生佛
南无光明世界智光明佛
南无安樂調世界脩智佛
南无安樂世界遠離胎佛
南无无染世界明王佛
南无雲世界斷一切煩惱佛
南无普色世界无邊智稱佛
從此以上一千九百佛十二經一切賢聖
南无堅固世界旃檀屋勝佛
南无无比功德世界成就无比勝花佛
次礼十二部尊經大藏法輪
南无道神足經　南无轉輪本起經
[illegible]

BD00461 號　佛名經（十六卷本）卷三　（20–4）

南无无比功德世界成就无比勝花佛
次礼十二部尊經大藏法輪
南无道神足經　南无轉輪本起經
南无瑞應本起經　南无法鼓經
南无向鼻曇薩經　南无日光三昧經
南无作形像經　南无轉女身經
南无威儀經　南无比羅三昧經
南无施食五種福經　南无梵經
南无龍樹因緣經　南无龍樹所聞經
南无阿難四事經　南无七婦經
南无灌佛經　南无五福德子經
南无五濁世經　南无滅十方冥經
南无時食經　南无大頭陀經
南无季妙經　南无門妙分起經
南无四帝經　南无尼宅迴王經
南无菩提經　南无稱揚佛經
次礼十方諸大菩薩摩訶薩
南无堅勝菩薩　南无斷諸惡道菩薩
南无不疲倦菩薩　南无須彌山菩薩
南无心勇猛菩薩
南无師子奮迅行菩薩　南无不可思議菩薩
南无善勝菩薩　南无善意菩薩
南无寶語菩薩　南无愛見菩薩
南无无障尋菩薩　南无斷諸疑菩薩
南无寶作菩薩　南无廣德菩薩
南无護賢劫菩薩　南无寶月菩薩
[illegible]

BD00461 號　佛名經（十六卷本）卷三　（20–5）

南无[illegible]長菩薩　南无[illegible]菩薩
南无寶作菩薩　南无廣德菩薩
南无護賢劫菩薩　南无寶月菩薩
南无濕陁婆青菩薩　南无樂作菩薩
南无无垢稱菩薩　南无思益菩薩
南无普華菩薩　南无月勝菩薩
南无月山菩薩　南无智山菩薩
南无若鳩羅菩薩　南无遠鳩羅菩薩
南无鳩陁羅菩薩　南无秀伽羅菩薩
南无曰陳羅菩薩　南无歸命如是等十
无量无邊菩薩　次礼聲聞緣覺一切賢聖
南无善快辟支佛　南无達陁辟支佛
南无吉沙辟支佛　南无憂波吉沙辟支佛
南无斷有辟支佛　南无憂波叉羅辟支佛
南无斷愛辟支佛　南无旃婆羅辟支佛
南无轉覺辟支佛　南无去垢辟支佛
南无高去辟支佛・　南无阿惹多辟支佛
歸命如是等无量无邊辟支佛
弟子某甲等今以慚愧懺悔一切諸業今當次第更
復一一別相懺悔若惣若別若麁若細若輕若重
若說不說品類相從願皆消滅別相懺悔者先懺
身三次懺口四其餘諸障次第稽顙身三業者第一
殺害如經所明恕己可爲喻勿煞勿行杖雖復禽獸之
殊保命畏死其事是一若尋此衆生无始以來或是我
父母兄弟六親眷屬以業因緣輪迴六道出生入死改形
易報不復相識而今興害食噉其肉傷慈之甚是故
佛言設得餘食當如飢世食子肉想何况食噉此魚宍

BD00461 號　佛名經（十六卷本）卷三　（20–6）

父母兄弟六親眷屬以業因緣輪迴六道出生入死改形
易報不復相識而今興害食噉其肉傷慈之甚是故
佛言設得餘食當如飢世食子肉想何况食噉此魚宍
邪又言爲利煞衆生以錢網衆生宍二俱是惡業死墮
叫呼地獄故煞害及以食噉罪深河海過重丘岳然弟子等
无始以來不遇善友皆爲此業是故經言殺害之罪能令
衆生墮於地獄餓鬼受苦若在畜生則受虎豹犲狼鷹
鷂等身或受毒虵蝮蝎等身常懷惡心或麞鹿熊
羆等身常懷恐怖若生人中得二種果報一者多病二
者斷命煞害食噉既有如是无量種種諸惡果報是
故弟子至到稽顙歸依佛
南无東方滅諸怖畏佛　南无南方日月燈明佛
南无西方覺華光佛　南无北方發功德佛
南无東南方除衆惑冥佛　南无西南方无生自在佛
南无西北方大通王佛　南无東北方空離垢心佛
南无下方同像空无佛　南无上方孫繡藏勝佛
如是十方盡虛空界一切三寶
弟子等自從无始以來至于今日有此心識常懷殺
毒无慈愍心或因貪起煞因瞋因癡及以慢煞或或
興惡方便誓煞願煞及以呪煞或破決湖池焚燒山
野田獵魚捕或因風放火飛鷹走犬惱害一切如是等
罪今悉懺悔　或以檻穽坑撥杖戟弓弩彈射
飛鳥走獸之類或以網罟釣拊撩水性魚鼈之黿
鼉蝦蟇螺蚌濕居之屬水陸之與空行藏竄无地或
畜養雞猪牛羊犬豕鵝鴨之屬自供庖厨或貨他宰
殺使其哀聲未盡毛羽脫落鱗甲傷毀身首分離
宍骨碎剝裂屠割炮燒煮炙楚毒酸切橫加无辜

BD00461 號　佛名經（十六卷本）卷三　（20–7）

畜養雞猪牛羊犬豕鵝鴨之屬自供庖廚或貨他宰
殺使其哀聲未盡毛羽脫落鱗甲傷毀身首分離
宍銷碎剝裂屠割炮燒煮炙楚毒酸切橫加无辜
但取一時之快口得味甚寡不過三寸舌根而已然其
罪報殃累永劫如是等罪今日至誠皆悉懺悔
又復无始以來至於今日或復興師相伐壃場交諍兩
陣相向更相殺害或自殺教殺聞殺歡喜或習屠鱠傷
為形戮烹宰他命行於不忍或恣忿怒揮戈舞刃或
斬或刺或推著坑塹或以水沉溺或塞穴壞巢土石
磓磗或以車馬雷轢踐蹹一切眾生如是等罪无量无
今日發露皆悉懺悔
又復无始以來或墮胎破卵毒藥蠱道傷殺眾生墾
土掘地種植田園養蠶煮繭傷殺滋甚或打撲蚊蚋掐
嚙蚤虱或燒除糞掃開決溝渠枉害一切或噉菓實
或用穀米或水或菜橫殺眾生或燃燼薪或露燈燭
燒諸虫類或食醬酢不看搖動或寫湯水澆殺虫蟻
如是乃至行住坐臥四威儀中恒常傷殺飛空著地細
微眾生弟子以凡夫識暗不覺不知今日發露皆悉懺悔
又復弟子无始以來至于今日或以鞭杖枷鎖桁械壓
拷掠打擲手腳蹴蹹絹縛籠繫斷絕水穀如是諸
種種諸惡方便苦惱眾生今日至誠向十方佛尊法聖
眾皆悉懺悔　願弟子等承是懺悔殺害等罪
所生功德生生世世得金剛身壽命无窮永離怨憎无
殺害想於諸眾生得一子地若見危難危厄之者不
惜身命方便救解令得解脫然後為說微妙正法使諸眾
生覩形見影皆蒙安樂聞名聽聲恐怖悉除　礼仏一拜

BD00461 號　佛名經（十六卷本）卷三　（20–8）

生覩形見影皆蒙安樂聞名聽聲恐怖悉除　礼仏一拜
南无寶世界善住力王佛
南无十方上首世界起月光佛
南无龍王世界上首佛
南无善住世界善高聚佛
南无怖畏世界作稱佛
南无受香世界斷諸難佛
南无成就一切功德善住世界稱親佛
南无憂慧世界遠離諸憂佛
南无成就一切勢善住世界稱堅固佛
南无稱世界起波頭摩功德王佛
南无花俱蘇摩住世界善散花幢佛
南无十方名稱世界放光明普至佛
南无十方上首世界名稱眼佛
南无炎慧世界放炎佛
從此以上二千佛十部經一切賢聖
南无吼世界十方稱名佛
南无光明世界自在彌留佛
南无寶光明世界大光明佛
南无常歡喜世界炎熾佛
南无有世界三界自在奮迅佛
南无无畏世界放光明輪佛
南无常聽世界眾齋勝佛
南无波頭摩王世界无盡勝佛
南无普吼世界妙鼓聲佛
南无无畏世界普勝佛

BD00461 號　佛名經（十六卷本）卷三　（20–9）

南无普吼世界妙鼓聲佛
南无无畏世界普勝佛
南无十方名稱世界智勝佛
南无地世界山王佛
南无地功德世界波頭摩勝王佛
南无然燈輪世界善住佛
南无普莊嚴世界大莊嚴佛
南无倚世界作一切功德佛
南无歡喜世界畢竟成就佛
南无星宿行世界智上勝佛
南无蓋行莊嚴世界智起光明威德王勝佛
南无波頭摩世界波頭摩生王佛
南无法境自在佛　朝本中自此以下皆有世界略不明矣
南无月中光明佛　南无香像佛
南无向彌随光明佛　南无波頭山佛
南无波頭摩生勝佛　南无旃檀勝佛
南无寶積佛　南无智慧佛
南无无畏作王佛　南无功德成就勝佛
南无光明幢佛　南无无量功德作佛
南无功德成就勝佛　南无一切功德成就勝佛
南无波頭摩成就勝佛　南无短住持佛
南无寶上勝佛　南无金色花佛
南无上王佛　南无星宿王佛
南无无量彌留佛　南无虛空輪清淨王佛
南无无量聲佛　南无寶山佛
南无種種寶俱摩花佛　南无勝衆佛

BD00461號　佛名經（十六卷本）卷三　（20–10）

南无種種寶俱摩花佛　南无勝衆佛
南无塵離塵佛　南无不宿發脩行佛
南无金色花佛　南无寶含佛
南无種種花成就佛　南无放光明佛
南无俱蘇摩成佛　南无放蓋佛
南无稱力王佛　南无淨聲佛
南无淨勝佛　南无无量衆佛
南无上首佛　南无无障导眼佛
南无破散一切起諸佛　南无斷一切疑佛
南无无相聲佛　南无畢竟得无邊功德佛
南无寶成就勝佛　南无波頭摩上勝佛
南无寶上佛　南无无障导發脩佛
南无无邊佛　南无寶彌留佛
南无日然上勝佛　南无智成就勝佛
南无憂鉢羅然燈佛　南无十方然燈佛
南无賢勝佛　南无娑羅自在王佛
南无師子佛　南无大寶彌留佛
南无毗婆尸佛　南无妙勝光明佛
南无功德王光明佛　南无華王佛
南无无量明佛　南无功德一味佛
南无十方燃燈佛　南无賢勝佛
南无娑羅自在王佛　南无師子王佛
南无寶彌留堅佛　南无毗婆尸羅佛
南无明王佛　南无上首佛
南无月上王佛　南无大龍佛
南无香上勝佛　南无香勝佛

BD00461號　佛名經（十六卷本）卷三　（20–11）

南无明王佛　南无上首佛
南无月上王佛　南无大龍佛
南无香上勝佛　南无香勝佛
南无旃檀屋佛　南无香幢佛
南无旃檀香佛　南无无邊精進佛
從此以上二千一百佛十二部經一切賢聖
南无十方光明佛　南无波頭摩上佛
南无鷲怖波頭摩花成就上王佛
南无寶同佛　南无善住王佛
南无香爲王佛　南无與一切樂佛
南无示一切念佛　南无不空說佛
南无能滅一切畏佛　南无不住王佛
南无寶光明佛　南无與一切衆安隱佛
南无觀无邊境界佛　南无虛空莊嚴勝佛
南无无憂莊嚴佛　南无修行幢佛
南无成就鷲怖勝光佛　南无賢勝佛
南无清淨眼佛　南无大將軍佛
南无上勝高佛　南无不可勝幢佛
南无可依佛　南无无量无邊佛
南无香彌留佛　南无月輪聞王佛
南无妙彌留寶成就佛　南无聞彌留善勝佛
南无淨勝佛　南无无障导眼佛
南无无邊功德作佛　南无威德王佛
南无願善思惟成就佛　南无清淨輪王佛
南无智上佛　南无精進山佛
南无智山佛　南无方作佛

BD00461號　佛名經（十六卷本）卷三　（20–12）

南无智上佛　南无精進山佛
南无智山佛　南无方作佛
南无大會上首佛　南无最上首佛
南无智護佛　南无上勝佛
南无不成境界佛
南无現示衆生境界无障导佛
南无无障导光明佛　南无發光明无导佛
南无佛波頭摩上成就勝佛
南无觀一切境界現形佛
南无說堅佛　南无化聲佛
南无波頭摩勝佛　南无寶成就勝佛
南无海彌留佛　南无无垢慧佛
南无智花成就佛　南无觀成就勝佛
南无積勝上威德寂靜佛
南无无畏去佛　南无離貪境界佛
南无離一切取佛　南无香風佛
南无无等香光佛　南无雲妙鼓聲佛
南无功德成就勝佛　南无无量奮迅境界彌留聚佛
南无香勝彌留佛　南无无量彌留佛
南无无量光明佛　南无普見佛
南无无畏佛　南无得无畏佛
南无月燃燈佛　南无大然燈佛
南无勝脩佛　南无勝衆佛
南无金剛成佛　南无智自在王佛
南无智力稱佛　南无无畏勝佛
南无功德王光明佛　南无善眼佛
南无堅自在佛　南无彌留王佛

BD00461號　佛名經（十六卷本）卷三　（20–13）

南无金剛成佛　南无智自在王佛
南无智力稱佛　南无无畏勝佛
南无切德王光明佛　南无善眼勝佛
南无堅自在佛　南无弥留王佛
南无虛空弥留寶勝佛　南无堅上勝佛
南无梵吼聲佛　南无寶花佛
南无波頭摩成就勝佛　南无旃檀香佛
南无弥劫留佛　南无勝莊嚴佛
南无寶蓋佛　南无香象佛
南无无邊勝佛　南无不空說名佛
南无不可思議切德王光明佛
南无无畏王佛　南无波頭摩上勝佛
從此以上二千三百佛十二部經一切賢聖
南无常得精進佛　南无藥王佛
南无安隱佛　南无无邊意行佛
南无无邊境界佛　南无无邊光明佛
南无邊眼佛　南无无邊虛空境界佛
南无金色境界佛　南无星宿王佛
南无香上勝佛　南无虛空勝佛
南无妙勝佛　南无方作佛
南无妙弥留佛　南无无障导眼佛
南无佛　南无然炬佛
歸命如是等无量无邊諸佛
南无大幢佛　南无賢光垢威德光佛
南无智積佛　南无積力王佛
南无切德王光明佛　南无見智佛
南无波頭摩妙勝佛　南无成就勝佛

BD00461號　佛名經（十六卷本）卷三　（20–14）

南无智積佛　南无積力王佛
南无切德王光明佛　南无見智佛
南无波頭摩妙勝佛　南无成就勝佛
南无寶光佛　南无寶蓮華勝佛
南无遠離疑成就佛　南无衆上首佛
南无拘留孫佛　南无幢王佛
南无波頭摩切德佛　南无放光明佛
南无弥勒佛　南无光明波頭摩光佛
南无勝王佛　南无法幢佛
南无无量奮迅佛　南无海須弥佛
南无妙佛　南无釋迦牟尼佛
南无不空見佛　南无无障导吼聲佛
南无无量切德勝名光明佛
南无不別脩行佛　南无无邊光明佛
南无善眼佛　南无普寶藏佛
南无无垢遠離垢解脫佛
南无歸如是等无量无邊諸佛
南无西方无量華佛　南无无量照佛
南无无量光明佛　南无无量明佛
南无无量境界佛　南无无量自在佛
南无无量奮迅佛　南无普蓋佛
南无蓋行佛　南无寶蓋佛
南无星宿王佛　南无善星宿佛
南无光明輪佛　南无明王佛
南无光明上勝佛　南无无邊見佛
南无勝佛　南无无邊境界奮迅佛

BD00461號　佛名經（十六卷本）卷三　（20–15）

南无光明輪佛　南无明王佛
南无光明上藤佛　南无无邊見佛
南无勝佛　南无无邊境界奮迅佛
南无无障㝵吼聲佛　南无大雲光明佛
南无羅網王佛　南无善得平等光明佛
南无波頭摩勝華佛　南无山王佛
南无月衆增上佛　南无高光明佛
南无合聚佛　南无不空光明佛
南无須勝王佛　南无北方不空然燈佛
南无不空奮迅佛　南无不空境界佛
南无不空光明佛　南无无邊精進佛
南无莎羅自在王佛　南无寶莎羅王佛
南无普蓋佛　南无盡莊嚴佛
南无寶積佛　南无栴檀屋佛
南无旃檀香佛　南无无量光明佛
南无光明輪莊嚴彌留佛
南无无障㝵明佛　南无无量明佛
南无寶成就佛　南无一切功德佛
南无佛華成就功德佛
南无善住慧佛　南无无量步佛
南无空勝佛　南无寶步佛
南无无邊脩行佛　南无无邊莊嚴勝佛
南无盡空輪光明佛　南无无量聲佛
南无藥王佛　南无无畏佛
次礼十二部尊經大藏法輪
南无枯樹經　南无當來變經
南无放牛經　南无乇真羅經

BD00461 號　佛名經（十六卷本）卷三　（20–16）

南无枯樹經　南无當來變經
南无放牛經　南无乇真羅經
南无相清經　南无灌食經
從此以上二千四百佛十二部經一切賢聖
南无本文文經　南无目連問經
南无持戒而經　南无太子思惟經
南无忍辱經　南无微密經
南无離池經　南无菩薩經
南无孔雀王呪經　南无迦羅子經
南无重生太子慕魄經　南无彌勒成佛經
南无惟意長者子經　南无龍女經
南无梵綱長者子經　南无燎滿經
南无涅梨經　南无沙彌五母子經
南无月光童子經　南无太子須達拏經
南无勝鬘經　南无賔頭盧經
次礼十方諸大菩薩摩訶薩
南无勝山菩薩　南无光山菩薩
南无賢首菩薩　南无功德山菩薩
南无勝謙菩薩　南无那羅延菩薩
南无龍德菩薩　南无龍勝菩薩
南无住持色菩薩　南无摩留大菩薩
南无入功德菩薩　南无然燈菩薩
南无常舉手菩薩　南无光明常王菩薩
南无寶手菩薩　南无普光菩薩
南无星宿王菩薩　南无金剛菩薩
南无不動花步菩薩　南无步三界菩薩

BD00461 號　佛名經（十六卷本）卷三　（20–17）

南无不動花步菩薩　南无步三界菩薩
南无无邊步奮迅菩薩　南无海慧菩薩
南无善光无垢住持威德菩薩
南无智山菩薩　南无常觀菩薩
南无高精進菩薩　南无遠多羅菩薩
南无无邊陁羅菩薩　南无因陁羅菩薩
南无无量明菩薩　南无勇力菩薩
南无實藏菩薩　南无歸命如是等十
方世界无量无邊諸菩薩
次礼聲聞緣覺一切賢聖
南无漏辟支佛　南无憍慢支佛
南无盡憍慢辟支佛　南无親辟支佛
南无得脫辟支佛　南无无垢辟支佛
南无獨辟支佛　南无鷄畫辟支佛
南无能作憍慢辟支佛　南无退辟支佛
南无不退去辟支佛　南无尋辟支佛
歸命如是等无量无邊　辟支佛
礼三寶已次復懺悔
次懺刧盗之罪經中説言若物屬他他所守護
於此物中一草一葉不與不取何況盗竊但自衆
生唯見現在利故以種種不盗而取致使未來受此
殃累是故經言刧盗之罪能令衆生墮於地獄餓鬼
受苦若在畜生則受牛馬驢騾駱駝等形以其所
有身力血肉償他宿債若生人中爲他奴婢衣不蔽
形食不充足貧寒困苦人理殆盡刧盗既有如是苦報
是故弟子今日至到稽顙歸依佛

BD00461號　佛名經（十六卷本）卷三　（20-18）

形食不充足貧寒困苦人理殆盡刧盗既有如是苦報
是故弟子今日至到稽顙歸依佛
南无東方壞諸煩惱佛　南无南方妙音自在佛
南无西方大雲光佛　南无北方雲自在佛
南无東南方无緣莊嚴佛　南无西南方過諸魔界佛
南无西北方見无恐懼佛　南无東北方一切德嚴佛
南无上方蓮花藏光佛　南无下方妙善住王佛
如是十方盡虛空界一切三寶
弟子等自從无始以來至于今日或盗他財寶興刀强
奪或自恃身通迫而取或恃公王或假他勢力高
桁大械枉壓良善呑納姦貨抂直爲曲爲此因緣身
羅憲網或任耶治領他財物侵公益私損彼利此損
此利彼割他自饒口與心悋或竊沒租估偷度關說匿
公課輸藏隱使役如是等罪今悉懺悔或是佛法僧
物不與而取或經像物或治塔寺物或供養常住僧物或
擬招提僧物或盗取誤用恃勢不還或自借或貸人
或復換貸漏忘或三寶物混亂雜用或以衆穀米
蘿薪薑豉醬酢菜茹菓實錢帛竹木繒綵幡蓋
香花油燭隨情逐意或自用或與人或摘佛花菓
用僧鬘物因三寶財私自利己如是等罪无量无邊
今日慚愧皆悉懺悔
又復无始以來至於今日或作周旋朋友師僧同學父
母兄弟六親眷屬共住同止百一所須更相欺罔或
於鄉隣比近移籬拓墻侵他店舍改標易相侵略田
園因公託私奪人邸店以毛野如是等罪今悉懺悔
又復无始以來或攻城破邑燒村壞栅偷賣良民

BD00461號　佛名經（十六卷本）卷三　（20-19）

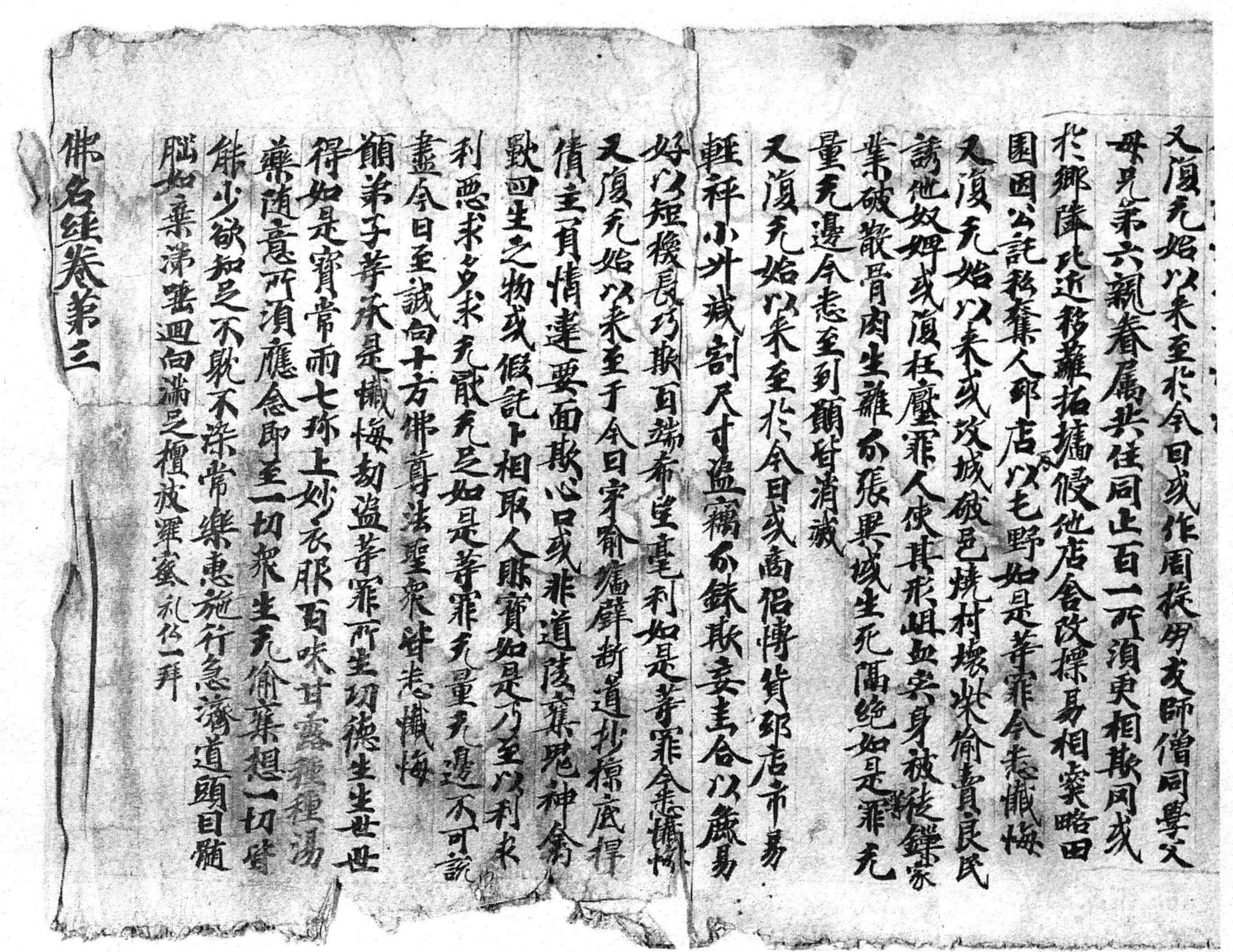

又復无始以來至於今日或作周旋朋友師僧同學父
母兄弟六親眷屬共住同止百一所須更相欺罔或
於鄉隣比近移籬拓墻侵他店舍改標易相案略田
園因公託私奪人邸店以毛野如是等罪今悉懺悔
又復无始以來或攻城破邑燒村壞栅偷賣良民
誘他奴婢或復枉壓罪人使其形傷血出身被徒鎖家
業破散骨肉生離分張異域生死隔絕如是罪无
量无邊今悉至到頭皆消滅
又復无始以來至於今日或商估博貨邸店市易
輕秤小斗減割尺寸盜竊分銖欺妄圭合以麁易
好以短換長巧欺百端希望毫利如是等罪今悉懺悔
又復无始以來至于今日穿窬墻壁斷道抄掠抵捍
債主負情違要面欺心口或非道陵奪鬼神禽
獸四生之物或假託卜相取人財寶如是乃至以利求
利惡求多求无厭无足如是等罪无量无邊不可說
盡今日至誠向十方佛尊法聖衆皆悉懺悔
願弟子等承是懺悔劫盜等罪所生功德生生世世
得如是寶常雨七珍上妙衣服百味甘露種種湯
藥隨意所須應念即至一切衆生无偷奪想一切皆
能少欲知足不耽不染常樂惠施行急濟道頭目髓
腦如棄涕唾迴向滿足檀波羅蜜 礼佛一拜
佛名經卷第三

BD00461號　佛名經（十六卷本）卷三　　（20–20）

BD00462號　壁畫榜題（擬）　　　　（11–1）

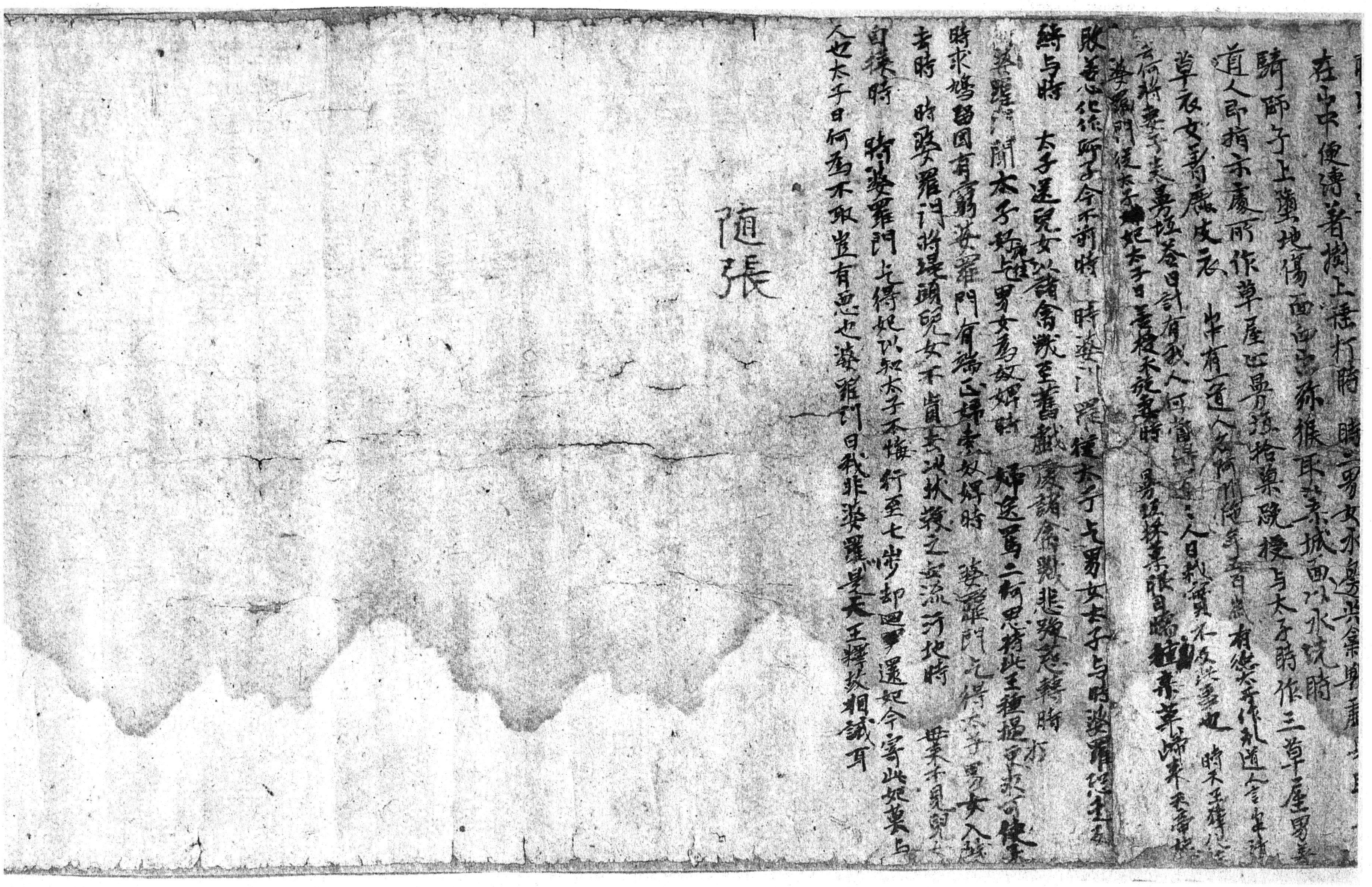

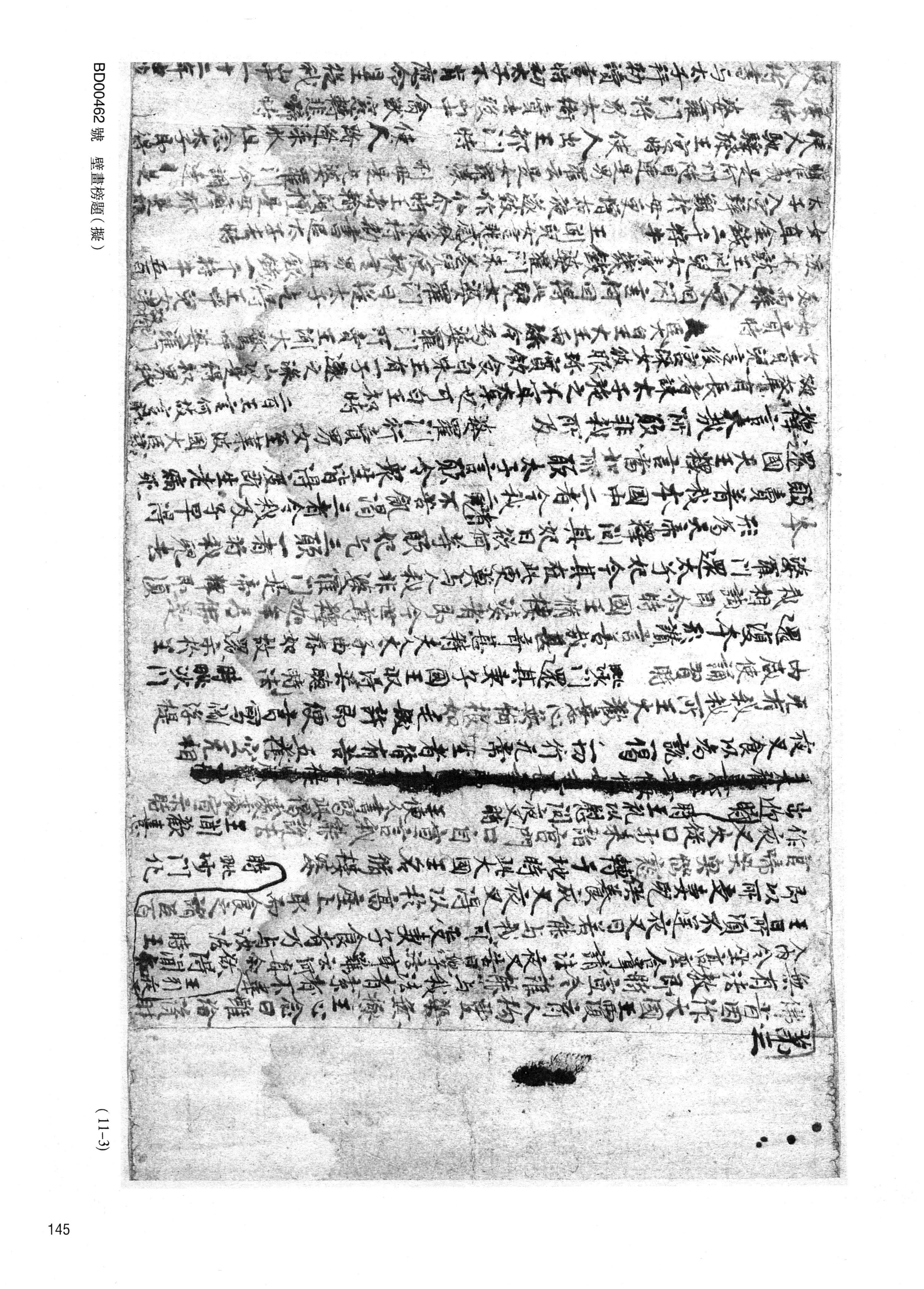

（11–3）

BD00462號　壁畫榜題（擬）

（11－4）

BD00462號　壁畫榜題（擬）

（11–5）

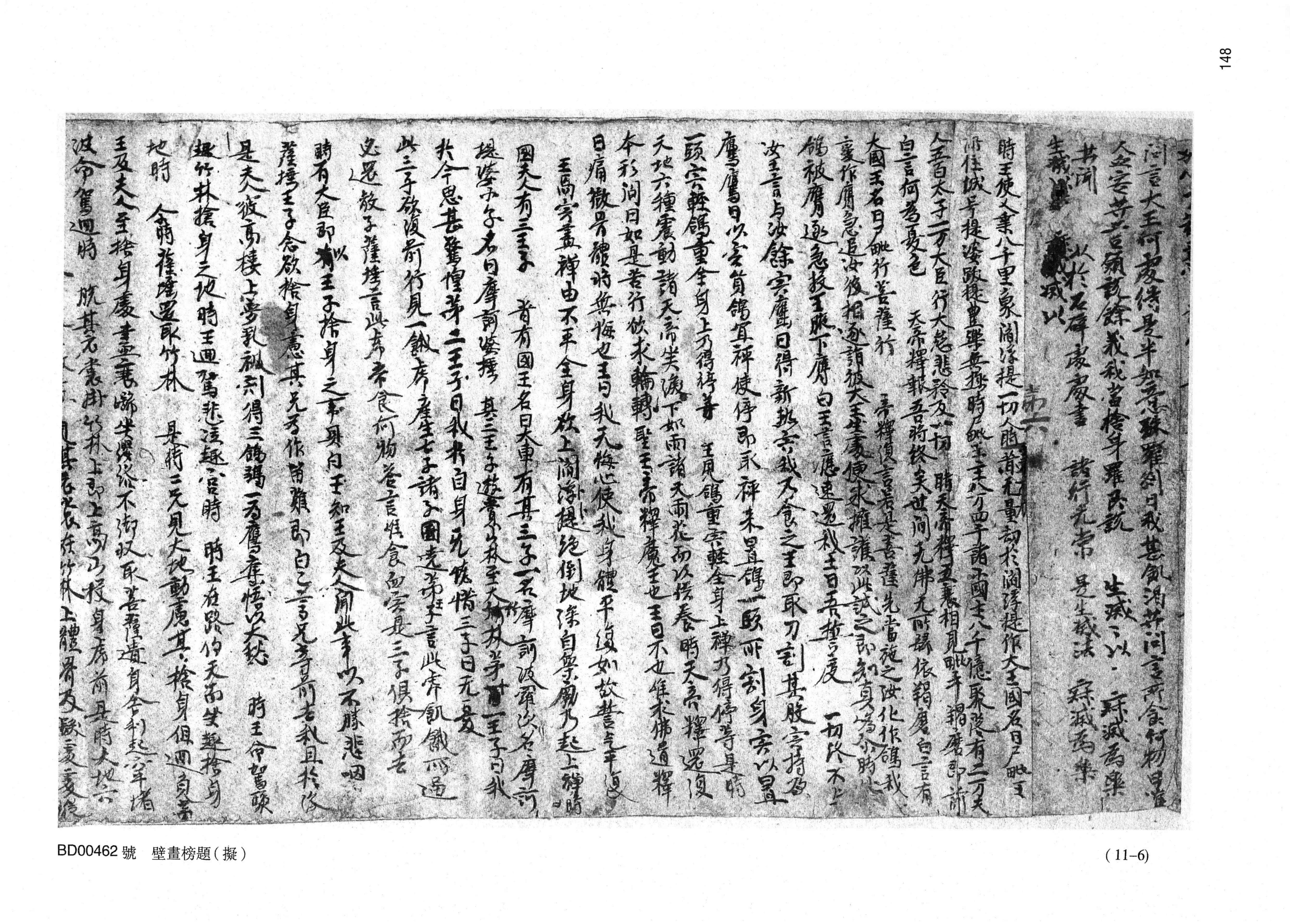

BD00462號　壁畫榜題（擬）

（11–6）

BD00462號　壁畫榜題（擬）　　　　（11–7）

地時　時是王前投[illegible]
遮我心樹神聞以不遮婆羅門起取刀所至毗頭手中天六種
震動時　婆羅門將王頭去近臣綵女懊慕啼哭自投於地時
諸王感來共諫大王時　時婆羅門聞毗摩羨王死吐血而死弃頭
於地　王許婆羅門頭以遣棄八千里象遍告天下却後七日王欲施頭
時　第八　過去无數時有大國曰名波毗令閻浮提王有
太子名曰式賢其國豐樂勅出庫藏廣行布施　時勞度
達拜決目王即善之立為大臣請兵往罰王即許之　即豎金幢
擊大金鼓宣王慈教時　出其庫金藏銀寶物衣服飲食所須
之具著於城門及積市中遍行宣令一切人民有所之者皆悉來
取　有邊國王名波羅陀跋彌條遠傲慢不順王化其政失度
愛性貪卒夫於思慮耽荒色欲不理國事王有智臣名勞度
達以此諫王王聞嗔恚不從其言　達自念言不受諫懂復見害
即投大國　時勞度達得為大臣說波羅陀跋彌無道請兵
問罪王勅有司差發兵馬時　勞度達入見王時　時勞度達
見王嗔諫即乘疾馬投決目王小王出兵退提勞度達善知射
術凡十八術兵眾雖遂不能敵近達得徹倒雷迦羅跋見彼自王
時決目王遣人語之閻浮提內都勅發兵當盡汝國汝安坐耶
波羅陀閻愁悶迷憒有輔相婆羅門問王何憂王曰前勞度達
決目王遣發兵來滅我國曰彼王好施當乞其眼　時決目王國種種
怪見空中有聲地雷星落陰雲霧黯暗飛鳥悲鳴師子虎狼處處
哮吼臣民惶之時婆羅門漸到殿前白言聞王好施我今乞眼王曰
大善　婆羅門入王城時　野獸鳴吼時　王更輔相計令三日婆羅門
往決目王所乞眼去時　尋婆羅門迴到本國婆羅陀跋彌自出迎之習
得眼不答言得眼王存在不答言諸天來下平復汝敢聞憒絕而死
諸王臣民聞王令以眷來奔詣大王所時　時天人帝釋問王
剜眼苦痛臣有悔不王自誓言我无悔恨當不虛者令我兩眼
平復如故誓以平復　王令惟見黑色下視者拔刀令使剜眼者
王出手中施婆羅門[illegible]所安眼王中即得見物婆羅門言是[illegible]

BD00462號　壁畫榜題（擬）　　（11–8）

剜眼若痛臣有悔不……
平復如故誓以平復　王令唯覓黑色下視者援刀令使剜眼者
王掌中施婆羅門援取安眼匡中即得見物婆羅言得一眼足
王便剜一眼施婆羅門　王弱言令却後七日我當剜眼施婆羅
門諸欲末者悉詣時集　諸臣民以身投地腹指王前流淚而言
王迴意莫以眼施王言汝勿遮我无上道心　第九　答云又違阿僧
祇劫此閻浮提有大國王名曰慈力領八万四千小國王二有一万
夫人一万大臣以十善化人　猶修善校神讓時　時有疫鬼人
血氣周自滿活令時人民脩行十善惡疫不敢彼近時五
野叉至剜血脈施令食之　時王言制集國內人民告
行十善時　善神讓門時　時諸人民脩行十善疫鬼
不敢侵犯時　如善薩本身月作毒龍眾生前眼　既受戒
視噓即死厭惡龍身於此立處受一日戒時
已入林樹間思惟坐久疲懈睡時還復蛇身文章雜色猶
者見憒剝皮取時　不視自取命種今時毒龍即佛身是也　過去无量
以力剝皮龍自念言我能傾覆此國以
阿僧祇劫波羅柰國有王名曰歌利此云惡無道王與四大
臣并諸綵女入山遊善戲時　時王疲乏遂就林中暫時眠息時
綵女遊戲遇仙人時　其忍辱仙人與五百眷屬山中說法
綵女聽說已見觀仙人聽說王嗔語綵女得禪四定耶
未得文　問汝得四无量耶仙言未得　時王怒言汝既未得如是
功德云何汝今觀我女色遂即盡之剔節文解是時仙人
五百眷屬騰虛空告言大師汝不退耶仙言我今能忍
不退也　時王拜跪悔過罪德王曰我今无嗔何悔之有王曰
何以諮知曰若實不復如故虛平　時王迴駕天龍嗔怒
雨沙礫石王乃恐怖迴駕就忍辱仙悔過去時
第十一　去此雷山五百由旬有一城名為輸羅波閣
設無遮大會　時婆羅門女善支接上蓮四見

聲聞衆彼佛告侍者言是人過於卅劫後當得作佛号釋迦牟尼
我念往昔有一如來出現於世号曰人棄我於彼時將无價衣覆彼佛上
彼佛告侍者言是人過於卅一劫當得作佛号釋迦牟尼　護明菩薩
下生降神時　我念往昔於迦葉佛邊行於梵行求未來世阿耨多
羅三藐三菩提得一生補處記受盡上界兜率陁天時　是時淨居
地有五百辟支佛聞此聲已飛騰虛空相共往詣波羅柰城至彼處
已各各現五種神通踊身虛空出於烟焰次弟說偈捨於壽命入
般涅槃　時護明菩薩一心正念從兜率下託淨飯王最大夫人摩耶右脇
安隱而入是時天人魔梵一切世間光明普照大地山河六種震動
夫人夢已明旦白王作如是夢當入於我右脇之時我受快樂昔所未有即
召相師占之相師說偈　若母人夢見　白象入右脇　彼母所生子　三界无極尊
白象其頭朱色七枝拄地以金裝牙乘空而下入於右脇　是時夫人於睡眠
中夢見六牙　是時摩耶夫人白淨飯言我於今夜欲受八禁清淨齋戒王
即報言隨夫人心所樂者行　拘睒彌城　毗耶離城　摩伽陁國　毗闍羅國
王舍大城　波羅柰城　舍婆提城　時王設无遮會於城門外施貧乏之時
時淨飯王聞婆羅門說已心大歡喜於迦毗羅城設无遮會須食與食須
衣与衣利益太子行　陁私陁仙相太子時悲泣流淚自恨老朽不覩佛興
時淨飯王迎子入已即召相師迎占相之占已白王大王今者得大衆利如此
太子有卅二大丈夫相　時阿私陁仙相太子已悲泣懊惱恨不見佛還太子時
迦毗羅城內廣施貧乏飲食時　憂善那呂去城不遠山名頞陁於中有
叟可名阿私陁於彼山住以彼山故即稱仙人名阿私陁將一侍者欲往迦毗
羅城相太子　菩薩在胎十月滿足時夫人父善覺長者遣使奏王我女摩
耶懷胎滿足欲[illegible]表時

維三狼三菩提得一生補處記受盡上界兜率陁天時 是時閻浮提
地有五百辟支佛聞此聲已飛騰虛空相共往詣波羅柰城至彼處
已各各現五種神通踊身虛空出於烟焰次第説偈捨於壽命入
般涅槃 時護明菩薩一心正念從兜率下託淨飯王家大夫人摩耶右脇
安除而入是時天人摩梵一切世間光明普照大地山河六種震動
夫人夢已明旦白王作如是夢當入於我右脇之時我受快樂昔所未有即
召相師占之相師説偈 若母人夢見 白象入右脇 彼母所生子 三界天極尊
白象其頭朱色七枝拄地以金裝牙乘空而下入於右脇 是時夫人於睡眠
中夢見六牙 是時摩耶夫人白淨飯言我於今夜欲受八禁清淨齋戒王
即報言隨夫人心所樂者行 拘睒彌城 毗耶呂城 摩伽陁國 毗閑羅國
王舍大城 波羅柰城 舍婆提城 第十一 時王設無遮會於城門外施貧之時
時淨飯王聞婆羅門説已心大歡喜於迦毗羅城設無遮會須食與食須
衣與衣利益太子行 陁私陁仙相太子時悲泣雨淚自恨老朽不覩佛興
時淨飯王迎子入宮即召相師迎占相之占已白王大王今者得大衆利如與
太子有卅二丈夫相 時阿私陁仙相太子已悲泣懊惱恨不見佛還太子時
迦毗羅城內廣施貧之飲食時 憂善那召去城不遠山名頞陁於中有
吏名阿私陁於彼山住以彼山故即稱仙人名阿私陁將一侍者欲往迦毗
羅城相太子 菩薩在胎十月滿足時夫人父善覺長者遣使奏王我女摩
耶懷胎滿足之[illegible]歸蘗時 摩耶出宮歸母家遊即時 迦毗羅東
門施貧之財物是 時淨飯王聞善覺使作是語已即勅有司於城內
外平治道路香湯灑地又光飾摩耶夫人香花瓔珞莊嚴其身
從諸宮女欲向父家去時 摩耶夫人安然端坐大白象上諸天作
寶帳夫人坐去時

（11–11）

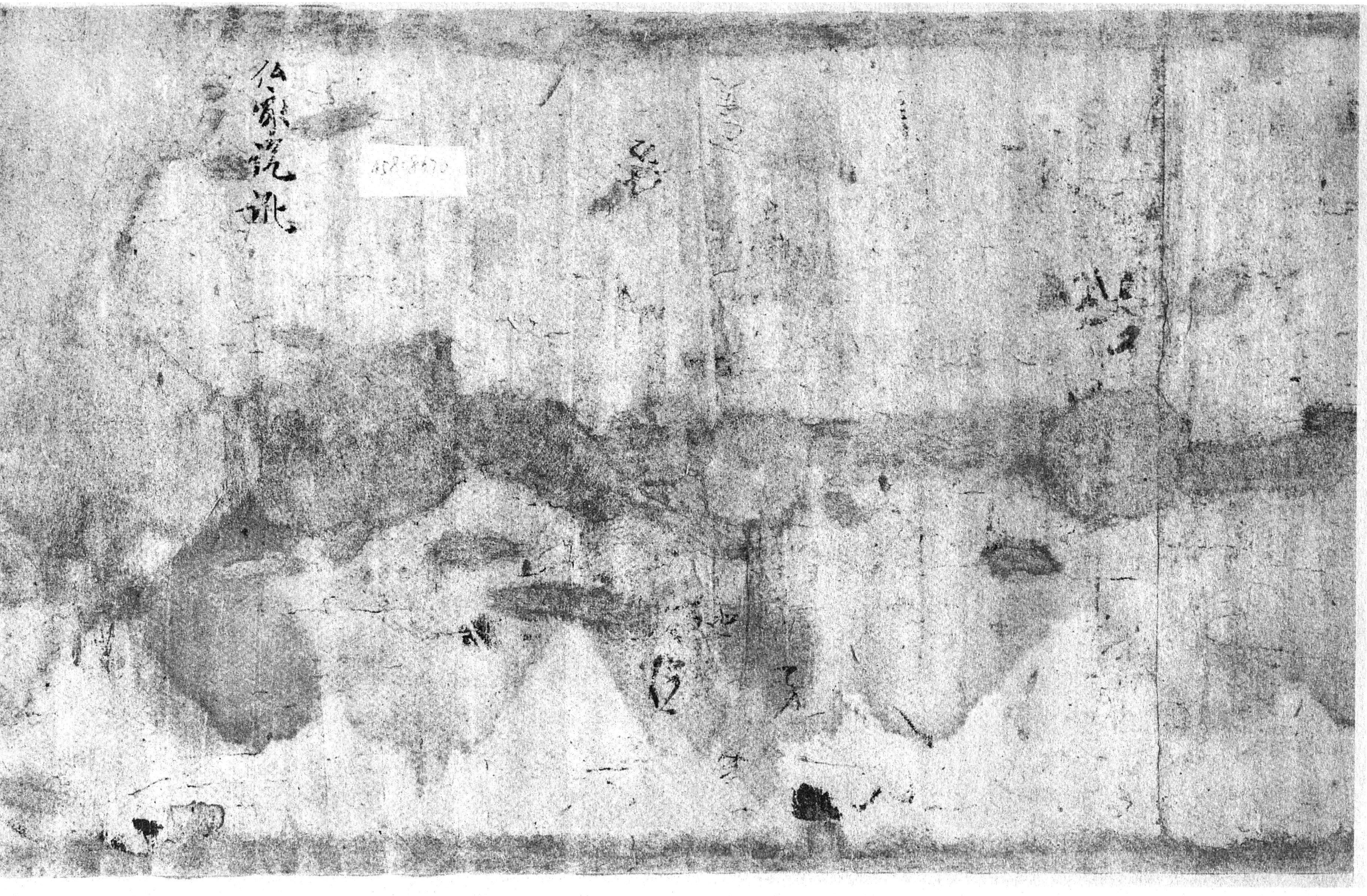

BD00462號背　雜寫

(1–1)

□□樹園與
人三萬二千眾所知識
□諸佛威神之所建立
□能師子吼名聞十方眾
隆三寶能使不絕降伏魔
清淨永離蓋纏心常安
持辯才不斷布施持戒忍
及方便力无不具足逮
隨順轉不退輪善解
法相知眾生根蓋諸大眾得无所畏功德智慧
以修其心相好嚴身色像第一捨諸世間所
有飾好名稱高遠踰於須彌深信堅固猶
若金剛法寶普照而雨甘露於眾言音微妙第
一深入緣起斷諸邪見有无二邊无復餘習
演法无畏猶師子吼其所講說乃如雷震无
有量已過量集眾法寶如海導師了達諸法
深妙之義善知眾生往來所趣及心所行近
无等等佛自在慧十力无畏十八不共關閉
一切諸惡趣門而生五道以現其身為大醫
王善療眾病應病與藥令得服行无量功
德皆成就无量佛土皆嚴淨其見聞者无不蒙

无等等佛自在慧十力无畏十八不共關閉
一切諸惡趣門而生五道以現其身為大醫
王善療眾病應病與藥令得服行无量功
德皆成就无量佛土皆嚴淨其見聞者无不蒙
益諸有所作亦不唐捐如是一切功德皆悉
具足其名曰等觀菩薩不等觀菩薩等不等
觀菩薩定自在王菩薩法自在王菩薩法相
菩薩光相菩薩光嚴菩薩大嚴菩薩寶積
菩薩辯積菩薩寶手菩薩寶印手菩薩常
舉手菩薩常下手菩薩常慘菩薩喜根菩薩喜王
菩薩辯音菩薩虛空藏菩薩執寶炬菩薩寶
勇菩薩寶見菩薩帝網菩薩明網菩薩无緣
觀菩薩慧積菩薩寶勝菩薩天王菩薩壞
魔菩薩電得菩薩自在王菩薩功德相嚴菩
薩師子吼菩薩雷音菩薩山相擊音菩薩香
象菩薩白香象菩薩常精進菩薩不休息菩薩
妙生菩薩華嚴菩薩觀世音菩薩得大勢菩
薩梵網菩薩寶杖菩薩无勝菩薩嚴土菩薩
金髻菩薩珠髻菩薩彌勒菩薩文殊師利法
王子菩薩如是等三萬二千人俱
復有萬梵天王尸棄等從餘四天下來詣佛
所而聽法復有萬二千天帝亦從餘四天下
來在會坐并餘大威力諸天龍神夜叉乾
闥婆阿脩羅迦樓羅緊那羅摩睺羅伽等
悉來會坐諸比丘比丘尼優婆塞優婆夷俱來會
坐彼時佛與无量百千之眾恭敬圍繞而為

悉來會坐諸比丘比丘尼優婆塞優婆夷俱來會
坐彼時佛與无量百千之衆恭敬圍繞而為
說法譬如須弥山王顯于大海安處衆寶師
子之座蔽於一切諸來大衆
尒時毗耶離城有長者子名曰寶積與五百
長者子俱持七寶蓋來詣佛所頭面礼足各
以其蓋共供養佛佛之威神令諸寶蓋合成
一蓋遍覆三千大千世界而此世界廣長之
相悉於中現又此三千大千世界諸須弥山
雪山目真隣陁山摩訶目真隣陁山香山寶
山金山黑山鐵圍山大鐵圍山大海江河川
流泉源及日月星辰天宮龍宮諸尊神宮悉
現於寶蓋中又十方諸佛諸佛說法亦現於
寶蓋中尒時一切大衆覩佛神力歎未曾有
合掌礼佛瞻仰尊顏目不暫捨長者子寶
積即於佛前以偈頌曰

目淨脩廣如青蓮　心淨已度諸禪定
久積淨業稱无量　導衆以寂故稽首
既見大聖以神變　普現十方无量土
其中諸佛演說法　於是一切悉見聞
法王法力超群生　常以法財施一切
能善分別諸法相　於第一義而不動
已於諸法得自在　是故稽首此法王
說法不有亦不无　以因緣故諸法生
无我无造无受者　善惡之業亦不亡
始在佛樹力降魔　得甘露滅覺道成

BD00463 號　維摩詰所說經卷上　（26–3）

說法不有亦不无　以因緣故諸法生
无我无造无受者　善惡之業亦不亡
始在佛樹力降魔　得甘露滅覺道成
已无心意无受行　而悉摧伏諸外道
三轉法輪於大千　其輪本來常清淨
天人得道此為證　三寶於是現世間
以斯妙法濟群生　一受不退常寂然
度老病死大醫王　當礼法海德无邊
毀譽不動如須弥　於善不善等以慈
心行平等如虛空　孰聞人寶不敬承
今奉世尊此微蓋　於中現我三千界
諸天龍神所居宮　揵闥婆等及夜叉
悉見世間諸所有　十力哀現是化變
衆覩希有皆歎佛　今我稽首三界尊
大聖法王衆所歸　淨心觀佛靡不欣
各見世尊在其前　斯則神力不共法
佛以一音演說法　衆生隨類各得解
皆謂世尊同其語　斯則神力不共法
佛以一音演說法　衆生各各隨所解
普得受行獲其利　斯則神力不共法
佛以一音演說法　或有恐畏或歡喜
或生厭離或斷疑　斯則神力不共法
稽首十力大精進　稽首已得无所畏
稽首住於不共法　稽首一切大導師
稽首能斷衆結縛　稽首已到於彼岸
稽首能度諸世間　稽首永離生死道

BD00463 號　維摩詰所說經卷上　（26–4）

稽首能斷衆結縛　稽首已到於彼岸
稽首能度諸世間　稽首永離生死道
悉知衆生來去相　善於諸法得解脫
不著世間如蓮華　常善入於空寂行
達諸法相无罣礙　稽首如空無所依
尒時長者子寶積說此偈已白佛言世尊是
五百長者子皆已發阿耨多羅三藐三菩提
心願聞得佛國土清淨唯願世尊說諸菩薩
淨土之行佛言善哉寶積乃能為諸菩薩問
於如來淨土之行諦聽諦聽善思念之當為
汝說於是寶積及五百長者子受教而聽佛
言寶積衆生之類是菩薩佛土所以者何菩
薩隨所化衆生而取佛土隨所調伏衆生而
取佛土隨諸衆生應以何國入佛智慧而取
佛土隨諸衆生應以何國起菩薩根而取佛
土所以者何菩薩取於淨國皆為饒益諸衆
生故譬如有人欲於空地造立宮室隨意无
礙若於虛空終不能成菩薩如是為成就衆
生故願取佛國願取佛國者非於空也寶積
當知直心是菩薩淨土菩薩成佛時不諂衆
生來生其國深心是菩薩淨土菩薩成佛時
具足功德衆生來生其國大乘心是菩薩淨
土菩薩成佛時大乘衆生來生其國布施是
菩薩淨土菩薩成佛時一切能捨衆生來生
其國持戒是菩薩淨土菩薩成佛時行十善
菩薩淨土菩薩成佛時滿願衆生來生其國忍辱是

菩薩淨土菩薩成佛時一切能捨衆生來生
其國持戒是菩薩淨土菩薩成佛時行十善
菩薩淨土菩薩成佛時滿願衆生來生其國忍辱是
菩薩淨土菩薩成佛時卅二相莊嚴衆生來生其國
精進是菩薩淨土菩薩成佛時勤脩一切功德衆
生來生其國禪定是菩薩淨土菩薩成佛時
攝心不亂衆生來生其國智慧是菩薩淨土菩
薩成佛時正定衆生來生其國四无量心是
菩薩淨土菩薩成佛時成就慈悲喜捨衆
生來生其國四攝法是菩薩淨土菩薩成佛
時解脫所攝衆生來生其國方便是菩薩淨
土菩薩成佛時於一切法方便无礙衆生來
生其國卅七道品是菩薩淨土菩薩成佛時念
處正勤神足根力覺道衆生來生其國迴向
心是菩薩淨土菩薩成佛時得一切具足
功德國土說除八難是菩薩淨土菩薩成佛
時國土无有三惡八難自守戒行不譏彼闕
是菩薩淨土菩薩成佛時國土无有犯禁之
名十善是菩薩淨土菩薩成佛時命不中夭
大富梵行所言誠諦常以軟語眷屬不離善
和諍訟言必饒益不嫉不恚正見衆生來生
其國如是寶積菩薩隨其直心則能發行隨
其發行則得深心隨其深心則意調伏隨意
調伏則如說行隨如說行則能迴向隨其迴向
則有方便隨其方便則成就衆生隨成就
衆生則佛土淨隨佛土淨則說法淨隨說法

則有方便隨其方便則成就衆生隨成就
衆生則佛土淨隨佛土淨則說法淨隨說法
淨則智慧淨隨智慧淨則其心淨隨其心淨
則一切功德淨是故寶積若菩薩欲得淨土
當淨其心隨其心淨則佛土淨
尒時舍利弗承佛威神作是念若菩薩心淨
則佛土淨者我世尊本為菩薩時意豈不淨
而是佛土不淨若此佛知其念即告之言於
意云何日月豈不淨耶而盲者不見對曰不
也世尊是盲者過非日月咎舍利弗衆生罪
故不見如來佛國嚴淨非如來咎舍利弗我
見此土清淨而汝不見尒時螺髻梵王語舍利弗
勿作是意謂此佛土以為不淨所以者何我見
釋迦牟尼佛土清淨譬如自在天宮舍利弗
言我見此土丘陵坑坎荊蕀沙礫土石諸山
穢惡充滿螺髻梵言仁者心有高下不依
佛慧故見此土為不淨耳舍利弗菩薩於一
切衆生意皆平等深心清淨依佛智慧則能
見此佛土清淨於是佛以足指案地即時三
千大千世界若干百千珍寶嚴飾譬如寶莊
嚴佛无量功德寶莊嚴土一切大衆歎未曾
有而皆自見坐寶蓮華佛告舍利弗汝且觀
是佛土嚴淨舍利弗言唯然世尊本所不見
本所不聞今佛國土嚴淨悉現佛語舍利弗
我佛國土常淨若此為欲度斯下劣人故示
是衆惡不淨土耳譬如諸天共寶器食隨其

我佛國土常淨若此為欲度斯下劣人故示
是衆惡不淨土耳譬如諸天共寶器食隨其
福德飯色有異如是舍利弗若人心淨便見
此土功德莊嚴當佛現此國土嚴淨之時寶
積所將五百長者子皆得无生法忍八萬四
千人發阿耨多羅三藐三菩提心佛攝神足
於是世界還復如故求聲聞乘三萬二千天
及人知有為法皆悉无常遠塵離垢得法眼
淨八千比丘不受諸法漏盡意解
方便品第二
尒時毗耶離大城中有長者名維摩詰已曾
供養无量諸佛深植善本得无生忍辯才无
礙遊戲神通逮諸總持獲无所畏降魔勞怨
入深法門善於智度通達方便大願成就明
了衆生心之所趣又能分別諸根利鈍久於佛
道心已純淑決定大乘諸有所作能善思
量住佛威儀心大如海諸佛咨嗟弟子釋梵
世主所敬欲度人故以善方便居毗耶離資
財无量攝諸貧民奉戒清淨攝諸毀禁忍
調行攝諸恚怒以大精進攝諸懈怠一心禪
寂攝諸亂意以決定慧攝諸无智雖為白
衣奉持沙門清淨律行雖處居家不著三界示
有妻子常脩梵行現有眷屬常樂遠離雖
服寶飾而以相好嚴身雖復飲食而以禪悅為
味若至博弈戲處輙以度人受諸異道不毀
正信雖明世典常樂佛法一切見敬為供養

正信雖明世典常樂佛法一切見敬為供養
中最執持正法攝諸長幼一切治生諧偶雖
獲俗利不以喜悅遊諸四衢饒益眾生入治
正法救護一切入講論處導以大乘入諸學
堂誘開童蒙入諸婬舍示欲之過入諸酒肆
能立其志若在長者長者中尊為說勝法若
在居士居士中尊斷諸貪著若在剎利剎利
中尊教以忍辱若在婆羅門婆羅門中尊除
其我慢若在大臣大臣中尊教以正法若在
王子王子中尊示以忠孝若在內官內官中
尊化政宮女若在庶民庶民中尊令興福力
若在梵天梵天中尊誨以勝慧若在帝釋帝
釋中尊示現无常若在護世護世中尊護諸眾生
長者維摩詰以如是等无量方便饒益眾生
其餘方便現身有疾以其疾故國王大臣
長者居士婆羅門等及諸王子并餘官屬
无數千人皆往問疾其往者維摩詰因以身
疾廣為說法諸仁者是身无常无强无力无
堅速朽之法不可信也為苦為惱眾病所集
諸仁者如此身明智者所不怙是身如聚沫
不可撮摩是身如泡不得久立是身如炎從
渴愛生是身如芭蕉中无有堅是身如幻從
顛倒起是身如夢為虛妄見是身如影從業
緣現是身如響屬諸因緣是身如身浮雲須臾變
滅是身如電念念不住是身无主為如地
是身无我為如火是身无壽為如風是身无

人為如水是身不實四大為家是身為空離
我我所是身无知如草木瓦礫是身无作風
力所轉是身不淨穢惡充滿是身為虛偽雖
假以澡浴衣食必歸磨滅是身為災百一病
惱是身如丘井為老所逼是身无定為要當
死是身如毒蛇如怨賊如空聚陰界諸入所
共合成諸仁者此可患厭當樂佛身所以者
何佛身者即法身也從无量功德智慧生從
戒定慧解脫解脫知見生從慈悲喜捨生從
布施持戒忍辱精和勤行精進禪定解脫三
昧多聞智慧諸波羅蜜生從方便生從六通
生從三明生從三十七道品生從止觀生從
十力四无所畏十八不共法生從斷一切不善
法集一切善法生從真實生從不放逸生
從如是无量清淨法生如來身諸仁者欲得
佛身斷一切眾生病者當發阿耨多羅三藐
三菩提心如是長者維摩詰為諸問疾者如
應說法令无數千人皆發阿耨多羅三藐三菩
提心

維摩詰經弟子品第三

尒時長者維摩詰自念寢疾于牀世尊大慈
寧不垂愍佛知其意即告舍利弗汝行詣維
摩詰問疾舍利弗白佛言世尊我不堪任詣
彼問疾所以者何憶念我昔曾於林中宴坐
樹下時維摩詰來謂我言唯舍利弗不必是坐

彼問疾所以者何憶我昔曾於林中宴坐
樹下時維摩詰来謂我言唯舍利弗不必是
坐為宴坐也夫宴坐者不於三界現身意是
為宴坐不起滅定而現諸威儀是為宴坐不
捨道法而現凡夫事是為宴坐心不住内亦
不在外是為宴坐於諸見不動而脩行三
十七品是為宴坐不断煩惱而入涅槃是為
宴坐若能如是坐者佛所印可時我世尊聞
是語嘿然而止不能加報故我不任詣彼問
疾
佛告大目揵連汝行詣維摩詰問疾目連白
佛言世尊我不堪任詣彼問疾所以者何憶
念我昔入毗耶離大城於里巷中為諸居士
説法時維摩詰来謂我言唯大目連為白衣
居士説法不當如仁者所説夫説法者當如
法説法无衆生離衆生垢故法无有我離我
垢故法无壽命離生死故法无有人前後際断
故法常寂然滅諸相故法離於相无所縁故
法无名字言語断故法无有説離覺觀故法
无形相如虚空故法无戯論畢竟空故法无
我所離我所故法无分別離諸識故法无有
比无相待故法不属因不在縁故法同法
性入諸法故法随於如无所随故法住實際
諸邊不動故法无動揺不依六塵故法无去
来常不住故法順空随無相應无作法離好

諸邊不動故法无動揺不依六塵故法无去
来常不住故法順空随無相應无作法離好
醜法无増損法无生滅法无所歸法過眼耳
鼻舌身心法无高下法常住不動法離一切
觀行唯大目連法相如是豈可説乎夫説法
者无説无示其聽法者无聞无得譬如幻士
為幻人説法當建是意而為説法當了衆
生根有利鈍善於知見无所罣㝵以大悲心讃
于大乘念報佛恩不斷三寶然後説法維摩
詰説是法時八百居士發阿耨多羅三藐三
菩提心我无此辯是故不任詣彼問疾
佛告大迦葉汝行詣維摩詰問疾迦葉白佛
言世尊我不堪任詣彼問疾所以者何憶念
我昔於貧里而行乞時維摩詰来謂我言唯
大迦葉有慈悲心而不能普捨豪富從貧乞
迦葉住平等法應次行乞食為不食故應行
乞食為壞和合相故應取揣食為不受故應
受彼食以空聚想入於聚落所見色與盲等
所聞聲與響等所嗅香與風等所食味不分
別受諸觸如智證知諸法如幻相无自性无
他性本自不然今則无滅迦葉若能不捨八
邪入八解脱以邪相入正法以一食施一切供
養諸佛及衆賢聖然後可食如是食者非
有煩惱非離煩惱非入定意非起定意非住
世間非住涅槃其有施者无大福无小福不

有煩惱非離煩惱非入定意非起定意非住
世間非住涅槃其有施者无大福无小福不
為益不為損是為正入佛道不依聲聞迦葉
若如是食為不空食人之施也時我世尊聞
說是語得未曾有即於一切菩薩深起敬心
復作是念斯有家名辯才智慧乃能如是其
誰不發阿耨多羅三藐三菩提心我從是來
不復勸人以聲聞辟支佛行是故不任詣彼
問疾
佛告須菩提汝行詣維摩詰問疾須菩提白
佛言世尊我不堪任詣彼問疾所以者何憶念
我昔入其舍從乞食時維摩詰取我鉢盛滿
飯謂我言唯須菩提若能於食等者諸法亦
等諸法等者於食亦等如是行乞乃可取食
若須菩提不斷婬怒癡亦不與俱不壞於身
而隨一相不滅癡愛起於明脫以五逆相而
得解脫亦不解不縛不見四諦非不見諦非
得果非凡夫非離凡夫法非聖人非不聖人
雖成就一切法而離諸法相乃可取食若須菩
提不見佛不聞法彼外道六師富蘭那迦
葉末伽梨拘賖梨子刪闍夜毗羅胝子阿耆
多翅舍欽婆羅迦羅鳩馱迦旃延尼犍陀若
提子等是汝之師因其出家彼師所墮汝亦
隨墮乃可取食若須菩提入諸邪見不到彼
岸住於八難不得无難同於煩惱離清淨法
汝得无諍三昧一切眾生亦得是定其施汝

隨墮乃可取食若須菩提入諸邪見不到彼
岸住於八難不得无難同於煩惱離清淨法
汝得无諍三昧一切眾生亦得是定其施汝
者不名福田供養汝者墮三惡道為與眾魔
共一手作諸勞侶汝與眾魔及諸塵勞等无
有異於一切眾生而有怨心謗諸佛毀於法
不入眾數終不得滅度汝若如是乃可取食
時我世尊聞此茫然不識是何言不知以何
荅便置鉢欲出其舍維摩詰言唯須菩提取
鉢勿懼於意云何如來所作化人若以是事
詰寧有懼不我言不也維摩詰言一切諸法
如幻化相汝今不應有所懼也所以者何一
切言說不離是相至於智者不著文字故无
所懼何以故文字性離无有文字是則解脫
解脫相者則諸法也維摩詰說是法時二百天
子得法眼淨故我不任詣彼問疾
佛告富樓那彌多羅尼子汝行詣維摩詰問
疾富樓那白佛言世尊我不堪任詣彼問疾
所以者何憶念我昔於大林中在一樹下為
諸新學比丘說法時維摩詰來謂我言唯富
樓那先當入定觀此人心然後說法无以穢
食置於寶器當知是比丘心之所念无以瑠
璃同彼水精汝不能知眾生根原无得發起
以小乘法彼自无瘡勿傷之也欲行大道莫
示小徑无以大海內於牛跡无以日光等彼
螢火富樓那此比丘久發大乘心中忘此意

藝火富樓那此比丘久發大乘心中忘此意
如何以小乘法而教導之我觀小乘智慧微
淺猶如盲人不能分別一切衆生根之利鈍
時維摩詰即入三昧令此比丘自識宿命曾
於五百佛所殖衆德本迴向阿耨多羅三藐
三菩提即時豁然還得本心於是諸比丘稽
首礼維摩詰足時維摩詰因為說法於阿耨
多羅三藐三菩提不復退轉我念聲聞不觀
人根不應說法是故不任詣彼問疾
佛告摩訶迦旃延汝行詣維摩詰問疾迦旃
延白佛言世尊我不堪任詣彼問疾所以者
何憶念昔者佛為諸比丘略說法要我即於
後敷演其義謂无常義苦義空義无我義寂
滅義時維摩詰來謂我言唯迦旃延无以生
滅心行說實相法迦旃延諸法畢竟不生不
滅是无常義五受陰洞達空无所起是苦義
諸法究竟无所有是空義於我无我而不二
是无我義法本不然今則无滅是寂滅義說
是法時彼諸比丘心得解脫故我不任詣彼
問疾
佛告阿那律汝行詣維摩詰問疾阿那律白
佛言世尊我不堪任詣彼問疾所以者何憶
念我昔於一處經行時有梵王名曰嚴淨與
万梵俱放淨光明來詣我所稽首作礼問我
言幾何那律天眼所見我即荅言仁者吾

言幾何那律天眼所見我即荅言仁者吾
見此釋迦牟尼佛土三千大千世界如觀掌中
菴摩勒菓時維摩詰來謂我言唯阿那律天
眼所見為作相耶无作相耶假使作相則與外道
五通等若无作相即是无為不應有見世尊
我時嘿然彼諸梵聞其言得未曾有即為作
礼而問曰世孰有真天眼者維摩詰言有佛
世尊得真天眼常在三昧悉見諸佛國不以
二相於是嚴淨梵王及其眷屬五百梵天皆
發阿耨多羅三藐三菩提心礼維摩詰足
已忽然不現故我不任詣彼問疾
佛告優波離汝行詣維摩詰問疾優波離白
佛言世尊我不堪任詣彼問疾所以者何憶
念昔者有二比丘犯律行以為恥不敢問佛
來問我言唯優波離我等犯律誠以為恥不
敢問佛願解疑悔得免斯咎我即為其如法
解說時維摩詰來謂我言唯優波離无重增
此二比丘罪當直除滅勿擾其心所以者何
彼罪性不在內不在外不在中間如佛所說
心垢故衆生垢心淨故衆生淨心亦不在內
不在外不在中間如其心然罪垢亦然諸法
亦然不出於如如優波離以心相得解脫時
寧有垢不我言不也維摩詰言一切衆生心
相无垢亦復如是唯優波離妄相是垢无妄
相是淨顛倒是垢无顛倒是淨取我是垢不
取我是淨優波離一切法生滅不住如幻如

取我是淨優波離一切法生滅不住如幻如
電諸法不相待乃至一念不住諸法皆妄見
如夢如炎如水中月如鏡中像以妄想生其
知此者是名奉律其知此者是名善解於是
二比丘言上智哉是優婆離所不及持律之
上而不能說我荅言自捨如來未有聲聞及
菩薩能制其樂說之辯其智慧明達爲若此
也時二比丘疑悔即除發阿耨多羅三藐三
菩提心作是願言令一切衆生皆得是辯故
我不任詣彼問疾
佛告羅睺羅汝行詣維摩詰問疾羅睺羅白
佛言世尊我不堪任詣彼問疾所以者何憶
念昔時毗耶離諸長者子來詣我所稽首
作礼問我言唯羅睺羅汝佛之子捨轉輪王
位出家爲道其出家者有何等利我即如法爲
說出家功德之利時維摩詰來謂我言唯羅
睺羅不應說出家功德之利所以者何无利无
功德是爲出家有爲法者可說有利有功德
夫出家者爲无爲法无爲法中无利无功德
羅睺羅夫出家者无彼无此亦无中間離六十
二見處於涅槃智者所受聖所行處降伏衆
魔度五道淨五眼得五力立五根不惱於彼
離衆雜惡摧諸外道超越假名出淤泥无繫
著无我所无所受无擾亂內懷喜護彼意隨
禪定離衆過若能如是是真出家於是維摩
詰語諸長者子汝等於正法中宜共出家所

BD00463 號　維摩詰所說經卷上　（26–17）

詰語諸長者子汝等於正法中宜共出家所
以者何佛世難值諸長者子言居士我聞佛
言父母不聽不得出家維摩詰言然汝等便
發阿耨多羅三藐三菩提心是即出家是即
具足介時三十二長者子皆發阿耨多羅三
藐三菩提心故我不任詣彼問疾
佛告阿難汝行詣維摩詰問疾阿難白佛言
世尊我不堪任詣彼問疾所以者何憶念昔
時世尊身小有疾當用牛乳我即持鉢詣大
婆羅門家門下立時維摩詰來謂我言唯阿
難何爲晨朝持鉢住此我言居士世尊身小
有疾當用牛乳故來至此維摩詰言止止阿
難莫作是語如來身者金剛之體諸惡已斷
衆善普會當有何疾當有何惱嘿往阿難勿
謗如來莫使異人聞此麤言无令大威德諸
天及他方淨土諸來菩薩得聞斯語阿難轉
輪聖王以少福故尚得無病豈况如來無量
福會普勝者哉行矣阿難勿使我等受斯耻也
外道梵志若聞此語當作是念何名爲師自
疾不能救而能救諸疾人可密速去勿使人
聞當知阿難諸如來身即是法身非思欲身
佛爲世尊過於三界佛身無漏諸漏已盡佛
身無爲不墮諸數如此之身當有何疾時我
世尊實懷慚愧得無近佛而謬聽耶即聞空
中聲曰阿難如居士言但爲佛出五濁惡世
現行斯法度脫衆生行矣阿難取乳勿慚世

BD00463 號　維摩詰所說經卷上　（26–18）

現行斯法度脫衆生行矣阿難取乳勿慚世
尊維摩詰智慧辯才為若此也是故不任詣
彼問疾如是五百大弟子各各向佛說其本
緣稱述維摩詰所言皆曰不任詣彼問疾

維摩詰經菩薩品第四

於是佛告弥勒菩薩汝行詣維摩詰問疾弥
勒白佛言世尊我不堪任詣彼問疾所以者
何憶念我昔為兜率天王及其眷屬說不退
轉地之行時維摩詰來謂我言弥勒世尊授
仁者記一生當得阿耨多羅三藐三菩提為
用何生得授記乎過去耶未來耶現在耶若
過去生過去生已滅若未來生未來生未至
若現在生現在生無住如佛所說比丘汝今
即時亦生亦老亦滅若以無生得授記者無
生即是正位於正位中亦無授記亦無得阿
耨多羅三藐三菩提云何弥勒受一生記乎
為從如生得授記耶為從如滅得授記耶若
以如生得授記者如無有生若以如滅得授
記者如無有滅一切衆生皆如也一切法亦
如也衆聖賢亦如也至於弥勒亦如也若弥
勒得授記者一切衆生亦應授記所以者何
夫如者不二不異若弥勒得阿耨多羅三藐三
菩提者一切衆生皆亦應得所以者何一
切衆生即菩提相若弥勒得滅度者一切衆生
亦當滅度所以者何諸佛知一切衆生畢竟
寂滅即涅槃相不復更滅是故弥勒無以此

亦當滅度所以者何諸佛知一切衆生畢竟
寂滅即涅槃相不復更滅是故弥勒無以此
法誘諸天子實無發阿耨多羅三藐三菩提
心者亦無退者弥勒當令此諸天子捨於分
別菩提之見所以者何菩提者不可以身得
不可以心得寂滅是菩提滅諸相故不觀是
菩提離諸緣故不行是菩提無憶念故斷是
菩提捨諸見故離是菩提離諸妄想故鄣是
菩提鄣諸願故不入是菩提無貪著故順是
菩提順於如故住是菩提住法性故至是菩提至
實際故不二是菩提離意法故等是菩提
等虛空故無為是菩提無生住滅故智是菩
提了衆生心行故不會是菩提諸入不會故
不合是菩提離煩惱習故無處是菩提無形
色故假名是菩提名字空故如化是菩提無
取捨故無亂是菩提常自靜故善寂是菩提
性清淨故無取是菩提離攀緣故無異是菩
提諸法等故無比是菩提無可喻故微妙是
菩提諸法難知故世尊維摩詰說是法時二
百天子得無生法忍故我不任詣彼問疾
佛告光嚴童子汝行詣維摩詰問疾光嚴白
佛言世尊我不堪任詣彼問疾所以者何憶
念我昔出毗耶離大城時維摩詰方入城我
即為作礼而問言居士從何所來答我言吾
從道場來我問道場者何所是答曰直心是
道場無虛假故發行是道場能辦事故深心

從道場來我問道場者何所是答曰直心是
道場無虛假故發行是道場能辦事故深心
是道場增益功德故菩提心是道場無錯謬
故布施是道場不望報故持戒是道場得願
具故忍辱是道場於諸衆生心無㝵故精進是
道場不懈怠故禪定是道場心調柔故智慧
是道場現見諸法故慈是道場等衆生故悲
是道場忍疲苦故喜是道場悅樂法故捨是
道場憎愛斷故神通是道場成就六通故解
脫是道場能背捨故方便是道場教化衆生
故四攝法是道場攝衆生故多聞是道場如聞
行故伏心是道場正觀諸法故三十七品是
道場捨有為法故諦是道場不誑世間故緣
起是道場無明乃至老死皆無盡故諸煩惱
是道場知如實故衆生是道場知無我故一切
法是道場知諸法空故降魔是道場不傾
動故三界是道場無所趣故師子吼是道場
無所畏故力無畏不共法是道場無諸過故
三明是道場無餘㝵故一念知一切法是道場
成就一切智故如是善男子菩薩若應諸波
羅蜜教化衆生諸有所作舉足下足當知皆
從道場來住於佛法矣說是法時五百天
人皆發阿耨多羅三藐三菩提心故我不任
詣彼問疾
佛告持世菩薩汝行詣維摩詰問疾持世白
佛言世尊我不堪任詣彼問疾所以者何憶念
我昔住於靜室時魔波旬從万二千天女狀

佛言世尊我不堪任詣彼問疾所以者何憶念
我昔住於靜室時魔波旬從万二千天女狀
如帝釋鼓樂絃歌來詣我所與其眷屬稽首
我足合掌恭敬於一面立我意謂是帝釋而
語之言善來憍尸迦雖福應有不當自恣
當觀五欲無常以求善本於身命財而修堅
法即語我言正士受是万二千天女可備掃
灑我言憍尸迦無以此非法之物要我沙門釋
子此非我宜所言未訖時維摩詰來謂我言
非帝釋也是為魔來嬈固汝耳即語魔言
是諸女等可以與我如我應受魔即驚懼念
維摩詰將無惱我欲隱形去而不能隱盡其
神力亦不得去即聞空中聲曰波旬以女與之
乃可得去魔以畏故俛仰而與尒時維摩詰語
諸女言魔以汝等與我今汝皆當發阿耨多羅
三藐三菩提心即隨所應而為說法令發道
意復言汝等已發道意有法樂可以自娛不
應復樂五欲樂也天女即問何謂法樂答言樂
常信佛樂欲聽法樂供養衆樂離五欲樂
觀五陰如怨賊樂觀四大如毒蛇樂觀內入如
空聚樂隨護道意樂饒益衆生樂敬養師
樂廣行施樂堅持戒樂忍辱柔和樂懃集善
根樂禪定不亂樂離垢明慧樂廣菩提心樂降
伏衆魔樂斷諸煩惱樂淨佛國土樂成就相
好故樂脩諸功德樂嚴道場樂聞深法不畏
樂三脫門不樂非時樂近同學樂之非同學

伏衆魔樂斷諸煩惱樂淨佛國土樂成就相
好故樂脩諸功德樂莊嚴道場樂聞深法不畏
樂三脫門不樂非時樂近同學樂於非同學
中心無恚㝵樂將護惡知識樂近善知識樂
心喜清淨樂脩無量道品之法是為菩薩法
樂於是波旬告諸女言我欲與汝俱還天宮
諸女言以我等與此居士有法樂我等甚樂
不復樂於五欲樂也魔言居士可捨此女一切
所有施於彼者是為菩薩維摩詰言我已捨
矣汝便將去令一切衆生得法願具足於是
諸女問維摩詰我等云何止於魔宮維摩詰
言諸姊有法門名無盡燈汝等當學無盡燈
者譬如一燈然百千燈冥者皆明明終不盡
如是諸姊夫一菩薩開導百千衆生令發阿
耨多羅三藐三菩提心於其道意亦不滅盡
隨所說法而自增益一切善法是名無盡燈
也汝等雖住魔宮以是無盡燈令無數天子
天女發阿耨多羅三藐三菩提心者為報佛
恩亦大饒益一切衆生尒時天女頭面礼維
摩詰足隨魔還宮忽然不現世尊維摩詰
有如是自在神力智慧辯才故我不任詣彼
問疾
佛告長者子善德汝行詣維摩詰問疾善德
白佛言世尊我不堪任詣彼問疾所以者何
憶念我昔自於父舍設大施會供養一切沙
門婆羅門及諸外道貧窮下賤孤獨乞人期

白佛言世尊我不堪任詣彼問疾所以者何
憶念我昔自於父舍設大施會供養一切沙
門婆羅門及諸外道貧窮下賤孤獨乞人期
滿七日時維摩詰來入會中謂我言長者子
夫大施會不當如汝所設當為法施之會何用
是財施會為我言居士何謂法施之會法施
會者無前無後一時供養一切衆生是名法
施之會何謂也謂以菩提起於慈心以救衆
生起大悲心以持正法起於喜心以攝智慧
行於捨心以攝慳貪起檀波羅蜜以化犯戒
起尸波羅蜜以無我法起羼提波羅蜜以離
身心相起毗棃耶波羅蜜以菩提相起禪波
羅蜜以一切智起般若波羅蜜教化衆生而
起於空不捨有為法而起無相示現受生而
起無作護持正法起方便力以度衆生起四
攝法以敬事一切起除慢法於身命財起三堅
法於六念中起思念法於六和敬起質直
心正行善法起於淨命心淨歡喜起近賢
聖不憎惡人起調伏心以出家法起於深心
以如說行起於多聞以無諍法起空閑處趣
向佛慧起於宴坐解衆生縛起脩行地以具
相好及淨佛土起福德業知一切衆生心念如
應說法起於智業知一切法不取不捨入
一相門起於慧業斷一切煩惱一切鄣㝵一切
不善法起一切善業以得一切智慧一切善
法起於一切助佛道法如是善男子是為

應說法起於智業如一切法不取不捨入
一相門起於慧業斷一切煩惱一切鄣导一切
不善法起一切善業以得一切智慧一切善
法起於一切助佛道法如是善男子是為
法施之會若菩薩住是法施會者為大施主
亦為一切世間福田世尊維摩詰說是法時
婆羅門衆中二百人皆發阿耨多羅三藐三
菩提心我時心得清淨歎未曾有稽首礼維
摩詰足即解瓔珞價直百千以上之不肯取我
言居士願必納受隨意所與維摩詰乃受
瓔珞分作二分持一分施此會中一最下乞人持
一分奉彼難勝如來一切衆會皆見光明
國土難勝如來又見珠瓔在彼佛上變成四
柱寶臺四面嚴飾不相鄣蔽時維摩詰
現神變已作是言若施主等心施一最下乞人
猶如來福田之相無所分別等于大悲不求
果報是則名曰具足法施城中一最下乞人
見是神力聞其所說皆發阿耨多羅三藐
三菩提心故我不任詣彼問疾如是諸菩
薩各各向佛說其本緣稱述維摩詰所言
皆曰不任詣彼問疾

維摩詰經卷上

BD00463 號　維摩詰所說經卷上　（26–25）

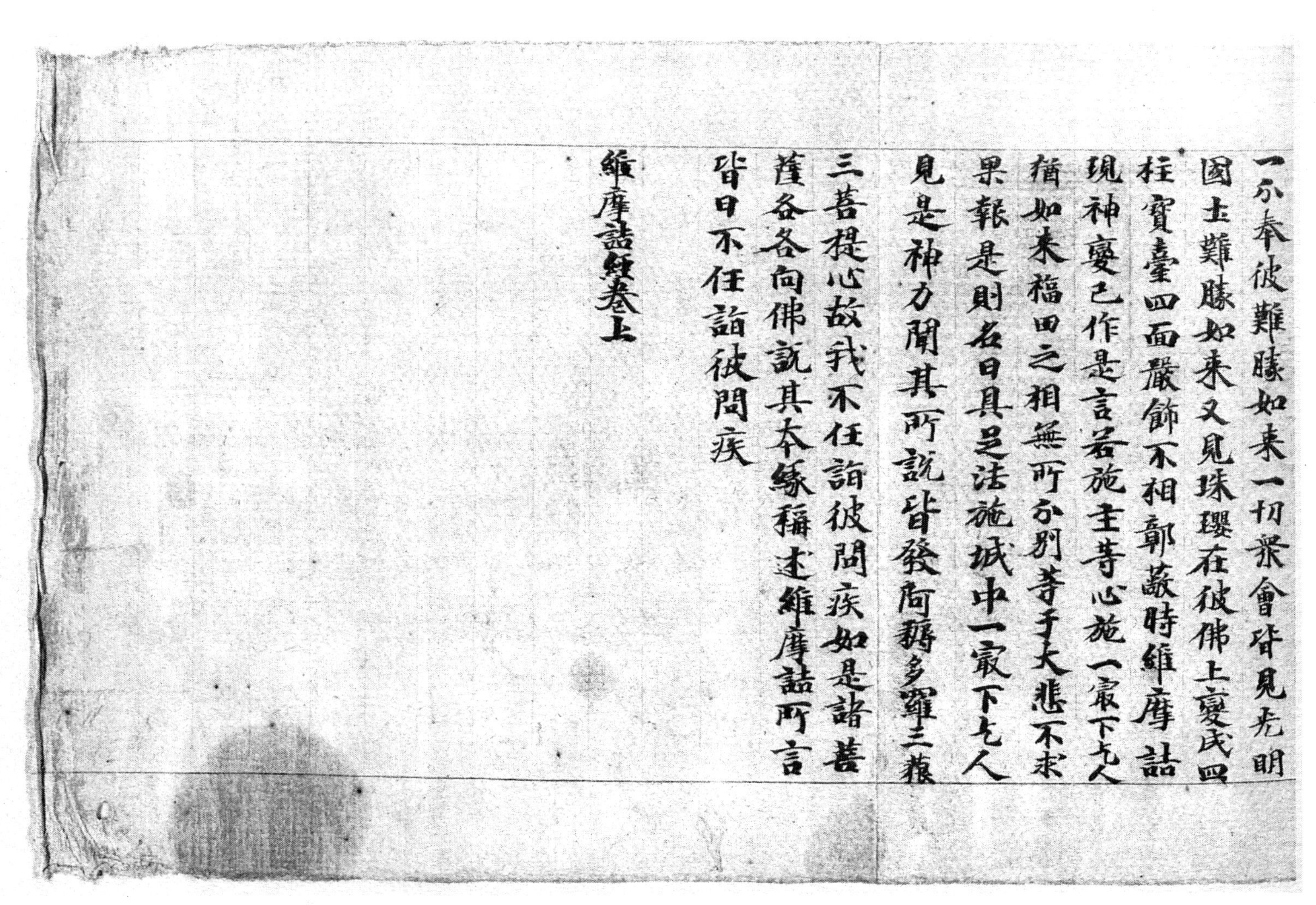
一分奉彼難勝如來一切衆會皆見光明
國土難勝如來又見珠瓔在彼佛上變成四
柱寶臺四面嚴飾不相鄣蔽時維摩詰
現神變已作是言若施主等心施一最下乞人
猶如來福田之相無所分別等于大悲不求
果報是則名曰具足法施城中一最下乞人
見是神力聞其所說皆發阿耨多羅三藐
三菩提心故我不任詣彼問疾如是諸菩
薩各各向佛說其本緣稱述維摩詰所言
皆曰不任詣彼問疾

維摩詰經卷上

BD00463 號　維摩詰所說經卷上　（26–26）

一行三方[illegible]人[illegible]償與故須重尼亦故難謂請[illegible]食[illegible]尼食三衣[illegible]
勸足索義三二易足衣作及三過量是衣五三有五戒犯同緣異謂請足食名同
而開緣不同久可離合不同与外道食知雖是同与緣不同藏尋長衣鉢同
不過量浴衣生死緣不同久可名字不同此等俱得提罪名為犯同緣有
異故下尼律云別制不同文義至文中解餘以同故至尼律中具列本分位
言於十法中始論如優婆塞優婆夷尼戒有境界判別通義有異如兩舌惡口綺
過五六語等及說可知 第二任運者前自他四緣第一第三教人犯中可見廣解
釁二毀餘十九戒各有任運餘未可知已下通文別釋 故妄語戒第一 初意
者然出家之人理宜釋囂宗身命許無虛誑今返違心詐想欺誑前人
令犯重解首失正利過患之甚是以聖制 二釋名者言不稱實可以名妄妄
之在口曰語無心不犯故曰故妄語戒 三具緣通緣如上別緣有六一人從人種上
遠想說四知遠想語說五曰言說云前人聞知四前緣此說可知 多論妄語兩舌
惡口歷往兩舌綺說故非惡口第二是妄語是兩舌非惡口不實故是妄語不分
離心非兩舌綺語說故非惡口第二是妄語是兩舌非惡口不實故是妄語離
心故是兩舌綺語說故非惡口第三妄語是惡口非兩舌四具有三下數皆兩
舌住法久有四句類說可知已上四明戒本此戒因多力比丘善能談論与外道議
前後語異梵志譏嫌比丘舉過佛便制戒 若比丘知妄語者故說 此福之
戒本文有三句一者犯人二故妄語三遠制結犯初句可知第二言知而妄語
於中文三一明妄語境二弁誑人犯義三前後方便多少言妄語境者有
其八種一見言不見二聞言不聞三觸言不觸四知言不知餘四反上可知
此是妄語境第二言犯義者眼見者識能見者知乃至意能知不見者
餘眼識餘五識類可知及言方便多少者於中有四初三時有心本作
妄語念時意是妄語已知妄語第二第三各有句兩二時有一時無心第四
一句三時無第三言汲逐遠者犯名若三時有心妄語者皆得提根本提罪
次有兩句二時有心一時無心者未為根本有心前後無心此四名提前
後有心根本無心前一有心後二無心此三得吉 如律

BD00464號　四分律戒本疏卷三　（2–1）

惡口虛誑兩舌綺語說故非惡口第三是妄語是兩舌非惡口不實故是妄語不含
雜心非兩舌綺語說故非惡口第二是妄語是兩舌非惡口不實故是妄語雜
心故是兩舌綺語說故非惡口第三妄語是惡口非兩舌四具有三下數此兩
舌住作之有四句類說可知已上四明戒本此戒因名為力比丘善能談論與外道議
前後語異梵志譏嫌比丘舉過佛便制戒 若比丘知妄語者波逸 此篇足之
戒本文有三句一者犯人二故妄語三遠制結犯初句可知第二言知而妄語
於中文三一明妄語境二辨誑人犯義三前後方便多少言妄語境者有
其八種一見言不見二聞言不聞三觸言不觸四知言不知餘四反上可知
此是妄語境第二言犯義者眼見者識能見者知乃至意能知不見者
餘眼識餘五識類可知反言方便多少者於中有四初三時有心本作
妄語念時意是妄語已知妄語第二第三各有句兩二時有一時無心第四
一句三時無第三言波逸提者犯名若三時有心妄語者皆得提根本提罪
次有兩句二時有心一時無心者未有根本有心前後無心此四名提前
後有心根本無心前一有心後二無心前二無心後一有心前二無心此三得吉 如律
廣說第四一句三時無心悉皆不犯又律云所見異所聞異所欲異所觸異
所想異所心異 如此諸事皆是妄語言所見異者行心之中見於前
狼言見似像者是言所思異者須仙彼境安心若受名之為君對施
樂受異本所忍故曰所忍異言所欲異者緣於財色稀須名欲即言
欲得聞法故曰所欲異言所觸異者生禪行中實得冷觸言得熱
觸是名所觸異言所想異者無生異想想言有亂想故曰也言所
心異者行心緣此答言緣故云所心異皆得提罪又律言說
戒時乃至三問憶念有罪而不發露者犯黑妄語吉羅 僧祇房見等
逐蓋生問言見不得妄語不得不受又應問餘事乃至看自指甲應
方便引樓令蓋生速去如是方便無犯 十誦若語高性人云是下姓者
犯墮若語兩眼人云汝一眼得妄語提又挫惱比丘故提三種若起心故
誑前人得青心吉若發言前人未解得對首吉若言了前人解
即得提罪不犯中律云但稱想說見言見不見言不見
乙惠更見

人持蓋不應爲說法　不應

學戒法今問諸大德

諸大德是中清淨默然

法半月半月說戒經中

應與現前毗尼　當與現前毗尼

應與不癡毗尼　當與不癡毗尼　應與自

應與覓罪相　當與覓罪相　應與多人……人覓

罪相　應與如草覆地　當與如草覆地

諸大德我已說七滅諍法今問諸大德是中清淨不 三說

諸大德是中清淨默然故是事如是持　諸大德我已說

戒序已說四波羅夷法已說十三僧伽婆尸沙法已說

二不定法已說三十尼薩耆波逸提法已說九十波逸提法

已說四波羅提提舍尼法已說衆學戒法已說七滅諍

法此是佛所說戒經半月半月說戒經中來若更有餘佛

法此是佛所說戒是中皆共和合應當學　忍辱第一道

佛說无爲最　出家惱他人　不名爲沙門　此是毗婆尸　如來無所著等正覺

說是戒經於　譬如明眼人　能避嶮惡道　世有聰明人　能遠離諸惡

此是尸棄如來无所著等正覺說是戒經　不謗亦不嫉　當奉行

於戒　飯食知止足　常樂在空閑　心定樂精進　是名諸佛教

此是毗葉羅　如來无所著等正覺說是戒經　譬如蜂採花

不壞色與香　但取其味去　比丘入聚然　不違戾他事　不觀作不作

但自觀身行　若正若不正　此是拘留孫　如來无所著等正覺說

BD00465號1　四分律比丘戒本　　（4–1）

此是毗葉羅如來无所著等正覺說是戒經　譬如蜂採花
不壞色與香　但取其味去　比丘入聚然　不違戾他事　不觀作不作
但自觀身行　若正若不正　此是拘留孫如來无所著等正覺說
是戒經　心莫作放逸　聖法當勤學　如是无憂愁　心定入涅槃
此是拘那含牟尼如來无所著等正覺說是戒經　一切惡莫作
當奉行諸善　自淨其志意　是則諸佛教　此是迦葉如來无
所著等正覺說是戒經　善護於口言　自淨其志意　身莫作諸惡
此三業道淨　能得如是行　是大仙人道　此是釋迦牟尼如來
无所著等正覺於十二年中為無事僧說是戒經　從此已後
廣分別說　諸比丘自為樂法樂沙門者　有慚有愧樂學
戒學者當於中學
明人能護戒　能得三種樂　名譽及利養　死得生天上
當觀如是處　有智勤護戒　戒淨有智慧　便得第一道
如過去諸佛　及以未來者　現在諸世尊　能勝一切憂
皆共尊敬戒　此是諸佛法　七佛為世尊　滅除諸結使
當尊重正法　此是諸佛教　七佛為世尊　滅除諸結使
說是七戒經　諸縛得解脫　已入於涅槃　諸戲永滅盡
尊行大仙說　聖賢稱譽戒　弟子之所行　入寂滅涅槃　世尊涅槃時
興起於大悲　集諸比丘衆　與如是教戒　莫謂我涅槃　淨行者无護
我今說戒經　亦善說毗尼　我雖涅槃　當視如世尊　此經久住世
佛法得熾盛　以是熾盛故　得入於涅槃　若不持此戒　如所應布薩
喻如日沒時　世界皆闇冥　當護持是戒　如猫牛愛尾　和合一處坐
如佛之所說　我已說戒經　衆僧布薩竟　我今說戒經　所說諸功德
施一切衆生　皆共成佛道
四分戒本一卷

小鈔一卷　夫欲發起先知教至歸三藏之中何藏所攝　一修多羅藏
此云經藏　二毗奈耶藏　此云律藏　三阿毗達磨藏　此云論藏　今此四分戒本
三藏之中即毗尼藏所攝　律有四名　一名為戒　若就教釋防非為戒　若就行解止惡為戒　又約釋防非止惡名
之為戒　二名為律　若就教釋詮量輕重以之為律　又釋詮量輕重決是非名之為律　若就行釋調伏對鈙以之為律　三名波羅提
木叉　此是梵語　唐言别〻解脱　若就教釋此是解傳〻之念〻之中能離煩惱　故云彼〻解脱　又釋斷絶羈縛念〻離塵染名為木叉

BD00465 號 1　四分律比丘戒本　（4–2）
BD00465 號 2　小鈔

之為戒　二名為律 若就教釋詮量輕重以之為律又釋詮量輕重決是非 名之為律 若就行釋調伏罰鍛以之為律　三名波羅提
木叉 此是梵語唐言別別解脫若就教釋此是解傳念念之中能離煩惱故名彼彼解脫 又釋斷絕羅縛傳念念離塵染名為木叉
四名毗尼 此是梵語唐言除滅若就教釋佉餘弥背諍論故名為滅 若就行釋斷除生死善盡 无為僕泊故名為滅 又釋滅除生死盡 諸善回故云毗尼
毗尼藏世尊在世親自宣傳臨涅槃付囑阿難、滅度付囑商那和修、涅槃
付囑優波毱多已上五大師佛法皆同味後毱多有五弟子覺生異見
遂分為五　一名薩婆多即十誦律主是也　二曇無德即四分律主是
三彌沙塞即五分律主是也　四名婆麁富那即僧祇律主是也　五
名迦葉惟亦名迦葉毗律律本未來漢地也　今此四分律主即曇無德部
是此梵語唐言法正部也　得戒有十種　一自然得戒唯佛
二自誓得戒謂大迦葉　三見諦得戒謂五俱輪等五比丘　四善來得戒
謂耶舍等　五三語得戒謂佛在世未制戒前但受三歸即得具足
六問答得戒謂須陁耶彌沙年始七歲佛問其義一一具答稱可聖
心便蒙具足　七八敬得戒謂大愛道從阿難聞八法已歡喜頂受
便蒙具足　八教者　百罵舉擯懺請安自　八遣使得戒謂半迦
尸尼有難緣差使乞戒即得具足　九羯磨得戒謂十僧作法十邊
方五人授大戒　已前上九種屬佛在世羯磨一法教通凡聖被及僧
尼誠羅現未須知作法　問羯磨受戒具足幾緣得名如法
答依僧秘律具六因緣　一年滿廿三衣鉢具　二身无遮難　三結界
成就　四界内盡集　五羯磨成就　六十僧滿足　備此六緣得名如法闕一不成
問界有幾種　答一者作界法　二者自然界　作法界有三　一者攝僧界
二攝依界　三攝食界　僧界有三種　一者大界　二者界場　三小界　今
就大界之內又有三種　謂人法二同界　法食二同界　法同食別界
若就自然界中者則分四　一者謂聚落界　二者蘭若界　三者道行界
四者水界　問羯磨有幾種　答有一百卅四種　單白羯磨有卅九種
白二羯磨有五十七　白四羯磨　此三羯磨攝一切羯磨皆盡　明五篇
法　一波羅夷篇 盖是西音此云无餘若犯此戒永弃眾外 故曰无餘不得与僧同行布薩羯磨弃在眾外故云无餘
二僧伽婆尸沙篇 此云僧殘若犯此戒僧中數故其不故云僧殘 若犯此戒行別陜鍛不應在布薩羯磨
三波逸提篇 此方云墮若犯此戒墮落地獄 燒煮覆障故云墮也　四波羅提提舍尼 此方云向彼
悔若犯此戒事合可呵 對手懺悔故云向彼悔　五名式叉迦羅尼篇 此方云應當學威儀律行難 習方成故云應當學
明七聚法　一波羅夷聚　二僧伽婆尸沙聚　三偷蘭遮聚

三波逸提 燒煮覆障故云墮也
悔若犯此戒事合可呵 對手懺悔故云向彼悔
五名式叉迦羅尼篇 此方云應當學 威儀律行應習方成故云應當學
問七聚法 一波羅夷聚 二僧伽婆尸沙聚 三偷蘭遮聚 此是梵語 唐言麤惡亦云遮障 偷言遮蘭言鄣 若犯此罪大遮障聖道故云遮鄣 然偷蘭有四 五是偷蘭遮 滅擯不可除 二初篇下重偷蘭遮 八僧中悔 三初篇下輕偷蘭 二篇下重偷蘭遮 四僧中懺 四獨頭偷蘭遮及餘篇下偷蘭 三僧中悔
四波羅逸提聚 五波羅提提舍
尼聚 突吉羅聚 亦為二 一身惡作 二口惡說 突吉羅者 義翻之 惡作突
者名惡 吉羅名作 作惡不止故云突吉羅 亦云蹉跌身作名惡 口作名說 故云惡作惡說突吉羅 此二聚罪若故犯者應對手懺 若誤犯應責心懺
問殺戒具幾緣成犯 答具四緣 一前境是人 二興殺心 三起方
便 四與境合便犯 問答盜戒具幾緣成犯 答具六緣成犯 一有主物
二有主相 三有盜心 四重物 五興方便 六離本處便犯 問煞戒
具幾緣 答具五緣 一是人 二人相 三興盜道心 四起方便 五斷命根
問大妄語戒具幾緣 答具八緣成犯 一前境是人 二人想 三事虛 四知
是虛事 五有誑他心 六自言已得 七言辭了了 八前人知解
問僧有幾種 答四種 一者四人僧 除授戒自恣出罪一切羯磨應作 二者五人僧
除中國授戒出罪餘法得作 三者十人僧 除出罪餘法作 四者廿人僧 一切羯磨得作況復更多
問菩薩戒中煞先婬後 何故聲聞戒中婬先煞後 答菩薩為大慈
為本 是以煞戒為初 聲聞以梵行為機 是以婬戒為首 受衣法
若不持衣入聚落者 得無量罪 世世裸刑無衣服 若不串鉤紐入俗
人家 家家得罪 若食飲時 咽咽得罪 問云何名為三衣六物 一安多
會 有四種 一割截 二攝葉 三襟葉 四縵作 一長一短割截衣持 餘三衆隨後持 二名鬱多羅僧 有二種 一割截 二襟葉
二長一短 即是七條衣 受割截衣持 若餘衣准法 三僧伽梨 此衣有十八種 謂割截襟葉各九品 若受上衣廿五條 四衣長一短割截衣持 若
是襟葉條數 准上襟葉衣持 若中品三長一短 若是下品二長一短 授衣文 大德
一心 我比丘某甲 此鬱多羅僧七條衣受 兩長一短割截衣持
三衣若是餘衣及襟葉攝葉等 臨事准改 受文同上 捨衣文 大德一心念 我比丘某甲 此僧伽梨
是我三衣數 先受今捨 一說 下二衣及尼五衣等須捨亦爾 授藥法 藥有四種
一時藥

BD00465號背　雜寫

（1–1）

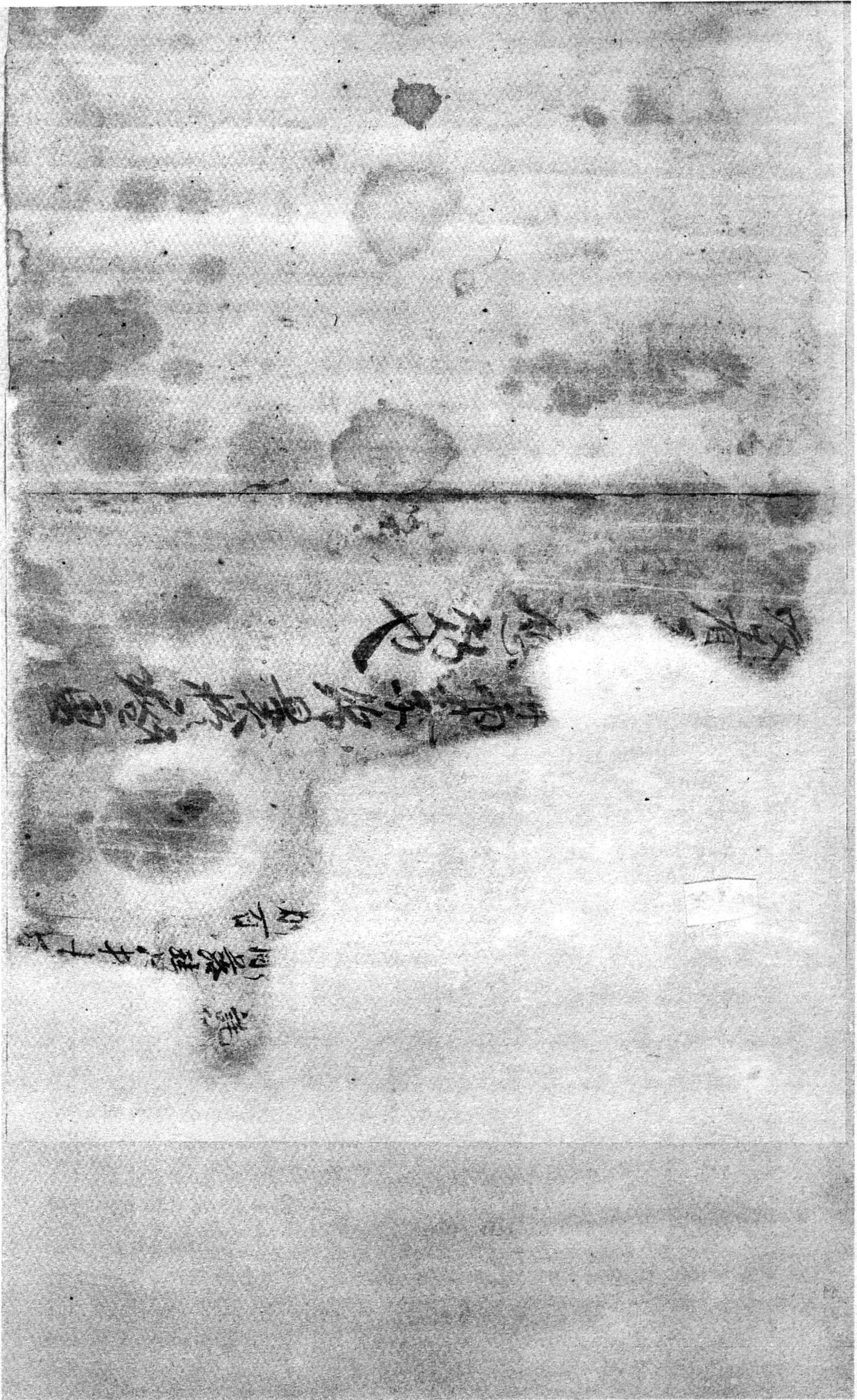

為父母宗
說是諸人等聞已隨喜復行
亦隨喜轉教如是展轉至第五十阿逸多其
第五十善男子善女人隨喜功德我今說之
汝當善聽若四百萬億阿僧祇世界六趣四
生衆生卵生胎生濕生化生若有形无形有
想无想非有想非无想无足二足四足多足
如是等在衆生數者有人求福隨其所欲娛
樂之具皆給與之一一衆生與滿閻浮提金
銀瑠璃車渠馬瑙珊瑚虎珀諸妙珍寶及象
馬車乘七寶所成宮殿樓閣等是大施主如
是布施滿八十年已而作是念我已施衆生
娛樂之具隨意所欲然此衆生皆已衰老年
過八十髮白面皺將死不久我當以佛法而
訓導之即集此衆生宣布法化示教利喜一
洹道斯陀含道阿那含道阿羅
漏於深禪定皆得自在具八解
是大施主所得功德寧為多
是人功德甚多无量无
衆生一切樂具功德无量

BD00466號　妙法蓮華經卷六　（25–1）

是大施主所得功德寧為多
是人功德甚多无量无
衆生一切樂具功德无量
果佛告彌勒我今分明語
汝是人以一切樂具施於四百万億阿僧祇
世界六趣衆生又令得阿羅漢果所得功德
不如是第五十人聞法華經一偈隨喜功德
百分千分百千万億分不及其一乃至筭數
譬喻所不能知阿逸多如是第五十人展轉
聞法華經隨喜功德尚无量无邊阿僧祇何
況最初於會中聞而隨喜者其福復勝无量
得比又阿逸多若人為是經
若立須臾聽受緣是功
妙象馬車乘珎寶輦輿
講法處坐更有人來
是人功德轉身得帝
處若轉輪聖王所生之處
語餘人言有經名法華可
共往聽即受其教乃至須臾間聞是人功德
身得與陀羅尼菩薩共生一處利根智慧
千万世終不瘖瘂口氣不臭舌常无病口
亦无病齒不垢黑不黃不踈亦不缺落不差
不曲脣不下垂亦不褰縮不麁澁不瘡胗亦
不缺壞亦不喎斜不厚不大亦不梨黑无諸
可惡鼻不匾㔸亦不曲戾面色不黑亦不狹

BD00466號　妙法蓮華經卷六　（25–2）

可惡鼻不匾㔸亦不曲戾面色不黑亦不狹
長亦不窊曲无有一切不可喜相脣舌牙齒
悉皆嚴好鼻脩高直面貌圓滿眉高而長
額廣平正人相具足世世所生見佛聞法信
受教誨阿逸多汝且觀是勸於一人令往聽
法功德如此何況一心聽說讀誦而於大衆
為人分別如說脩行尒時世尊欲重宣此
義而說偈言
若人於法會　得聞是經典　乃至於一偈　隨喜為他說
如是展轉教　至于第五十　冣後人獲福　今當分別之
如有大施主　供給无量衆　具滿八十歲　隨意之所欲
見彼衰老相　髮白而面皺　齒踈形枯竭　念其死不久
我今應當教　令得於道果　即為方便說　涅槃真實法
世皆不牢固　如水沫泡焰　汝等咸應當　疾生猒離心
諸人聞是法　皆得阿羅漢　具足六神通　三明八解脫
冣後第五十　聞一偈隨喜　是人福冣勝　不可為譬喻
如是展轉聞　其福尚无量　何況非法會　福聞隨喜者
若有勸一人　將引聽法華　言此經深妙　千万劫難遇
即受教往聽　乃至須臾聞　斯人之福報　今當分別說
世世无口患　齒不踈黃黑　脣不厚褰缺　无有可惡相
舌不乾黑短　鼻高脩且直　額廣而平正　面目悉端嚴
為人所喜見　口氣无臭穢　優鉢華之香　常從其口出
若故詣僧坊　欲聽法華經　須臾聞歡喜　今當說其福
後生天人中　得妙象馬車　珍寶之輦輿　及乘天宮殿
若於講法處　勸人坐聽經　是福因緣得　釋梵轉輪座

後生天人中　得妙象馬車　珍寶之輦輿　及乘天宮殿
若於講法處　勸人坐聽經　是福因緣得　釋梵轉輪座
何況一心聽　解說其義趣　如說而脩行　其福不可限
妙法蓮華經法師功德品第十九
尒時佛告常精進菩薩摩訶薩若善男子善
女人受持是法華經若讀若誦若解說若書
寫是人當得八百眼功德千二百耳功德八百
鼻功德千二百舌功德八百身功德千二
百意功德以是功德莊嚴六根皆令清淨是
善男子善女人父母所生清淨肉眼見於三
千大千世界內外所有山林河海下至阿鼻
地獄上至有頂亦見其中一切衆生及業因
緣果報生處悉見悉知尒時世尊欲重宣
此義而說偈言
若於大衆中　以无所畏心　說是法華經　汝聽其功德
是人得八百　功德殊勝眼　以是莊嚴故　其目甚清淨
父母所生眼　悉見三千界　內外弥樓山　須弥及鐵圍
并諸餘山林　大海江河水　下至阿鼻獄　上至有頂處
其中諸衆生　一切皆悉見　雖未得天眼　肉眼力如是
復次常精進若善男子善女人受持此經若
讀若誦若解說若書寫得千二百耳功德以
是清淨耳聞三千大千世界下至阿鼻地獄
上至有頂其中內外種種語言音聲象聲馬
聲牛聲車聲啼哭聲愁歎聲螺聲鼓聲
鍾聲鈴聲咲聲語聲男聲女聲童子聲童女
聲法聲非法聲苦聲樂聲凡夫聲聖人聲喜聲

聲法聲非法聲苦聲樂聲凡夫聲聖人聲喜聲
不喜聲天聲龍聲夜叉聲乾闥婆聲阿脩羅
聲迦樓羅聲緊那羅聲摩睺羅伽聲火聲水
聲風聲地獄聲畜生聲餓鬼聲比丘聲比丘尼
聲聲聞聲辟支佛聲菩薩聲佛聲以要言
之三千大千世界中一切內外所有諸聲雖得
天耳以父母所生清淨常耳皆悉聞知如是
分別種種音聲而不壞耳根尒時世尊欲
重宣此義而說偈言
父母所生耳　清淨無濁穢　以此常耳聞　三千世界聲
象馬車牛聲　鍾鈴螺鼓聲　琴瑟箜篌聲　簫笛之音聲
清淨好歌聲　聽之而不著　無數種人聲　聞悉能解了
又聞諸天聲　微妙之歌音　及聞男女聲　童男童女聲
山川嶮谷中　迦陵頻伽聲　命命等諸鳥　悉聞其音聲
地獄衆苦痛　種種楚毒聲　餓鬼飢渴逼　求索飲食聲
諸阿脩羅等　居在大海邊　自共語言時　出于大音聲
如是說法者　安住於此間　遙聞是衆聲　而不壞耳根
十方世界中　禽獸鳴相呼　其說法之人　於此悉聞之
其諸梵天上　光音及遍淨　乃至有頂天　言語之音聲
法師住於此　悉皆得聞之　一切比丘衆　及諸比丘尼
若讀誦經典　若為他人說　法師住於此　悉皆得聞之
復有諸菩薩　讀誦於經法　若為他人說　撰集解其義
如是諸音聲　悉皆得聞之　諸佛大聖尊　教化衆生者
於諸大衆中　演說微妙法　持此法華者　悉皆得聞之
三千大千界　內外諸音聲　下至阿鼻獄　上至有頂天

三千大千界　內外諸音聲　下至阿鼻獄　上至有頂天
皆聞其音聲　而不壞耳根　其耳聰利故　悉能分別知
持是法華者　雖未得天耳　但用所生耳　功德已如是
復次常精進若善男子善女人受持是經若讀
若誦若解說若書寫成就八百鼻功德以
是清淨鼻根聞於三千大千世界上下內外種
種諸香須曼那華香闍提華香末利華香
瞻蔔華香波羅羅華香赤蓮華香青蓮華香
白蓮華香華樹香菓樹香栴檀香沈水香多
摩羅跋香多伽羅香及千萬種和香若末若
丸若塗香持是經者於此間住悉能分別又
復別知衆生之香象香馬香牛羊等香男香
女香童子香童女香及草木叢林香若近若
遠所有諸香悉皆得聞分別不錯持是經者
雖住於此亦聞天上諸天之香波利質多羅
拘鞞陀羅樹香及曼陀羅華香摩訶曼陀羅
華香曼殊沙華香摩訶曼殊沙華香栴檀沈
水種種末香諸雜華香如是等天香和合所
出之香無不聞知又聞諸天身香釋提桓因在
勝殿上五欲娛樂嬉戲時香若在妙法堂上
為忉利諸天說法時香若於諸園遊戲時
香及餘天等男女身香皆悉遙聞如是展轉
乃至梵世上至有頂諸天身香亦皆聞之并
聞諸天所燒之香及聲聞香辟支佛香菩薩
香諸佛身香亦皆遙聞知其所在雖聞此香
然於鼻根不壞不錯若欲分別為他人說憶

悉於鼻根不壞不錯若欲分別為他人說憶
念不謬尒時世尊欲重宣此義而說偈言
是人鼻清淨　於此世界中　若香若臭物　種種悉聞知
須曼那闍提　多摩羅栴檀　沈水及桂香　種種華菓香
及知眾生香　男子女人香　說法者遠住　聞香知所在
大勢轉輪王　小轉輪及子　群臣諸宮人　聞香知所在
身所著珎寶　及地中寶藏　轉輪王寶女　聞香知所在
諸人嚴身具　衣服及瓔珞　種種所塗香　聞則知其身
諸天若行坐　遊戲及神變　持是法華者　聞香悉能知
諸樹華菓實　及蘇油香氣　持經者住此　悉知其所在
諸山深嶮處　栴檀樹華敷　眾生在中者　聞香皆能知
鐵圍山大海　地中諸眾生　持經者聞香　悉知其所在
阿脩羅男女　及其諸眷屬　鬪諍遊戲時　聞香皆能知
曠野險隘處　師子象虎狼　野牛水牛等　聞香知所在
若有懷任者　未辯其男女　无根及非人　聞香悉能知
以聞香力故　知其初懷任　成就不成就　安樂產福子
以聞香力故　知男女所念　染欲癡恚心　亦知脩善者
地中眾伏藏　金銀諸珎寶　銅器之所盛　聞香悉能知
種種諸瓔珞　无能識其價　聞香知貴賤　出處及所在
天上諸華等　曼陁曼殊沙　波利質多樹　聞香悉能知
天上諸宮殿　上中下差別　眾寶華莊嚴　聞香悉能知
天園林勝殿　諸觀妙法堂　在中而娛樂　聞香悉能知
諸天若聽法　或受五欲時　來往行坐卧　聞香悉能知
天女所著衣　好華香莊嚴　周旋遊戲時　聞香悉能知
如是展轉上　乃至於梵世　入禪出禪者　聞香悉能知
光音遍淨天　乃至于有頂　初生及退沒　聞香悉能知
諸比丘眾等　於法常精進　若坐若經行　及讀誦經法

光音遍淨天
諸比丘眾等　於法常精進　若坐若經行　及讀誦經法
或在林樹下　專精而坐禪　持經者聞香　悉知其所在
菩薩志堅固　坐禪若讀誦　或為人說法　聞香悉能知
在在方世尊　一切所恭敬　愍眾而說法　聞香悉能知
眾生在佛前　聞經皆歡喜　如法而脩行　聞香悉能知
雖未得菩薩　无漏法生鼻　而是持經者　先得此鼻相
復次常精進若善男子善女人受持是經若
讀若誦若解說若書寫得千二百舌功德若好
若醜若美不美及諸苦澀物在其舌根皆變
成上味如天甘露无不美者若以舌根於
大眾中有所演說出深妙聲能入其心皆令
歡喜快樂又諸天子天女釋梵諸天聞是深
妙音聲有所演說言論次第皆悉來聽及諸
龍龍女夜叉夜叉女乾闥婆乾闥婆女阿脩
羅阿脩羅女迦樓羅迦樓羅女緊那羅緊那
羅女摩睺羅伽摩睺羅伽女為聽法故皆來
親近恭敬供養及比丘比丘尼優婆塞優婆
夷國王王子群臣眷屬小轉輪王大轉輪王七
寶千子内外眷屬乘其宮殿俱來聽法以
是菩薩善說法故婆羅門居士國内人民盡
其形壽隨侍供養又諸聲聞辟支佛菩薩
諸佛常樂見之是人所在方面諸佛皆向其處
說法悉能受持一切佛法又能出於深妙法
音尒時世尊欲重宣此義而說偈言
是人舌根淨　終不受惡味　其有所食噉　悉皆成甘露

是人舌根淨　終不受惡味　其有所食噉　悉皆成甘露
以清淨妙音　於大衆說法　以諸因緣喻　引導衆生心
聞者皆歡喜　設諸上供養　諸天龍夜叉　及阿脩羅等
皆以恭敬心　而共來聽法　是說法之人　若欲以妙音
遍滿三千界　隨意即能至　大小轉輪王　及千子眷屬
合掌恭敬心　常來聽受法　諸天龍夜叉　羅刹毗舍闍
亦以歡喜心　常樂來供養　梵天王魔王　自在大自在
如是諸天衆　常來至其所　諸佛及弟子　聞其說法音
常念而守護　或時為現身
復次常精進若善男子善女人受持是經若
讀若誦若解說若書寫得八百身功德得清淨
身如淨琉璃衆生憙見其身淨故三千大
千世界衆生生時死時上下好醜生善處惡
處悉於中現及鐵圍山大鐵圍山彌樓山摩
訶彌樓山等諸山及其中衆生悉於中現下
至阿鼻地獄上至有頂所有及衆生悉於中
現若聲聞辟支佛菩薩諸佛說法皆於身中
現其色像尒時世尊欲重宣此義而說偈言
若持法華者　其身甚清淨　如彼淨琉璃　衆生皆憙見
又如淨明鏡　悉見諸色像　菩薩於淨身　皆見世所有
唯獨自明了　餘人所不見　三千世界中　一切諸群萌
天人阿脩羅　地獄鬼畜生　如是諸色像　皆於身中現
諸天等宮殿　乃至於有頂　鐵圍及彌樓　摩訶彌樓山
諸大海水等　皆於身中現　諸佛及聲聞　佛子菩薩等
若獨若在衆　說法悉皆現　雖未得无漏　法性之妙身
以清淨常體　一切於中現
復次常精進若善男子善女人如來滅後受

以清淨常體　一切於中現
復次常精進若善男子善女人如來滅後受
持是經若讀若誦若解說若書寫得千二百
意功德以是清淨意根乃至聞一偈一句通
達无量无邊之義解是義已能演說一句一
偈至於一月四月乃至一歲諸所說法隨其義
趣皆與實相不相違背若說俗間經書治世
語言資生業等皆順正法三千大千世界六
趣衆生心之所行心所動作心所戲論皆
悉知之雖未得无漏智慧而其意根清淨
如此是人有所思惟籌量言說皆是佛法无不
真實亦是先佛經中所說尒時世尊欲重宣
此義而說偈言
是人意清淨　明利无穢濁　以此妙意根　知上中下法
乃至聞一偈　通達无量義　次第如法說　月四月至歲
是世界內外　一切諸衆生　若天龍及人　夜叉鬼神等
其在六趣中　所念若干種　持法華之報　一時皆悉知
十方无數佛　百福莊嚴相　為衆生說法　悉聞能受持
思惟无量義　說法亦无量　終始不忘錯　以持法華故
悉知諸法相　隨義識次第　達名字語言　如所知演說
此人有所說　皆是先佛法　以演此法故　於衆无所畏
持法華經者　意根淨若斯　雖未得无漏　先有如是相
是人持此經　安住希有地　為一切衆生　歡喜而愛敬
能以千万種　善巧之語言　分別而說法　持法華經故
妙法蓮華經常不輕菩薩品第二十
尒時佛告得大勢菩薩摩訶薩汝今當知若
比丘比丘尼優婆塞優婆夷持法華經者若

比丘比丘尼優婆塞優婆夷持法華經者若
有惡口罵詈誹謗獲大罪報如前所說其所
得功德如向所說眼耳鼻舌身意清淨得大
勢乃往古昔過无量无邊不可思議阿僧祇
劫有佛名威音王如來應供正遍知明行足
善逝世間解无上士調御丈夫天人師佛世
尊劫名離衰國名大成其威音王佛於彼世
中為天人阿脩羅說法為求聲聞者說應四
諦法度生老病死究竟涅槃為求辟支佛者
說應十二因緣法為諸菩薩因阿耨多羅三
藐三菩提說應六波羅蜜法究竟佛慧得
大勢是威音王佛壽四十万億那由他恒河
沙劫正法住世劫數如一閻浮提微塵像法
住世劫數如四天下微塵其佛饒益眾生已然
後滅度正法像法滅盡之後於此國土復有
佛出亦号威音王如來應供正遍知明行足
善逝世間解无上士調御丈夫天人師佛世
尊如是次第有二万億佛皆同一号最初威
音王如來既已滅度正法滅後於像法中增
上慢比丘有大勢力尒時有一菩薩比丘名
常不輕得大勢以何因緣名常不輕是比丘
凡有所見若比丘比丘尼優婆塞優婆夷皆
悉礼拜讚嘆而作是言我深敬汝等不敢輕
慢所以者何汝等皆行菩薩道當得作佛而
是比丘不專讀誦經典但行礼拜乃至遠見
四眾亦復故往礼拜讚嘆而作是言我不敢

是比丘不專讀誦經典但行礼拜乃至遠見
四眾亦復故往礼拜讚嘆而作是言我不敢
輕於汝等汝等皆當作佛故四眾之中有生瞋
恚心不淨者惡口罵詈言是无智比丘從何
所來自言我不輕汝而與我等受記當得
作佛我等不用如是虛妄受記如此經歷多
年常被罵詈不生瞋恚常作是言汝當作佛
說是語時眾人或以杖木瓦石而打擲之避走
遠住猶高聲唱言我不敢輕於汝等汝等
皆當作佛以其常作是語故增上慢比丘比
丘尼優婆塞優婆夷号之為常不輕是比丘
臨欲終時於虛空中具聞威音王佛先所說
法華經二十千万億偈悉能受持即得如上
眼根清淨耳鼻舌身意根清淨得是六根清
淨已更增壽命二百万億那由他歲廣為人
說是法華經於時增上慢四眾比丘比丘尼
優婆塞優婆夷輕賤是人為作不輕名者見
其得大神通力樂說辯力大善寂力聞其所
說皆信伏隨從是菩薩復化千万億眾令住
阿耨多羅三藐三菩提命終之後得值二千
億佛皆号日月燈明於其法中說是法華經
以是因緣復值二千億佛同号雲自在燈王
於此諸佛法中受持讀誦為諸四眾說此經
典故得是常眼清淨耳鼻舌身意諸根清淨
於四眾中說法心无所畏得大勢是常不輕
菩薩摩訶薩供養如是若干諸佛恭敬尊重

菩薩摩訶薩供養如是若干諸佛恭敬尊重
讚歎種諸善根於後復值千万億佛亦於諸
佛法中說是經典功德成就當得作佛得大
勢於意云何尒時常不輕菩薩豈異人乎則
我身是若我於宿世不受持讀誦此經為他
人說者不能疾得阿耨多羅三藐三菩提我
於先佛所受持讀誦此經為人說故疾得阿
耨多羅三藐三菩提得大勢彼時四衆比丘
比丘尼優婆塞優婆夷以瞋恚意輕賤我故
二百億劫常不值佛不聞法不見僧千劫於
阿鼻地獄受大苦惱畢是罪已復遇常不輕
菩薩教化阿耨多羅三藐三菩提得大勢於
汝意云何尒時四衆常輕是菩薩者豈異人
乎今此會中跋陀婆羅等五百菩薩師子月
等五百比丘尼思佛等五百優婆塞皆於阿
耨多羅三藐三菩提不退轉者是得大勢當
知是法華經大饒益諸菩薩摩訶薩能令至
於阿耨多羅三藐三菩提是故諸菩薩摩訶
薩於如來滅後常應受持讀誦解說書寫是
經尒時世尊欲重宣此義而說偈言
過去有佛　号威音王　神智无量　將導一切
天人龍神　所共供養　是佛滅後　法欲盡時
有一菩薩　名常不輕　時諸四衆　計著於法
不輕菩薩　往到其所　而語之言　我不輕汝
汝等行道　皆當作佛　諸人聞已　輕毀罵詈
不輕菩薩　能忍受之　其罪畢已　臨命終時

汝等行道　皆當作佛　諸人聞已　輕毀罵詈
不輕菩薩　能忍受之　其罪畢已　臨命終時
得聞此經　六根清淨　神通力故　增益壽命
復為諸人　廣說是經　諸著法衆　皆蒙菩薩
教化成就　令住佛道　不輕命終　值无數佛
說是經故　得无量福　漸具功德　疾成佛道
彼時不輕　則我身是　時四部衆　著法之者
聞不輕言　汝當作佛　以是因緣　值无數佛
此會菩薩　五百之衆　并及四部　清信士女
今於我前　聽法者是　我於前世　勸是諸人
聽受斯經　第一之法　開示教人　令住涅槃
世世受持　如是經典　億億万劫　至不可議
時乃得聞　是法華經　億億万劫　至不可議
諸佛世尊　時說是經　是故行者　於佛滅後
聞如是經　勿生疑惑　應當一心　廣說此經
世世值佛　疾成佛道

妙法蓮華經如來神力品第二十一

尒時千世界微塵等菩薩摩訶薩從地踊出者
皆於佛前一心合掌瞻仰尊顏而白佛言世
尊我等於佛滅後世尊分身所在國土滅
度之處當廣說此經所以者何我等亦自欲
得是真淨大法受持讀誦解說書寫而供養
之尒時世尊於文殊師利等无量百千万億舊
住娑婆世界菩薩摩訶薩及諸比丘比丘
尼優婆塞優婆夷天龍夜叉乾闥婆阿脩羅
迦樓羅緊那羅摩睺羅伽人非人等一切衆
前現大神力出廣長舌上至梵世一切毛孔

前現大神力出廣長舌上至梵世一切毛孔
放於无量无數色光皆悉遍照十方世界衆
寶樹下師子座上諸佛亦復如是出廣長舌
放无量光釋迦牟尼佛及寶樹下諸佛現神
力時滿百千歲然後還攝舌相一時謦欬俱
共彈指是二音聲遍至十方諸佛世界地皆六
種震動其中衆生天龍夜叉乾闥婆阿脩羅
迦樓羅緊那羅摩睺羅伽人非人等以佛神
力故皆見此娑婆世界无量无邊百千万億
衆寶樹下師子座上諸佛及見釋迦牟尼佛
共多寶如來在寶塔中坐師子座又見无量
无邊百千万億菩薩摩訶薩及諸四衆恭敬
圍繞釋迦牟尼佛既見是已皆大歡喜得未
曾有即時諸天於虛空中高聲唱言過此无
量无邊百千万億阿僧祇世界有國名娑
婆是中有佛名釋迦牟尼今為諸菩薩摩訶
薩說大乘經名妙法蓮華教菩薩法佛所護
念汝等當深心隨喜亦當禮拜供養釋迦牟
尼佛彼諸衆生聞虛空中聲已合掌向娑婆
世界作如是言南无釋迦牟尼佛南无釋迦牟
尼佛以種種華香瓔珞幡蓋及諸嚴身之具
珎寶妙物皆共遙散娑婆世界所散諸物從
十方來譬如雲集變成寶帳遍覆此間諸
佛之上于時十方世界通達无礙如一佛土
尒時佛告上行等菩薩大衆諸佛神力如是
无量无邊不可思議若我以是神力於无量
无邊百千万億阿僧祇劫為囑累故說此經

无邊百千万億阿僧祇劫為囑累故說此經
功德猶不能盡以要言之如來一切所有之
法如來一切自在神力如來一切秘要之藏
如來一切甚深之事皆於此經宣示顯說是
故汝等於如來滅後應一心受持讀誦解說
書寫如說脩行所在國土若有受持讀誦解
說書寫如說脩行若經卷所住之處若於園
中若於林中若於樹下若於僧坊若白衣舍
若在殿堂若山谷曠野是中皆應起塔供養
所以者何當知是處即是道場諸佛於此得
阿耨多羅三藐三菩提諸佛於此轉于法輪
諸佛於此而般涅槃尒時世尊欲重宣此義而
說偈言
諸佛救世者　住於大神通　為悅衆生故　現无量神力
舌相至梵天　身放无數光　為求佛道者　現此希有事
諸佛謦欬聲　及彈指之聲　周聞十方國　地皆六種動
以佛滅度後　能持是經故　諸佛皆歡喜　現无量神力
囑累是經故　讚美受持者　於无量劫中　猶故不能盡
是人之功德　无邊无有窮　如十方虛空　不可得邊際
能持是經者　則為已見我　亦見多寶佛　及諸分身者
又見我今日　教化諸菩薩　能持是經者　令我及分身
滅度多寶佛　一切皆歡喜　十方現在佛　并過去未來
亦見亦供養　亦令得歡喜　諸佛坐道場　所得秘要法
能持是經者　不久亦當得　能持是經者　於諸法之義
名字及言辭　樂說无窮盡　如風於空中　一切无障礙
於如來滅後　知佛所說經　因緣及次第　隨義如實說
如日月光明　能除諸幽冥　斯人行世間　能滅衆生闇

於如來滅後　知佛所說經　因緣及次第　隨義如實說
如日月光明　能除諸幽冥　斯人行世間　能滅衆生闇
教无量菩薩　畢竟住一乘　是故有智者　聞此功德利
於我滅度後　應受持斯經　是人於佛道　決定无有疑

妙法蓮華經囑累品第二十二

尒時釋迦牟尼佛從法座起現大神力以右
手摩无量菩薩摩訶薩頂而作是言我於无
量百千万億阿僧祇劫脩習是難得阿耨多
羅三藐三菩提法今以付囑汝等汝等應當
一心流布此法廣令增益如是三摩諸菩薩
摩訶薩頂而作是言我於无量百千万億阿
僧祇劫脩習是難得阿耨多羅三藐三菩提
法今以付囑汝等汝等當受持讀誦廣宣此
法令一切衆生普得聞知所以者何如來有
大慈悲无諸慳悋亦无所畏能與衆生佛之
智慧如來智慧自然智慧如是一切衆生
之大施主汝等亦應隨學如來之法勿生慳
悋於未來世若有善男子善女人信如來智
慧者當為宣說此法華經使得聞知為令其
人得佛慧故若有衆生不信受者當於如來
餘深法中示教利喜汝等若能如是則為已
報諸佛之恩時諸菩薩摩訶薩聞佛作是說
已皆大歡喜遍滿其身益加恭敬曲躬低頭
合掌向佛俱發聲言如世尊勑當具奉行唯
然世尊願不有慮諸菩薩摩訶薩衆如是三
反俱發聲言如世尊勑當具奉行唯然世尊
願不有慮尒時釋迦牟尼佛令十方來諸分

BD00466號　妙法蓮華經卷六　（25–17）

反俱發聲言如世尊勑當具奉行唯然世尊
願不有慮尒時釋迦牟尼佛令十方來諸分
身佛各還本土而作是言諸佛各隨所安多
寶佛塔還可如故說是語時十方无量分身
諸佛坐寶樹下師子座上者及多寶佛并上
行等无邊阿僧祇菩薩大衆舍利弗等聲
聞四衆及一切世間天人阿脩羅等聞佛所
說皆大歡喜

妙法蓮華經藥王菩薩本事品第二十三

尒時宿王華菩薩白佛言世尊藥王菩薩云
何遊於娑婆世界世尊是藥王菩薩有若干
百千万億那由他難行苦行善哉世尊願少
解說諸天龍神夜叉乾闥婆阿脩羅迦樓羅
緊那羅摩睺羅伽人非人等又他方國土諸來
菩薩及此聲聞衆聞皆歡喜尒時佛告宿王
華菩薩乃往過去无量恒河沙劫有佛号日
月淨明德如來應供正遍知明行足善逝世
間解无上士調御丈夫天人師佛世尊其佛
有八十億大菩薩摩訶薩七十二恒河沙大
聲聞衆佛壽四万二千劫菩薩壽命亦等彼
國无有女人地獄餓鬼畜生阿脩羅等及以
諸難地平如掌瑠璃所成寶樹莊嚴寶帳覆
上垂寶華幡寶瓶香爐周遍國界七寶為
臺一樹一臺其樹去臺盡一箭道此諸寶樹
皆有菩薩聲聞而坐其下諸寶臺上各有百
億諸天作天伎樂歌嘆於佛以為供養尒時
彼佛為一切衆生喜見菩薩及衆菩薩諸聲聞

BD00466號　妙法蓮華經卷六　（25–18）

彼佛為一切衆生喜見菩薩及衆菩薩諸聲聞
衆說法華經是一切衆生喜見菩薩樂習苦
行於日月淨明德佛法中精進經行一心求佛
滿万二千歲已得現一切色身三昧得此
三昧已心大歡喜即作念言我得現一切色
身三昧皆是得聞法華經力我今當供養日
月淨明德佛及法華經即時入是三昧於虛
空中雨曼陀羅華摩訶曼陀羅華細末堅黑
栴檀滿虛空中如雲而下又雨海此岸栴檀
之香此香六銖價直娑婆世界以供養佛作
是供養已從三昧起而自念言我雖以神力
供養於佛不如以身供養即服諸香栴檀薰
陸兜樓婆畢力迦沉水膠香又飲瞻蔔諸華香
油滿千二百歲已香油塗身於日月淨明
德佛前以天寶衣而自纏身灌諸香油以神
通力願而自然身光明遍照八十億恒河沙
世界其中諸佛同時讚言善哉善哉善男子
是真精進是名真法供養如來若以華香瓔
珞燒香末香塗香天繒幡蓋及海此岸栴檀
之香如是等種種諸物供養所不能及假使
國城妻子布施亦所不及善男子是名第一
之施於諸施中最尊最上以法供養諸如來
故作是語已而各默然其身火然千二百歲
過是已後其身乃盡一切衆生喜見菩薩作
如是法供養已命終之後復生日月淨明德

過是已後其身乃盡一切衆生喜見菩薩作
如是法供養以命終之後復生日月淨明德
佛國中於淨德王家結加趺坐忽然化生即
為其父而說偈言
大王今當知　我經行彼處　即時得一切　現諸身三昧
懃行大精進　捨所愛之身
說是偈已而白父言日月淨明德佛今故現
在我先供養佛已得解一切衆生語言陀羅
尼復聞是法華經八百千万億那由他甄迦
羅頻婆羅阿閦婆等偈大王我今當還供養
此佛白已即坐七寶之臺上昇虛空高七多
羅樹往到佛所頭面禮足合十指爪以偈讚佛
容顏甚奇妙　光明照十方　我適曾供養　今復還親近
尒時一切衆生喜見菩薩說是偈已而白佛
言世尊世尊猶故在世尒時日月淨明德佛告
一切衆生喜見菩薩善男子我涅槃時到
滅盡時至汝可安施床座我於今夜當般涅
槃又勅一切衆生喜見菩薩善男子我以佛
法囑累於汝及諸菩薩大弟子并阿耨多羅
三藐三菩提法亦以三千大千七寶世界諸
寶樹寶臺及給侍諸天悉付於汝我滅度後
所有舍利亦付囑汝當令流布廣設供養應
起若干千塔如是日月淨明德佛勅一切衆
生憙見菩薩已於夜後分入於涅槃尒時一
切衆生憙見菩薩見佛滅度悲感懊惱戀慕

切衆生憙見菩薩見佛滅度悲感懊惱戀慕
於佛即以海此岸栴檀為積供養佛身而以
燒之火滅已後収取舍利作八万四千寶瓶
以起八万四千塔高三世界表刹荘嚴垂諸
幡盖懸衆寶鈴尒時一切衆生憙見菩薩復
自念言我雖作是供養心猶未足我今當更
供養舍利便語諸菩薩大弟子及天龍夜叉
等一切大衆汝等當一心念我今供養日月
淨明德佛舍利作是語已即於八万四千塔
前然百福荘嚴臂七万二千歲而以供養令
无數求聲聞衆无量阿僧秖人發阿耨多羅
三藐三菩提心皆使得住現一切色身三昧
尒時諸菩薩天人阿脩羅等見其无臂憂惱
悲哀而作是言此一切衆生喜見菩薩是我
等師教化我者而今燒臂身不具足于時一
切衆生憙見菩薩於大衆中立此誓言我捨
兩臂必當得佛金色之身若實不虛令我兩
臂還復如故作是誓已自然還復由斯菩薩
福德智慧淳厚所致當尒之時三千大千世
界六種震動天雨寶華一切人天得未曾有
佛告宿王華菩薩於汝意云何一切衆生喜見
菩薩豈異人乎藥王菩薩是也其所捨身
布施如是无量百千万億那由他數宿王華
若有發心欲得阿耨多羅三藐三菩提者能
然手指乃至足一指供養佛塔勝以國城妻

BD00466號　妙法蓮華經卷六　（25–21）

然手指乃至足一指供養佛塔勝以國城妻
子及三千大千国土山林河池諸珎寶物而供
養者若復有人以七寶滿三千大千世
界供養於佛及大菩薩辟支佛阿羅漢是人
所得功德不如受持此法華經乃至一四句
偈其福最多宿王華譬如一切川流江河諸
水之中海為第一此法華經亦復如是於諸
如來所說經中最為深大又如土山黑山小
鐵圍山大鐵圍山及十寶山衆山之中須弥
山為第一此法華經亦復如是於諸經中最
為其上又如衆星之中月天子最為第一此
法華經亦復如是於千万億種諸經法中最
為明照又如日天子能除諸闇此經亦復如
是能破一切不善之闇又如諸小王中轉輪
聖王最為第一此經亦復如是於衆經中最
為其尊又如帝釋於三十三天中王此經亦
復如是諸經中王又如大梵天王一切衆生
之父此經亦復如是一切賢聖學无學及
發菩薩心者之父又如一切凡夫人中須陁洹
斯陁含阿那含阿羅漢辟支佛為第一此經
亦復如是一切如來所說若菩薩所說若聲
聞所說諸經法中最為第一有能受持是經
典者亦復如是於一切衆生中亦為第一一
切聲聞辟支佛中菩薩為第一此經亦復如
是於一切諸經法中最為第一如佛為諸法

BD00466號　妙法蓮華經卷六　（25–22）

切聲聞辟支佛中菩薩為第一此經亦復如
是於一切諸經法中最為第一如佛為諸法
王此經亦復如是諸經中王宿王華此經能救
一切衆生者此經能令一切衆生離諸苦
惱此經能大饒益一切衆生充滿其願如清
涼池能滿一切諸渴乏者如寒者得火如裸
者得衣如商人得主如子得母如渡得船如
病得醫如暗得燈如貧得寶如民得王如賈
客得海如炬除暗此法華經亦復如是能令
衆生離一切苦一切病痛能解一切生死之縛
若人得聞此法華經若自書若使人書所得
功德以佛智慧籌量多少不得其邊若書
是經卷華香瓔珞燒香末香塗香旛蓋衣服
種種之燈蘇燈油燈諸香油燈瞻蔔油燈須
曼那油燈波羅羅油燈婆利師迦油燈那婆摩
利油燈供養所得功德亦復无量宿王華若
有人聞是藥王菩薩本事品者亦得无量无
邊功德若有女人聞是藥王菩薩本事品能
受持者盡是女身後不復受若如來滅後後
五百歲中若有女人聞是經典如說修行於
此命終即往安樂世界阿弥陀佛大菩薩衆
圍繞住處生蓮華中寶座之上不復為貪欲
所惱亦復不為瞋恚愚癡所惱亦復不為憍
慢嫉妬諸垢所惱得菩薩神通无生法忍得
是忍已眼根清淨以是清淨眼根見七百万
二千億那由他恒河沙等諸佛如來是時諸

是忍已眼根清淨以是清淨眼根見七百万
二千億那由他恒河沙等諸佛如來是時諸
佛遙共讚言善哉善哉善男子汝能於釋迦
牟尼佛法中受持讀誦思惟是經為他人說
所得福德无量无邊火不能燒水不能漂汝
之功德千佛共說不能令盡汝今已能破諸
魔賊壞生死軍諸餘怨敵皆悉摧滅善男子
百千諸佛以神通力共守護汝於一切世間天
人之中无如汝者唯除如來其諸聲聞辟支
佛乃至菩薩智慧禪定无有與汝等者宿
王華此菩薩成就如是功德智慧之力若有
人聞是藥王菩薩本事品能隨喜讚善者是
人現世口中常出青蓮華香身毛孔中常出
牛頭栴檀香所得功德如上所說是故宿王
華以此藥王菩薩本事品囑累於汝我滅度
後後五百歲中廣宣流布於閻浮提无令斷
絕惡魔魔民諸天龍夜叉鳩槃荼等得其便
也宿王華汝當以神通之力守護是經所以者
何此經則為閻浮提人病之良藥若人有病
得聞是經病即除滅不老不死宿王華汝若
見有受持是經者應以青蓮華盛滿末香
供散其上散已作是念言此人不久必當取
草坐於道場破諸魔軍當吹法螺擊大法鼓
度脫一切衆生老病死海是故求佛道者見
有受持是經典人應當如是生恭敬心說是

也宿王華汝當以神通之力守護是經所以者
何此經則為閻浮提人病之良藥若人有病
得聞是經病即消滅不老不死宿王華汝若
見有受持是經者應以青蓮華盛滿末香
供散其上散已作是念言此人不久必當取
草坐於道場破諸魔軍當吹法螺擊大法鼓
度脫一切眾生老病死海是故求佛道者見
有受持是經典人應當如是生恭敬心說是
藥王菩薩本事品時八万四千菩薩得解一
切眾生語言陀羅尼多寶如來於寶塔中讚
宿王華菩薩言善哉善哉宿王華汝成就不
可思議功德乃能問釋迦牟尼佛如此之事
利益无量一切眾生

妙法蓮華經卷第六

BD00466號　妙法蓮華經卷六　（25–25）

大乘无量壽經
如是我聞一時薄伽梵在舍衛國祇樹給孤獨園與大苾芻僧千二百五十人菩薩摩訶薩
眾俱尒時世尊告曼殊室利童子曼殊上方有世界名无量功德聚彼土有佛
号无量智決定王如來阿羅訶三藐三菩提現為眾生開示說法曼殊室利聽南閻浮提人
皆短壽大限百年於中殀枉死者眾曼殊如是无量壽如來功德名稱法要若有眾生得聞
名号若自書或使人書能為經供養受持讀誦若於舍宅所住之處以種種花鬘瓔珞
塗香末香而為供養如其命盡復得延年滿足百歲如是曼殊若有眾生得聞无
量壽智決定王如來一百八名号者益其長壽若有眾生大命將盡憶念是如來名号更
得增壽如是曼殊若有善男子善女人欲求長壽於是无量壽如來一百八名号有得聞
者或自書若使人書受持讀誦得如是等果報福德具足陀羅尼曰
南謨薄伽勃底一　阿波利蜜哆二　阿喻紇硯娜三　須毗你悉指陀　囉佐耶五　怛他羯他耶六
怛姪他唵七　薩婆桑悉迦囉八　波利輸底　達磨底　伽伽娜　莎訶某特迦底十三　薩婆
婆毗輸底　摩訶娜耶十四　波利婆唎莎訶　十五
世尊復告曼殊室利如是如來一百八名号若有自書或使人書為經卷受持讀誦如
壽命盡復滿百年壽終此身後往生无量福智世界无量壽淨土陀羅尼曰
南謨薄伽勃底一　阿波利蜜哆二　阿喻紇硯娜三　須毗你悉指陀　囉佐耶　怛他羯他耶六
怛姪他唵七　薩婆桑悉迦囉八　波利輸底　達磨底　伽伽娜　莎訶某特迦底　薩婆婆毗輸
底　摩訶娜耶　波唎婆唎莎訶　十五
尒時有九十九姟佛等一時同聲說是无量壽宗要經陀羅尼曰
南謨薄伽勃底　阿波利蜜哆二　阿喻紇硯娜　須毗你悉指陀　囉佐耶　怛他羯他耶六　怛姪
他唵七　薩婆桑悉迦囉八　波利輸底　達磨底　伽伽娜　莎訶某特迦底　薩婆婆毗輸
底　摩訶娜耶十四　波利婆唎莎訶　十五
尒時復有一百四姟佛一時同聲說是无量壽宗要經陀羅尼曰
南謨薄伽勃底　阿波利蜜哆二　阿喻紇硯娜三　須毗你悉指陀　囉佐耶　怛他羯他耶　六

BD00467號　無量壽宗要經　（6–1）

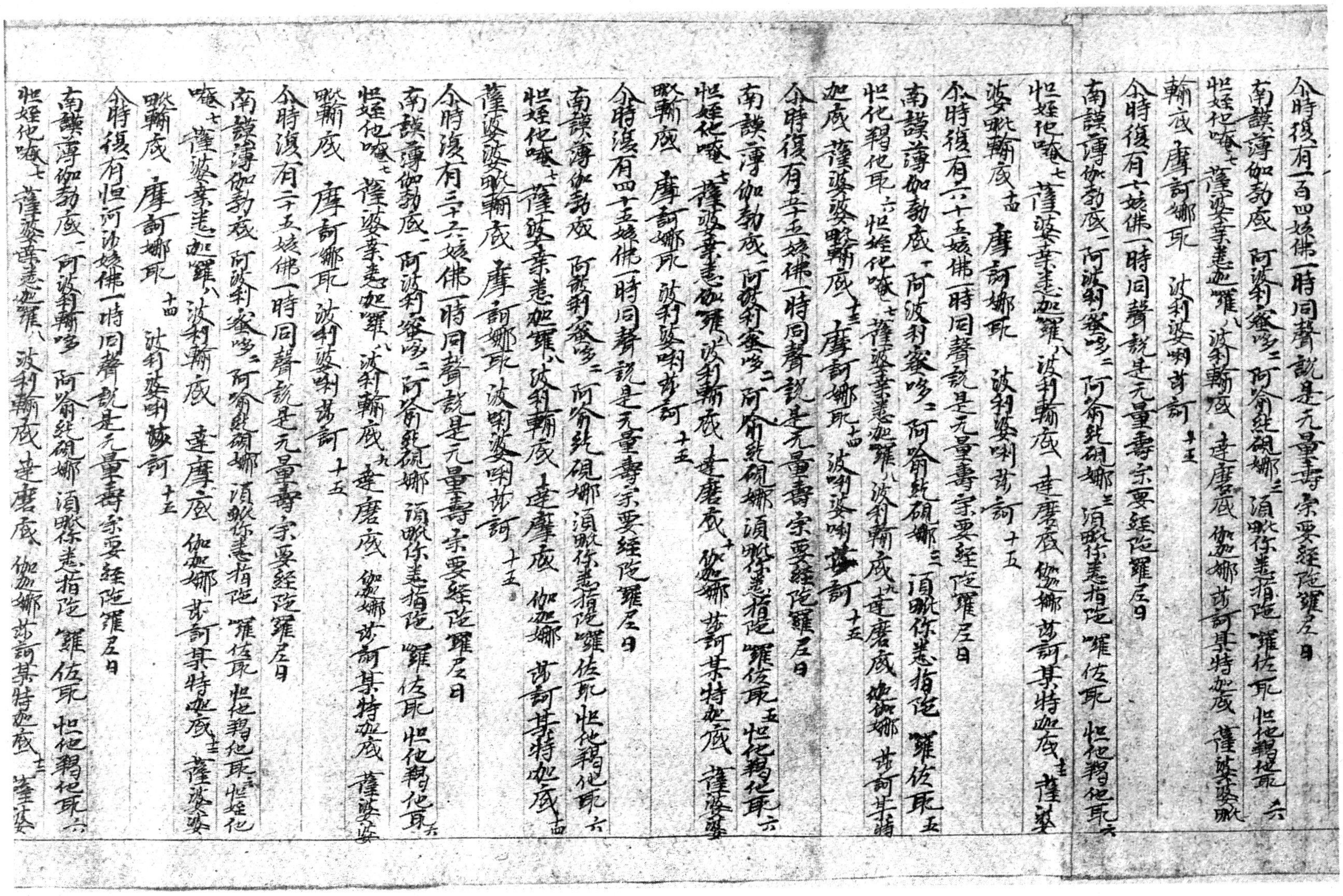

尒時復有一百四姟佛一時同聲說是无量壽宗要經陀羅尼曰
南謨薄伽勃底 阿波唎蜜哆二 阿喻紇硯娜三 須毗你悉指陀 囉佐耶 怛他羯他耶六
怛姪他唵七 薩婆桑悉迦羅八 波唎輸底 達磨底 伽迦娜 莎訶某特迦底 薩婆婆毗
輸底 摩訶娜耶 波唎婆唎莎訶 十五
尒時復有六姟佛一時同聲說是无量壽宗要經陀羅尼曰
南謨薄伽勃底一 阿波唎蜜哆二 阿喻紇硯娜三 須毗你悉指陀 囉佐耶 怛他羯他耶六
怛姪他唵七 薩婆桑悉迦羅八 波唎輸底 達磨底 伽迦娜 莎訶某特迦底十二 薩婆
婆毗輸底十三 摩訶娜耶 波唎婆唎莎訶 十五
尒時復有六十五姟佛一時同聲說是无量壽宗要經陀羅尼曰
南謨薄伽勃底一 阿波唎蜜哆二 阿喻紇硯娜三 須毗你悉指陀 囉佐耶五
怛他羯他耶六 怛姪他唵七 薩婆桑悉迦羅八 波唎輸底九 達磨底 伽伽娜 莎訶某特
迦底 薩婆婆毗輸底十三 摩訶娜耶十四 波唎婆唎莎訶 十五
尒時復有五十五姟佛一時同聲說是无量壽宗要經陀羅尼曰
南謨薄伽勃底一 阿波唎蜜哆二 阿喻紇硯娜 須毗你悉指陀 囉佐耶五 怛他羯他耶六
怛姪他唵七 薩婆桑悉迦羅八 波唎輸底 達磨底十 伽迦娜 莎訶某特迦底 薩婆婆
毗輸底 摩訶娜耶 波唎婆唎莎訶 十五
尒時復有四十五姟佛一時同聲說是无量壽宗要經陀羅尼曰
南謨薄伽勃底 阿波唎蜜哆二 阿喻紇硯娜 須毗你悉指陀 囉佐耶 怛他羯他耶六
怛姪他唵七 薩婆桑悉迦羅八 波唎輸底 達磨底 伽迦娜 莎訶某特迦底十四
薩婆婆毗輸底 摩訶娜耶 波唎婆唎莎訶 十五
尒時復有三十六姟佛一時同聲說是无量壽宗要經陀羅尼曰
南謨薄伽勃底一 阿波唎蜜哆二 阿喻紇硯娜 須毗你悉指陀 囉佐耶 怛他羯他耶六
怛姪他唵七 薩婆桑悉迦羅八 波唎輸底九 達磨底 伽迦娜 莎訶某特迦底 薩婆婆
毗輸底 摩訶娜耶 波唎婆唎莎訶 十五
尒時復有二十五姟佛一時同聲說是无量壽宗要經陀羅尼曰
南謨薄伽勃底 阿波唎蜜哆二 阿喻紇硯娜 須毗你悉指陀 囉佐耶 怛他羯他耶六 怛姪他
唵七 薩婆桑悉迦羅八 波唎輸底 達磨底 伽迦娜 莎訶某特迦底十二 薩婆婆
毗輸底 摩訶娜耶 十四 波唎婆唎莎訶 十五
尒時復有恒河沙姟佛一時同聲說是无量壽宗要經陀羅尼曰
南謨薄伽勃底一 阿波唎蜜哆 阿喻紇硯娜 須毗你悉指陀 囉佐耶 怛他羯他耶六
怛姪他唵七 薩婆桑悉迦羅八 波唎輸底 達磨底 伽迦娜 莎訶某特迦底十二 薩婆婆

BD00467 號　無量壽宗要經　（6–2）

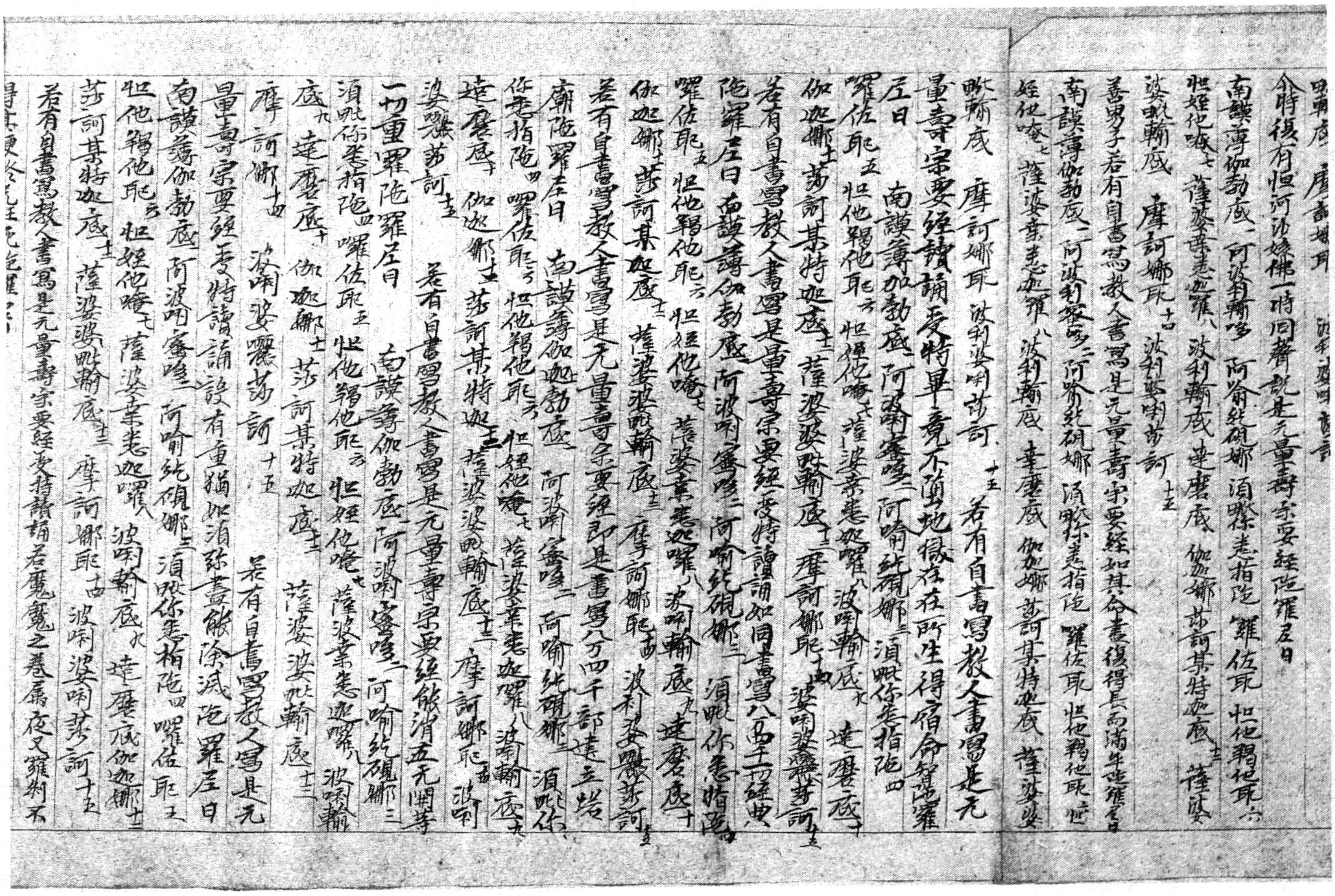

毗輸底 摩訶娜耶 波唎婆唎莎訶
尒時復有恒河沙姟佛一時同聲說是无量壽宗要經陀羅尼曰
南謨薄伽勃底一 阿波唎蜜哆 阿喻紇硯娜 須毗你悉指陀 囉佐耶 怛他羯他耶六
怛姪他唵七 薩婆桑悉迦羅八 波唎輸底 達磨底 伽迦娜 莎訶某特迦底十二 薩婆
婆毗輸底 摩訶娜耶十四 波唎婆唎莎訶 十五
善男子若有自書寫教人書寫是无量壽宗要經如其命盡復得長命滿年陀羅尼曰
南謨薄伽勃底一 阿波唎蜜哆二 阿喻紇硯娜 須毗你悉指陀 囉佐耶 怛他羯他耶六
姪他唵七 薩婆桑悉迦羅八 波唎輸底 達磨底 伽迦娜 莎訶某特迦底 薩婆婆
毗輸底 摩訶娜耶 波唎婆唎莎訶 十五 若有自書寫教人書寫是无
量壽宗要經讀誦受持畢竟不墮地獄在在所生得宿命智陀羅
尼曰 南謨薄伽勃底一 阿波唎蜜哆二 阿喻紇硯娜三 須毗你悉指陀四
囉佐耶五 怛他羯他耶六 怛姪他唵七 薩婆桑悉迦囉八 波唎輸底九 達磨底十
伽迦娜十一 莎訶某特迦底十二 薩婆婆毗輸底十三 摩訶娜耶十四 波唎婆唎莎訶十五
若有自書寫教人書寫是无量壽宗要經受持讀誦如同書寫八萬四千一切經典
陀羅尼曰 南謨薄伽勃底 阿波唎蜜哆二 阿喻紇硯娜三 須毗你悉指陀四
囉佐耶五 怛他羯他耶六 怛姪他唵七 薩婆桑悉迦羅八 波唎輸底九 達磨底十
伽迦娜十一 莎訶某特迦底十二 薩婆婆毗輸底十三 摩訶娜耶十四 波唎婆唎莎訶十五
若有自書寫教人書寫是无量壽宗要經即是書寫八万四千部建立塔
廟陀羅尼曰 南謨薄伽勃底 阿波唎蜜哆二 阿喻紇硯娜三 須毗
你悉指陀四 囉佐耶五 怛他羯他耶六 怛姪他唵七 薩婆桑悉迦囉八 波唎輸底九
達磨底十 伽迦娜十一 莎訶某特迦底十二 薩婆婆毗輸底十三 摩訶娜耶十四 波唎
婆唎莎訶十五 若有自書寫教人書寫是无量壽宗要經能消五无間等
一切重罪陀羅尼曰 南謨薄伽勃底 阿波唎蜜哆二 阿喻紇硯娜三
須毗你悉指陀四 囉佐耶五 怛他羯他耶六 怛姪他唵七 薩婆桑悉迦囉八 波唎輸
底九 達磨底十 伽迦娜十一 莎訶某特迦底十二 薩婆婆毗輸底十三
摩訶娜耶十四 波唎婆唎莎訶 十五 若有自書寫教人寫是无
量壽宗要經受持讀誦設有重罪猶如須彌盡能除滅陀羅尼曰
南謨薄伽勃底 阿波唎蜜哆二 阿喻紇硯娜三 須毗你悉指陀四 囉佐耶五
怛他羯他耶六 怛姪他唵七 薩婆桑悉迦囉八 波唎輸底九 達磨底 伽迦娜十一
莎訶某特迦底十二 薩婆婆毗輸底十三 摩訶娜耶十四 波唎婆唎莎訶 十五
若有自書寫教人書寫是无量壽宗要經受持讀誦若魔魔之眷屬夜叉羅剎不

BD00467 號　無量壽宗要經　（6–3）

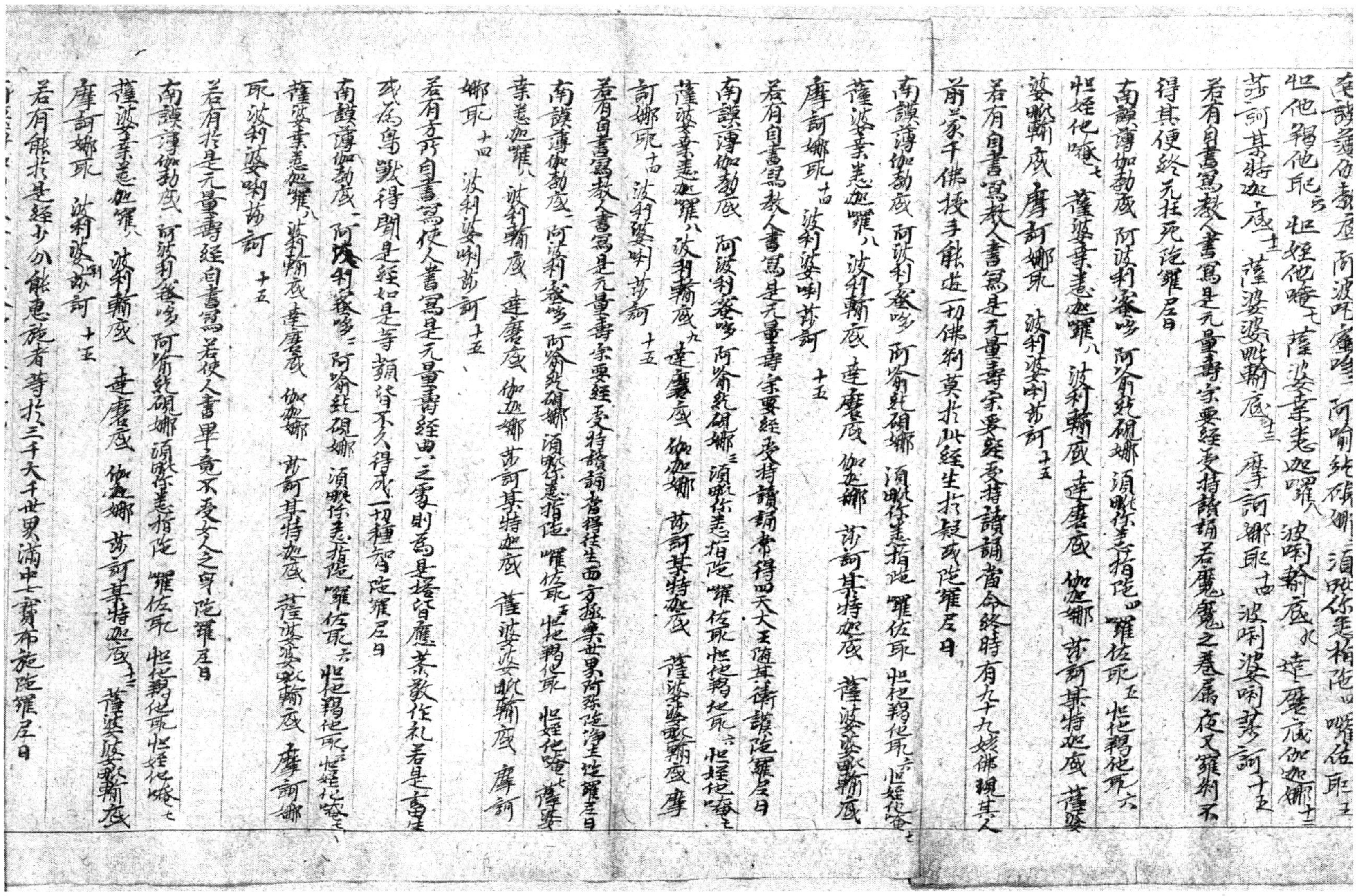

南謨薄伽勃底 阿波唎蜜唥二 阿喻紇硯娜 須毗你悉指陁四 囉佐耶五
怛他羯他耶六 怛姪他唵七 薩婆桑悉迦囉八 波唎輸底九 達磨底伽迦娜十一
莎訶某特迦底十二 薩婆婆毗輸底十三 摩訶娜耶十四 波唎婆唎莎訶十五
若有自書寫教人書寫是无量壽宗要經受持讀誦若魔魔之眷屬夜叉羅刹不
得其便終无枉死陁羅尼日
南謨薄伽勃底 阿波唎蜜唥 阿喻紇硯娜 須毗你悉指陁四 囉佐耶五 怛他羯他耶六
怛姪他唵七 薩婆桑悉迦囉八 波唎輸底 達磨底 伽迦娜 莎訶某特迦底 薩婆
婆毗輸底 摩訶娜耶 波唎婆唎莎訶十五
若有自書寫教人書寫是无量壽宗要經受持讀誦當命終時有九十九姟佛現其人
前蒙千佛授手能遊一切佛剎莫於此經生於疑惑陁羅尼日
南謨薄伽勃底 阿波唎蜜唥 阿喻紇硯娜 須毗你悉指陁 囉佐耶 怛他羯他耶六 怛姪他唵七
薩婆桑悉迦囉八 波唎輸底 達磨底 伽迦娜 莎訶某特迦底 薩婆婆毗輸底
摩訶娜耶十四 波唎婆唎莎訶 十五
若有自書寫教人書寫是无量壽宗要經受持讀誦常得四天大王隨其衛護陁羅尼日
南謨薄伽勃底 阿波唎蜜唥 阿喻紇硯娜三 須毗你悉指陁 囉佐耶 怛他羯他耶六 怛姪他唵七
薩婆桑悉迦囉八 波唎輸底九 達磨底 伽迦娜 莎訶某特迦底 薩婆婆毗輸底 摩
訶娜耶十四 波唎婆唎莎訶 十五
若有自書寫教人書寫是无量壽宗要經受持讀誦當得往生西方極樂世界阿彌陁淨土陁羅尼日
南謨薄伽勃底一 阿波唎蜜唥二 阿喻紇硯娜 須毗你悉指陁 囉佐耶五 怛他羯他耶 怛姪他唵七 薩婆
桑悉迦囉八 波唎輸底 達磨底 伽迦娜 莎訶某特迦底 薩婆婆毗輸底 摩訶
娜耶十四 波唎婆唎莎訶十五
若有自書寫使人書寫是无量壽經典之處則爲是塔皆應恭敬作礼若是畜生
或爲鳥獸得聞是經如是等類皆不久得成一切種智陁羅尼日
南謨薄伽勃底一 阿波唎蜜唥二 阿喻紇硯娜 須毗你悉指陁 囉佐耶六 怛他羯他耶 怛姪他唵七
薩婆桑悉迦囉八 波唎輸底 達磨底 伽迦娜 莎訶某特迦底 薩婆婆毗輸底 摩訶娜
耶 波唎婆唎莎訶 十五
若有於是无量壽經自書寫若使人書畢竟不受女人之身陁羅尼日
南謨薄伽勃底 阿波唎蜜唥 阿喻紇硯娜 須毗你悉指陁 囉佐耶 怛他羯他耶 怛姪他唵七
薩婆桑悉迦囉八 波唎輸底 達磨底 伽迦娜 莎訶某特迦底十二 薩婆婆毗輸底
摩訶娜耶 波唎婆唎莎訶 十五
若有能於是經少分能惠施者等於三千大千世界滿中七寶布施陁羅尼日

BD00467 號　無量壽宗要經　（6–4）

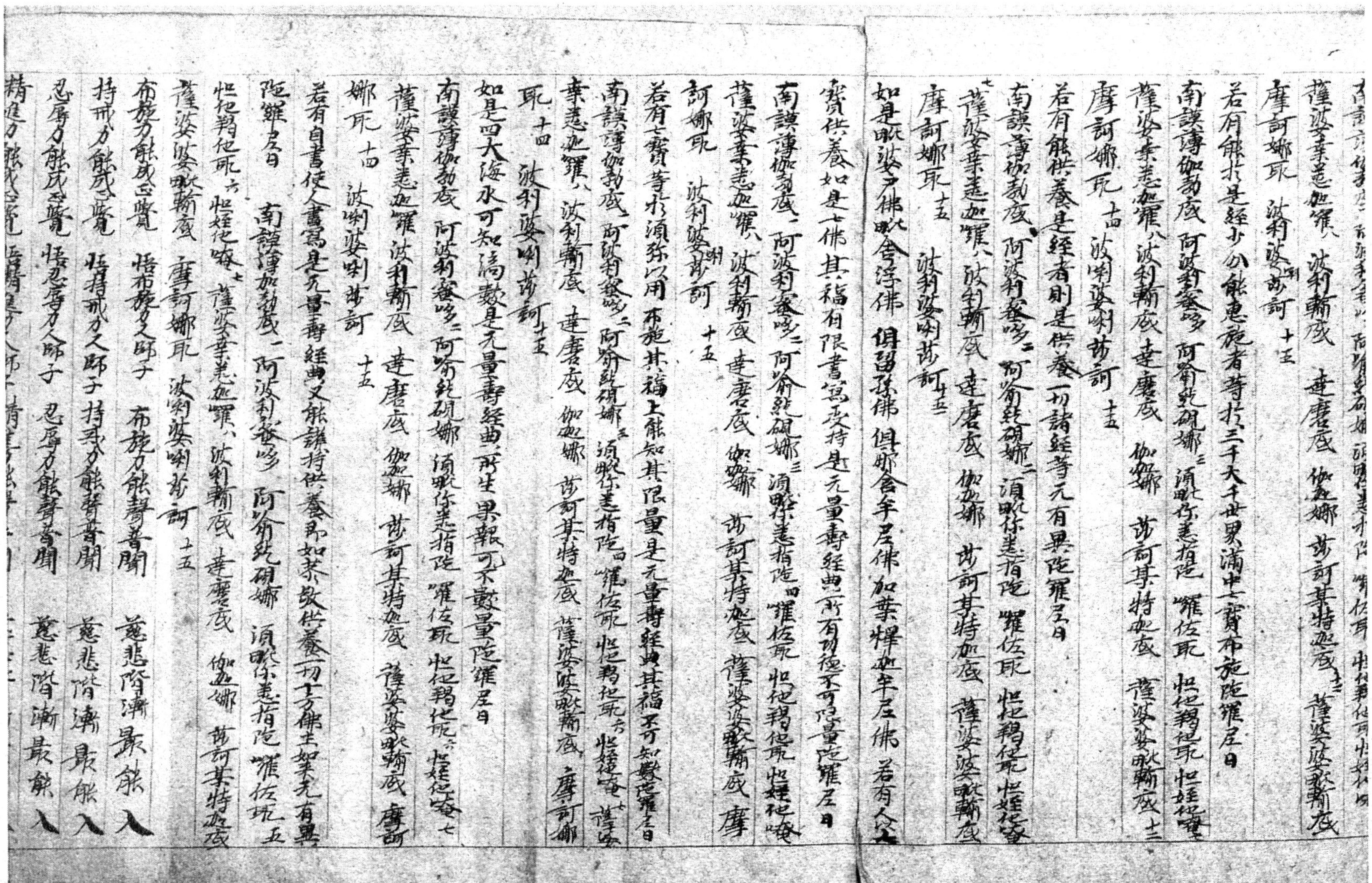

南謨薄伽勃底 阿波唎蜜唥二 阿喻紇硯娜 須毗你悉指陁 囉佐耶 怛他羯他耶 怛姪他唵
薩婆桑悉迦囉八 波唎輸底 達磨底 伽迦娜 莎訶某特迦底十二 薩婆婆毗輸底
摩訶娜耶 波唎婆唎莎訶 十五
若有能於是經少分能惠施者等於三千大千世界滿中七寶布施陁羅尼日
南謨薄伽勃底 阿波唎蜜唥 阿喻紇硯娜三 須毗你悉指陁 囉佐耶 怛他羯他耶 怛姪他唵
薩婆桑悉迦囉八 波唎輸底 達磨底 伽迦娜 莎訶某特迦底 薩婆婆毗輸底十三
摩訶娜耶十四 波唎婆唎莎訶 十五
若有能供養是經者則是供養一切諸經等无有異陁羅尼日
南謨薄伽勃底 阿波唎蜜唥二 阿喻紇硯娜二 須毗你悉指陁 囉佐耶 怛他羯他耶 怛姪他唵
七 薩婆桑悉迦囉八 波唎輸底 達磨底 伽迦娜 莎訶某特迦底 薩婆婆毗輸底
摩訶娜耶十五 波唎婆唎莎訶十五
如是毗婆尸佛 毗舍浮佛 俱留孫佛 俱那含牟尼佛 加葉牟尼佛 若有人以七
寶供養如是七佛其福有限書寫受持是无量壽經典所有功德不可限量陁羅尼日
南謨薄伽勃底一 阿波唎蜜唥二 阿喻紇硯娜三 須毗你悉指陁四 囉佐耶 怛他羯他耶 怛姪他唵
薩婆桑悉迦囉八 波唎輸底 達磨底 伽迦娜 莎訶某特迦底 薩婆婆毗輸底 摩
訶娜耶 波唎婆唎莎訶 十五
若有七寶等於須弥以用布施其福上能知其限量是无量壽經典其福不可知數陁羅尼日
南謨薄伽勃底一 阿波唎蜜唥二 阿喻紇硯娜三 須毗你悉指陁四 囉佐耶 怛他羯他耶六 怛姪他唵七 薩婆
桑悉迦囉八 波唎輸底 達磨底 伽迦娜 莎訶某特迦底 薩婆婆毗輸底 摩訶娜
耶十四 波唎婆唎莎訶十五
如是四大海水可知渧數是无量壽經典所生果報不可數量陁羅尼日
南謨薄伽勃底 阿波唎蜜唥二 阿喻紇硯娜 須毗你悉指陁 囉佐耶 怛他羯他耶六 怛姪他唵七
薩婆桑悉迦囉 波唎輸底 達磨底 伽迦娜 莎訶某特迦底 薩婆婆毗輸底 摩訶
娜耶十四 波唎婆唎莎訶 十五
若有自書使人書寫是无量壽經典又能讚持供養即如恭敬供養一切十方佛土如來无有異
陁羅尼日 南謨薄伽勃底一 阿波唎蜜唥 阿喻紇硯娜 須毗你悉指陁 囉佐耶五
怛他羯他耶六 怛姪他唵七 薩婆桑悉迦囉八 波唎輸底 達磨底 伽迦娜 莎訶某特迦底
薩婆婆毗輸底 摩訶娜耶 波唎婆唎莎訶 十五
布施力能成正覺 悟布施力人師子 布施力能聲普聞 慈悲階漸最能入
持戒力能成正覺 悟持戒力人師子 持戒力能聲普聞 慈悲階漸最能入
忍辱力能成正覺 悟忍辱力人師子 忍辱力能聲普聞 慈悲階漸最能入
精進力能成正覺

BD00467 號　無量壽宗要經　（6–5）

桒悉迦羅八 波利輸底 達磨底 伽伽娜 莎訶某特迦底 薩婆婆嚩輸底 摩訶娜
耶 十四 波唎婆唎莎訶 十五
如是四大海水可知渧數，是无量壽經典所生果報不可數量。陀羅尼曰
南謨薄伽勃底 阿波利蜜哆二 阿喻紇硯娜 須毗你悉指陀 囉佐耶 怛他羯他耶六 怛姪他唵七
薩婆桒悉迦羅 波利輸底 達磨底 伽伽娜 莎訶某特迦底 薩婆婆嚩輸底 摩訶
娜耶 十四 波唎婆唎莎訶 十五
若有自書使人書寫是无量壽經典，又能鏁持供養，即如禁敬供養一切十方佛土如來，无有異。
陀羅尼曰 南謨薄伽勃底一 阿波利蜜哆 阿喻紇硯娜 須毗你悉指陀 囉佐耶五
怛他羯他耶六 怛姪他唵七 薩婆桒悉迦羅八 波利輸底 達磨底 伽伽娜 莎訶某特迦底
薩婆婆嚩輸底 摩訶娜耶 波唎婆唎莎訶 十五
布施力能成正覺 悟布施力人師子 布施力能聲普聞 慈悲階漸最能入
持戒力能成正覺 悟持戒力人師子 持戒力能聲普聞 慈悲階漸最能入
忍辱力能成正覺 悟忍辱力人師子 忍辱力能聲普聞 慈悲階漸最能入
精進力能成正覺 悟精進力人師子 精進力能聲普聞 慈悲階漸最能入
禪定力能成正覺 悟禪定力人師子 禪定力能聲普聞 慈悲皆漸最能入
智慧力能成正覺 悟智慧力人師子 智慧力能聲普聞 慈悲皆漸最能入
尒時如來說是經已，一切世間天人阿脩羅揵闥婆等，聞佛所說，皆大歡喜，信受奉行
佛說无量壽宗要經

BD00467 號　無量壽宗要經　（6–6）

告須菩提諸菩薩
心所有一切衆生之類
生若化生若有色若
若非有想若非无想
滅度之如是滅度无量
衆生得滅度者何以故
相人相衆生相壽者相
復次須菩提菩薩於法應无所住行於布施
所謂不住色布施不住聲香味觸法布施須
菩提菩薩應如是布施不住於相何以故若
菩薩不住相布施其福德不可思量須菩提
於意云何東方虛空可思量不不也世尊須
菩提南西北方四維上下虛空可思量不不
也世尊須菩提菩薩无住相布施福德亦復
如是不可思量須菩提菩薩但應如所教住
須菩提於意云何可以身相見如來不不也
世尊不可以身相得見如來何以故如來所
說身相即非身相佛告須菩提凡所有相皆
是虛妄若見諸相非相則見如來
須菩提白佛言世尊頗有衆生得聞如是言
說章句生實信不佛告須菩提莫作是說如
來滅後後五百歲有持戒脩福者於此章句

BD00468 號　金剛般若波羅蜜經　（12–1）

須菩提白佛言世尊頗有衆生得聞如是言
說章句生實信不佛告須菩提莫作是說如
来滅後後五百歲有持戒脩福者於此章句
能生信心以此爲實當知是人不於一佛二佛
三四五佛而種善根已於无量千萬佛所種
諸善根聞是章句乃至一念生淨信者須菩
提如来悉知悉見是諸衆生得如是无量
福德何以故是諸衆生无復我相人相衆生
相壽者相无法相亦无非法相何以故是諸
衆生若心取相則爲著我人衆生壽者若取
法相即著我人衆生壽者何以故若取非法
相即著我人衆生壽者是故不應取法不應
取非法以是義故如来常說汝等比丘知我
說法如筏喻者法尚應捨何況非法
須菩提於意云何如来得阿耨多羅三藐三
菩提耶如来有所說法耶須菩提言如我解佛
所說義无有定法名阿耨多羅三藐三菩提
亦无有定法如来可說何以故如来所說法皆
不可取不可說非法非非法所以者何一切賢
聖皆以无爲法而有差別
須菩提於意云何若人滿三千大千世界七
寶以用布施是人所得福德寧爲多不須
菩提言甚多世尊何以故是福德即非福德
性是故如来說福德多若復有人於此經中
受持乃至四句偈等爲他人說其福勝彼何
以故須菩提一切諸佛及諸佛阿耨多羅三

BD00468 號　金剛般若波羅蜜經　（12–2）

以故須菩提一切諸佛及諸佛阿耨多羅三
藐三菩提法皆從此經出須菩提所謂佛法
者即非佛法
須菩提於意云何須陁洹能作是念我得須
陁洹果不須菩提言不也世尊何以故須陁
洹名爲入流而无所入不入色聲香味觸法
是名須陁洹須菩提於意云何斯陁含能作
是念我得斯陁含果不須菩提言不也世尊
何以故斯陁含名一往来而實无往来是名
斯陁含須菩提於意云何阿那含能作是念
我得阿那含果不須菩提言不也世尊何以
故阿那含名爲不来而實无来是故名阿那
含須菩提於意云何阿羅漢能作是念我得
阿羅漢道不須菩提言不也世尊何以故實
无有法名阿羅漢世尊若阿羅漢作是念我
得阿羅漢道即爲著我人衆生壽者世尊佛
說我得无諍三昧人中最爲第一是第一離
欲阿羅漢我不作是念我是離欲阿羅漢世
尊我若作是念我得阿羅漢道世尊則不說
須菩提是樂阿蘭那行者以須菩提實无所
行而名須菩提是樂阿蘭那行
佛告須菩提於意云何如来昔在然燈佛所
於法有所得不世尊如来在然燈佛所於法
實无所得須菩提於意云何菩薩莊嚴佛土
不不也世尊何以故莊嚴佛土者則非莊嚴
是名莊嚴是故須菩提諸菩薩摩訶薩應

BD00468 號　金剛般若波羅蜜經　（12–3）

不不也世尊何以故莊嚴佛土者則非莊嚴
是名莊嚴是故須菩提諸菩薩摩訶薩應
如是生清淨心不應住色生心不應住聲香味
觸法生心應无所住而生其心須菩提譬如
有人身如須弥山王於意云何是身為大不
須菩提言甚大世尊何以故佛說非身是名
大身
須菩提如恒河中所有沙數如是沙等恒河
於意云何是諸恒河沙寧為多不須菩提
言甚多世尊但諸恒河尚多无數何況其沙
須菩提我今實言告汝若有善男子善女人
以七寶滿尒所恒河沙數三千大千世界以
用布施得福多不須菩提言甚多世尊佛
告須菩提若善男子善女人於此經中乃至
受持四句偈等為他人說而此福德勝前福
德復次須菩提隨說是經乃至四句偈等當
知此處一切世間天人阿脩羅皆應供養如
佛塔廟何況有人盡能受持讀誦須菩提
當知是人成就最上第一希有之法若是
經典所在之處則為有佛若尊重弟子
尒時須菩提白佛言世尊當何名此經我等
云何奉持佛告須菩提是經名為金剛般若
波羅蜜以是名字汝當奉持所以者何須菩
提佛說般若波羅蜜則非般若波羅蜜須菩
提於意云何如來有所說法不須菩提白佛
言世尊如來无所說須菩提於意云何三千
大千世界所有微塵是為多不須菩提言

BD00468 號　金剛般若波羅蜜經　（12–4）

大千世界所有微塵是為多不須菩提言
甚多世尊須菩提諸微塵如來說非微塵是
名微塵如來說世界非世界是名世界須菩
提於意云何可以三十二相見如來不不也世
尊不可以三十二相得見如來何以故如來說
三十二相即是非相是名三十二相須菩提若
有善男子善女人以恒河沙等身命布施若
復有人於此經中乃至受持四句偈等為他
人說其福甚多
尒時須菩提聞說是經深解義趣涕淚悲泣
而白佛言希有世尊佛說如是甚深經典我
從昔來所得慧眼未曾得聞如是之經世尊
若復有人得聞是經信心清淨則生實相當
知是人成就第一希有功德世尊是實相者
則是非相是故如來說名實相世尊我今得
聞如是經典信解受持不足為難若當來世
後五百歲其有眾生得聞是經信解受持是
人則為第一希有何以故此人无我相人相
眾生相壽者相所以者何我相即是非相人
相眾生相壽者相即是非相何以故離一切
諸相則名諸佛
佛告須菩提如是如是若復有人得聞是
經不驚不怖不畏當知是人甚為希有何以
故須菩提如來說第一波羅蜜非第一波羅
蜜是名第一波羅蜜
須菩提忍辱波羅蜜如來說非忍辱波羅蜜

BD00468 號　金剛般若波羅蜜經　（12–5）

蜜是名第一波羅蜜
須菩提忍辱波羅蜜如来說非忍辱波羅蜜
何以故須菩提如我昔為歌利王割截身體
我於尒時无我相无人相无衆生相无壽者
相何以故我於往昔節節支解時若有我相
人相衆生相壽者相應生瞋恨須菩提又念
過去於五百世作忍辱仙人於尒所世无我相
无人相无衆生相无壽者相是故須菩提菩
薩應離一切相發阿耨多羅三藐三菩提心
不應住色生心不應住聲香味觸法生心
應生无所住心若心有住則為非住是故佛
說菩薩心不應住色布施須菩提菩薩為
利益一切衆生應如是布施如来說一切諸相
即是非相又說一切衆生則非衆生須菩提
如来是真語者實語者如語者不誑語者
不異語者須菩提如来所得法此法无實无虛
須菩提若菩薩心住於法而行布施如人入
闇則无所見若菩薩心不住法而行布施如人
有目日光明照見種種色須菩提當来之世若
有善男子善女人能於此經受持讀誦則為
如来以佛智慧悉知是人悉見是人皆得成
就无量无邊功德
須菩提若有善男子善女人初日分以恒河
沙等身布施中日分復以恒河沙等身布施
後日分亦以恒河沙等身布施如是无量百千
万億劫以身布施若復有人於此經典信心不
逆其福勝彼何況書寫受持讀誦為人解說

BD00468 號　金剛般若波羅蜜經　（12–6）

万億劫以身布施若復有人於此經典信心不
逆其福勝彼何況書寫受持讀誦為人解說
須菩提以要言之是經有不可思議不可稱
量无邊功德如来為發大乘者說為發最
上乘者說若有人能受持讀誦廣為人說
如来悉知是人悉見是人皆得成就不可量
不可稱无有邊不可思議功德如是人等則
為荷擔如来阿耨多羅三藐三菩提何以故
須菩提若樂小法者著我見人見衆生見壽
者見則於此經不能聽受讀誦為人解說須
菩提在在處處若有此經一切世間天人阿
脩羅所應供養當知此處則為是塔皆應
恭敬作礼圍繞以諸華香而散其處
復次須菩提善男子善女人受持讀誦此經
若為人輕賤是人先世罪業應墮惡道以今
世人輕賤故先世罪業則為消滅當得阿耨
多羅三藐三菩提須菩提我念過去无量阿
僧祇劫於然燈佛前得值八百四千万億那
由他諸佛悉皆供養承事无空過者若復
有人於後末世受持讀誦此經所得功德於
我所供養諸佛功德百分不及一千万億分
乃至筭數譬喻所不能及須菩提若善男
子善女人於後末世有受持讀誦此經所得
功德我若具說者或有人聞心則狂亂狐疑
不信須菩提當知是經義不可思議果報
亦不可思議

BD00468 號　金剛般若波羅蜜經　（12–7）

亦不可思議
尒時須菩提白佛言世尊善男子善女人發
阿耨多羅三藐三菩提心云何應住云何降
伏其心佛告須菩提善男子善女人發阿耨
多羅三藐三菩提者當生如是心我應滅度
一切衆生滅度一切衆生已而无有一衆生
實滅度者何以故若菩薩有我相人相衆
生相壽者相則非菩薩所以者何須菩提
實无有法發阿耨多羅三藐三菩提者須菩
提於意云何如來於然燈佛所有法得阿耨
多羅三藐三菩提不不也世尊如我解佛所
說義佛於然燈佛所无有法得阿耨多羅三
藐三菩提佛言如是如是須菩提實无有法
如來得阿耨多羅三藐三菩提須菩提若
有法如來得阿耨多羅三藐三菩提者然
燈佛則不與我受記汝於來世當得作佛
号釋迦牟尼以實无有法得阿耨多羅三藐
三菩提是故然燈佛與我受記作是言汝於
來世當得作佛号釋迦牟尼何以故如來者
即諸法如義若有人言如來得阿耨多羅三
藐三菩提須菩提實无有法佛得阿耨多
羅三藐三菩提須菩提如來所得阿耨多羅
三藐三菩提於是中无實无虛是故如來說
一切法皆是佛法須菩提所言一切法者即非
一切法是故名一切法須菩提譬如人身長
大須菩提言世尊如來說人身長大則為
非大身是名大身須菩提菩薩亦如是若

BD00468號　金剛般若波羅蜜經　（12–8）

非大身是名大身須菩提菩薩亦如是若
作是言我當滅度无量衆生則不名菩薩
何以故須菩提實无有法名為菩薩是故
佛說一切法无我无人无衆生无壽者須菩
提若菩薩作是言我當莊嚴佛土是不名菩
薩何以故如來說莊嚴佛土者即非莊嚴是
名莊嚴須菩提若菩薩通達无我法者
如來說名真是菩薩
須菩提於意云何如來有肉眼不如是世尊
如來有肉眼須菩提於意云何如來有天眼
不如是世尊如來有天眼須菩提於意云何
如來有慧眼不如是世尊如來有慧眼須菩
提於意云何如來有法眼不如是世尊如來
有法眼須菩提於意云何如來有佛眼不如
是世尊如來有佛眼須菩提於意云何恒河
中所有沙佛說是沙不如是世尊如來說是
沙須菩提於意云何如一恒河中所有沙有如
是等恒河是諸恒河所有沙數佛世界如是
寧為多不甚多世尊佛告須菩提尒所國土
中所有衆生若干種心如來悉知何以故如
來說諸心皆為非心是名為心所以者何須
菩提過去心不可得現在心不可得未來心
不可得須菩提於意云何若有人滿三千大
千世界七寶以用布施是人以是因緣得福
多不如是世尊此人以是因緣得福甚多須
若福德有實如來不說得福德多

BD00468號　金剛般若波羅蜜經　（12–9）

多不如是世尊此人以是因緣得福甚多
菩提若福德有實如來不說得福德多
以福德无故如來說得福德多
須菩提於意云何佛可以具足色身見不不
也世尊如來不應以具足色身見何以故如來
說具足色身即非具足色身是名具足色身
須菩提於意云何如來可以具足諸相見不不
也世尊如來不應以具足諸相見何以故如
來說諸相具足即非具足是名諸相具足須
菩提汝勿謂如來作是念我當有所說法莫
作是念何以故若人言如來有所說法即為
謗佛不能解我所說故須菩提說法者无
法可說是名說法須菩提白佛言世尊佛得
阿耨多羅三藐三菩提為无所得耶如是如
是須菩提我於阿耨多羅三藐三菩提乃至无
有少法可得是名阿耨多羅三藐三菩提復
次須菩提是法平等无有高下是名阿耨多
羅三藐三菩提以无我无人无衆生无壽者
脩一切善法則得阿耨多羅三藐三菩提須
菩提所言善法者如來說非善法是名善法
須菩提若三千大千世界中所有諸須弥山
王如是等七寶聚有人持用布施若人以
此般若波羅蜜經乃至四句偈等受持讀誦
為他人說於前福德百分不及一百千萬億
分乃至筭數譬喻不不能及
須菩提於意云何汝等勿謂如來作是念我
當度衆生須菩提莫作是念何以故實无有
衆生如來度者若有衆生如來度者如來則
有我人衆生壽者須菩提如來說有我者則
非有我而凡夫之人以為有我須菩提凡夫者

BD00468號　金剛般若波羅蜜經　（12–10）

衆生如來度者若有衆生如來度者如來則
有我人衆生壽者須菩提如來說有我者則
非有我而凡夫之人以為有我須菩提凡夫者
如來說則非凡夫須菩提於意云何可以
三十二相觀如來佛言須菩提若以三十二
相觀如來者轉輪聖王則是如來須菩提
白佛言世尊如我解佛所說義不應以三十
二相觀如來尒時世尊而說偈言
若以色見我　以音聲求我　是人行邪道　不能見如來
須菩提汝若作是念如來不以具足相故得阿
耨多羅三藐三菩提須菩提莫作是念如來
不以具足相故得阿耨多羅三藐三菩提須
菩提汝若作是念發阿耨多羅三藐三菩
提者說諸法斷滅相莫作是念何以故發阿
耨多羅三藐三菩提者於法不說斷滅相須
菩提若菩薩以滿恒河沙等世界七寶布施
若復有人知一切法无我得成於忍此菩薩
勝前菩薩所得功德須菩提以諸菩薩不受
福德故須菩提白佛言世尊云何菩薩不受
福德須菩提菩薩所作福德不應貪著是故
說不受福德須菩提若有人言如來若來若
去若坐若臥是人不解我所說義何以故如
來者无所從來亦无所去故名如來
須菩提若善男子善女人以三千大千世界
碎為微塵於意云何是微塵衆寧為多不甚
多世尊何以故若是微塵衆實有者佛則不

BD00468號　金剛般若波羅蜜經　（12–11）

不以具足相故得阿耨多羅三藐三菩提須
菩提汝若作是念發阿耨多羅三藐三菩
提者說諸法斷滅相莫作是念何以故發阿
耨多羅三藐三菩提者於法不說斷滅相須
菩提若菩薩以滿恒河沙等世界七寶布施
若復有人知一切法无我得成於忍此菩薩
勝前菩薩所得功德須菩提以諸菩薩不受
福德故須菩提白佛言世尊云何菩薩不受
福德須菩提菩薩所作福德不應貪著是故
說不受福德須菩提若有人言如來若來若
去若坐若卧是人不解我所說義何以故如
來者无所從來亦无所去故名如來
須菩提若善男子善女人以三千大千世界
碎為微塵於意云何是微塵衆寧為多不甚
多世尊何以故若是微塵衆實有者佛則不
說是微塵衆所以者何佛說微塵衆則非微
塵衆是名微塵衆世尊如來所說三千大千
世界則非世界是名世界何以故若世界實
有者則是一合相如來說一合相則非一合相
是名一合相須菩提一合相者則是不可說

BD00468 號　金剛般若波羅蜜經　（12–12）

一尼[illegible]
戒欲起不尒尼起若言[illegible]者言違
云論人若聾若盲不成論多提盲而不聾聾而不[illegible]
尼犯吉羅　開尼所以釋者發上尊共坐晝夜教授云不自由情過是疲故所釋
律云不犯者若比丘伴若知人有二不盲不聾若行過關地若二病若力勢所往
命梵等難並開不犯　与尼同道行戒第廿七　此滿足戒過不異前以行爲別　別
緣有六一是尼二衆五分三衆俱犯理亦應然識染不殊故尔前戒亦同闕二共
期除遇相逢者不離見聞處行　多論小罪故須除之三同一道行既言異路亦
无德四不離見聞處行多論俱離无過互離吉羅俱不離犯提五无因緣除同
衣大伴行有怖畏緣等不犯故尔六道所經界一提罪多論水陸二路同行悉
犀此戒故比丘与尼各別乘船同水路行越界得罪多犀此戒同亦一船菩
在後戒　已下五明戒本此戒曰六辟比丘与六辟尼人間遊行爲十誦擇比丘舉
過仏制　若比丘与比丘尼共期同一道行乃至一村間除異時波逸提異時者多
估客行時若疑畏怖時是謂異時　此滿足之戒本之文有五句一犯人二共期三同
行四除緣五結犯初二兩句可知言期者期共至某處三言同一道行至一村間
者是同一道者村間有分齊行處是四言除異時者開緣不犯五言波逸提者
越界結犯句律云道村分齊衆多界多少一犯提言衆多界者謂衆多村
界非村落空處行乃至十里提若減一村若減十里得吉若多村間同一界行多吉
方便共期不行多善尼多至吉羅尼是女人弱要須丈夫以爲伴護情過是致
五分從此聚落到彼聚落及无聚落處半由旬犯提　律云不犯者若共期天
估客伴行疑處有賊盜三怖有盜賊四若得安隱五若勢力所持命梵等
難並開不犯十誦開爲尼過險路　与尼期同乘船戒第廿八識過同前正以船爲已
別緣有六一是尼二衆二共期三同乘一船除異船不犯此戒四從順流上下之意
爲直渡船失濟不犯五无因緣既去命難力勢所持或被岸不得安隱六雙
腳入船便犯　已下五明戒本此戒緣如前　若比丘与比丘尼共期同乘一船若上水
下水除直渡者波逸提　此滿足之戒本文有五句一犯人二与尼共期三言同乘一船
上水下水者舉乘船之意以其相應故得久住故四言除直渡者是開限其
渡非久從无過五言波逸提者是違犯結罪律云共其乏雙腳入船提一腳入
吉[illegible]无罪或從有比丘多尼或多比丘一尼隨境業多少

BD00469號　四分律戒本疏卷三

（2–1）

渡訖反役无過五言波逸提者是遠犯結罪律云共其已雙腳入船提一腳入
吉多論若船有白衣其无罪或船有一比丘多尼或多比丘一尼隨壞業多少
犯尔所提從有俗人為第三人犯其將同反受譏損非疑故不同坐行是暫故開
有邊人不犯若期別船並去及車犯同道行隨聚落界分齊十里犯若期
与俗女人同船名是犯限此略不章下房舍文共女人上船疑仏言聽直渡
故知上下明名同犯 祇云十多三文並言越界等犯不同此律 不犯者除期
渡彼岸若船已般師失濟上下若往彼岸不得安隱乃至難緣如上所說
並皆不犯 食尼嘆食戒廿九 有四種過故制 一者遣尼嘆己德行相美求利
長己貪結壞於正命知之心故二偏心曲嘆現情親厚好招致外譏損受
不輕三令施主隨言供養无德之人即是損惱施主闕奉福
田獲又報之益四毀世好人令他施主於勝福不生敬重又是
惱亂賢善具斯多過是故聖制 別緣有四一是尼嘆德教化食
二知嘆三受得四食之咽咽犯提 已下正明戒本此戒因居士請
舍利弗等偷蘭難陀尼言所請並是下賤若請者應請調達等龍
中之龍食果具說仏呵制戒 若比丘知比丘尼讚嘆教化因緣得食除檀
越先有意者波逸提 此簡之戒本文有六句一犯人二知三讚嘆四得食五開緣
六結罪 初句可知二言知者律云若不知食无犯三言尼讚嘆教化者律云
讚言謂阿練若乞食人乃至持三衣讚嘆多聞法師律師坐禪四言得食者從
旦至中得食五言除檀越先有意者律云彼有施心故開不犯六言波逸提者
是犯句律云若食咽咽犯提除飲食得除糒米燈油犯吉 祇云除舊檀越
乃至下食已胃等供時更有餘比丘来尼言更有比丘施主言善哉普不犯若尼
言此十二頭陀者直若言多与好食平等与不犯若遍讚一衆一切不犯若某甲
衆主精進為是比丘故遍請廿人名讚嘆餘者不犯 若有嘆食不得捨去當居肆
貸食若坐搬穢不淨不喜与貸者當念此鉢中食是某甲比丘許我當食不犯
五分若先不知臨時言好与比丘食者不犯 問所得衣鉢米燈油犯者吉 答財物重
著難捨又別屬无通用勸捨義希致受不欺是以犯提食无獨食勸辭義易
致受義數是故制重燈油外用嘆勸多希是以制輕又大僧嘆尼義希致受不數
故尼犯輕 律云不犯者若不知若先有意若无教化想若尼自作若檀越令尼
經營若不犯教化而乞食与並開不犯 与女人期同道行戒第卅 制意同前
唯以俗女為異 別緣有六一是人女二共期三[illegible]四[illegible]五无難等緣

風菩薩悉能吸著口中而身无損外諸樹
木亦不摧折又十方世界劫盡燒時以一切
火内於腹中火事如故而不為害又於下方
過恒河沙无數世界如持針鋒舉一棗葉而
无所嬈又舍利弗住不可思議解脫菩薩能
以神通現作佛身或現辟支佛身或現聲聞
身或現帝釋身或現梵王身或現世主身或
現轉輪王身又十方世界所有衆聲上中下
音皆能變之令作佛聲演出无常苦空无我
之音及十方諸佛所說種種之法皆於其中普
令得聞舍利弗我今略說菩薩不可思議
解脫之力若廣說者窮劫不盡是時大迦葉
聞說菩薩不可思議解脫法門歎未曾有謂
舍利弗譬如有人於盲者前現衆色像非彼
所見一切聲聞聞是不可思議解脫法門不
能解了為若此也知者聞是其誰不發阿耨
多羅三藐三菩提心我等何為永絶其根於
此大乘已如敗種一切聲聞聞是不可思議解
脫法門皆應號泣聲震三千大千世界一
切菩薩應大欣慶頂受此法皆有菩薩信解
不可思議解脫門者一切魔衆无如之何大

BD00470 號　維摩詰所說經卷中　（3–1）

不可思議解脫門者一切魔衆无如之何大
迦葉說是語時三萬二千天子皆發阿耨多
羅三藐三菩提心
尒時維摩詰語大迦葉仁者十方无量阿僧
祇世界中作魔王者多是住不可思議解脫
菩薩以方便力教化衆生現作魔王又迦葉
十方无量菩薩或有人從乞手足耳鼻頭目
髓腦血肉皮骨聚落城邑妻子奴婢象馬
車乘金銀瑠璃車渠馬瑙珊瑚虎珀真珠
珂貝衣服飲食如此乞者多是住不可思議
解脫菩薩以方便力而往試之令其堅固所
以者何住不可思議解脫菩薩有威德力故
行逼迫諸衆生如是難事凡夫下劣无有
力勢不能如是逼迫菩薩譬如龍象蹴踏非
驢所堪是名住不可思議解脫菩薩智慧
方便之門
觀衆生品第七
尒時文殊師利問維摩詰言菩薩云何觀於
衆生維摩詰言譬如幻師見所幻人菩薩觀
衆生為若此如智者見水中月如鏡中見其
面像如熱時焰如呼聲響如空中雲如水聚
沫如水上泡如芭蕉堅如電久住如第五大如
第六陰如第七情如十三入如十九界菩薩
觀衆生為若此如无色界色如燋穀牙如
須陀洹身見如阿那含入胎如阿羅漢三毒

BD00470 號　維摩詰所說經卷中　（3–2）

第六陰如第七情如十三入如十九界菩薩
觀衆生為若此如无色界色如焦穀牙如
須陁洹身見如阿那含入胎如阿羅漢三毒
如得忍菩薩貪恚毀禁如佛煩惱習如盲者
見色如入滅盡定出入息如空中鳥跡如石女
兒如化人煩惱如夢所見已寤如滅度者受
身如无烟之火菩薩觀衆生為若此文殊師
利言若菩薩作是觀者云何行慈維摩詰
言菩薩作是觀已自念我當為衆生說如斯法
是即真實慈也行寂滅慈无所生故行不熱
慈无煩惱故行等之慈等三世故行无諍慈
无所起故行不二慈內外不合故行不壞慈
畢竟盡故行堅固慈心无毀故行清淨慈諸
法性淨故行无邊慈如虛空故行阿羅漢慈
破結賊故行菩薩慈安衆生故行如來慈得
如相故行佛之慈覺衆生故行自然慈无因
得故行菩提慈等一味故行无等慈斷諸愛
故行大悲慈導以大乘故行无厭慈觀空无
我故行法施慈无遺惜故行持戒慈化毀禁
故行忍辱慈護彼我故行精進慈荷負衆生

BD00470號　維摩詰所說經卷中　（3–3）

尒時佛告
後若比丘比
若長若幼聞是經
處若在僧坊若空閑
里如其所聞為父母宗
說是諸人等聞已隨喜復行
亦隨喜轉教如是展轉至第五十
第五十善男子善女人隨喜功德我今說之
汝當善聽若四百万億阿僧祇世界六趣四
生衆生卵生胎生濕生化生若有形無形有
想無想非有想非無想無足二足四足多足
如是等在衆生數者有人求福隨其所欲娛
樂之具皆給与之一一衆生与滿閻浮提金
銀琉璃車𤦲馬瑙珊瑚虎珀諸妙珎寶及象
馬車乘七寶所成宮殿樓閣等是大施主如
是布施滿八十年已而作是念我已施衆生
娛樂之具隨意所欲然此衆生皆已衰老年
過八十髮白面皺將死不久我當以佛法而
訓導之即集此衆生宣布法化示教利喜一
時皆得須陁洹道斯陁含道阿那含道阿羅
漢道盡諸有漏於深禪定皆得自在具八解
脫於汝意云何是大施主所得功德寧為多
不弥勒白佛言世尊是人功德甚多無量無
邊若是施主但施衆生一切樂具功德無量

BD00471號　妙法蓮華經卷六　（25–1）

邊若是施主但施衆生一切樂具功德無量
何況令得阿羅漢果佛告弥勒我今分明語
汝是人以一切樂具施於四百万億阿僧祇
世界六趣衆生又令得阿羅漢果所得功德
不如是第五十人聞法華經一偈隨喜功德
百分千分百千万億分不及其一乃至筭數
譬喻所不能知阿逸多如是第五十人展轉
聞法華經隨喜功德尚無量無邊阿僧祇何
況最初於會中聞而隨喜者其福復勝無量
無邊阿僧祇不可得比又阿逸多若人為是
經故往詣僧坊若坐若立須臾聽受緣是功
德轉身所生得好上妙象馬車乘珎寶輦轝
及乘天宮若復有人於講法處坐更有人來
勸令坐聽若分座令坐是人功德轉身得帝
釋坐處若梵王坐處若轉輪聖王所坐之處
阿逸多若復有人語餘人言有經名法華可
共往聽即受其教乃至須臾間聞是人功德
轉身得与陁羅尼菩薩共生一處利根智慧
百千万世終不瘖瘂口氣不臭舌常無病口
亦無病齒不垢黑不黄不踈亦不缺落不差
不曲脣不下垂亦不褰縮不麁澁不瘡緊亦
不缺壞亦不喎斜不厚不大亦不黧黑無諸
可惡鼻不匾𠏉亦不曲戾面色不黑亦不狹
長亦不窊曲無有一切不可喜相脣舌牙齒

BD00471號　妙法蓮華經卷六　（25–2）

長亦不窊曲無有一切不可喜相脣舌牙齒
悉皆嚴好鼻脩高直面貌圓滿眉高而長額
廣平正人相具足世世所生見佛聞法信受
教悔阿逸多汝且觀是勸於一人令往聽法
功德如此何況一心聽說讀誦而於大衆為
人分別如說脩行尒時世尊欲重宣此義而
說偈言
若人於法會　得聞是經典　乃至於一偈　隨喜為他說
如是展轉教　至于第五十　最後人獲福　今當分別之
如有大施主　供給無量衆　具滿八十歲　隨意之所欲
見彼衰老相　髮白而面皺　齒踈形枯竭　念其死不久
我今應當教　令得於道果　即為方便說　涅槃真實法
世皆不牢固　如水沫泡焰　汝等咸應當　疾生猒離心
諸人聞是法　皆得阿羅漢　具足六神通　三明八解脫
最後第五十　聞一偈隨喜　是人福勝彼　不可為譬喻
如是展轉聞　其福尚無量　何況於法會　初聞隨喜者
若有勸一人　將引聽法華　言此經深妙　千万劫難遇
即受教往聽　乃至須臾聞　斯人之福報　今當分別說
世世無口患　齒不踈黄黑　脣不厚褰缺　無有可惡相
舌不乾黑短　鼻高脩且直　額廣而平正　面目悉端嚴
為人所喜見　口氣無臭穢　優鉢華之香　常從其口出
若故詣僧坊　欲聽法華經　須臾聞歡喜　今當說其福
後生天人中　得妙象馬車　珎寶之輦轝　及乘天宮殿
若於講法處　勸人坐聽經　是福因緣得　釋梵轉輪座
何況一心聽　解說其義趣　如說而脩行　其福不可限
妙法蓮華經法師功德品第十九
尒時佛告常精進菩薩摩訶薩若善男子善
女人受持是法華經若讀若誦若解說若書

BD00471號　妙法蓮華經卷六　（25–3）

尒時佛告常精進菩薩摩訶薩若善男子善
女人受持是法華經若讀若誦若解說若書
寫是人當得八百眼功德千二百耳功德八
百鼻功德千二百舌功德八百身功德千二
百意功德以是功德莊嚴六根皆令清淨是
善男子善女人父母所生清淨肉眼見於三
千大千世界內外所有山林河海下至阿鼻
地獄上至有頂亦見其中一切衆生及業因
緣果報生處悉見悉知尒時世尊欲重宣此
義而說偈言
若於大衆中　以無所畏心　說是法華經　汝聽其功德
是人得八百　功德殊勝眼　以是莊嚴故　其目甚清淨
父母所生眼　悉見三千界　內外彌樓山　須彌及鐵圍
并諸餘山林　大海江河水　下至阿鼻獄　上至有頂處
其中諸衆生　一切皆悉見　雖未得天眼　肉眼力如是
復次常精進若善男子善女人受持此經若
讀若誦若解說若書寫得千二百耳功德以
是清淨耳聞三千大千世界下至阿鼻地獄
上至有頂其中內外種種語言音聲象聲馬
聲牛聲車聲啼哭聲愁歎聲螺聲鼓聲鍾聲
鈴聲笑聲語聲男聲女聲童子聲童女聲法
聲非法聲苦聲樂聲凡夫聲聖人聲喜聲不
喜聲天聲龍聲夜叉聲乾闥婆聲阿脩羅聲
迦樓羅聲緊那羅聲摩睺羅伽聲火聲水聲
風聲地獄聲畜生聲餓鬼聲比丘聲比丘尼

BD00471號　妙法蓮華經卷六　（25–4）

風聲地獄聲畜生聲餓鬼聲比丘聲比丘尼
聲聲聞聲辟支佛聲菩薩聲佛聲以要言之
三千大千世界中一切內外所有諸聲雖未
得天耳以父母所生清淨常耳皆悉聞知如
是分別種種音聲而不壞耳根尒時世尊欲
重宣此義而說偈言
父母所生耳　清淨無濁穢　以此常耳聞　三千世界聲
象馬車牛聲　鍾鈴螺鼓聲　琴瑟箜篌聲　簫笛之音聲
清淨好歌聲　聽之而不著　無數種人聲　聞悉能解了
又聞諸天聲　微妙之歌音　及聞男女聲　童男童女聲
山川嶮谷中　迦陵頻伽聲　命命等諸鳥　悉聞其音聲
地獄衆苦痛　種種楚毒聲　餓鬼飢渴逼　求索飲食聲
諸阿脩羅等　居在大海邊　自共語言時　出于大音聲
如是說法者　安住於此間　遙聞是衆聲　而不壞耳根
十方世界中　禽獸鳴相呼　其說法之人　於此悉聞之
其諸梵天上　光音及遍淨　乃至有頂天　言語之音聲
法師住於此　悉皆得聞之　一切比丘衆　及諸比丘尼
若讀誦經典　若為他人說　法師住於此　悉皆得聞之
復有諸菩薩　讀誦於經法　若為他人說　撰集解其義
如是諸音聲　悉皆得聞之　諸佛大聖尊　教化衆生者
於諸大衆中　演說微妙法　持此法華者　悉皆得聞之
三千大千界　內外諸音聲　下至阿鼻獄　上至有頂天
皆聞其音聲　而不壞耳根　其耳聰利故　悉能分別知
持是法華者　雖未得天耳　但用所生耳　功德已如是
復次常精進若善男子善女人受持是經若讀

BD00471號　妙法蓮華經卷六　（25–5）

復次常精進若善男子善女人受持是經若讀
若誦若解說若書寫成就八百鼻功德以是
清淨鼻根聞於三千大千世界上下內外
種種諸香須曼那華香闍提華香末利華香
瞻蔔華香波羅羅華香赤蓮華香青蓮華香
白蓮華香華樹香菓樹香栴檀香沈水香多
摩羅跋香多伽羅香及千万種和香若末若
丸若塗香持是經者於此閒住悉能分別又
復別知衆生之香象香馬香牛羊等香男香
女香童子香童女香及草木藂林香若近若
遠所有諸香悉皆得聞分別不錯持是經者
雖住於此亦聞天上諸天之香波利質多羅
拘鞞陀羅樹香及曼陀羅華香摩訶曼陀羅
華香曼殊沙華香摩訶曼殊沙華香栴檀
沈水種種末香諸雜華香如是等天香和合所
出之香無不聞知又聞諸天身香釋提桓因
在勝殿上五欲娛樂嬉戲時香若在妙法堂
上為忉利諸天說法時香若於諸園遊戲時
香及餘天等男女身香皆悉遙聞如是展轉
乃至梵世上至有頂諸天身香亦皆聞之并
聞諸天所燒之香及聲聞香辟支佛香菩薩
香諸佛身香亦皆遙聞知其所在雖聞此香
然於鼻根不壞不錯若欲分別為他人說憶
念不謬尒時世尊欲重宣此義而說偈言
是人鼻清淨 於此世界中 若香若臭物 種種悉聞知
須曼那闍提 多摩羅栴檀 沈水及桂香 種種華菓香

BD00471號　妙法蓮華經卷六　（25–6）

須曼那闍提 多摩羅栴檀 沈水及桂香 種種華菓香
及知衆生香 男子女人香 說法者遠住 聞香知所在
大勢轉輪王 小轉輪及子 群臣諸宮人 聞香知所在
身所著珎寶 及地中寶藏 轉輪王寶女 聞香知所在
諸人嚴身具 衣服及瓔珞 種種所塗香 聞則知其身
諸天若行坐 遊戲及神變 持是法華者 聞香悉能知
諸山深嶮處 栴檀樹華敷 衆生在中者 聞香皆能知
鐵圍山大海 地中諸衆生 持經者聞香 悉知其所在
阿脩羅男女 及其諸眷屬 闘諍遊戲時 聞香皆能知
曠野險隘處 師子象虎狼 野牛水牛等 聞香知所在
若有懷任者 未辯其男女 無根及非人 聞香悉能知
以聞香力故 知其初懷任 成就不成就 安樂產福子
以聞香力故 知男女所念 染欲癡恚心 亦知脩善者
地中衆伏藏 金銀諸珎寶 銅器之所盛 聞香悉能知
種種諸瓔珞 無能識其價 聞香知貴賤 出處及所在
天上諸華等 曼陀曼殊沙 波利質多樹 聞香悉能知
天上諸宮殿 上中下差別 衆寶華莊嚴 聞香悉能知
天園林勝殿 諸觀妙法堂 在中而娛樂 聞香悉能知
諸天若聽法 或受五欲時 來往行坐卧 聞香悉能知
天女所著衣 好華香莊嚴 周旋遊戲時 聞香悉能知
如是展轉上 乃至於梵世 入禪出禪者 聞香悉能知
光音遍淨天 乃至于有頂 初生及退沒 聞香悉能知
諸比丘衆等 於法常精進 若坐若經行 及讀誦經法
或在林樹下 專精而坐禪 持經者聞香 悉知其所在
菩薩志堅固 坐禪若讀誦 或為人說法 聞香悉能知

BD00471號　妙法蓮華經卷六　（25–7）

或在林樹下　專精而坐禪　持經者聞香　悉知其所在
菩薩志堅固　坐禪若讀誦　或為人說法　聞香悉能知
在在方世尊　一切所恭敬　愍衆而說法　聞香悉能知
衆生在佛前　聞經皆歡喜　如法而脩行　聞香悉能知
雖未得菩薩　無漏法生鼻　而是持經者　先得此鼻相
復次常精進若善男子善女人受持是經若
讀若誦若解說若書寫得千二百舌功德若
好若醜若美不美及諸苦澁物在其舌根皆
變成上味如天甘露無不美者若以舌根於
大衆中有所演說出深妙聲能入其心皆令
歡喜快樂又諸天子天女釋梵諸天聞是深
妙音聲有所演說言論次第皆悉來聽及諸
龍龍女夜叉夜叉女乾闥婆乾闥婆女阿脩
羅阿脩羅女迦樓羅迦樓羅女緊那羅緊那
羅女摩睺羅伽摩睺羅伽女為聽法故皆來
親近恭敬供養及比丘比丘尼優婆塞優婆
夷國王王子羣臣眷屬小轉輪王大轉輪王
七寶千子內外眷屬乘其宮殿俱來聽法以
是菩薩善說法故婆羅門居士國內人民盡
其形壽隨侍供養又諸聲聞辟支佛菩薩諸
佛常樂見之是人所在方面諸佛皆向其處
說法悉能受持一切佛法又能出於深妙法
音尒時世尊欲重宣此義而說偈言
是人舌根淨　終不受惡味　其有所食噉　悉皆成甘露
以深淨妙音　於大衆說法　以諸因緣喻　引導衆生心

BD00471號　妙法蓮華經卷六　（25–8）

是人舌根淨　終不受惡味　其有所食噉　悉皆成甘露
以深淨妙音　於大衆說法　以諸因緣喻　引導衆生心
聞者皆歡喜　設諸上供養　諸天龍夜叉　及阿脩羅等
皆以恭敬心　而共來聽法　是說法之人　若欲以妙音
遍滿三千界　隨意即能至　大小轉輪王　及千子眷屬
合掌恭敬心　常來聽受法　諸天龍夜叉　羅剎毗舍闍
亦以歡喜心　常樂來供養　梵天王魔王　自在大自在
如是諸天衆　常來至其所　諸佛及弟子　聞其說法音
常念而守護　或時為現身
復次常精進若善男子善女人受持是經若
讀若誦若解說若書寫得八百身功德得清
淨身如淨琉璃衆生喜見其身淨故三千大
千世界衆生生時死時上下好醜生善處惡
處悉於中現及鐵圍山大鐵圍山弥樓山摩
訶弥樓山等諸山及其中衆生悉於中現下
至阿鼻地獄上至有頂所有及衆生悉於中
現若聲聞辟支佛菩薩諸佛說法皆於身中
現其色像尒時世尊欲重宣此義而說偈言
若持法華者　其身甚清淨　如彼淨琉璃　衆生皆喜見
又如淨明鏡　悉見諸色像　菩薩於淨身　皆見世所有
唯獨自明了　餘人所不見　三千世界中　一切諸羣萌
天人阿脩羅　地獄鬼畜生　如是諸色像　皆於身中現
諸天等宮殿　乃至於有頂　鐵圍及弥樓　摩訶弥樓山
諸大海水等　皆於身中現　諸佛及聲聞　佛子菩薩等
若獨若在衆　說法悉皆現　雖未得無漏　法性之妙身
以清淨常體　一切於中現

BD00471號　妙法蓮華經卷六　（25–9）

以清淨常體　一切於中現
復次常精進若善男子善女人如來滅後受
持是經若讀若誦若解說若書寫得千二百
意功德以是清淨意根乃至聞一偈一句通
達無量無邊之義解是義已能演說一句一
偈至於一月四月乃至一歲諸所說法隨其
義趣皆與實相不相違背若說俗間經書治
世語言資生業等皆順正法三千大千世界
六趣衆生心之所行心所動作心所戲論皆
悉知之雖未得無漏智慧而其意根清淨如
此是人有所思惟籌量言說皆是佛法無不
真實亦是先佛經中所說尒時世尊欲重宣
此義而說偈言
是人意清淨　明利無穢濁　以此妙意根　知上中下法
乃至聞一偈　通達無量義　次第如法說　月四月至歲
是世界內外　一切諸衆生　若天龍及人　夜叉鬼神等
其在六趣中　所念若干種　持法華之報　一時皆悉知
十方無數佛　百福莊嚴相　為衆生說法　悉聞能受持
思惟無量義　說法亦無量　終始不忘錯　以持法華故
悉知諸法相　隨義識次第　達名字語言　如所知演說
此人有所說　皆是先佛法　以演此法故　於衆無所畏
持法華經者　意根淨若斯　雖未得無漏　先有如是相
是人持此經　安住希有地　為一切衆生　歡喜而愛敬
能以千万種　善巧之語言　分別而說法　持法華經故
妙法蓮華經常不輕菩薩品第二十

BD00471號　妙法蓮華經卷六　(25–10)

能以千万種　善巧之語言　分別而說法　持法華經故
妙法蓮華經常不輕菩薩品第二十
尒時佛告得大勢菩薩摩訶薩汝今當知若比
丘比丘尼優婆塞優婆夷持法華經者若有惡
口罵詈誹謗獲大罪報如前所說其所得功德
如向所說眼耳鼻舌身意清淨得大勢乃往古
昔過無量無邊不可思議阿僧祇劫有佛名威
音王如來應供正遍知明行足善逝世間解無
上士調御丈夫天人師佛世尊劫名離衰國名
大成其威音王佛於彼世中為天人阿脩羅說
法為求聲聞者說應四諦法度生老病死究竟
涅槃為求辟支佛者說應十二因緣法為諸菩
薩因阿耨多羅三藐三菩提說應六波羅蜜法
究竟佛慧得大勢是威音王佛壽四十万億那
由他恒河沙劫正法住世劫數如一閻浮提微
塵像法住世劫數如四天下微塵其佛饒益衆
生已然後滅度正法像法滅盡之後於此國土
復有佛出亦号威音王如來應供正遍知明行
足善逝世間解無上士調御丈夫天人師佛世
尊如是次第有二万億佛皆同一号最初威
音王如來既已滅度正法滅後於像法中增
上慢比丘有大勢力尒時有一菩薩比丘名
常不輕得大勢以何因緣名常不輕是比丘
凡有所見若比丘比丘尼優婆塞優婆夷皆
悉禮拜讚歎而作是言我深敬汝等不敢輕
慢所以者何汝等皆行菩薩道當得作佛而

BD00471號　妙法蓮華經卷六　(25–11)

慯所以者何汝等皆行菩薩道當得作佛而
是比丘不專讀誦經典但行礼拜乃至遠見
四衆亦復故往礼拜讚嘆而作是言我不敢
軽於汝等汝等皆當作佛故四衆之中有生
瞋恚心不浄者悪口罵詈言是無智比丘從
何所来自言我不軽汝而与我等受記當得
作佛我等不用如是虚妄受記如此經歷多
年常被罵詈不生瞋恚常作是言汝當作佛
說是語時衆人或以杖木瓦石而打擲之避
走遠住猶高聲唱言我不敢軽於汝等汝等
皆當作佛以其常作是語故增上慢比丘比
丘尼優婆塞優婆夷号之為常不軽是比丘
臨欲終時於虚空中具聞威音王佛先所說
法華經二十千万億偈悉能受持即得如上
眼根清浄耳鼻舌身意根清浄得是六根清
浄已更增壽命二百万億那由他歳廣為人
說是法華經於時增上慢四衆比丘比丘尼
優婆塞優婆夷軽賤是人為作不軽名者見
其得大神通力樂說辯力大善寂力聞其所
說皆信伏隨從是菩薩復化千万億衆令住
阿耨多羅三藐三菩提命終之後得值二千
億佛皆号日月燈明於其法中說是法華經
以是因緣復值二千億佛同号雲自在燈王
於此諸佛法中受持讀誦為諸四衆說此經
典故得是常眼清浄耳鼻舌身意諸根清浄

BD00471號　妙法蓮華經卷六　（25–12）

典故得是常眼清浄耳鼻舌身意諸根清浄
於四衆中說法心無所畏得大勢是常不軽
菩薩摩訶薩供養如是若干諸佛恭敬尊重
讚嘆種諸善根於後復值千万億佛亦於諸
佛法中說是經典功德成就當得作佛得大
勢於意云何尒時常不軽菩薩豈異人乎則
我身是若我於宿世不受持讀誦此經為他
人說者不能疾得阿耨多羅三藐三菩提我
於先佛所受持讀誦此經為人說故疾得阿
耨多羅三藐三菩提得大勢彼時四衆比丘
比丘尼優婆塞優婆夷以瞋恚意軽賤我故
二百億劫常不值佛不聞法不見僧千劫於
阿鼻地獄受大苦惱畢是罪已復遇常不軽
菩薩教化阿耨多羅三藐三菩提得大勢於
汝意云何尒時四衆常軽是菩薩者豈異人
乎今此會中跋陁婆羅等五百菩薩師子月
等五百比丘尼思佛等五百優婆塞皆於阿
耨多羅三藐三菩提不退轉者是得大勢當
知是法華經大饒益諸菩薩摩訶薩能令至
於阿耨多羅三藐三菩提是故諸菩薩摩訶
薩於如來滅後常應受持讀誦解說書寫是
經尒時世尊欲重宣此義而說偈言
過去有佛　号威音王　神智無量　將導一切
天人龍神　所共供養　是佛滅後　法欲盡時
有一菩薩　名常不軽　時諸四衆　計着於法

BD00471號　妙法蓮華經卷六　（25–13）

天人龍神　所共供養　是佛滅後　法欲盡時
有一菩薩　名常不輕　時諸四衆　計着於法
不輕菩薩　往到其所　而語之言　我不輕汝
汝等行道　皆當作佛　諸人聞已　輕毀罵詈
不輕菩薩　能忍受之　其罪畢已　臨命終時
得聞此經　六根清淨　神通力故　增益壽命
復為諸人　廣說是經　諸着法衆　皆蒙菩薩
教化成就　令住佛道　不輕命終　值無數佛
說是經故　得無量福　漸具功德　疾成佛道
彼時不輕　則我身是　時四部衆　着法之者
聞不輕言　汝當作佛　以是因緣　值無數佛
此會菩薩　五百之衆　并及四部　清信士女
今於我前　聽法者是　我於前世　勸是諸人
聽受斯經　第一之法　開示教人　令住涅槃
世世受持　如是經典　億億万劫　至不可議
時乃得聞　是法華經　億億万劫　至不可議
諸佛世尊　時說是經　是故行者　於佛滅後
聞如是經　勿生疑惑　應當一心　廣說此經
世世值佛　疾成佛道
妙法蓮華經如來神力品第二十一
尒時千世界微塵等菩薩摩訶薩從地踊出
者皆於佛前一心合掌瞻仰尊顏而白佛言
世尊我等於佛滅後世尊分身所在國土滅
度之處當廣說此經所以者何我等亦自欲
得是真淨大法受持讀誦解說書寫而供養

BD00471 號　妙法蓮華經卷六　(25–14)

得是真淨大法受持讀誦解說書寫而供養
之尒時世尊於文殊師利等無量百千万億
舊住娑婆世界菩薩摩訶薩及諸比丘比丘
尼優婆塞優婆夷天龍夜叉乾闥婆阿脩羅
迦樓羅緊那羅摩睺羅伽人非人等一切衆
前現大神力出廣長舌上至梵世一切毛孔
放於無量無數色光皆悉遍照十方世界衆
寶樹下師子座上諸佛亦復如是出廣長舌
放無量光釋迦牟尼佛及寶樹下諸佛現神
力時滿百千歲然後還攝舌相一時謦欬俱
共彈指是二音聲遍至十方諸佛世界地皆
六種震動其中衆生天龍夜叉乾闥婆阿脩
羅迦樓羅緊那羅摩睺羅伽人非人等以佛
神力故皆見此娑婆世界無量無邊百千万
億衆寶樹下師子座上諸佛及見釋迦牟尼
佛共多寶如來在寶塔中坐師子座又見無
量無邊百千万億菩薩摩訶薩及諸四衆恭
敬圍繞釋迦牟尼佛既見是已皆大歡喜得
未曾有即時諸天於虛空中高聲唱言過此
無量無邊百千万億阿僧祇世界有國名娑
婆是中有佛名釋迦牟尼今為諸菩薩摩訶
薩說大乘經名妙法蓮華教菩薩法佛所護
念汝等當深心隨喜亦當礼拜供養釋迦牟
尼佛彼諸衆生聞虛空中聲已合掌向娑婆
世界作如是言南無釋迦牟尼佛南无釋迦
牟尼佛以種種華香瓔珞幡蓋及諸嚴身之

BD00471 號　妙法蓮華經卷六　(25–15)

牟尼佛以種種華香瓔珞幡蓋及諸嚴身之
具珎寶妙物皆共遙散娑婆世界所散諸物
從十方來譬如雲集變成寶帳遍覆此間諸
佛之上于時十方世界通達無礙如一佛土
尒時佛告上行等菩薩大衆諸佛神力如是
無量無邊不可思議若我以是神力於無量
無邊百千万億阿僧祇劫爲囑累故說此經
功德猶不能盡以要言之如來一切所有之
法如來一切自在神力如來一切秘要之藏
如來一切甚深之事皆於此經宣示顯說是
故汝等於如來滅後應一心受持讀誦解說
書寫如說脩行所在國土若有受持讀誦解
說書寫如說脩行若經卷所住之處若於園
中若於林中若在樹下若於僧坊若白衣舍
若在殿堂若山谷曠野是中皆應起塔供養
所以者何當知是處即是道場諸佛於此得
阿耨多羅三藐三菩提諸佛於此轉于法輪
諸佛於此而般涅槃尒時世尊欲重宣此義
而說偈言

諸佛救世者　住於大神通　爲悅衆生故　現無量神力
舌相至梵天　身放無數光　爲求佛道者　現此希有事
諸佛謦欬聲　及彈指之聲　周聞十方國　地皆六種動
以佛滅度後　能持是經故　諸佛皆歡喜　現無量神力
囑累是經故　讚美受持者　於無量劫中　猶故不能盡
是人之功德　無邊無有窮　如十方虛空　不可得邊際
能持是經者　則爲已見我　亦見多寶佛　及諸分身者

能持是經者　則爲已見我　亦見多寶佛　及諸分身者
又見我今日　教化諸菩薩　能持是經者　令我及分身
滅度多寶佛　一切皆歡喜　十方現在佛　并過去未來
亦見亦供養　亦令得歡喜　諸佛坐道場　所得秘要法
能持是經者　不久亦當得　能持是經者　於諸法之義
名字及言辭　樂說無窮盡　如風於空中　一切無障礙
於如來滅後　知佛所說經　因緣及次第　隨義如實說
如日月光明　能除諸幽冥　斯人行世間　能滅衆生闇
教無量菩薩　畢竟住一乘　是故有智者　聞此功德利
於我滅度後　應受持斯經　是人於佛道　決定無有疑

妙法蓮華經囑累品第二十二

尒時釋迦牟尼佛從法座起現大神力以右
手摩無量菩薩摩訶薩頂而作是言我於無
量百千万億阿僧祇劫脩習是難得阿耨多
羅三藐三菩提法今以付囑汝等汝等應當
一心流布此法廣令增益如是三摩諸菩薩
摩訶薩頂而作是言我於無量百千万億阿
僧祇劫脩習是難得阿耨多羅三藐三菩提
法今以付囑汝等汝等當受持讀誦廣宣此
法令一切衆生普得聞知所以者何如來有
大慈悲無諸慳悋亦無所畏能与衆生佛之
智慧如來智慧自然智慧如來是一切衆生
之大施主汝等亦應隨學如來之法勿生慳
悋於未來世若有善男子善女人信如來智
慧者當爲演說此法華經使得聞知爲令其

惜於未来世若有善男子善女人信如来智
慧者當為演說此法華經使得聞知為令其
人得佛慧故若有衆生不信受者當於如来
餘深法中示教利喜汝等若能如是則為已
報諸佛之恩時諸菩薩摩訶薩聞佛作是說
已皆大歡喜遍滿其身益加恭敬曲躬低頭
合掌向佛俱發聲言如世尊勅當具奉行唯
然世尊願不有慮諸菩薩摩訶薩衆如是三
反俱發聲言如世尊勅當具奉行唯然世尊
願不有慮尒時釋迦牟尼佛令十方来諸分
身佛各還本土而作是言諸佛各隨所安多
寶佛塔還可如故說是語時十方無量分身
諸佛坐寶樹下師子座上者及多寶佛并上
行等無邊阿僧祇菩薩大衆舍利弗等聲聞
四衆及一切世間天人阿脩羅等聞佛所說
皆大歡喜

妙法蓮華經藥王菩薩本事品第二十三

尒時宿王華菩薩白佛言世尊藥王菩薩云
何遊於娑婆世界世尊是藥王菩薩有若干
百千万億那由他難行苦行善哉世尊願少
解說諸天龍神夜叉乾闥婆阿脩羅迦樓羅
緊那羅摩睺羅伽人非人等又他國土諸来
菩薩及此聲聞衆聞皆歡喜尒時佛告宿王
華菩薩乃往過去無量恒河沙劫有佛号曰
月淨明德如来應供正遍知明行足善逝世
間解無上士調御丈夫天人師佛世尊其佛

間解無上士調御丈夫天人師佛世尊其佛
有八十億大菩薩摩訶薩七十二恒河沙大
聲聞衆佛壽四万二千劫菩薩壽命亦等
彼國無有女人地獄餓鬼畜生阿脩羅等及以
諸難地平如掌琉璃所成寶樹莊嚴寶帳覆
上垂寶華幡寶瓶香爐周遍國界七寶為臺
一樹一臺其樹去臺盡一箭道此諸寶樹皆
有菩薩聲聞而坐其下諸寶臺上各有百億
諸天作天伎樂歌嘆於佛以為供養尒時彼
佛為一切衆生喜見菩薩及衆菩薩諸聲聞
衆說法華經是一切衆生喜見菩薩樂習苦
行於日月淨明德佛法中精進經行一心求
佛滿万二千歲已得現一切色身三昧得此
三昧已心大歡喜即作念言我得現一切色身
三昧皆是得聞法華經力我今當供養日
月淨明德佛及法華經即時入是三昧於虛
空中雨曼陁羅華摩訶曼陁羅華細末堅黑
栴檀滿虛空中如雲而下又雨海此岸栴檀
之香此香六銖價直娑婆世界以供養佛作
是供養已從三昧起而自念言我雖以神力
供養於佛不如以身供養即服諸香栴檀薰
陸兜樓婆畢力迦沉水膠香又飲瞻蔔諸華
香油滿千二百歲已香油塗身於日月淨明
德佛前以天寶衣而自纏身灌諸香油以神
通力願而自燃身光明遍照八十億恒河沙
世界其中諸佛同時讚言善哉善哉善男子

世界其中諸佛同時讚言善哉善哉善男子
是真精進是名真法供養如來若以華香瓔
珞燒香末香塗香天繒幡蓋及海此岸栴檀
之香如是等種種諸物供養所不能及假使
國城妻子布施亦所不及善男子是名第一
之施於諸施中最尊最上以法供養諸如來
故作是語已而各嘿然其身火然千二百歲
過是已後其身乃盡一切衆生喜見菩薩作
如是法供養已命終之後復生日月淨明德
佛國中於淨德王家結跏趺坐忽然化生即
為其父而說偈言
大王今當知　我經行彼處　即時得一切　現諸身三昧
勤行大精進　捨所愛之身
說是偈已而白父言日月淨明德佛今故現
在我先供養佛已得解一切衆生語言陁羅
尼復聞是法華經八百千万億那由他甄迦
羅頻婆羅阿閦婆等偈大王我今當還供養
此佛白已即坐七寶之臺上昇虛空高七多
羅樹往到佛所頭面礼足合十指爪以偈讚
佛
容顏甚奇妙　光明照十方　我適曾供養　今復還親近
尒時一切衆生喜見菩薩說是偈已而白佛
言世尊世尊猶故在世尒時日月淨明德佛
告一切衆生喜見菩薩善男子我涅槃時到
滅盡時至汝可安施床座我於今夜當般涅
槃又勅一切衆生喜見菩薩善男子我以佛

滅盡時至汝可安施床座我於今夜當般涅
槃又勅一切衆生喜見菩薩善男子我以佛
法囑累於汝及諸菩薩大弟子并阿耨多羅
三藐三菩提法亦以三千大千七寶世界諸
寶樹寶臺及給侍諸天悉付於汝我滅度後
所有舍利亦付囑汝當令流布廣設供養應
起若干千塔如是日月淨明德佛勅一切衆
生喜見菩薩已於夜後分入於涅槃尒時一
切衆生喜見菩薩見佛滅度悲感懊惱戀慕
於佛即以海此岸栴檀為積供養佛身而以
燒之火滅已後收取舍利作八万四千寶瓶
以起八万四千塔高三世界表剎莊嚴垂諸
幡蓋懸衆寶鈴尒時一切衆生喜見菩薩復
自念言我雖作是供養心猶未足我今當更
供養舍利便語諸菩薩大弟子及天龍夜
叉等一切大衆汝等當一心念我今供養日月
淨明德佛舍利作是語已即於八万四千塔
前燃百福莊嚴臂七万二千歲而以供養令
無數求聲聞衆無量阿僧祇人發阿耨多羅
三藐三菩提心皆使得住現一切色身三昧
尒時諸菩薩天人阿脩羅等見其無臂憂惱
悲哀而作是言此一切衆生喜見菩薩是我
等師教化我者而今燒臂身不具足于時一
切衆生喜見菩薩於大衆中立此誓言我捨
兩臂必當得佛金色之身若實不虛令我兩
臂還復如故作是誓已自然還復由斯菩薩

辟還復如故作是誓已自然還復由斯菩薩
福德智慧淳厚所致當尒之時三千大千世
界六種震動天雨寶華一切人天得未曾有
佛告宿王華菩薩於汝意云何一切衆生憙
見菩薩豈異人乎今藥王菩薩是也其所捨
身布施如是無量百千万億那由他數宿王
華若有發心欲得阿耨多羅三藐三菩提者
能燃手指乃至足一指供養佛塔勝以國城
妻子及三千大千國土山林河池諸珎寶物
而供養者若復有人以七寶滿三千大千世
界供養於佛及大菩薩辟支佛阿羅漢是人
所得功德不如受持此法華經乃至一四句
偈其福㝡多宿王華譬如一切川流江河諸
水之中海為第一此法華經亦復如是於諸
如來所說經中㝡為深大又如土山黑山小
鐵圍山大鐵圍山及十寶山衆山之中須彌
山為第一此法華經亦復如是於諸經中㝡
為其上又如衆星之中月天子㝡為第一此
法華經亦復如是於千万億種諸經法中㝡
為照明又如日天子能除諸闇此經亦復如
是能破一切不善之闇又如諸小王中轉輪
聖王㝡為第一此經亦復如是於衆經中㝡
為其尊又如帝釋於三十三天中王此經亦
復如是諸經中王又如大梵天王一切衆生
之父此經亦復如是一切賢聖學無學及發
菩薩心者之父又如一切凡夫人中須陁洹

之父此經亦復如是一切賢聖學無學及發
菩薩心者之父又如一切凡夫人中須陁洹
斯陁含阿那含阿羅漢辟支佛為第一此經
亦復如是一切如來所說若菩薩所說若聲
聞所說諸經法中㝡為第一有能受持是經
典者亦復如是於一切衆生中亦為第一一
切聲聞辟支佛中菩薩為第一此經亦復如
是於一切諸經法中㝡為第一如佛為諸法
王此經亦復如是諸經中王宿王華此經能
救一切衆生者此經能令一切衆生離諸苦
惱此經能大饒益一切衆生充滿其願如清
凉池能滿一切諸渴乏者如寒者得火如裸
者得衣如商人得主如子得母如渡得船如
病得醫如暗得燈如貧得寶如民得王如賈
客得海如炬除暗此法華經亦復如是能令
衆生離一切苦一切病痛能解一切生死之
縛若人得聞此法華經若自書若使人書所
得功德以佛智慧籌量多少不得其邊若書
是經卷華香瓔珞燒香末香塗香幡蓋衣服
種種之燈蘇燈油燈諸香油燈瞻蔔油燈須
曼油燈波羅羅油燈婆利師迦油燈那婆摩
利油燈供養所得功德亦復無量宿王華若
有人聞是藥王菩薩本事品者亦得無量無
邊功德若有女人聞是藥王菩薩本事品能
受持者盡是女身後不復受若如來滅後後

受持者盡是女身後不復受若如來滅後後
五百歲中若有女人聞是經典如說脩行於
此命終即往安樂世界阿弥陁佛大菩薩衆
圍繞住處生蓮華中寶座之上不復為貪欲
所惱亦復不為瞋恚愚癡所惱亦復不為憍
慢嫉妬諸垢所惱得菩薩神通無生法忍得
是忍已眼根清淨以是清淨眼根見七百万
二千億那由他恒河沙等諸佛如來是時諸
佛遥共讚言善哉善哉善男子汝能於釋迦
牟尼佛法中受持讀誦思惟是經為他人說
所得福德無量無邊火不能燒水不能漂汝
之功德千佛共說不能令盡汝今已能破諸
魔賊壞生死軍諸餘怨敵皆悉摧滅善男子
百千諸佛以神通力共守護汝於一切世間
天人之中無如汝者唯除如來其諸聲聞辟
支佛乃至菩薩智慧禪定無有与汝等者宿
王華此菩薩成就如是功德智慧之力若有
人聞是藥王菩薩本事品能隨喜讚善者是
人現世口中常出青蓮華香身毛孔中常出
牛頭栴檀香所得功德如上所說是故宿王
華以此藥王菩薩本事品囑累於汝我滅度
後後五百歲中廣宣流布於閻浮提無令斷
絕惡魔魔民諸天龍夜叉鳩槃茶等得其便
也宿王華汝當以神通之力守護是經所以
者何此經則為閻浮提人病之良藥若人有
病得聞是經病即消滅不老不死宿王華汝

BD00471號　妙法蓮華經卷六　（25–24）

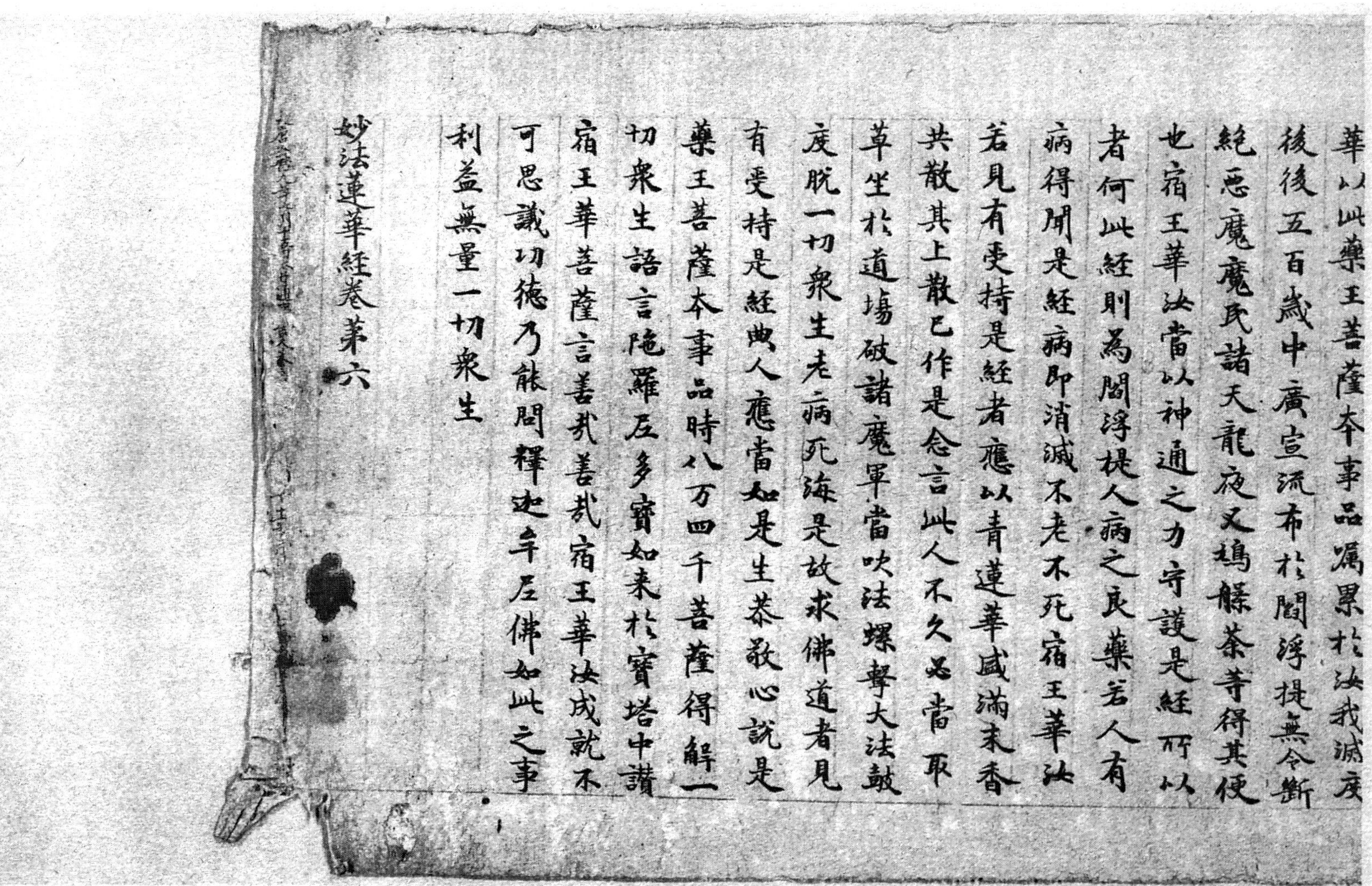

華以此藥王菩薩本事品囑累於汝我滅度
後後五百歲中廣宣流布於閻浮提無令斷
絕惡魔魔民諸天龍夜叉鳩槃茶等得其便
也宿王華汝當以神通之力守護是經所以
者何此經則為閻浮提人病之良藥若人有
病得聞是經病即消滅不老不死宿王華汝
若見有受持是經者應以青蓮華盛滿末香
供散其上散已作是念言此人不久必當取
草坐於道場破諸魔軍當吹法螺擊大法鼓
度脫一切衆生老病死海是故求佛道者見
有受持是經典人應當如是生恭敬心說是
藥王菩薩本事品時八万四千菩薩得解一
切衆生語言陁羅尼多寶如來於寶塔中讚
宿王華菩薩言善哉善哉宿王華汝成就不
可思議功德乃能問釋迦牟尼佛如此之事
利益無量一切衆生

妙法蓮華經卷第六

BD00471號　妙法蓮華經卷六　（25–25）

大般若波羅蜜多經卷第五百八十三
第十一布施波羅蜜多分之五　三藏法師玄奘奉　詔譯
尒時舍利子白佛言世尊頗有初心勝後心
不世尊告曰善哉善哉能問如來如是深義
汝應諦聽當為汝說亦有初心勝後心義謂
阿羅漢諸无漏心雖離自身一切煩惱而不
能化无量有情皆令發心捨諸煩惱菩薩
發大菩提心雖於自身煩惱未斷而能普
无量有情皆令發心捨諸煩惱展轉饒
量有情是謂初心勝後心義復有獨覺
漏心雖離自身一切煩惱而不能化无量有
情皆令發心捨諸煩惱菩薩初發大菩提
雖於自身煩惱未斷而能普化无量有情
令發心捨諸煩惱展轉饒益无量有情是謂

BD00472號　大般若波羅蜜多經卷五八三　（3–1）

情皆令發心捨諸煩惱菩薩初發大菩提心
雖於自身煩惱未斷而能普化无量有情皆
令發心捨諸煩惱展轉饒益无量有情是謂
勝心後心　義又舍利子菩薩所發大菩提
心若習若脩若多所作能具引發布施淨戒
安忍精進靜慮般若波羅蜜多及餘无量无
邊佛法疾能證得一切智智由斯化度无量
有情令得聲聞獨覺乘果或證无上正等菩
提或脩人天殊勝善業得人天樂捨惡趣苦
聲聞獨覺諸无漏心雖令自身證涅槃而
不能引布施淨戒安忍精進靜慮般若波羅
蜜多及餘无量无邊佛法亦不能得一切智
智不能化度无量有情令得聲聞獨覺乘果
或證无上正等菩提或脩人天殊勝善業得
人天樂捨惡趣苦是謂初心勝後心義又舍
利子菩薩所發大菩提心威力殊勝菩薩脩
習疾證无上正等菩提能授有情无顛倒記
謂記如是如是有情於當來世經尒所劫流
轉生死脩菩薩行當證无上正等菩提與諸
有情作大饒益或記如是如是有情於當來
世經尒所劫流轉生死脩獨覺行於人天中
遇緣證得獨覺菩提具六神通自在安樂或
記如是如是有情於當來世經尒所劫流轉
生死脩聲聞行於人天中得聲聞果或記如
是如是有情於當來世作善惡業經尒所時
生人天趣或墮惡趣生死流轉非諸獨覺能
受有情无顛倒記謂不能記諸菩薩言汝於

BD00472號　大般若波羅蜜多經卷五八三　（3–2）

過隨證得獨覺菩提具六神通自在安樂或
記如是如是有情於當來世經尒所劫流轉
生死脩聲聞行於人天中得聲聞果或記如
是如是有情於當來世作善惡業經尒所時
生人天趣或墮惡趣生死流轉非諸獨覺能
授有情无顛倒記謂不能記諸菩薩言汝於
未來經尒所劫當得作佛号某名等亦不能
記如是有情於當來世經尒所劫決定當得
獨覺菩提或聲聞果或善惡趣受諸苦樂亦
非聲聞能授他記設有能記皆從佛聞是謂初
心勝後心義又舍利子菩薩既發大菩提
心欲盡未來饒益一切尒時大地諸山大海
六返變動魔王驚怖諸天龍神皆大歡喜咸
言菩薩當證无上正等菩提拔濟我等生死
大苦令得安樂聲聞獨覺安住最後无漏心
時无如是事是謂初心勝後心義又舍利子
假使教化一切有情皆住獨覺阿羅漢果不
能攝受波羅蜜多及一切智若有教授教誡
菩薩令發无上正等覺心即能攝受布施淨
戒安忍精進靜慮般若波羅蜜多及一切智所
以者何聲聞獨覺不能成辦无上菩提以所
發心極羸劣故要諸菩薩乃能成辦无上

BD00472號　大般若波羅蜜多經卷五八三　（3–3）

草木和合名之為舍離
佉陁羅樹波羅奢樹尼拘陁
合為林離是之外更無別林虛
步兵和合為軍離是之外更無別軍譬如五
色雜綵和合名之為綺離是之外更無別綺
衆生我者亦復如是離五陰外更無別我善
男子如來常住則名為我如來法身無邊無
礙不生不滅得八自在是名為我衆生真實
無如是我及以我所但以畢竟當得畢竟第
者是義不然何以故若我當說身在先者汝
可難言汝亦同我身不在先何因緣故而作
是難善男子一切衆生身及煩惱俱無先後
一時而有雖一時有要因煩惱而得有身終
不因身有煩惱也汝意若謂如人二眼一時
而得不相因得左不因右右不因左煩惱及
身亦如是者是義不然何以故善男子世間
眼見炷之與明雖復一時明要因炷終不因明
而有炷也善男子汝意若謂身不在先故
知無因是義不然何以故若以身先無因緣
故名為無者汝不應說一切諸法無有因緣
若言不見故不說者今見瓶等從因緣出何
故不說如瓶身先因緣亦復如是善男子若

BD00473號　大般涅槃經等兌廢稿集綴（擬）　（7–1）

故不說如瓶身先因緣亦復如是善男子若
見不見一切諸法皆從因緣無有自性善男
子若言一切法悉有自性無因緣者汝何因
緣說於五大是五大性即是因緣善男子五
因緣如世人說一切出家精勤持戒布施羅
等亦應如是精勤持戒善男子汝言五大有
定性我觀是性轉故不定善男子蘇臘胡
膠於法中名之爲地是地不定或同於水
或同於地故不得說自性故堅善男子白臘
鉛錫銅鐵金銀於汝法中名之爲火是火四
性流時水性動時風性熱時火性堅時地性
無我空寂如是之人於無量世在生死中 流
轉受苦若有不作如是脩者雖有煩惱疾能
滅除何以故因知如來秘密藏故是名苦滅
能作如是脩是名空脩非滅聖諦道聖諦
者所謂佛法僧寶及正解脫有諸衆生顛倒
心言無佛法僧及正解脫生死流轉猶如幻化
脩習是見以此因緣輪轉三有久受大苦若
能發心見於如來常住無變法僧解脫亦復
如是乘此一念於無量世自在果報隨意而
得何以故我於往昔以四倒故非法計法受
於無量惡業果報我今以滅如是見故成佛
正覺是名道聖諦若有人言三寶無常脩
習是見是虛妄脩非道聖諦若脩是法爲常
住者是我弟子真見脩習四聖諦法是名四聖
諦迦葉菩薩復白佛言世尊我今始知脩習

BD00473號　大般涅槃經等兌廢稿集綴（擬）　（7–2）

諦迦葉菩薩復白佛言世尊我今始知脩習
甚深四聖諦法
佛告迦葉善男子謂四倒者於非苦中生於
苦想名曰顛倒非苦者名爲如來生苦想者
謂於如來無常變異若說如來是無常者
名大罪苦若言如來捨此苦身入於涅槃如薪
盡火滅是名非苦而生苦想是名顛倒我若
說言如來常者即是我見以我見故有無量
罪是故應說如來無常如是說者我則受樂
生心生惡念時王舍城小男小女若啼不止
父母則語汝若不止當將汝付薄俱羅鬼尒
時善星反被拘執而語我言速入禪室薄俱
羅來我言癡人汝常不聞如來世尊無所
畏羅來我言癡人汝常不聞如來世尊無所畏
耶尒時帝釋即語我言世尊如是人等亦復
得入佛法中耶我即語言憍尸迦如是者
得入佛法亦有佛性當得阿耨多羅三藐三
菩提我雖爲是善星說法而彼都無信受之心
善男子我於一時在迦尸國尸婆富羅城善
星比丘爲我給使我時欲入彼城乞食無量
衆生虛心渴仰欲見我跡善星尋隨我
後而毀滅之既不能滅而令衆生生不善心
我入城已於酒家舍見一尼乾捲脊蹲地飡
食酒糟善星比丘見已而言世尊世間若有
阿羅漢者是人最勝何以故是人所說無因

BD00473號　大般涅槃經等兌廢稿集綴（擬）　（7–3）

食酒糟善星比丘見已而言世尊世間若有
阿羅漢者是人最勝何以故是人所說無因
無果我言癡人汝常不聞阿羅漢者不飲酒
不害人不欺誑不偷盜不婬泆是人煞害父
母食噉酒糟云何而言是阿羅漢是人捨身
必定當墮阿鼻地獄阿羅漢者永斷三惡云
何而言是阿羅漢善星即言四大之性猶可
轉易欲令是人必墮阿鼻無有是處我言
癡人汝常不聞諸佛如來誠言無二我雖為是
善星說法而彼絕無信受之心善男子我於
一時與善星比丘住王舍城尒時城中有一
尼乾名曰苦得常作是言眾生煩惱無因無
緣過復有二人為賊所劫一者寶藏
過復有二人為賊所劫一有寶藏一則無藏
有藏
過復有二人為賊所劫一有寶藏一則
受在地獄受二者定作不定應生受者迴為
現受重報作輕應地獄受人中輕受如是二
人一愚二智智者為輕愚者令重善男子譬
如二人於王有罪眷屬多者其罪則輕眷屬
供養殊過此者以佛神力空中有天曰善男

BD00473號　大般涅槃經等兌廢稿集綴（擬）　（7–4）

究

供養殊過此者以佛神力空中有天曰善男
子法之供養勝諸供養即問[illegible]之供養天
日汝可往問藥王如來當廣為汝說之
真解脫真解脫者即是如來又解脫者名曰
泆定如婆師華香七葉中無解脫亦尒如是
解脫即是如來又解脫者名曰水大譬如水大
於諸大勝能潤一切草木穀子解脫亦尒
能潤一切有人之類如是解脫即是如來又
解脫者名曰為入如有門戶則通入路有金
性處金則可得解脫亦尒如彼門戶脩無我
者則得入中如是解脫即是如來又解脫者
名曰為善譬如弟子隨逐於師善奉教勅得
名為善解脫亦尒如是解脫即是如來又解
脫者名出世法於一切法最為出過如來味中
又解脫者名曰不動譬如門閫風不能動真
解脫者亦復如是解脫即是如來又解
脫者名無濤波如彼大海其水濤波解脫不
尒如是解脫即是如來又解脫者譬如宮殿
解脫亦尒當知解脫即是如來又解脫者名
日所用如閻浮檀金多有所任無有能說是
金過惡解脫亦尒無有過惡無有過惡即真
解脫真解脫者即是如來又解脫者捨嬰兒
行譬如大人捨小兒行解脫亦尒除捨五陰
除捨五陰即真解脫真解脫者即是如來又
解脫者名曰究竟如彼繫者從繫得脫洗浴

BD00473號　大般涅槃經等兌廢稿集綴（擬）　（7–5）

兊

解脱者名日究竟如彼繫者從繫得脱洗浴
清淨然後還家解脱亦尒畢竟清淨竟清

憂不辦
尒時四天王釋提桓因各相謂言汝等觀察
諸天世人及阿脩羅大設供養欲於最後供
養如来我等亦當如是供養若我最後得供
養者檀波羅蜜則爲成就滿足不難尒時四
天王所設供養倍勝於前持曼陁羅華摩
訶曼陁羅華迦枳樓伽華摩訶迦枳樓伽華曼
殊沙華摩訶曼殊沙華散多尼迦華摩訶散
多尼迦華愛樂華大愛樂華普賢華大普
賢華時華大時華香城華大香城華歡喜華
大歡喜華發欲華大發欲華香醉華大香醉華
樹華拘毗陁羅樹華復持種種上妙日饍来
至佛所稽首佛足是諸天人所有光明能
覆日月令不復現以是供具欲供養佛如来
知時嘿然不受尒時諸天不果所願愁憂
苦惱却住一面
尒時釋提桓因及卅三天設諸供具亦倍勝
前及所持華亦復如是香氣微妙甚可愛樂
持得勝堂并諸小堂来至佛所稽首佛足而
白佛言世尊我等深樂愛護大乘唯願如来
哀受我食如来知時嘿然不受時諸釋天不

BD00473號　大般涅槃經等兊廢稿集綴（擬）　（7–6）

知時嘿然不受尒時諸天不果所願愁憂
苦惱却住一面
尒時釋提桓因及卅三天設諸供具亦倍勝
前及所持華亦復如是香氣微妙甚可愛樂
持得勝堂并諸小堂来至佛所稽首佛足而
白佛言世尊我等深樂愛護大乘唯願如来
哀受我食如来知時嘿然不受時諸釋天不
果所願心懷愁惱却住一面乃至第六天所
設供養展轉勝前寶幢幡蓋寶蓋小者覆四
天下幡最短者周匝四海幢最卑者至自在
天微風吹幡出妙音聲持上日饍来詣佛所
稽首佛足白佛言世尊唯願如来哀受我等

BD00473號　大般涅槃經等兊廢稿集綴（擬）　（7–7）

…是於諸
…眾生病愈
…病者以大
…侍者維
…言諸佛國土□復皆空又問以何為空
答曰以空空又問空何用空答曰以无分別空
故空又問空可分別耶答曰分別亦空又問空
當於何求答曰當於六十二見中求又問六十
二見當於何求答曰當於諸佛解脫中求
又問諸佛解脫當於何求答曰當於一切
眾生心行中求又仁所問何无侍者一切眾
魔及諸外道皆吾侍也所以者何眾魔者
樂生死菩薩於生死而不捨外道者樂諸見
菩薩於諸見而不動文殊師利言居士所
疾為何等相維摩詰言我病无形不可見
又問此病身合耶心合耶答曰非身合身相
離…非心合心如幻故又問地大水大火大
風大於此四大何大之病答曰是病非地大亦
離地大水大風大亦復如是而眾生病從
四大起以其有病是故我病
尒時文殊師利問維摩詰言菩薩云何慰喻
有病菩薩維摩詰言說身无常不說猒離於
身說身有苦不說樂於涅槃說身无我…

尒時文殊師利問維摩詰言菩薩云何慰喻
有病菩薩維摩詰言說身无常不說猒離於
身說身有苦不說樂於涅槃說身无我而說
教導眾生說身空寂不說畢竟寂滅說悔
先罪而不說入於過去以己之疾愍於彼疾
當識宿世无數劫苦當念饒益一切眾生憶
所脩福念於淨命勿生憂惱常起精進當作
醫王療治眾病菩薩應如是慰喻有疾菩
薩令其歡喜文殊師利言居士有疾菩薩云
何調伏其心維摩詰言有疾菩薩應作是念
今我此病皆從前世妄想顛倒諸煩惱生无有
實法誰受病者所以者何四大合故假名為身
四大无主身亦无我又此病起皆由著我是故
於我不應生著既知病本即除我想及眾
生想當起法想應作是念但以眾法合成此
身起唯法起滅唯法滅又此法者各不相知
起時不言我起滅時不言我滅彼有疾菩薩
為滅法想當作是念此法想者亦是顛倒顛
倒者是即大患我應離之云何為離離我我
所云何離我我所謂離二法云何離二法謂
不念內外諸法行於平等云何平等謂我等
涅槃等所以者何我及涅槃此二皆空以何
為空但以名字故空如此二法无決定性得
是平等无有餘病唯有空病空病亦空是有
疾菩薩以无所受而受諸受未具佛法亦不
滅受而取證也設身有苦念惡趣眾生起大
悲心我既調伏亦當調伏一切眾生但除其

疾菩薩以无所受而受諸受未具佛法亦不
滅受而取證也設身有苦念惡趣衆生起大
悲心我既調伏亦當調伏一切衆生但除其
病而不除法為斷病本而教導之何謂病本
謂有攀緣從有攀緣則為病本何所攀緣
謂之三界云何斷攀緣以无所得若无所得則
无攀緣何謂无所得謂二見何謂二見謂内見
外見是无所得文殊師利是名有疾菩薩調
伏其心為斷老病死苦是名菩薩菩提若不
如是己所脩治為无慧利辟如勝怨乃可為
勇如是兼除老病死者菩薩之謂也彼有疾
菩薩應復作是念如我此病非真非有衆生
病亦非真非有作是觀時於諸衆生若起
愛見大悲即應捨離所以者何菩薩斷除客
塵煩惱而起大悲愛見悲者則於生死有疲
厭心若能離此无有疲厭在在所生不為愛
見之所覆也所生无縛能為衆生說法解縛
如佛所說若自有縛能解彼縛无有是處若
自无縛能解彼縛斯有是處是故菩薩不應
起縛何謂縛何謂解貪著禪味是菩薩縛
以方便生是菩薩解又无方便慧縛有方便
慧解无慧方便縛有慧方便解何謂无方便
慧縛謂菩薩以愛見心莊嚴佛土成就衆生
於空无相无作法中而自調伏是名无方便
慧縛何謂有方便慧解謂不以愛見心莊嚴
佛土成就衆生於空无相无作法中以自調
伏而不疲厭是名有方便慧解何謂无慧方
便縛謂菩薩住貪欲瞋恚邪見等諸煩惱而

BD00474號　維摩詰所說經卷中　（25–3）

便縛謂菩薩住貪欲瞋恚邪見等諸煩惱而
殖衆德本是名无慧方便縛何謂有慧方便
解謂離諸貪欲瞋恚邪見等諸煩惱而殖衆
德本迴向阿耨多羅三藐三菩提是名有慧方
便解文殊師利彼有疾菩薩應如是觀諸法
又復觀身无常苦空非我是名為慧雖身有
疾常在生死饒益一切而不厭惓是名方便
又復觀身身不離病病不離身是病是身非
新非故是名為慧設身有疾而不永滅是
名方便文殊師利有疾菩薩應如是調伏其
心不住其中亦復不住不調伏心所以者何若
住不調伏心是愚人法若住調伏心是聲聞法
是故菩薩不當住於調伏不調伏心離此二
法是菩薩行在於生死不為汙行住於涅
槃不永滅度是菩薩行非凡夫行非賢聖行
是菩薩行非垢行非淨行是菩薩行雖過魔
行而現降衆魔是菩薩行求一切智无非時
求是菩薩行雖觀諸法不生而不入正位是
菩薩行雖觀十二緣起而入諸邪見是菩薩
行雖攝一切衆生而不愛著是菩薩行雖樂
遠離而不依身心盡是菩薩行雖行三界而
不壞法性是菩薩行雖行於空而殖衆德本
是菩薩行雖行无相而度衆生是菩薩行雖
行无作而現受身是菩薩行雖行无起而起
一切善行是菩薩行雖行六波羅蜜而遍知
衆生心心數法是菩薩行雖行六通而不盡漏
是菩薩行雖行四无量心而不[illegible]

BD00474號　維摩詰所說經卷中　（25–4）

一切善行是菩薩行雖行六波羅蜜而遍知
衆生心心數法是菩薩行雖行六通而不盡漏
是菩薩行雖行四无量心而不貪著生於梵
世是菩薩行雖行禪定解脫三昧而不隨禪
生是菩薩行雖行四念處而不永離身受心
法是菩薩行雖行四正勤而不捨身心精進
是菩薩行雖行四如意足而得自在神通是
菩薩行雖行五根而分別衆生諸根利鈍是
菩薩行雖行五力而樂求佛十力是菩薩行
雖行七覺分而分別佛之智慧是菩薩行雖
行八聖道而樂行无量佛道是菩薩行雖行
止觀助道之法而不畢竟墮於寂滅是菩薩
行雖行諸法不生不滅而以相好莊嚴其身
是菩薩行雖現聲聞辟支佛威儀而不捨佛
法是菩薩行雖隨諸法究竟淨相而隨所
應為現其身是菩薩行雖觀諸佛國土永寂
如空而現種種清淨佛土是菩薩行雖得佛道
轉于法輪入於涅槃而不捨於菩薩之道是
菩薩行說是法時文殊師利所將大衆其中
八千天子皆發阿耨多羅三藐三菩提心

維摩詰經不思議品第六

尒時舍利弗見此室中无有牀座作是念斯
諸菩薩大弟子衆當於何坐長者維摩詰知
其意語舍利弗言云何仁者為法來耶求牀
座耶舍利弗言我為法來非為牀座維摩詰
言唯舍利弗夫求法者不貪軀命何況牀座

BD00474號　維摩詰所說經卷中　(25–5)

座耶舍利弗言我為法來非為牀座維摩詰
言唯舍利弗夫求法者不貪軀命何況牀座
夫求法者非有色受想行識之求非有界入
之求非有欲色无色之求唯舍利弗夫求法
者不著佛求不著法求不著衆求夫求法
者无見苦求无斷集求无造盡證脩道之求
所以者何法无戲論若言我當見苦斷集滅
證脩道是則戲論非求法也唯舍利弗法名
寂滅若行生滅是求生滅非求法也法名无
染若染於法乃至涅槃是則染著非求法也法
无行處若行於法是則行處非求法也法无
取捨若取捨法是則取捨非求法也法无處
所若著處所是則著處非求法也法名无相
若隨相識是則求相非求法也法不可住若
住於法是則住法非求法也法不可見聞覺
知若行見聞覺知是則見聞覺知非求法也
法名无為若行有為是求有為非求法也是故
舍利弗夫求法者於一切法應无所求說是
語時五百天子於諸法中得法眼淨
尒時長者維摩詰問文殊師利仁者遊於无
量千万億阿僧祇國何等佛土有好上妙功
德成就師子之座文殊師利言居士東方度
三十六恒河沙國有世界名須弥相其佛号須
弥燈王今現在彼佛身長八万四千由旬其
師子座高八万四千由旬嚴飾第一於是長
者維摩詰現神通力即時彼佛遣三万二千

BD00474號　維摩詰所說經卷中　(25–6)

三十六恒河沙國有世界名須弥相其佛号須
弥燈王今現在彼佛身長八万四千由旬其
師子座高八万四千由旬嚴飾第一於是長
者維摩詰現神通力即時彼佛遣三万二千
師子之座高廣嚴淨來入維摩詰室諸菩
薩大弟子釋梵四天王等昔所未見其室廣
博悉苞容三万二千師子之座无所妨㝵於毗耶
離城及閻浮提四天下亦不迫迮悉見如故尒
時維摩詰語文殊師利就師子座與諸菩薩
上人俱坐當自立身如彼座像其得神通菩
薩即自變形為四万二千由旬坐師子座諸
新發意菩薩及大弟子皆不能昇尒時維
摩詰語舍利弗就師子座舍利弗言居士此
座高廣吾不能昇維摩詰言唯舍利弗為須弥
燈王如來作礼乃可得坐於是新發意菩薩
及大弟子即為須弥燈王如來作礼便得坐
師子座
舍利弗言居士未曾有也如是小室乃能容
受此高廣之座於毗耶離城无所妨㝵又於
閻浮提聚落城邑及四天下諸天龍王鬼神
宮殿亦不迫迮維摩詰言唯舍利弗諸佛菩
薩有解脫名不可思議若菩薩住是解脫者
以須弥之高廣內芥子中无所增減須弥山
王本相如故而四天王忉利諸天不覺不知
己之所入唯應度者乃見須弥入芥子中是
名不可思議解脫法門又以四大海水入一毛

名不可思議解脫法門又以四大海水入一毛
孔不嬈魚鼈黿鼉水性之屬而彼大海本相
如故諸龍鬼神阿脩羅等不覺不知己之所
入於此衆生亦无所嬈又舍利弗住不可思
議解脫菩薩斷取三千大千世界如陶家輪
著右掌中擲過恒沙世界之外其中衆生不
覺不知己之所往又復還置本處都不使人
有往來想而此世界本相如故又舍利弗或
有衆生樂久住世而可度者菩薩即演七日
以為一劫令彼衆生謂之一劫或有衆生不
樂久住而可度者菩薩即促一劫以為七日
令彼衆生謂之七日又舍利弗住不可思議
解脫菩薩以一切佛土嚴飾之事集在一國
示於衆生又菩薩以一切佛土衆生置之右
掌飛到十方遍示一切而不動本處又舍利
弗十方衆生供養諸佛之具菩薩於一毛孔
皆令得見又十方國土所有日月星宿於一毛
孔普使見之又舍利弗十方世界所有諸風
菩薩悉能吸著口中而身无損外諸樹木亦
不摧折又十方世界劫盡燒時以一切火內
於腹中火事如故而不為害又於下方過恒
河沙等諸佛世界取一佛土舉著上方過恒
河沙无數世界如持鍼鋒舉一棗葉而无所
嬈又舍利弗住不可思議解脫菩薩能以神
通現作佛身或現辟支佛身或現聲聞身
或現帝釋身或現梵王身或現世主身或

[illegible]佛身[illegible]現[illegible]聲聞身
或現帝釋身或現梵王身或現世主身或
現轉輪王身又十方世界所有衆聲上中下
音皆能變之令作佛聲演出无常苦空无
我之音及十方諸佛所說種種之法皆於其中
普令得聞舍利弗我今略說菩薩不可思議
解脫之力若廣說者窮劫不盡是時大迦葉
聞說菩薩不可思議解脫法門歎未曾有謂
舍利弗譬如有人於盲者前現衆色像非彼
所見一切聲聞聞是不可思議解脫法門不能
解了為若此也智者聞是其誰不發阿耨多
羅三藐三菩提心我等何為永絕其根於此
大乘已如敗種一切聲聞聞是不可思議解
脫法門皆應號泣聲震三千大千世界一切
菩薩應大欣慶頂受此法若有菩薩信解不
可思議解脫門者一切魔衆无如之何大迦
葉說是語時三万二千天子皆發阿耨多羅
三藐三菩提心
尒時維摩詰語大迦葉仁者十方无量阿
僧祇世界中作魔王者多是住不可思議解
脫菩薩以方便力教化衆生現作魔王又迦葉
十方无量菩薩或有人從乞手足耳鼻頭目髓
腦血肉皮骨聚落城邑妻子奴婢象馬車
乘金銀瑠璃車𤦲馬瑙珊瑚虎珀真珠珂貝
衣服飲食如此乞者多是住不可思議解脫
菩薩以方便力而往試之令其堅固所以者何住
可思議解脫菩薩有威德力故行逼迫示諸

BD00474 號　維摩詰所說經卷中　（25-9）

可思議解脫菩薩有威德力故行逼迫示諸
衆生如是難事凡夫下劣无有力勢不能如
是逼迫菩薩譬如龍象蹴蹋非驢所堪是
名住不可思議解脫菩薩智慧方便之門
維摩詰經觀衆生品第七
尒時文殊師利問維摩詰言菩薩云何觀於
衆生維摩詰言譬如幻師見所幻人菩薩觀
衆生為若此如智者見水中月如鏡中見其
面像如熱時炎如呼聲嚮如空中雲如水聚
沫如水上泡如芭蕉堅如電久住如第五大
如第六陰如第七情如十三入如十九界菩薩
觀衆生為若此如无色界色如燋穀牙如須
陁洹身見如阿那含入胎如阿羅漢三毒如得
忍菩薩貪恚毀禁如佛煩惱習如盲者見色
如入滅盡定出入息如空中鳥跡如石女兒如化
人煩惱如夢所見已悟如滅度者受身
如无烟之火菩薩觀衆生為若此也
文殊師利言若菩薩作是觀者云何行慈維
摩詰言菩薩作是觀已自念我當為衆生說
如斯法是即真實慈也行寂滅慈无所生故行
不熱慈无煩惱故行等之慈等三世故行无諍
慈无所起故行不二慈內外不合故行不壞
慈畢竟盡故行堅固慈心无毀故行清淨
慈諸法性淨故行无邊慈如虛空故行阿
羅漢慈破結賊故行菩薩慈安衆生故行如
來慈得如相故行佛之慈覺衆生故行自

BD00474 號　維摩詰所說經卷中　（25-10）

未慈得如相故行佛之慈覺衆生故行自
然慈无因得故行菩提慈等一味故行无比
慈斷諸愛故行大悲慈導以大乘故行无猒
慈觀空无我故行法施慈无遺惜故行持
戒慈化毀禁故行忍辱慈護彼我故行精進慈
荷負衆生故行禪定慈不受味故行智慧慈
无不知時故行方便慈一切示現故行无隱慈
直心清淨故行深心慈无雜行故行无誑慈
不虛假故行安樂慈令得佛樂故菩薩之慈
爲若此也文殊師利又問何謂爲悲答曰菩
薩所作功德皆與一切衆生共之何謂爲喜
答曰有所饒益歡喜无悔何謂爲捨答曰所
作福祐无所悕望文殊師利又問生死有畏
菩薩當何所依維摩詰言菩薩於生死畏中
當依如來功德之力文殊師利又問菩薩欲
依如來功德之力當於何住答曰菩薩欲依
如來功德力者當住度脫一切衆生又問欲
度衆生當何所除答曰欲度衆生除其煩惱
又問欲除煩惱當何所行答曰當行正念又
問云何行於正念答曰當行不生不滅又問
何法不生何法不滅答曰不善不生善法不
滅又問善不善孰爲本答曰身爲本又問身
孰爲本答曰欲貪爲本又問欲貪孰爲本答
曰虛妄分別爲本又問虛妄分別孰爲本答
曰顛倒想爲本又問顛倒想孰爲本答曰无
住爲本又問无住孰爲本答曰无住則无本
文殊師利從无住本立一切法

住爲本又問无住孰爲本答曰无住則无本
文殊師利從无住本立一切法
時維摩詰室有一天女見諸大人聞所說法
便現其身即以天華散諸菩薩大弟子上華
至諸菩薩即皆墮落至大弟子便著不墮一
切弟子神力去華不能令去尒時天問舍利弗
何故去華答曰此華不如法是以去之天曰勿
謂此華爲不如法所以者何是華无所分別
仁者自生分別想耳若於佛法出家有所
分別爲不如法若无分別是則如法觀諸菩
薩華不著者以斷一切分別想故譬如人畏
時非人得其便如是弟子畏生死故色聲香
味觸得其便已離畏者一切五欲无能爲也
結習未盡華著身耳結習盡者華不著也
舍利弗言天止此室其已久如答曰我止此室
如耆年解脫舍利弗言止此久耶天曰耆年解
脫亦何如久舍利弗嘿然不答天曰如何耆
舊大智而嘿答曰解脫者无所言說故吾於
是不知所云天曰言說文字皆解脫相所以者
何解脫者不內不外不在兩間文字亦不內不
外不在兩間是故舍利弗无離文字說解
脫也所以者何一切諸法是解脫相舍利弗
言不復以離婬怒癡爲解脫乎天曰佛爲增
上慢人說離婬怒癡爲解脫耳若无增上慢
者佛說婬怒癡性即是解脫舍利弗言善哉
善哉天女汝何所得以何爲證辯乃如是天

者佛說婬怒癡性即是解脫舍利弗言善哉
善哉天女汝何所得以何為證辯乃如是天
曰我无得无證故辯如是所以者何若有得
有證者則於佛法為增上慢
舍利弗問天汝於三乘為何志求天曰以聲
聞法化衆生故我為聲聞以因緣法化衆生
故我為辟支佛以大悲法化衆生故我為大乘
舍利弗如人入瞻蔔林唯嗅瞻蔔不嗅餘香
如是若入此室但聞佛功德之香不樂聲聞
辟支佛功德香也舍利弗其有釋梵四天
王諸天龍鬼神等入此室者聞斯上人講說
法皆樂佛功德之香發心而出舍利弗吾止
此室十有二年初不聞說聲聞辟支佛法但
聞菩薩大慈大悲不可思議諸佛之法舍利
弗此室常現八未曾有難得之法何等為八
此室常以金色光照晝夜无異不以日月所
照為明是為一未曾有難得之法此室入者
不為諸垢之所惱也是為二未曾有難得之
法此室常有釋梵四天王他方菩薩來會不
絕是為三未曾有難得之法此室常說六波
羅蜜不退轉法是為四未曾有難得之法此室
常作天人第一之樂絃出无量法化之聲是
為五未曾有難得之法此室有四大藏衆
寶積滿周窮濟乏求得无盡是為六未曾有
難得之法此室釋迦牟尼佛阿彌陀佛阿閦
佛寶德寶炎寶月寶嚴難勝師子響一切

佛寶德寶炎寶月寶嚴難勝師子響一切
利成如是等十方无量諸佛是上人念時即皆
為來廣說諸佛秘要法藏說已還去是為
七未曾有難得之法此室一切諸天嚴飾宮
殿諸佛淨土皆於中現是為八未曾有難得
之法舍利弗此室常現八未曾有難得之法
誰有見斯不思議事而復樂於聲聞法乎舍
利弗言汝何以不轉女身天曰我從十二年
來求女人相了不可得當何所轉譬如幻師化
作幻女若有人問何以不轉女身是人為正問
不舍利弗言不也幻无定相當何所轉天曰一
切諸法亦復如是无有定相云何乃問不轉
女身即時天女以神道力變舍利弗令如天
女天自化身如舍利弗而問言何以不轉女
身舍利弗以天女像而荅言我今不知何轉
而變為女身天曰舍利弗若能轉此女身
則一切女人亦當能轉如舍利弗非女而現
女身一切女人亦復如是雖現女身而非女
也是故佛說一切諸法非男非女即時天女
還攝神力令舍利弗身還復如故天問舍利
弗女身色相今何所在舍利弗言女身色相无
在无不在天曰一切諸法亦復如是无在无
不在夫无在无不在者佛所說也舍利弗
問天汝於此沒當生何所天曰佛化所生吾如
彼生曰佛化所生非沒生也天曰衆生猶然
无沒生也舍利弗問天汝久如當得阿耨多

佛化所生非没生也天曰衆生猶然
无没生也舍利弗問天汝久如當得阿耨多
羅三藐三菩提天曰如舍利弗還爲凡夫我
乃當成阿耨多羅三藐三菩提舍利弗言我
作凡夫无有是處天曰我得阿耨多羅三藐
三菩提亦无是處所以者何菩提无住處
是故无有得者舍利弗言今諸佛得阿耨多
羅三藐三菩提已得當得今得如恒河沙皆
謂何乎天曰皆以世俗文字數故說有三世
非謂菩提有去來今天曰舍利弗汝得阿羅
漢道耶曰无所得故而得天曰諸佛菩薩亦
復如是无所得故而得尒時維摩詰語舍利
弗是天女曾已供養九十二億佛已能遊戲
菩薩神通所願具足得无生忍住不退轉以
本願故隨意能現教化衆生

維摩詰經佛道品第八

尒時文殊師利問維摩詰言菩薩云何通達
佛道維摩詰言若菩薩行於非道是爲通
達佛道又問云何菩薩行於非道荅曰若菩
薩行五无間而无惱恚至于地獄无諸罪垢
至于畜生无有无明憍慢等過至于餓鬼而
具足功德行色无色界道不以爲勝示行貪
欲離諸染著示行瞋恚於諸衆生无有恚导
示行愚癡而以智慧調伏其心示行慳貪而捨
内外所有不惜身命示行毀禁而安住淨戒
乃至小罪猶懷大懼示行瞋恚而常慈忍示行
懈怠而勤脩功德示行亂意而常念定示行

BD00474 號　維摩詰所說經卷中

（25–15）

乃至小罪猶懷大懼示行瞋恚而常慈忍示行
懈怠而勤脩功德示行亂意而常念定示行愚
癡而通達世間出世間慧示行諂僞而善方便
隨諸經義示行憍慢而於衆生猶如橋梁示
行諸煩惱而心常清淨示入於魔而順佛
智慧不隨他教示入聲聞而爲衆生說未聞
法示入辟支佛而成就大悲教化衆生示入貧
窮而有寶手功德无盡示入形殘而具諸相
好以自莊嚴示入下賤而生佛種姓中具諸功
德示入羸劣醜陋而得那羅延身一切衆
生之所樂見示入老病而永斷病根超越死
畏示有資生而恒觀无常實无所貪示有妻
妾婇女而常遠離五欲淤泥現於訥鈍而成就
辯才揔持无失示入邪濟而以正濟度諸衆生
現遍入諸道而斷其因緣現於涅槃而不斷生
死文殊師利菩薩能如是行於非道是爲通
達佛道於是維摩詰問文殊師利何等爲如來
種文殊師利言有身爲種无明有愛爲種貪
恚癡爲種四顛倒爲種五蓋爲種六入爲種七
識處爲種八耶法爲種九惱處爲種十不善道爲
種以要言之六十二見及一切煩惱皆是佛種
曰何謂也荅曰若見无爲入正位者不能復
發阿耨多羅三藐三菩提心譬如高原陸地
不生蓮華卑濕汙泥乃生此華如是見无爲
法入正位者終不復能生於佛法煩惱泥中
乃有衆生起佛法耳又如殖種於空終不得
生糞壤之地乃能滋茂如是入无爲正位

BD00474 號　維摩詰所說經卷中

（25–16）

生糞壤之地乃能滋茂如是入无為正位
者不生佛法起我見如須弥山猶能發于
阿耨多羅三藐三菩提心生佛法矣是故當
知一切煩惱為如来種辟如不入巨海不能
得无價寶珠如是不入煩惱大海則不能得
一切智寶之心尒時大迦葉歎言善哉善哉
文殊師利快說此語誠如所言塵勞之疇為
如来種我等今者不復堪任發阿耨多羅三
藐三菩提心乃至五无間罪猶能發意生於
佛法而今我等永不能發辟如根敗之士其於
五欲不能復利如是聲聞諸結斷者於佛法
中无所復益永不志願是故文殊師利凡夫
於佛法有反復而聲聞无也所以者何凡夫聞
佛法能起无上道心不斷三寶正使聲聞終
身聞佛法力无畏等永不能發无上道意
尒時會中有菩薩名普現色身問維摩詰
言居士父母妻子親戚眷屬吏民知識悉為
是誰奴婢僮僕象馬車乘皆何所在於是維
摩詰以偈答曰
智度菩薩母　方便以為父　一切衆導師　无不由是生
法喜以為妻　慈悲心為女　善心誠實男　畢竟空寂舍
弟子衆塵勞　隨意之所轉　道品善知識　由是成正覺
諸度法等侶　四攝為伎女　歌詠誦法言　以此為音樂
摠持之園苑　无漏法林樹　覺意淨妙華　解脫智慧菓
八解之浴池　定水湛然滿　布以七淨華　浴此无垢人
象馬五通馳　大乘以為車　調御以一心　遊於八正路

八解之浴池　定水湛然滿　布以七淨華　浴此无垢人
象馬五通馳　大乘以為車　調御以一心　遊於八正路
相具以嚴容　衆好飾其姿　慚愧之上服　深心為華鬘
富有七財寶　教授以滋息　如所說脩行　迴向為大利
四禪為牀座　從於淨命生　多聞增智慧　以為自覺音
甘露法之食　解脫味為漿　淨心以澡浴　戒品為塗香
摧滅煩惱賊　勇健无能踰　降伏四種魔　勝幡建道場
雖知无起滅　示彼故有生　悉現諸國土　如日无不見
供養於十方　无量億如来　諸佛及己身　无有分別想
雖知諸佛國　及與衆生空　而常脩淨土　教化於群生
諸有衆生類　形聲及威儀　无畏力菩薩　一時能盡現
覺知衆魔事　而示隨其行　以善方便智　隨意皆能現
或示老病死　成就諸群生　了知如幻化　通達无有㝵
或現劫盡燒　天地皆洞然　衆人有常想　照令知无常
无數億衆生　俱来請菩薩　一時到其舍　化令向佛道
經書禁呪術　工巧諸伎藝　盡現行此事　饒益諸群生
世間衆道法　悉於中出家　因以解人惑　而不墮邪見
或作日月天　梵王世界主　或時作地水　或復作風火
劫中有疾疫　現作諸藥草　若有服之者　除病消衆毒
劫中有飢饉　現身作飲食　先救彼飢渴　却以法語人
劫中有刀兵　為之起慈悲　化彼諸衆生　令住无諍地
若有大戰陣　立之以等力　菩薩現威勢　降伏使和安
一切國土中　諸有地獄處　輙往到于彼　勉濟其苦惱
一切國土中　畜生相食噉　皆現生於彼　為之作利益
示受於五欲　亦復現行禪　令魔心憒亂　不能得其便
火中生蓮華　是可謂希有　在欲而行禪　希有亦如是

示受於五欲　亦復現行禪　令魔心憒亂　不能得其便
火中生蓮華　是可謂希有　在欲而行禪　希有亦如是
或現作婬女　引諸好色者　先以欲鉤牽　後令入佛智
或為邑中主　或作商人導　國師及大臣　以祐利衆生
諸有貧窮者　現作无盡藏　因以勸導之　令發菩提心
我心憍慢者　為現大力士　消伏諸貢高　令住无上道
其有恐懼衆　居前而慰安　先施以无畏　後令發道意
或現離婬欲　為五通仙人　開導諸群生　令住戒忍慈
見須供事者　現為作僮僕　既悅可其意　乃發以道心
隨彼之所須　得入於佛道　以善方便力　皆能給足之
如是道无量　所行无有崖　智慧无邊際　度脫无數衆
假令一切佛　於无數億劫　讚歎其功德　猶尚不能盡
誰聞如是法　不發菩提心　除彼不肖人　癡冥无智者

維摩詰經入不二法門品第九

尒時維摩詰謂衆菩薩言諸仁者云何菩薩入不二法門各隨所樂說之會中有菩薩名法自在說言諸仁者生滅為二法本不生今則无滅得此无生法忍者是為入不二法門

德守菩薩曰我我所為二因有我故便有我所若无有我則无我所是為入不二法門

不眴菩薩曰受不受為二若法不受則不可得以不可得故无取无捨无作无行是為入不二法門

德頂菩薩曰垢淨為二見垢實性則无淨相順於滅相是為入不二法門

善宿菩薩曰是動是為二无動則无念无念即无分別通達此者是為入不二法門

即无分別通達此者是為入不二法門

善眼菩薩曰一相无相為二若知一相即是无相亦不取无相入於平等是為入不二法門

妙臂菩薩曰菩薩心聲聞心為二觀心相空如幻化者无菩薩心无聲聞心是為入不二法門

弗沙菩薩曰善不善為二若不起善不善入无相際而通達者是為入不二法門

師子菩薩曰罪福為二若達罪性則與福无異以金剛慧決了此相无縛无解者是為入不二法門

師子意菩薩曰有漏无漏為二若得諸法等則不起漏不漏想不著於相亦不住无相是為入不二法門

淨解菩薩曰有為无為為二若離一切數則心如虛空以清淨慧无所㝵者是為入不二法門

那羅延菩薩曰世間出世間為二世間性空即是出世間於其中不入不出不溢不散是為入不二法門

善意菩薩曰生死涅槃為二若見生死性則无生死无縛无解不然不滅如是解者是為入不二法門

現見菩薩曰盡不盡為二法若究竟盡若不盡皆是无盡相无盡相即是空空則无有盡不盡相如是入者是為入不二法門

盡不盡相如是入者是為入不二法門
善守菩薩曰我无我為二我尚不可得非我
何可得見我實性者不復起二是為入不二法
門
電天菩薩曰明无明為二无明實性即是明明
亦不可取離一切數於其中平等无二者是
為入不二法門
喜見菩薩曰色色空為二色即是空非色滅
空色性自空如是受想行識識空為二識即
是空非識滅空識性自空於其中而通達者
是為入不二法門
明相菩薩曰四種異空種異為二四種性即
是空種性如前際後際空故中際亦空若能
如是知諸種性者是為入不二法門
妙意菩薩曰眼色為二若知眼性於色不貪
不恚不癡是名寂滅如是耳聲鼻香舌味
身觸意法為二若知意性於法不貪不恚不癡
是名寂滅安住其中是為入不二法門
无盡意菩薩曰布施迴向一切智為二布施性
即是迴向一切智性如是持戒忍辱精進禪
定智慧迴向一切智為二智慧性即是迴向
一切智性於其中入一相者是為入不二法門
深慧菩薩曰是空是无相是无作為二空即
是无相无相即无作若空无相无作則无心意
識於一解脫門即是三解脫門者是為入不二
法門

BD00474 號　維摩詰所說經卷中　（25–21）

法門
寂根菩薩曰佛法眾為二佛即是法法即是眾
是三寶皆无為相與虛空等一切法亦尒能
隨此行者是為入不二法門
心无导菩薩曰身身滅為二身即是身滅所
以者何見身實相者不起見身及以滅身身
與滅身无二无分別於其中不驚不懼者是
為入不二法門
上善菩薩曰身口意善為二是三業皆无作
相身无作相即口无作相口无作相即意
无作相是三業无作相即是一切法无作相
能如是隨无作慧者是為入不二法門
福田菩薩曰福行罪行不動行為二三行實
性即是空空則无福行无罪行无不動行於
此三行而不起者是為入不二法門
華嚴菩薩曰從我起二為二見我實相者不
起二法若不住二法則无有識无所識者是
為入不二法門
德藏菩薩曰有所得相為二若无所得則无
取捨无取捨者是為入不二法門
月上菩薩曰闇與明為二无闇无明則无有
二所以者何如入滅受想定无闇无明一切法
相亦復如是於其中平等入者是為入不二
法門
寶印手菩薩曰樂涅槃不樂世間為二若不
樂涅槃不猒世間則无有二所以者何若有

BD00474 號　維摩詰所說經卷中　（25–22）

法門
寶印手菩薩曰樂涅槃不樂世間為二若不
樂涅槃不猒世間則无有二所以者何若有
縛則有解若本无縛其誰求解无縛无解
則无樂猒是為入不二法門
珠頂王菩薩曰正道邪道為二住正道者則
不分別是邪是正離此二者是為入不二法
門
樂實菩薩曰實不實為二實見者尚不見
實何況非實所以者何非肉眼所見慧眼乃
能見而此慧眼无見无不見是為入不二法
門
如是諸菩薩各各說已問文殊師利何等是
菩薩入不二法門
文殊師利曰如我意者於一切法无言无說
无示无識離諸問答是為入不二法門
於是文殊師利問維摩詰我等各自說已仁
者當說何等是菩薩入不二法門
時維摩詰嘿然无言文殊師利歎曰善哉善
哉乃至无有文字語言是真入不二法法門
說是不二法門品
時於此衆中五千菩薩皆入不二法門得无生
法忍

維摩詰經卷中

BD00474 號　維摩詰所說經卷中　（25–23）

維摩詰經卷中

BD00474 號　維摩詰所說經卷中　（25–24）

BD00474 號　維摩詰所說經卷中　（25–25）

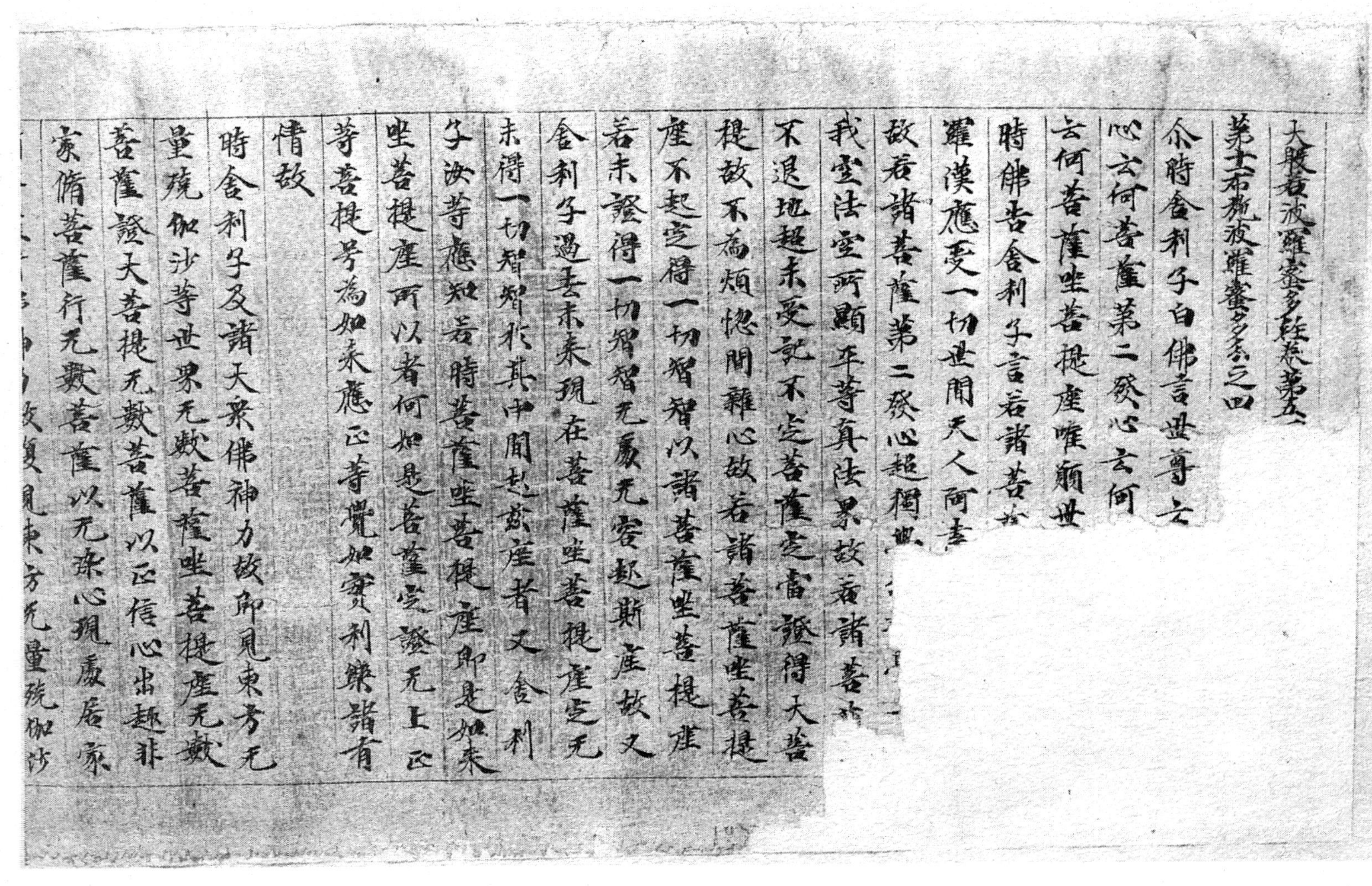

大般若波羅蜜多經卷第五八二
第十布施波羅蜜多分之四
尒時舍利子白佛言世尊云
心云何菩薩第二發心云何
云何菩薩坐菩提座唯願世
時佛告舍利子言若諸菩薩
羅漢應受一切世間天人阿素
故若諸菩薩第二發心超獨覺
我空法空所顯平等真法界故若諸菩薩
不退地超未受記不定菩薩定當證得大菩
提故不為煩惱間雜心故若諸菩薩坐菩提
座不起定得一切智智以諸菩薩坐菩提座
若未證得一切智智无處无容起斯座故又
舍利子過去未來現在菩薩坐菩提座定无
未得一切智智於其中間起彼座者又舍利
子汝等應知若時菩薩坐菩提座即是如來
坐菩提座所以者何如是菩薩定證无上正
等菩提号為如來應正等覺如實利樂諸有
情故
時舍利子及諸天衆佛神力故即見東方无
量殑伽沙等世界无數菩薩坐菩提座无數
菩薩證大菩提无數菩薩以正信心出趣非
家脩菩薩行无數菩薩以无染心現處居家
[...]神力故復見東方无量殑伽沙

BD00475 號　大般若波羅蜜多經卷五八二　（3–1）

菩薩發大菩提无數菩薩以正信心出趣非
家脩菩薩行无數菩薩以无染心現處居家
脩菩薩行佛神力故復見東方无量殑伽沙
等世界无數菩薩能捨種種難捨珎寶施諸
有情無數菩薩斬自身首施諸有情无數菩
薩剜鼻割耳施諸有情无數菩薩刖足截手
施諸有情无數菩薩剝身出血施諸有情无
數菩薩折骨出髓施諸有情无數菩薩亦解
支節施諸有情无數菩薩捨愛妻子施諸有
情无數菩薩捨上田宅施諸有情无數菩薩
捨象馬等種種禽獸施諸有情无數菩薩捨
諸奴婢僮僕作使施諸有情无數菩薩捨妙
飲食衣服臥具種種財物施諸有情佛神力
故復見東方无量殑伽沙等世界无數菩薩
作轉輪王行菩薩道无數菩薩作天帝釋行
菩薩道无數菩薩生覩史多天為諸天衆說
種種妙法无數菩薩從彼天沒來入母胎化
有情類无數菩薩初生即能為諸有情說微
妙法无數菩薩為欲扶濟諸有情故受種種
苦佛神力故復見東方无量殑伽沙等世界
无數菩薩為欲化度少亦有情以足履地百
踰繕那或足履地二百三百四百五百或復
及至千踰繕那若復過此隨至其所種種方
便殷勤勸誨少亦有情令漸受持十善業道
无數菩薩為欲化度少亦有情以足履地百
踰繕那或足履地二百三百四百五百或復乃

BD00475 號　大般若波羅蜜多經卷五八二　（3–2）

捨象馬等種種禽獸施諸有情无數菩薩捨
諸奴婢僮僕作使施諸有情无數菩薩捨妙
飲食衣服臥具種種財物施諸有情佛神力
故復見東方无量殑伽沙等世界无數菩薩
作轉輪王行菩薩道无數菩薩作天帝釋行
菩薩道无數菩薩生覩史多天為諸天衆說
種種妙法无數菩薩從彼天沒來入母胎化
有情類无數菩薩初生即能為諸有情說微
妙法无數菩薩為欲扶濟諸有情故受種種
苦佛神力故復見東方无量殑伽沙等世界
无數菩薩為欲化度少亦有情以足履地百
踰繕那或足履地二百三百四百五百或復
及至千踰繕那若復過此隨至其所種種方
便殷勤勸誨少亦有情令漸受持十善業道
无數菩薩為欲化度少亦有情以足履地百
踰繕那或足履地二百三百四百五百或復乃
至千踰繕那若復過此隨至其所種種方
便殷勤勸誨少亦有情令敀歸依佛法僧寶
无數菩薩為欲化度少亦有情以足履地百
踰繕那或足履地二百三百四百五百或復
乃至千踰繕那若復過此隨至其所種種方
便殷勤勸誨少亦有情令漸受持八近住戒
无數菩薩為欲化度少亦有情以足

BD00475 號　大般若波羅蜜多經卷五八二　（3–3）

五百八十二

BD00475 號背　勘記　（1–1）

大般若波羅蜜多經卷第五百八十四
第十二淨戒波羅蜜多分之一
如是我聞一時薄伽梵在室
給孤獨園與大苾芻衆千二百五十
世尊告具壽舍利子汝今應為欲
正等菩提諸菩薩摩訶薩宣說淨戒
多時舍利子蒙佛教勅承佛神力先
波羅蜜多教誡教授諸菩薩摩訶薩
子便問具壽舍利子言云何應知菩
云何應知菩薩犯戒云何菩薩所應
何菩薩非所行處時舍利子便答具壽
子言若諸菩薩安住聲聞獨覺作意且
薩非所行處若諸菩薩安住此處應知是
菩薩犯戒若諸菩薩行於非處是諸菩薩
定不能攝受淨戒波羅蜜多若諸菩薩決定
不能攝受淨戒波羅蜜多是諸菩薩捨本誓
願若諸菩薩捨本誓願應知是為菩薩犯戒
又滿慈子若諸菩薩脩行布施迴向聲聞或
獨覺地是名菩薩行於非處若諸菩薩行於
非處應知是為菩薩犯戒若諸菩薩安住居
家受妙五欲應知非為菩薩犯戒若諸菩薩
行布施時迴向聲聞或獨覺地不求无上正
等菩提應知是為菩薩犯戒譬如王子應受
父王所有教令應學王子所應學法謂諸王
子皆應善學諸工巧處及事業[illegible]

BD00476 號　大般若波羅蜜多經卷五八四　（3–1）

非處應知是為菩薩犯戒若諸菩薩安住居
家受妙五欲應知非為菩薩犯戒若諸菩薩
行布施時迴向聲聞或獨覺地不求无上正
等菩提應知是為菩薩犯戒譬如王子應受
父王所有教令應學王子所應學法謂諸王
子皆應善學諸工巧處及事業處所謂乘象
乘馬乘車及善持御弓弩排矟刀劍輪索
走跳踰書印筭數聲因論等及餘種種工巧
事業若諸王子能勤習學如是等類順益王
法雖受五欲種種嬉戲而不為王之所訶責
如是菩薩勤求无上正等菩提雖處居家受
妙五欲種種嬉戲而不違逆一切智智若諸
菩薩行布施時迴向聲聞或獨覺地是諸菩
薩行於非處於一切智便為非田若菩薩於
一切智已成非田尒時尒時不能攝受菩
薩淨戒波羅蜜多若時若時不能攝受菩薩
淨戒波羅蜜多尒時尒時遠離所求一切智智
若時若時遠離所求一切智智尒時尒時行
於非處若時若時行於非處尒時尒時犯
菩薩戒又滿慈子若諸菩薩雖復出家受持
淨戒而不迴向无上菩提是諸菩薩定不成
就菩薩淨戒若諸菩薩定不成就菩薩淨戒
是諸菩薩但有虛名都无實義應知彼類不
名菩薩若諸菩薩雖處居家而受三歸深信
三寶迴向无上正等菩提是諸菩薩雖復受
用五欲樂具而於菩薩所行淨戒波羅蜜多
常不遠離亦名真實持淨戒者亦名安住菩

BD00476號　大般若波羅蜜多經卷五八四　（3–2）

薩行於非處於一切智便為非田若菩薩於
一切智已成非田尒時尒時不能攝受菩
薩淨戒波羅蜜多若時若時不能攝受菩薩
淨戒波羅蜜多尒時尒時遠離所求一切智智
若時若時遠離所求一切智智尒時尒時行
於非處若時若時行於非處尒時尒時犯
菩薩戒又滿慈子若諸菩薩雖復出家受持
淨戒而不迴向无上菩提是諸菩薩定不成
就菩薩淨戒若諸菩薩定不成就菩薩淨戒
是諸菩薩但有虛名都无實義應知彼類不
名菩薩若諸菩薩雖處居家而受三歸深信
三寶迴向无上正等菩提是諸菩薩雖復受
用五欲樂具而於菩薩所行淨戒波羅蜜多
常不遠離亦名真實持淨戒者亦名安住菩
薩淨戒若諸菩薩住菩薩戒是諸菩薩常不
遠離菩薩淨戒波羅蜜多若諸菩薩常不遠
離菩薩淨戒波羅蜜多是諸菩薩常不遠離
一切智智若諸菩薩雖多發起五欲相應非
理作意而起一念无上菩提相應之心即能
摧滅如多積集迦遮末尼一吠瑠璃能揜暎
奪吠瑠璃寶光彩價直暎奪一切迦遮末尼
如是菩薩雖多發起五欲相應非理作意若

BD00476號　大般若波羅蜜多經卷五八四　（3–3）

BD00476 號背　勘記　（1–1）

其名曰文殊師利法王子寶手法王子寶積
法王子寶印手法王子寶德法王子虛空藏
法王子發心轉法輪法王子網明法王子鄣
諸煩惱法王子能捨一切法法王子德藏法
王子華嚴法王子師子法王子月光法王子
尊意法王子善莊嚴法王子及跋陁波羅等
十六賢士跋陁波羅菩薩寶積菩薩星德菩
薩帝天菩薩水天菩薩善力菩薩大意菩
薩殊勝意菩薩不增意菩薩發意菩薩
不虛見菩薩不休息菩薩不少意菩薩導
師菩薩曰藏菩薩持地菩薩如是等菩薩摩
訶薩七万二千人及四天王釋提桓因等忉利
諸天夜魔天兜率陁天化樂天他化自在天及
梵天王等諸梵天并餘无量諸天龍鬼神夜
叉乾闥婆阿脩羅迦樓羅緊那羅摩睺羅
伽人與非人並皆来集尒時世尊大衆恭敬
圍遶而為說法於是網明菩薩即從坐起偏袒
右肩右膝著地頭面礼佛之合掌向佛震動
三千大千世界引導越發一切大衆而白佛言
世尊我欲從佛少有所問若佛聽者乃敢諮請
佛告網明恣汝所問當為解說悅可尒心於是
網明既蒙聽許心大歡喜即白佛言世尊如
来身相超百千万日月光明我自惟念若有

BD00477 號　思益梵天所問經卷一　（24–1）

佛告網明恣汝所問當爲解説悅可尒心於是
網明既蒙聽許心大歡喜即白佛言世尊如
来身相超百千万日月光明我自惟念若有
衆生能見佛身甚爲希有我復惟念若有衆
生能見佛身皆是如来威神之力佛告網明
如是如是如汝所言若佛不加威神衆生无
有能見佛身亦无能問網明當知如来有光
名寂莊嚴若有衆生遇斯光者能見佛身不
壞眼根又如来光名无畏辯若有衆生遇斯
光者能問如来其辯无盡又如来光名集諸
善根若有衆生遇斯光者能問如来轉輪聖
王行業因緣又如来光名淨莊嚴若有衆生
遇斯光者能問如来天帝釋行業因緣又如
来光名得自在若有衆生遇斯光者能問如
来梵天王行業因緣又如来光名離煩惱若
有衆生遇斯光者能問如来聲聞乘所行之道
又如来光名善遠離若有衆生遇斯光者能
問如来辟支佛乘所行之道又如来光名益
一切智若有衆生遇斯光者能問如来大乘
佛事又如来光名曰往益佛来去時足下光
明衆生遇者命終生天又如来光名一切莊
嚴若佛入城放斯光明衆生遇者得歡喜樂
一切嚴飾之具莊嚴其城城中寶藏從地涌
出又如来光名曰震動佛以此光能動无量
无邊世界又如来光名曰生樂佛以此光能

一切嚴飾之具莊嚴其城城中寶藏從地涌
出又如来光名曰震動佛以此光能動无量
无邊世界又如来光名曰生樂佛以此光能
滅地獄衆生苦惱又如来光名曰上慈佛以
此光能令畜生不相惱害又如来光名曰涼
樂佛以此光能滅餓鬼飢渴熱惱又如来光
名曰月淨佛以此光使盲者得視又如来光
名曰聽聰佛以此光能令衆生聾者得聽又
如来光名曰慚愧佛以此光能令衆生狂者
得正又如来光名曰止息佛以此光能令衆
生捨十不善道安住十善道又如来光名曰
離惡佛以此光能令邪見衆生皆得正見又
如来光名曰能捨佛以此光能破衆生慳貪
之心令行布施又如来光名无悔熱佛以此
光能令毀禁衆生皆得持戒又如来光名曰
安利佛以此光能令瞋恨衆生皆行忍辱又
如来光名曰勤脩佛以此光能令懈怠衆生
皆行精進又如来光名曰一心佛以此光能
令忘念衆生皆得禪定又如来光名曰能解
佛以此光能令愚癡衆生皆得智慧又如来
光名曰清淨佛以此光能令不信衆生皆得
淨信又如来光名曰能持佛以此光能令少
聞衆生皆得多聞又如来光名曰威儀佛以
此光能令无慚衆生皆得慚愧又如来光名
曰安隱佛以此光能令多欲衆生斷除婬欲
又如来光名曰歡喜佛以此光能令多恚衆

曰安隱佛以此光能令多婬眾生斷除婬欲
又如来光名曰歡喜佛以此光能令多怒眾
生斷除瞋恚又如来光名曰照明佛以此光能
令多癡眾生斷除愚癡又如来光名曰遍行
佛以此光能令等分眾生斷除等分又如来
光名示一切色佛以此光能令眾生皆見佛
身无量種色綱明當知如来若以一劫若減
一劫説此光明力用名号不可窮盡
尒時綱明菩薩白佛言未曾有也世尊如来
身者即是无量光明之藏説法方便亦不可
思議世尊我自昔来未曾聞此光明名号如
我解佛所説義若有菩薩聞斯光明名号信
心清淨皆得如是光明之身世尊唯願今日
放請諸光令他方菩薩善問難者見斯光
已發心来此娑婆世界尒時世尊受綱明菩
薩請已即放光明照於三千大千世界普及
十方无量佛土於是諸方无量百千万億菩
薩見斯光已皆来至此娑婆世界尒時東方
過七十二恒河沙佛土有國名清潔佛号曰
月光如来應供正遍知今現在世其佛國土
有菩薩梵天名曰思益住不退轉見此光已
到日月光佛所頭面作礼白佛言世尊我欲詣
娑婆世界釋迦牟尼佛所奉覲供養親近諮
受彼佛亦復欲見我等其佛告言便往梵天
今正是時彼娑婆國有若千千億諸菩薩集
汝應以十法遊於彼土何等為十於毀於譽

今正是時彼娑婆國有若千千億諸菩薩集
汝應以十法遊於彼土何等為十於毀於譽
心无增減聞善聞惡心无分別於諸愚智等
以悲心於上中下眾生之類意常平等於
輕毀供養心无有二於他闕失莫見其過見
種種乘皆是一乘聞三惡道亦勿驚畏於諸
菩薩生如来想佛出五濁生希有想梵天汝
當以此十法遊彼世界思益梵天白佛言世
尊我不敢於如来前作師子吼我所能行佛
自知之今當以此十法於彼世界一心脩行尒
時日月光佛國有諸菩薩白佛言世尊我得
大利不生如是惡眾生中其佛告言善男
子勿作是語所以者何若菩薩於此國中百
千劫淨脩梵行不如彼土從旦至食无瞋㝵
心其福為勝即時有万二千菩薩與思益梵
天俱共發来而作是言我等亦欲以此十法
遊彼世界見釋迦牟尼佛於是思益梵天與万
二千菩薩俱於彼佛土忽然不現譬如壯士
屈申臂頃到娑婆世界釋迦牟尼佛所却住
一面
尒時佛告綱明菩薩汝見是思益梵天不唯
然已見綱明當知思益梵天於諸正問菩薩
中為最第一於諸善分別諸法菩薩中為
最第一於諸隨宜經意菩薩中為最第一
於諸慈心菩薩中為最第一於諸悲心菩薩
中為最第一於諸喜心菩薩中為最第一於

中爲冣第一於諸善心菩薩中爲冣第一於
諸捨心菩薩中爲冣第一於諸耎語菩薩中
爲冣第一於諸不瞋㝵菩薩中爲冣第一於
諸无意閙評菩薩中爲冣第一於諸決疑
菩薩中爲冣第一佘時思益梵天與万二千
菩薩俱頭面礼佛足右繞三迊合掌何佛
以偈讚曰
世尊大名勝　普聞於十方　所在諸如來　无不稱嘆者
有諸餘淨國　无三惡道名　捨如是妙土　慈悲故生此
佛智无減少　與諸如來等　以大悲本願　處斯穢惡土
若人於淨國　持戒滿一劫　此土須臾閒　行慈爲冣勝
若人於此土　起身口意罪　應墮三惡道　現世受得除
生此土菩薩　不應懷憂怖　設有惡道罪　頭痛則得除
此土諸菩薩　若能守護法　世世所生處　不失於正念
若人欲斷縛　滅煩惱業罪　於此土護法　增益一切智
淨土多億劫　受持法解說　於此娑婆界　從旦至食時
我見善樂國　及見安樂土　此中无苦惱　亦无苦惱名
於彼作功德　未足以爲奇
於此煩惱處　能忍不可事　亦教他此法　其福爲冣勝
我礼无上尊　大悲故苦者　能爲惡衆生　說法甚爲難
佛集无量衆　十方世界中　名聞諸菩薩　聽法无厭足
佛集十方界　名聞諸菩薩　聽法无厭足　如海吞衆流
爲如是人等　廣說於佛道
釋梵四天王　諸天龍神等　皆集欲求法　隨所信樂說
比丘比丘尼　及清信士女　是四衆普集　願時爲演說

釋梵四天王　諸天龍神等　皆集欲求法　隨所信樂說
比丘比丘尼　及清信士女　是四衆普集　願時爲演說
有樂佛乘者　及緣覺聲聞　佛知其深心　悉皆爲斷疑
不斷佛種者　能出生三寶　爲是諸菩薩　我今請法王
名稱普流者　十方菩薩聞　皆悉共來集　爲說无上道
此无上大法　二乘所不及　我等信力故　得入如是法
不可思議慧　非我等所及
佛雖无疲惓　我今有所請　悔過於世尊　願說菩提道
佘時思益梵天說此偈已白佛言世尊何謂
菩薩其心堅固而无疲惓何謂菩薩所言決
定而不中悔何謂菩薩增長善根何謂菩薩
无所怨畏威儀不轉何謂菩薩成就白法何
謂菩薩善知從一地至一地何謂菩薩於衆
生中善知方便何謂菩薩善化衆生何謂
菩薩世世不失菩提之心何謂菩薩能一其心
而无雜行何謂菩薩善求法寶何謂菩薩善
出毀禁之罪何謂菩薩善除煩惱何謂菩薩
善入諸大衆何謂菩薩善開法施何謂菩薩
得先因力不失善根何謂菩薩不由他教而
能自行六波羅蜜何謂菩薩能轉捨禪定
還生欲界何謂菩薩於諸佛法得不退轉何
謂菩薩不斷佛種
佘時世尊讚思益梵天善哉善哉能問如來
如此之事汝今諦聽善思念之唯然世尊願
樂欲聞佛告思益梵天菩薩有四法堅固其
心而不疲惓何謂四一者於諸衆生起大悲

如此之事汝今諦聽善思念之唯然世尊願
樂欲聞佛告思益梵天菩薩有四法堅固其
心而不疲惓何謂四一者於諸衆生起大悲
心二者精進不懈三者信解生死如夢四者
正思惟佛之智慧菩薩有此四法堅固其心
而不疲惓梵天菩薩有四法所言決定而不中
悔何等爲四一者決定說諸法无我二者決
定說諸生處无可樂者三者決定常讚大乘
四者決定說罪福業不失是爲四法梵天菩
薩有四法增長善根何等爲四一者持戒二
者多聞三者布施四者出家是爲四梵天菩
薩有四法无所怨畏威儀不轉何等四一者
失利二者惡名三者毀辱四者苦惱是爲四
梵天菩薩有四法成就白法何等四一者教
人令信罪福二者布施不求果報三者守護
正法四者以智慧教諸菩薩是爲四梵天菩
薩有四法善知從一地至一地何等四一者
久殖善根二者離諸過咎三者善知方便迴
向四者勤行精進是爲四梵天菩薩有四法
善知方便何等四一者順衆生意二者於他
功德起隨喜心三者悔過除罪四者勸請諸
佛是爲四梵天菩薩有四法善化衆生何等
四一者常求利安衆生二者自捨己樂三者
心和忍辱四者除捨憍慢是爲四梵天菩薩
有四法世世不失菩提之心何等四一者常憶
念佛二者所作功德常爲菩提三者親近善

BD00477號　思益梵天所問經卷一　（24–8）

不□法世世不失菩提之心何等四一者常憶
念佛二者所作功德常爲菩提三者親近善
知識四者稱楊大乘是爲四梵天菩薩有
四法能一其心而无雜行何等四一者離聲
聞心二者離辟支佛心三者求法无猒四者
如所聞法廣爲人說是爲四梵天菩薩有
四法善求法寶何等四一者於法中生寶想
以難得故二者於法中生藥想療衆生病故
三者於法中生財利想以不失故四者於法中
生滅一切苦想得至涅槃故是爲四梵天菩薩
有四法善出毀禁之罪何等四一者得无生
法忍以諸法无來故二者得无滅忍以諸法
无去故三者得因緣忍知諸法因緣生故四
者得无住忍无異心相續故是爲四梵天菩
薩有四法善除煩惱何等四一者正憶念二
者鄣諸根三者得善法力四者獨處遠離
是爲四梵天菩薩有四法善入諸大衆何等
四一者求法不求勝二者恭敬心无憍慢三者
唯求法利不自顯現四者教人善法不求名
利是爲四梵天菩薩有四法善開法施何等
四一者守護於法二者自益智慧亦益他人
三者行善人法四者示人垢淨是爲四梵天
菩薩有四法得光因力不失善根何等四一
者見他人闕不以爲過二者於瞋恚人常脩
慈心三者常說諸法因緣四者常念菩提是
爲四梵天菩薩有四法不由他教而能自行

BD00477號　思益梵天所問經卷一　（24–9）

爲四梵天菩薩有四法不由他教而能自行
六波羅蜜何等四一者以施導人二者不説
他人毀禁之罪三者善知攝法教化衆生四
者解達深法是爲四梵天菩薩有四法能轉
捨禪定還生欲界何等四一者其心柔濡二
者得諸根善力三者不捨一切衆生四者善
脩智慧方便之力是爲四梵天菩薩有四法
扵諸佛法得不退轉何等四一者受无量生
死二者供養无量諸佛三者脩行无量慈心
四者信解无量佛慧是爲四梵天菩薩有四
法不斷佛種何等四一者不退本願二者言
必施行三者大欲精進四者深心行扵佛道
是爲菩薩有四法不斷佛種説是諸四法時
三万二千天及人皆發阿耨多羅三藐三菩
提心五千人得无生法忍十方諸來菩薩
供養扵佛所散天華周遍三千大千世界
積至于膝
尒時網明菩薩問思益梵天言佛説汝扵正
問菩薩中爲最第一何謂菩薩所問爲正問
耶梵天言網明若菩薩以彼我問名爲邪問
分別法問名爲邪問若无彼我問名爲正問
不分別法問名爲正問又網明以生故問名
爲邪問以滅故問名爲邪問以住故問名爲
邪問若不以生故問不以滅故問不以住故問
名爲正問又網明若菩薩爲垢故問名爲邪

名爲正問又網明若菩薩爲垢故問名爲邪
問爲淨故問名爲邪問爲生死故問名爲邪
問爲出生死故問名爲邪問爲涅槃故問名
爲邪問若不爲垢淨故問不爲生死出生死
故問不爲涅槃故問名爲正問所以者何法
位中无垢无淨无生死无涅槃又網明若菩
薩爲見故問爲斷故問爲證故問爲脩故
問爲得故問爲果故問名爲邪問若无見无
斷无證无脩无得无果故問名爲正問又網
明是善是不善名爲邪問是世間法是出世
間法是有罪法是无罪法是有漏法是无漏
法是有爲法是无爲法如是等二法隨所依
而問者名爲邪問若不見二不見不二問名
爲正問
又網明若菩薩分別佛問名爲邪問分別法
分別僧分別衆生分別佛國分別諸乘問名
爲邪問若扵法不作一異問者名爲正問又
網明一切法正一切法邪網明言梵天何謂
一切法正一切法邪梵天言扵諸法性无心
故一切法名爲正若扵无心法中以心分別
觀者一切法名爲邪觀一切法離相名爲正
若不信解是離相是即分別諸法若分別諸法
則入增上慢隨所分別皆名爲邪網明言何
謂爲諸法正性梵天言諸法離自性離欲際
是名正性網明言少有能解如是正性梵天

謂為諸法正性梵天言諸法離自性離欲際
是名正性網明言少有能解如是正性梵天
言是正性不一不多網明若有善男子善女
人能如是知諸法正性若已知若今知若當
知是人无有法已得无有法今得无有法當
得所以者何佛說无得无分別名為所作已
辦相若人聞是諸法正性懃行精進是名如
說脩行不從一地至一地若不從一地至一地
是人不在生死不在涅槃所以者何諸佛不
得生死不得涅槃網明言佛不為度生死故
說法耶梵天言佛所示法有度生死耶網明
言无耶梵天言以是因緣當知佛不令眾生
出生死入涅槃但為度妄想分別生死涅槃
二者相耳此中實无度生死至涅槃者所
以者何諸法平等无有往來生死无入涅槃
尒時世尊讚思益梵天言善哉善哉說諸
法正性應如汝所說說是法時二千比丘不
受諸法漏盡心得解脫佛告梵天我不得生
死不得涅槃如來雖說生死實无有人往來
生死雖說涅槃實无有人得滅度者若有入
此法門者是人非生死相非滅度相尒時會
中五百比丘從坐而起作是言我等空脩梵
行今實見有滅度者而言无有滅度我等
何用脩道求智慧為
尒時網明菩薩白佛言世尊若有於法生見
則於其人佛不出世世尊若有決定見涅槃

BD00477號　思益梵天所問經卷一　（24–12）

尒時網明菩薩白佛言世尊若有於法生見
則於其人佛不出世世尊若有決定見涅槃
者是人不度生死所以者何涅槃名為除滅
諸相遠離一切動念戲論世尊是諸比丘於
佛正法出家而今墮於外道邪見見涅槃決
定相譬如從麻出油從酪出蘇世尊若人於諸
法滅相中求涅槃者我說是輩皆為增上慢
人世尊正行道者於法不作生不作滅无得
无果網明謂梵天言是五百比丘從坐起
者汝當為作方便引道其心入此法門令得
信解離諸邪見梵天言善男子縱使令去至
恒河沙劫不能得出如此法門譬如癡人畏
於虛空捨空而走在所至處不離虛空此諸
比丘亦復如是雖復遠去不出空相不出无
相相不出无作相又如一人求索虛空東西
馳走言我欲得空我欲得空是人但說虛空
名字而不得空於空中行而不見空此諸比
丘亦復如是求欲求涅槃行涅槃中而不得
涅槃所以者何涅槃者但有名字猶如虛空
但有名字不可得取涅槃亦復如是但有名
字而不可得尒時五百比丘聞說是法不受
諸法漏盡心得解脫得阿羅漢道作是言世
尊若人於諸法畢竟滅相中求涅槃者則於
其人佛不出世世尊我等今者非凡夫非學非
无學不在生死不在涅槃所以者何佛出故名
為遠離一切動念戲論

BD00477號　思益梵天所問經卷一　（24–13）

其人佛不出世世尊我等今者非凡夫非學非
无學不在生死不在涅槃所以者何佛出故名
爲遠離一切動念戲論
尒時長老舍利弗謂諸比丘汝今得正智爲
已利耶五百比丘言長老舍利弗我等今者得
諸煩惱不可作而作舍利弗言何故說此諸比
丘言知諸煩惱實相故言得諸煩惱涅槃是
无作性我等已證故說不可作而作舍利弗
言善哉善哉汝等今者住於福田能消供養
諸比丘言大師世尊尚不能消諸供養何况
我等舍利弗言何故說此諸比丘言世尊知
見諸法性性常淨故於是思益梵天白佛言
世尊誰應受供養佛告梵天不爲世法之所
牽者世尊誰能消供養佛言於法无所取著
世尊誰爲世間福田佛言不壞菩提性者世
尊誰爲衆生善知識佛言於一切衆生不捨
慈心者世尊誰知報佛恩佛言不斷佛種
者世尊誰能供養佛佛言能通達无生
際者世尊誰能親近於佛佛言乃至失命因
緣不毀禁者世尊誰能恭敬於佛佛言善覆
六根者世尊誰名財富佛言成就七財者世
尊誰名知足佛言得出世間智慧者世尊誰
爲遠離佛言於三界中无所願者世尊誰爲
具足佛言能斷一切諸結使者世尊誰爲樂
人佛言无貪著者世尊誰无貪著佛言知見
五陰者世尊誰度欲河佛言能捨六入者世尊

具足佛言能斷一切諸結使者世尊誰爲樂
人佛言无貪著者世尊誰无貪著佛言知見
五陰者世尊誰度欲河佛言能捨六入者世尊
誰住彼岸佛言能知諸道平等者世尊何謂
菩薩能爲施主佛言菩薩能教衆生一切智
心世尊何謂菩薩能奉禁戒佛言常能不捨
菩提之心世尊何謂菩薩能行忍辱佛言見心
相念念滅世尊何謂菩薩能行精進佛言求
心不得世尊何謂菩薩能行禪定佛言除身
心麁相世尊何謂菩薩能行智慧佛言於一
切法无有戲論世尊何謂菩薩能行慈心佛
言不生衆生想世尊何謂菩薩能行悲心佛
言不生法想世尊何謂菩薩能行喜心佛言
不生我想世尊何謂菩薩能行捨心佛言不
生彼我相世尊何謂菩薩安住於信佛言信
解心淨无有濁法世尊何謂菩薩安住於空
言不著一切語言世尊何謂菩薩名爲有慚
佛言知見內法世尊何謂菩薩名爲有愧佛
言捨於外法世尊何謂名爲菩薩遍行佛言
能淨身口意業尒時世尊而說偈言
若身淨无惡　口淨常實語　心淨常行慈　是菩薩遍行
行慈无貪著　觀不淨无恚　行捨而不癡　是菩薩遍行
若在聚空野　及與衆大衆　威儀終不轉　是菩薩遍行
知法名爲佛　知離名爲法　知无名爲僧　是菩薩遍行
知多欲所行　知恚癡所行　善知轉此行　是菩薩遍行
不依止欲界　不住色无色　行如是禪定　是菩薩遍行

不依上欲界　不住色无色　行如是禪定　是菩薩遍行
信解諸法空　及无相无作　而不盡諸漏　是菩薩遍行
善知聲聞乘　及辟支佛乘　通達於佛乘　是菩薩遍行
明解於諸法　不疑道非道　增愛心无異　是菩薩遍行
於過去未来　及與現在世　一切无分別　是菩薩遍行
尒時思益梵天白佛言世尊何謂菩薩過世
間法通達世間法通達世間法已度衆生於世
間法行於世間不壞世間尒時世尊以偈荅言
說五陰是世　世間所依止　依止於五陰　不脫世間法
菩薩有智慧　知世間實性　所謂五陰如　世間法不染
利衰及毀譽　稱譏與苦樂　如此之八法　常牽於世間
大智慧菩薩　散滅世間法　見世毀譽相　處之而不動
得利心不高　失利心不下　其心堅不動　譬如須弥山
利衰及毀譽　稱譏與苦樂　於此世八法　其心常平等
知世間虛妄　皆從顛倒起　如是之人等　不行世間道
世間所有道　菩薩皆識知　故能於世間　度衆生苦惱
雖行於世間　如蓮花不染　亦不壞世間　通達法性故
世間行世間　不知是世間　菩薩行世間　明了世間相
世間虛空相　虛空亦无相　菩薩知如是　不染於世間
如所知世間　隨知而演說　知世間性故　亦不壞世間
五陰无自性　是即世間性　若人不知是　常住於世間
若見知五陰　无生亦无起　是人行世間　而不依世間
凡夫不知法　於世起諍訟　是實是不實　住是二相中
我常不與世　起於諍訟事　世間之實相　悉已了知故
諸佛所說法　皆悉无諍訟　知世平等故　非實非虛妄

諸佛所說法　皆悉无諍訟　知世平等故　非實非虛妄
若佛法決定　有實有虛妄　是即爲貪著　與外道无異
而今實義中　无實无虛妄　是故我常說　出世法无二
若人知世間　如是之實性　於實於虛妄　不取此惡見
如是知世間　清淨如虛空　是大名稱人　照世間如日
若人見世間　如我之所見　如斯之人等　能見十方佛
諸法從緣生　自无有定性　若知此因緣　則達法實相
若知法實相　是則知空相　若能知空相　則爲見道師
若有人得聞　如是世間相　雖行於世間　而不住世間
依止諸見人　不能及此事　云何行世間　而不依世間
若佛滅度後　有樂是法者　佛則於其人　常現於法身
若人解達此　則守護我法　亦爲供養我　亦是世道師
若人須臾聞　世間性如此　是人終不爲　惡魔所得便
若能達此義　則爲大智慧　法財之施主　亦是具禁戒
若知世如此　忍辱力勇健　具足諸禪定　通達於智慧
所在聞此法　其方則有佛　如是諸菩薩　不久坐道場
若有深愛樂　如是世間性　則能降衆魔　疾得无上道
佛復告思益梵天如来出過世間亦說世間苦
世間集世間滅世間滅道梵天五陰名爲世
間貪著五陰名爲世間集五陰盡名爲世間
滅以无二法求五陰名爲世間滅道又梵天
所言五陰者但有言說於中取相分別生見
而說是名世間苦不捨是見是名世間集是
見自相是名世間滅隨以何道不取是見是
名世間滅道梵天以何因緣故我爲外道仙

名世間滅道梵天以何因緣故我為外道仙
人說言仙人於汝身中即說世間苦世間集
世間滅世間滅道
尒時思益梵天白佛言世尊所說四種諦何
等是真聖諦梵天苦不名為聖諦苦集不名
為聖諦苦滅不名為聖諦苦滅道不名為聖
諦所以者何若苦是聖諦者一切牛驢畜生
等皆應有苦聖諦若集是聖諦者一切在所
生處衆生皆應有集聖諦所以者何以集故
生諸趣中若苦滅是聖諦者觀滅者說斷滅
者皆應有滅聖諦若道是聖諦者緣一切有
為道者皆應有道聖諦梵天以是因緣故當
知聖諦非苦非集非滅非道聖諦者知苦无
生是名苦聖諦知集无和合是名集聖諦於
畢竟滅法中知无生无滅是名滅聖諦於一
切法平等以不二法得道是名道聖諦梵天
真聖諦者无有虛妄虛妄者所謂著我著
衆生著人著壽命者著養育者著有著无
著生著滅著生死著涅槃梵天若行者言我知
見苦是虛妄我斷集是虛妄我滅證是虛妄我
脩道是虛妄所以者何是人違失佛所許念
是故說為虛妄何等是佛所許念所謂不憶
念一切諸法是為佛所許念若行者住是念
中則不住一切相若不住一切相則住實際若
住實際是名不住心若不住心是人名為非

住實際是名不住心若不住心是人名為非
實語非妄語者梵天是故當知若非實非虛
妄者是名聖諦者梵天實者終不作不實若
有佛若无佛法性常住所謂生死性涅槃性
常實所以者何非離生死得涅槃名為聖諦
若人證如是四聖諦是名世間實語者梵天
當來有比丘不脩身不脩戒不脩心不脩慧是
人說生相是苦諦衆緣和合是集諦滅法
是滅諦以二法求相是道諦佛言我說此愚
人等是外道徒黨我非彼人師彼非我弟子
是人墮於邪道破失法故說言有諦梵天汝
且觀我坐道場時不得一法是實是虛妄若
佛不得法是法寧可於衆中有言說有論議有
教化邪梵天言不也世尊梵天以諸法无所
得故諸法離自性故我菩提是无貪著相
尒時思益梵天白佛言世尊若如來於法无
所得者有何利益說如來得菩提名為佛佛
言梵天於汝意云何我所說諸法若有為若
无為是法為實為虛妄耶梵天言是法虛妄
非實於汝意云何若法虛妄非實是法為有
為无梵天言世尊若法虛妄是法不應說有
不應說无梵天於汝意云何若法非有非无
是法有得者不梵天言无有得者梵天如來
坐道場時唯得虛妄顛倒所起煩惱畢竟空
性以无所得故得以无所知故知所以者何我
所得法不可見不可聞不可覺不可識不可取

性以无所得故得以无所知故知所以者何我
所得法不可見不可聞不可覺不可識不可取
不可著不可說不可難出過一切法相无語无
說无有文字无言說道梵天此法如是猶
如虛空汝欲於如是法中得利益耶梵天言
不也世尊諸佛如來甚為希有成就未曾有
法深入大慈大悲得如是寂滅相法而以文
字言說教人令得悟解世尊其有聞是能信
者當知是人不從小功德來世尊是法一
切世間之所難信所以者何世間貪著實而是
法无實无虛妄世間貪著法而是法无法无非
法世間貪著涅槃而是法无生死无涅槃世
間貪著善法而是法无善无非善世間貪著
樂而是法无苦无樂世間貪著佛出世而是
法无佛出世亦无涅槃雖有說法而是法非
可說相雖讚說僧而僧即是无為是故此法
一切世間之所難信譬如水中出火火中出水
難可得信如是煩惱中有菩提菩提中有煩
惱是亦難信所以者何如來得是虛妄顛倒
煩惱之性而亦无法可得有所說法亦无有形
雖有所知亦无分別雖證涅槃亦无滅者世尊
若有善男子善女人能信解如是法義者當知
是人得脫諸見當知是人已親近无量諸佛
當知是人已供養无量諸佛當知是人為善
知識所護當知是人志意曠大當知是人善
根深厚當知是人守護諸佛法藏當知是人

當知是人已供養无量諸佛當知是人為善
知識所護當知是人志意曠大當知是人善
根深厚當知是人守護諸佛法藏當知是人
能善思量起於善業當知是人種性尊貴
生如來家當知是人能行大捨捨諸煩惱當
知是人得持戒力非煩惱力當知是人得忍辱
力非瞋恚力當知是人得精進力无有疲懈當
知是人得禪定力滅諸惡心當知是人得智慧
力離惡邪見當知是人一切惡魔不能得便
當知是人一切怨賊所不能破當知是人不
誑世間當知是人是真語者善說法相故當
知是人是實語者說第一義故當知是
人善為諸佛之所護念當知是人柔和濡善
同心安樂當知是人名為大富有聖財故當
知是人常能知足行聖種故當知是人易滿
易養離貪食故當知是人得安隱心到彼岸
故當知是人度未度者當知是人解未解者
當知是人安未安者當知是人滅未滅者當
知是人能示正道當知是人能說解說當知
是人為大醫王善知諸藥當知是人猶如良
藥善療衆病當知是人智慧勇健當知是人
為有大力堅固究竟當知是人有精進力不
隨他語當知是人為如師子无所怖畏當知
是人為如象王其心調柔當知是人為如老
象其心隨順當知是人為如牛王能導大衆
當知是人為大勇健能破魔怨當知是人為

爲其心隨順當知是人爲如牛王能導大衆
當知是人爲大勇健能破魔怨當知是人爲
大丈夫處衆无畏當知是人无所忌難得无
畏法故當知是人无所畏難說真諦法故當
知是人具清白法如月盛滿當知是人智慧
光照猶如日明當知是人除諸闇冥猶如執
炬當知是人樂行捨心離諸憎愛當知是人
載育衆生猶如地當知是人洗諸塵垢猶如
水當知是人燒諸動念猶如火當知是人於
法无鄣猶如風當知是人其心不動猶如須
弥當知是人其心堅固如金剛山當知是人
一切外道覺勝論者所不能動當知是人一
切聲聞辟支佛所不能測當知是人多饒法
寶猶如大海當知是人煩惱不現如波陁羅當
知是人求法无猒當知是人以智慧知足當知
是人能轉法輪如轉輪王當知是人身色姝
妙如天帝釋當知是人心得自在如梵天王
當知是人說法音聲猶如雷震當知是人降
法甘露猶如時雨當知是人能增長无漏根力覺
分當知是人已度生死汙泥當知是人入佛智慧
當知是人近佛菩提當知是人能多學聞未與
等者當知是人无有量已過量當知是人智慧
辯才无有鄣㝵當知是人憶念堅固得陁羅尼
當知是人知諸衆生深心所行當知是人行於正念
正觀諸法故解達義趣當知是人懃行精進
利安世間當知是人超出於世當知是人不可染

BD00477號　思益梵天所問經卷一　（24–22）

正觀諸法故解達義趣當知是人懃行精進
利安世間當知是人超出於世當知是人不可染
汙猶如蓮華當知是人不爲世法所覆當知是
人利根者所愛當知是人多聞者所敬當知是人
智者所念當知是人天人供養當知是人禪
者所礼當知是人善人所貴當知是人聲聞
辟支佛之所貪慕當知是人不貪小行當知是
人不覆藏罪不顯功德當知是人威儀備具
生他深心當知是人身色端政見者忻樂當
知是人有大威德衆所宗仰當知是人以
三十二相莊嚴其身當知是人能繼佛種當
知是人能護法寶當知是人能供養僧當知
是人諸佛所見當知是人爲得法眼當知是
人以佛智慧而得受記當知是人具足三忍
當知是人安住道場當知是人破壞魔軍當
知是人得一切種智當知是人轉於法輪當
知是人作无量佛事若人信解如是法義不
驚疑怖畏者得如是功德是人於諸佛阿耨
多羅三藐三菩提甚深難解難知難信難入
而能信受讀誦通利廣爲人說如說脩行亦
教他人如說脩行如是之人我以一劫若減一
劫說其功德猶不能盡

思益經卷第一

BD00477號　思益梵天所問經卷一　（24–23）

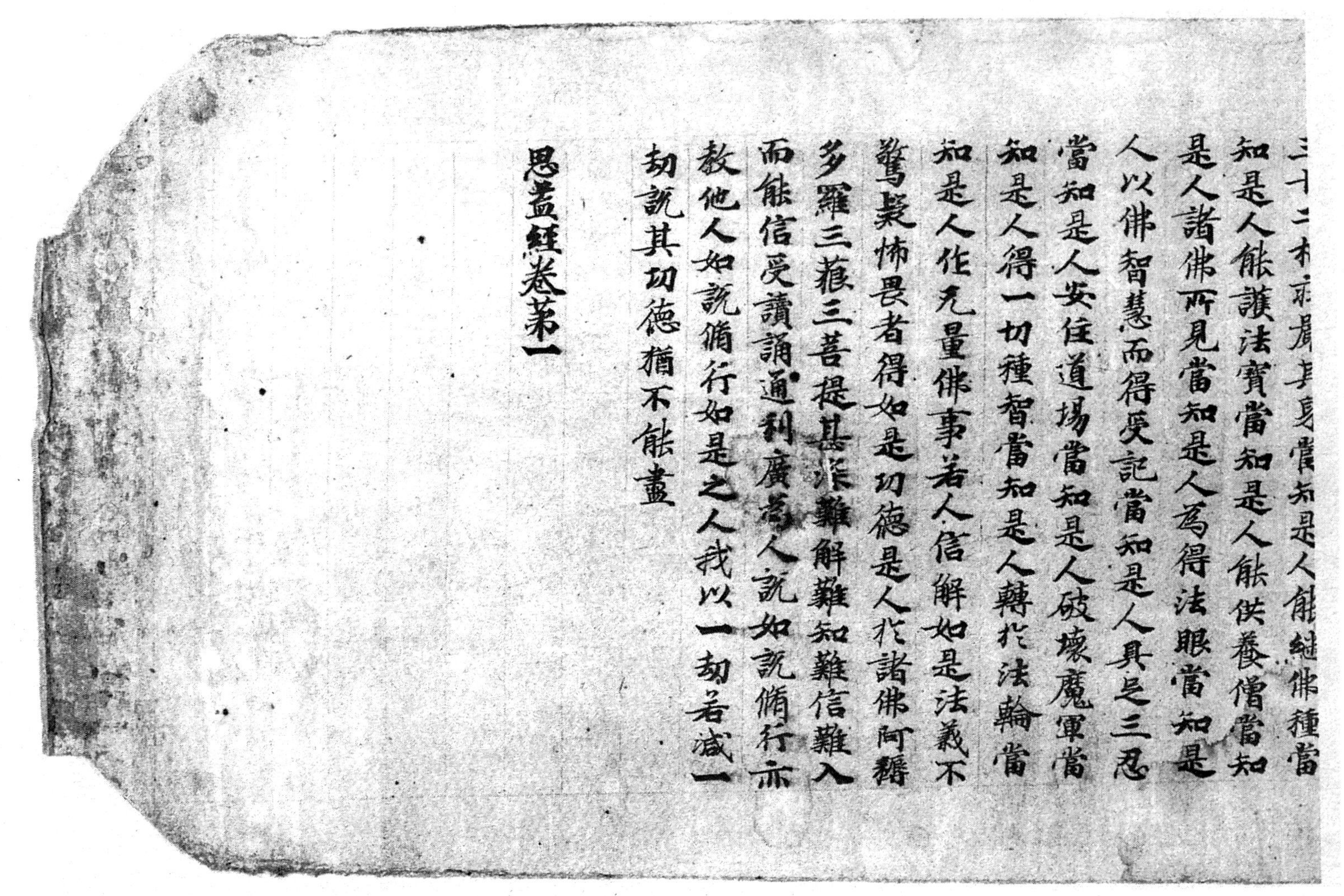

三十二相莊嚴其身當知是人能紹佛種當
知是人能護法寶當知是人能供養僧當知
是人諸佛所見當知是人爲得法眼當知是
人以佛智慧而得受記當知是人具足三忍
當知是人安住道場當知是人破壞魔軍當
知是人得一切種智當知是人轉於法輪當
知是人作无量佛事若人信解如是法義不
驚疑怖畏者得如是功德是人於諸佛阿耨
多羅三藐三菩提甚難解難知難信難入
而能信受讀誦通利廣爲人說如說脩行亦
教他人如說脩行如是之人我以一劫若減一
劫說其功德猶不能盡

思益經卷第一

BD00477 號　思益梵天所問經卷一　（24–24）

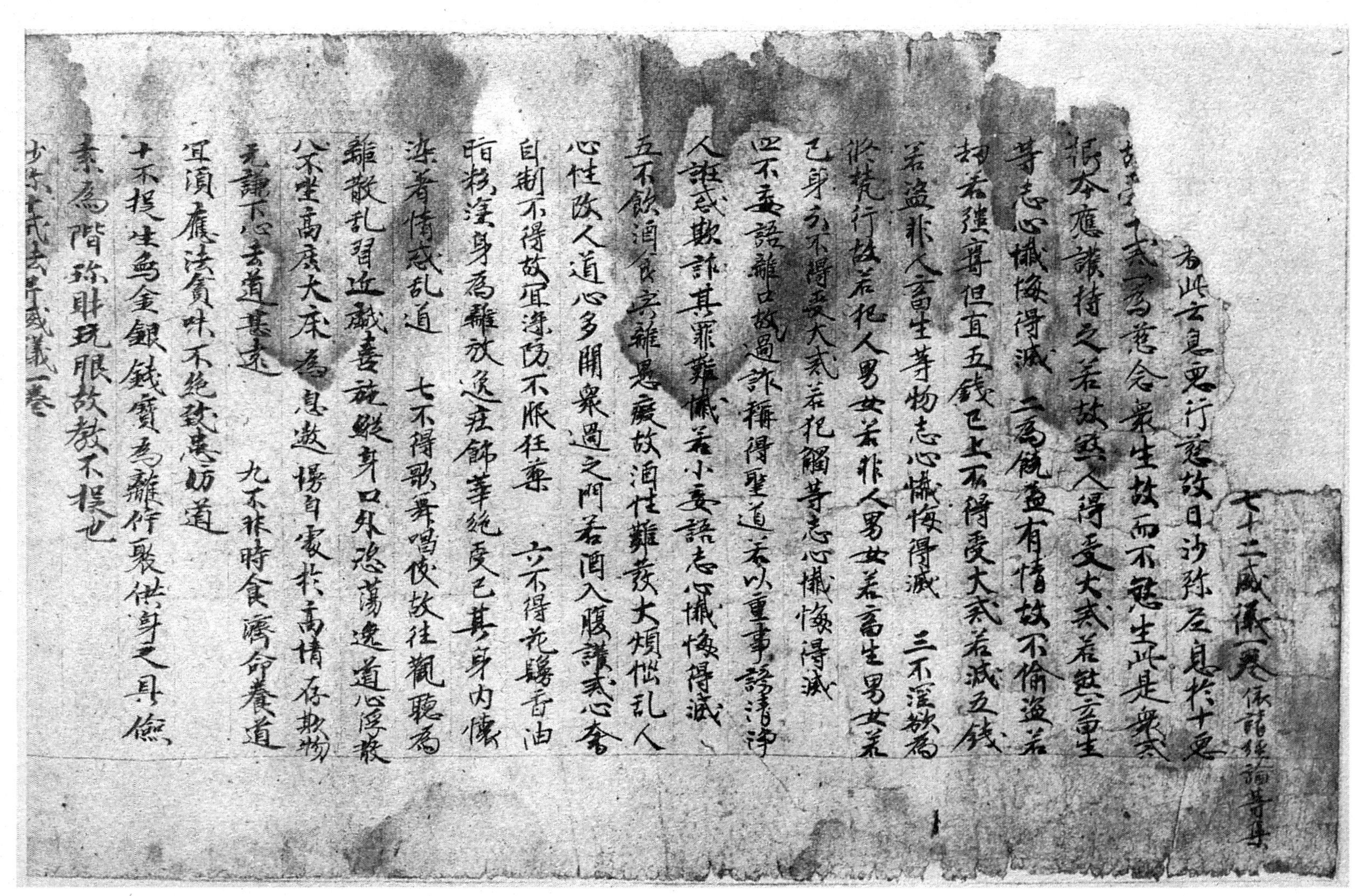

BD00478 號 1　沙彌尼十戒法並七十二威儀（擬）　（5–1）

素為階弥非現眼故教不損也
沙弥十戒法并威儀一卷
佛諸舍利弗汝去度羅睺羅出家舍利弗言我
當云何度佛教言我羅睺羅歸依佛歸依法
歸依僧我乞歸依佛竟歸依法竟歸依僧竟
盡形壽不殺生盡形壽不盜盡形壽不邪婬
盡形壽不妄語盡形壽不飲酒佛婆伽婆出家我
乞曰和上隨佛出家捨俗服著袈裟佛婆
伽婆我乞同和上隨佛出家舍俗服著袈裟盡
形壽不殺生持沙弥戒盡形壽不盜持沙弥戒盡形壽不婬
能持沙弥戒盡形壽不妄語持沙弥戒盡形壽不飲酒持沙
弥戒盡形壽不著花鬘瓔珞香油塗身持沙弥戒盡形壽
不歌舞伎樂故往觀聽持沙弥戒盡形壽不坐高廣大床
持沙弥戒盡形壽不非時食持沙弥戒盡形壽不捉捉持
生像金銀寶物持沙弥戒汝今已受十戒竟當盡形壽頂
戴奉持終身不得犯應供養三寶和上阿闍梨一切如法教
不得違逆上中下坐心常供敬懃求方便坐禪誦經學
問勸助作福開三惡色開涅槃門於比丘法中增長五
業得四道果沙弥之戒盡形壽不得殘煞傷害人物
當念所生及師友恩精進行道欲度父母慎無涅欲
推直於人引曲向己還非蠢動蠕行之類無所尅傷施恩
濟之使其得安心念為人言無反煞見煞不食聞聲
不食疑煞不食若見煞時當起慈心誓吾得
道國無煞者草木不用慎無殘傷有犯斯戒
非沙弥也沙弥之戒盡形壽不得偷盜外金殊兩
一无數人心存于義口不教取敗賣僕使奴婢

一无數人心存于義口不教取敗賣僕使奴婢
傭賃同客或有惠施一不得取无服飾珎玩
高床為帳衣取弊形無已文綵食取支命不
得奢味無得貯畜糧藏錢寶人与不受
則不留轉濟窮乏常為人說不貪之德寧饑
斷手不取非時財有犯斯戒非沙弥也
沙弥之戒盡形壽不得有婦畜養繼嗣房院
女色禁閉六情莫觀并色耳不聽聽心无念婬口无言
調花香暗移无以道身好聲邪色一无視聽寧破
骨碎心焚燒身軀不得為婬雖處婬室而
生歳穢不如貞潔而死有犯斯戒非沙弥也
沙弥之戒盡形壽誠信為本不得兩舌惡罵妄言
綺語前娉後毀讒人罪𢓕言持正無證人短為
人說法稱合義理見有諍者兩說和善大事處
世付付在口思所以折身由其惡言不慎言者非沙
弥也　沙弥之戒盡形壽不得飲酒无得嘗
酒无得釀酒亦无粥酒飲藥酒无止酒舍酒為
毒水衆失之源殘賢毀聖招致禍殃四等枯朽去
福就罪靡不由之寧飲鎔銅填无犯酒有犯斯戒
非沙弥也　沙弥之戒盡形壽不得頻兵使手執
利器畜養六畜龍鬃飛鳥車轝騎乘杖心恣意
馳騁遊獵彈射弓弩戳无得被火燒山澤傷害衆
生无得執決池堰塞流瀆凌灘網魚殘害水生有
犯斯戒非沙弥也　沙弥之戒盡形壽不得習弄
奇房擾浦博塞爭於勝負手舞調戲吟詠嘲
哥手執樂器琴瑟笙簧箏笛嘯哇以亂道意無得貌

奇房據滿博塞爭於勝負弄倴調戲吟詠嘐
音手執樂器琴瑟箜篌箏笛嘯唾以亂道意無得雜
種山澤耕犁田畝修治園補種植五穀乘車駕位於是
販賣共百姓爭利有犯斯戒非沙彌也
沙彌之戒盡形不得學習伎藝醫方蠱道時日卜逝
占相吉凶仰觀星宿推步盈虛日月博蝕星宿變怪山
崩地動風雨汙澇歲熟不熟有疫一不得論說國家
政事軍馬良憂出軍行師攻罰勝負有犯斯戒非沙彌
沙彌之戒盡形壽男女有別居不同寺房不相尋 無鄉
車居載送無道談若持異見察視之遠嫌避疑書使
往來天斷積財斟酌流澤不服及使七衆致若患已亦
不疑受若欲往時必須耆年鎮充獨行無上坐宿
有犯斯戒非沙彌也　沙彌之戒盡形壽非
賢不交非聖不宗不孝之子屠兒獵者偷盜奢
酒之徒止取邪聲履行凶險不得交由往來之鑒躍
彰楨道行法服應器常与身俱非時不食非法
不　食即無言臥即無誤精勤思義溫故知新也
則禪思起即諷誦戒行如是真佛弟子
說戒已了說威儀教法已受沙彌十戒為賢者道入法教之
當用漸漸稍從小起當知威儀施行所應當知和上戒臘三師
名字當教識知初受戒時歲日月數當知和上有幾事
亦當亦當知隨事所闕我有幾事亦當知給揚枝澡水
有幾事亦當知授袈裟襞又持鉢有幾事与和
上阿闍梨俱應請時若至國王家時若至迦羅極越家時
若達坐飯時若到坐飯時若俱入城乞食時若俱還時
至故處時若至水邊時若道邊時若樹下飯時若自

BD00478號2　沙彌十戒法並威儀　（5-4）

有犯斯戒非沙彌也　沙彌之戒盡形壽非
賢不交非聖不宗不孝之子屠兒獵者偷盜奢
酒之徒止取邪聲履行凶險不得交由往來之鑒躍
彰楨道行法服應器常与身俱非時不食非法
不　食即無言臥即無誤精勤思義溫故知新也
則禪思起即諷誦戒行如是真佛弟子
說戒已了說威儀教法已受沙彌十戒為賢者道入法教之
當用漸漸稍從小起當知威儀施行所應當知和上戒臘三師
名字當教識知初受戒時歲日月數當知和上有幾事
亦當亦當知隨事所闕我有幾事亦當知給揚枝澡水
有幾事亦當知授袈裟襞又持鉢有幾事与和
上阿闍梨俱應請時若至國王家時若至迦羅極越家時
若達坐飯時若到坐飯時若俱入城乞食時若俱還時
至故處時若至水邊時若道邊時若樹下飯時若自
先去後相待時若合鉢食時若博貸鉢飯時若俱共
對飯時若前後飯時若飯已澡漱時若澡鉢時若
當具知幾事當知給衆僧作直時若當具知有幾
事年滿欲受具足戒時令受鄉具足戒者今受
鄉具足戒者人為佛法異行沙門異住不知佛道至
妙罪福運行法律教爭已不敢耳之中相示故當先聞
設能具對餘如法者三師異無得耳
師教沙彌有五事一者當當敬大沙門二者不得呼
……侍不得轉行說四者

BD00478號2　沙彌十戒法並威儀　（5-5）

毀禁以忍　以相進棣
禪定攝亂意以智慧攝愚癡說除
法度八難者以大乘法度樂小乘者以諸
根濟无德者常以四攝成就衆生是爲十彼菩
薩曰菩薩成就幾法於此世界行无瘡疣生
于淨土維摩詰言菩薩成就八法於此世界行
无瘡疣生于淨土何等爲八饒益衆生而不
望報代一切衆生受諸苦惱所作功德盡
以施之等心衆生謙下无礙〻〻菩薩視之
如佛所未聞經聞之不疑　與聲聞而相違
背不嫉彼供不高己利而於其中調伏其心
常省己過不訟彼短恒以一心求諸功德是
爲八維摩詰文殊師利於大衆中說是法時
百千天人皆發阿耨多羅三藐三菩提心十千
菩薩得无生法忍

菩薩行品第十一

是時佛說法於菴羅樹園其地忽然廣博
嚴事一切衆會皆作金色阿難白佛言世尊以
何因緣有此瑞應是處忽然廣博嚴事一切
衆會皆作金色佛告阿難是維摩詰文殊師
利與諸大衆恭敬圍遶發意欲來故先爲此

BD00479號　維摩詰所說經卷下　（15–1）

……然廣博嚴事一切
衆會皆作金色佛告阿難是維摩詰文殊師
利與諸大衆恭敬圍遶發意欲來故先爲此
瑞應於是維摩詰語文殊師利可共見佛與
諸菩薩礼事供養文殊師利言善哉行矣
今正是時維摩詰即以神力持諸大衆并師
子座置於右掌往詣佛所到已著地稽首佛
足右遶七匝一心合掌在一面立其諸菩薩即
皆避坐稽首佛足亦遶七匝於一面立諸大
弟子釋梵四天王等亦皆避坐稽首佛足在
一面立於是世尊如法慰問諸菩薩已各令復
坐即皆受教衆坐已定佛語舍利弗汝見
菩薩大士自在神力之所爲乎唯然已見於
汝意云何世尊我覩其爲不可思議非意所
圖非度所測介時阿難白佛言世尊今所聞香
自昔未有是爲何香佛告阿難是彼菩薩毛
孔之香於是舍利弗語阿難言我等毛孔亦
出是香阿難言此所從來曰是長者維摩詰
從衆香國取佛餘飯於舍食者一切毛孔皆
香若此阿難問維摩詰是香氣住當久如維
摩詰言至此飯消曰此飯久如當消曰此飯勢
力至于七日然後乃消又阿難若聲聞人
未入正位食此飯者得入正位然後乃消已
入正位食此飯者得心解脫然後乃消若未
發大乘意食此飯者至發意乃消已發意食
此飯者得无生忍然後乃消已得无生忍食
此飯者至一生補處然後乃消譬如有藥名曰

BD00479號　維摩詰所說經卷下　（15–2）

此飯者得无生忍然後乃消已得无生忍食
此飯者至一生補處然後乃消譬如有藥名
曰上味其有服者身諸毒滅然後乃消此飯
如是滅除一切諸煩惱毒然後乃消阿難白
佛言未曾有也世尊如此香飯能作佛事佛
言如是如是阿難或有佛土以佛光明而作佛
事有以諸菩薩而作佛事有以佛所化人而
作佛事有以菩提樹而作佛事有以佛衣
服卧具而作佛事有以飯食而作佛事有以
園林臺觀而作佛事有以三十二相八十隨
形好而作佛事有以佛身而作佛事有以虛
空而作佛事衆生應以此緣得入律行有以
夢幻影響鏡中像水中月熱時焰如是等喻
而作佛事有以音聲語言文字而作佛事或
有清淨佛土寂寞无言无說无示无識无作
无為而作佛事如是阿難諸佛威儀進止諸
所施為无非佛事阿難有此四魔八万四千
諸煩惱門而諸衆生為之疲勞諸佛即以此
法而作佛事是名入一切諸佛法門菩薩入
此門者若見一切淨妙佛土不以為喜不貪
不高若見一切不淨佛土不以為憂不礙不
沒但於諸佛生清淨心歡喜恭敬未曾有也
諸佛如來功德平等為教化衆生故而現佛
土不同阿難汝見諸佛國土地有若干而虛
空无若干也如是見諸佛色身有若干耳其
無礙慧無若干也阿難諸佛色身威德相種

土不同阿難汝見諸佛國土地有若干而虛
空无若干也如是見諸佛色身有若干耳其
無礙慧無若干也阿難諸佛色身威德相種
姓戒定智慧解脫解脫知見力无所畏不共之
法大慈大悲威儀所行及其壽命說法教化
成就衆生淨佛國土具諸佛法悉皆同等是
故名為三藐三佛陀名為多陀阿伽度名為
佛陀阿難若我廣說此三句義汝以劫壽不
能盡受正使三千大千世界滿中衆生皆如
阿難多聞第一得念總持此諸人等以劫之
壽亦不能受如是阿難諸佛阿耨多羅三藐
三菩提无有限量智慧辯才不可思議阿難
白佛言我從今已往不敢自謂以為多聞佛告
阿難勿起退意所以者何我說汝於聲聞中
為最多聞非謂菩薩且止阿難其有智者不
應限度諸菩薩也一切海淵尚可測量菩薩
禪定智慧總持辯才一切功德不可量也阿
難汝等捨置菩薩所行是維摩詰一時所現
神通之力一切聲聞辟支佛於百千劫盡力
變化所不能作
尒時衆香世界菩薩來者合掌白佛言世尊
我等初見此土生下劣想今自悔責捨離是
心所以者何諸佛方便不可思議為度衆生
故隨其所應現佛國異唯然世尊願賜少法
還於本土當念如來佛告諸菩薩有盡无盡
解脫法門汝等當學何謂為盡謂有為法
何謂无盡謂无為法如菩薩者不盡有為不

還於本土當念如來佛告諸菩薩有盡无盡
解脫法門汝等當學何謂爲盡謂有爲法
何謂无盡謂无爲法如菩薩者不盡有爲不
住无爲何謂不盡有爲謂不離大慈不捨大
悲深發一切智心而不忽忘教化衆生終不
猒惓於四攝法常念順行護持正法不惜軀
命種諸善根无有疲猒志常安住方便迴向
求法不懈說法无悋勤供諸佛故入生死而
无所畏於諸榮辱心无憂喜不輕未學敬學
如佛墮煩惱者令發正念於遠離樂不以爲
貴不著己樂慶於彼樂在諸禪定如地獄想
於生死中如園觀想見來求者爲善師想捨
諸所有具一切智想見毀戒人起救護想諸
波羅蜜爲父母想道品之法爲眷屬想發行善
根无有齊限以諸淨國嚴飾之事成己佛土
行不限施具足相好除一切惡淨身口意淨故
生死无數劫意而有勇聞佛无量德志而不
惓以智慧劍破煩惱賊出陰界入荷負衆生
永使解脫以大精進摧伏魔軍常求无念實
相智慧行少欲知足而不捨世法不壞威儀而
能隨俗起神通慧引導衆生得念揔持所聞
不忘善別諸根斷衆生疑以樂說辯演法无
礙淨十善道受天人福脩四无量開梵天道
勸請說法隨喜讚善得佛音聲身口意善
得佛威儀深脩善法所行轉勝以大乘教成
菩薩僧心無放逸不失衆善行如此法是名菩
薩不盡有爲何謂菩薩不住无爲謂脩學空

菩薩僧心無放逸不失衆善行如此法是名菩
薩不盡有爲何謂菩薩不住无爲謂脩學空
不以空爲證脩學无相无作不以无相无作
爲證脩學无起不以无起爲證觀於无常而
不猒善本觀世間苦而不惡生死觀於无我
而誨人不惓觀於寂滅而不永寂滅觀於遠
離而身心脩善觀无所歸而趣善法觀於
無生而以生法荷負一切觀於无漏而不斷
諸漏觀无所行而以行法教化衆生觀於空
无而不捨大悲觀正法位而不隨小乘觀諸
法虛妄无牢无人无主无相本願未滿而不
虛福德禪定智慧脩如此法是名菩薩不住
无爲又具福德故不住无爲具智慧故不盡
有爲大慈悲故不住无爲滿本願故不盡有
爲集法藥故不住无爲隨授藥故不盡有爲
知衆生病故不住无爲滅衆生病故不盡有
爲諸正士菩薩已脩此法不盡有爲不住无
爲是名盡无盡解脫法門汝等當學尒時彼
諸菩薩聞說是法皆大歡喜以衆妙華若干
種色若干種香散遍三千大千世界供養於
佛及此經法并諸菩薩已稽首佛足歎未
曾有言釋迦牟尼佛乃能於此善行方便言
已忽然不現還到彼國
見阿閦佛品第十二
尒時世尊問維摩詰汝欲見如來爲以何等
觀如來乎維摩詰言如自觀身實相觀佛亦
然我觀如來前際不來後際不去今則不住

尒時世尊問維摩詰汝欲見如来為以何等
觀如来乎維摩詰言如自觀身實相觀佛亦
然我觀如来前際不来後際不去今則不住
不觀色不觀色如不觀色性不觀受想行識
不觀識如不觀識性非四大起同於虚空六
入无積眼耳鼻舌身心已過不在三界三垢
已離順三脫門三明與无明等不一相不異
相不自相不他相非无相非取相不此岸不彼
岸不中流而化衆生觀於寂滅亦不永滅
不此不彼不以此不以彼不可以智知不可
以識識无晦无明无名无相无强无弱非淨
非穢不在方不離方非有為非无為无示无
說不施不慳不戒不犯不忍不恚不進不怠
不定不亂不智不愚不誠不欺不来不去不出
不入一切言說道斷非福田非不福田非應
供養非不應供養非取非捨非有相非無
相同真際等法性不可稱不可量過諸稱量
非大非小非見非聞非覺非知離衆結縛等
諸智同衆生於諸法無分別一切無失無濁
無惱無作無起無生無滅無畏無憂無喜
無猒無著無已有無當有無今有不可以一切
言說分别顯示世尊如来身為若此作如是觀
以斯觀者名為正觀若他觀者名為邪觀尒
時舍利弗問維摩詰汝於何沒而来生此維
摩詰言汝所得法有沒生乎舍利弗言無沒
生也若諸法無沒生相云何問言汝於何
沒而来生此於意云何譬如幻師幻作男女

BD00479 號　維摩詰所說經卷下　（15–7）

生也若諸法無沒生相云何問言汝於何
沒而来生此於意云何譬如幻師幻作男女
寧沒生耶舍利弗言無沒生也汝豈不聞佛
說諸法如幻相乎荅曰如是若一切法如幻
相者云何問言汝於何沒而来生此舍利弗
沒者為虚誑法壞敗之相生者為虚誑法相
續之相菩薩雖沒不盡善本雖生不長諸惡
是時佛告舍利弗有國名妙喜佛号无動是
維摩詰於彼國沒而来生此舍利弗言未曾
有也世尊是人乃能捨清淨土而来樂此多
怒害處維摩詰語舍利弗於意云何日光出
時與冥合乎荅曰不也日光出時則无衆冥
維摩詰言夫日何故行閻浮提荅曰欲以明
照為之除冥維摩詰言菩薩如是雖生不淨
佛土為化衆生不與愚闇而共合也但滅衆
生煩惱闇耳
是時大衆渴仰欲見妙喜世界无動如来及其
菩薩聲聞之衆佛知一切衆會所念告維摩
詰言善男子為此衆會現妙喜國无動如来
及諸菩薩聲聞之衆衆皆欲見於是維摩詰
心念吾當不起于坐接妙喜國鐵圍山川溪
谷江河大海泉源須弥諸山及日月星宿天
龍鬼神梵天等宮并諸菩薩聲聞之衆城邑
聚落男女大小乃至无動如来及菩提樹諸
妙蓮華能於十方作佛事者三道寶階從
閻浮提至忉利天以此寶階諸天来下悉為礼
敬無動如来聽受經法閻浮提人亦登其階上

BD00479 號　維摩詰所說經卷下　（15–8）

閻浮提至忉利天以此寶階諸天來下悉爲礼
敬無動如來聽受經法閻浮提人亦登其階上
昇忉利見彼諸天妙喜世界成就如是無
量功德上至阿迦膩吒天下至水際以右手斷
取如陶家輪入此世界猶持華鬘示一切衆
作是念已入於三昧現神通力以其右手斷
取妙喜世界置於此土彼得神通菩薩及聲
聞衆并餘天人俱發聲言唯然世尊誰取
我去願見救護無動佛言非我所爲是維
摩詰神力所作其餘未得神通者不覺不知
己之所往妙喜世界雖入此土而不增減於是
世界亦不迫隘如本無異
尒時釋迦牟尼佛告諸大衆汝等且觀妙喜
世界無動如來其國嚴飾菩薩行淨弟子清白
皆曰唯然已見佛言若菩薩欲得如是清淨
佛土當學無動如來所行之道現此妙喜國
時娑婆世界十四那由他人發阿耨多羅三藐
三菩提心皆願生於妙喜佛土釋迦牟尼佛
即記之曰當生彼國時妙喜世界於此國土
所應饒益其事訖已還復本處舉衆皆見
佛告舍利弗汝見此妙喜世界及无動佛
不唯然已見世尊願使一切衆生得清淨土
如無動佛獲神通力如維摩詰世尊我等快
得善利得見是人親近供養其諸衆生若今
現在若佛滅後聞此經者亦得善利況復聞
已信解受持讀誦解說如法脩行若有手得
是經典者便爲已得法寶之藏若有讀誦解

是經典者便爲已得法寶之藏若有讀誦解
釋其義如說脩行則爲諸佛之所護念其有
供養如是人者當知則爲供養於佛其有書
持此經卷者當知其室則有如來若聞是
經能隨喜者斯人則爲取一切智若能信解
此經乃至一四句偈爲他說者當知此人即是
受阿耨多羅三藐三菩提記
法供養品第十三
尒時釋提桓因於大衆中白佛言世尊我雖
從佛及文殊師利聞百千經未曾聞此不可
思議自在神通決定實相經典如我解佛所
說義趣若有衆生聞是經法信解受持讀誦
之者必得是法不疑何況如說脩行斯人則
爲閉衆惡趣開諸善門常爲諸佛之所護
念降伏外學摧滅魔怨脩治菩提安處道場
履踐如來所行之跡世尊若有受持讀誦如說
脩行者我當與諸眷屬供養給事所在聚落
城邑山林曠野有是經處我亦與諸眷屬聽
受法故共到其所其未信者當令生信其已
信者當爲作護佛言善哉善哉天帝如汝所
說吾助尒喜此經廣說過去未來現在諸佛
不可思議阿耨多羅三藐三菩提是故天帝
若善男子善女人受持讀誦供養是經者則
爲供養去來今佛天帝正使三千大千世界
如來滿中譬如甘蔗竹葦稻麻叢林若有善
男子善女人或一劫或減一劫恭敬尊重讃
歎供養奉諸所安至諸佛滅後以一一全身

男子善女人或一劫或減一劫恭敬尊重讃
歎供養奉諸所安至諸佛滅後以一一全身
舍利起七寶塔縱廣一四天下高至梵天表
刹莊嚴以一切華香瓔珞幢幡伎樂微妙第
一若一劫若減一劫而供養之於天帝意云
何其人植福寧為多不釋提桓因言多矣世
尊彼之福德若以百千億劫說不能盡佛告
天帝當知是善男子善女人聞是不可思議
解脫經典信解受持讀誦脩行福多於彼所
以者何諸佛菩提皆從是生菩提之相不可
限量以是因緣福不可量
佛告天帝過去无量阿僧祇劫時世有佛号
曰藥王如來應供正遍知明行足善逝世間
解无上士調御丈夫天人師佛世尊世界曰
大莊嚴劫曰莊嚴佛壽二十小劫其聲聞僧
三十六億那由他菩薩僧有十二億天帝是
時有轉輪聖王名曰寶蓋七寶具足主四天
下王有千子端正勇健能伏怨敵尒時寶蓋
與其眷屬供養藥王如來施諸所安至滿五
劫過五劫已告其千子汝等亦當如我以深
心供養於佛於是千子受父王命供養藥王
如來復滿五劫一切施安其王一子名曰月
蓋獨坐思惟寧有供養殊過此者以佛神力
空中有天曰善男子法之供養勝諸供養即
問何謂法之供養天曰汝可往問藥王如來當
廣為汝說法之供養即時月蓋王子行詣藥
王如來稽首佛足却住一面白佛言世尊諸

BD00479 號　維摩詰所說經卷下　（15–11）

王如來稽首佛足却住一面白佛言世尊諸
供養中法供養勝云何為法供養佛言善
男子法供養者諸佛所說深經一切世間難信
難受微妙難見清淨無染非但分別思惟
之所能得菩薩法藏所攝陁羅尼印印之至
不退轉成就六度善分別義順菩提法衆經
之上入大慈悲離衆魔事及諸邪見順因緣
法無我無人無衆生無壽命空無相無作无
起能令衆生坐於道場而轉法輪諸天龍神
乾闥婆等所共歎譽能令衆生入佛法藏攝
諸賢聖一切智慧說衆菩薩所從之道依於
諸法實相之義明宣無常苦空無我寂滅能
救一切毀禁衆生諸魔外道及貪著者能
使怖畏諸佛賢聖所共稱歎背生死苦示涅槃
樂十方世諸佛所說若聞如是等經信解受
持讀誦以方便力為諸衆生分別解說顯示
分明守護法故是名法之供養又於諸法如
說脩行隨順十二因緣離諸邪見得無生忍
決定無我無有衆生而於因緣果報无違无
諍離諸我所依於義不依語依於智不依識
依了義經不依不了義經依於法不依人隨
順法相无所入无所歸无明畢竟滅故諸行亦
畢竟滅乃至生畢竟滅故老死亦畢竟滅
作如是觀十二因緣无有盡相不復起見是
名最上法之供養
佛告天帝王子月蓋從藥王佛聞如是法得
柔順忍即解寶衣嚴身之具以供養佛白佛

BD00479 號　維摩詰所說經卷下　（15–12）

名曰上法之供養
佛告天帝王子月蓋從藥王佛聞如是法得
柔順忍即解寶衣嚴身之具以供養佛白佛
言世尊如來滅後我當行法供養守護正法
願以威神加哀建立令我得降魔怨脩菩薩
行佛知其深心所念而記之曰汝於末後守
護法城天帝時王子月蓋見法清淨聞佛授
記以信出家脩集善法精進不久得五神通
通菩薩道得陁羅尼無斷辯才於佛滅後以
其所得神通總持辯才之力滿十小劫藥王
如來所轉法輪隨而分布月蓋比丘以守護
法勤行精進即於此身化百万億人於阿耨
多羅三藐三菩提立不退轉十四那由他人深
發聲聞辟支佛心无量衆生得生天上天
帝時王寶蓋豈異人乎今現得佛号寶焰
如來其王千子即賢劫中千佛是也從迦羅鳩
孫駄為始得佛最後如來号曰樓至月蓋比
丘則我身是如是天帝當知此要以法供養
於諸供養為上為最第一无比是故天帝當
以法之供養供養於佛
囑累品第十四
於是佛告彌勒菩薩言彌勒我今以是无量
億阿僧祇劫所集阿耨多羅三藐三菩提法
付囑於汝如是輩經於佛滅後末世之中汝
等當以神力廣宣流布於閻浮提无令斷絶
所以者何未來世中當有善男子善女人及
天龍鬼神乾闥婆羅刹等發阿耨多羅三藐

BD00479號　維摩詰所說經卷下　（15–13）

所以者何未來世中當有善男子善女人及
天龍鬼神乾闥婆羅刹等發阿耨多羅三藐
三菩提心樂于大法若使不聞如是等經則
失善利如此輩人聞是等經必多信樂發希
有心當以頂受隨諸衆生所應得利而為廣
說彌勒當知菩薩有二相何謂為二一者好
於雜句文飾之事二者不畏深義如實能入
若好雜句文飾事者當知是為新學菩薩
若於如是无染无著甚深經典无有恐畏能
入其中聞已心淨受持讀誦如說脩行當知是
為久脩道行彌勒復有二法名新學者不能
決定於甚深法何等為二一者所未聞深經
聞之驚怖生疑不能隨順毀謗不信而作是
言我初不聞從何所來二者若有護持解說
如是深經者不肯親近供養恭敬或時於中
說其過惡有此二法當知是新學菩薩為
自毀傷不能於深法中調伏其心彌勒復有二
法菩薩雖信解深法猶自毀傷而不能得无
生法忍何等為二一者輕慢新學菩薩而不
教誨二者雖解深法而取相分別是為二法
彌勒菩薩聞說是已白佛言世尊未曾有也
如佛所說我當遠離如斯之惡奉持如來无
數阿僧祇劫所集阿耨多羅三藐三菩提法
若未來世善男子善女人求大乘者當令手
得如是等經與其念力使受持讀誦為他廣
說世尊若後末世有能受持讀誦為他說者
當知是為彌勒神力之所建立佛言善哉善

BD00479號　維摩詰所說經卷下　（15–14）

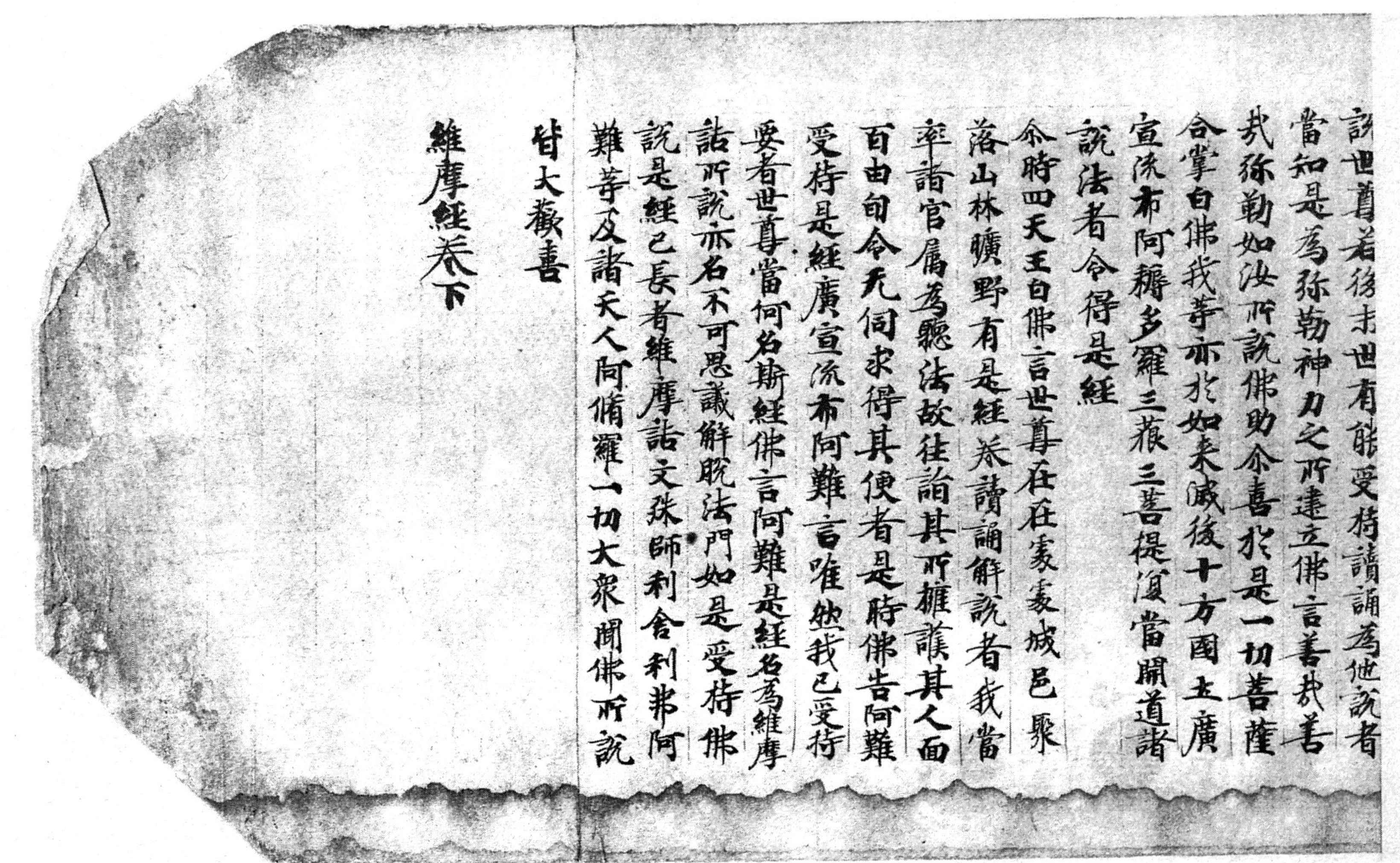
説世尊若後末世有能受持讀誦為他説者
當知是為弥勒神力之所建立佛言善哉善
哉弥勒如汝所説佛助尒喜於是一切菩薩
合掌白佛我等亦於如来滅後十方國土廣
宣流布阿耨多羅三藐三菩提復當開道諸
説法者令得是經
尒時四天王白佛言世尊在在處處城邑聚
落山林曠野有是經卷讀誦解説者我當
率諸官屬為聽法故往詣其所擁護其人面
百由旬令无伺求得其便者是時佛告阿難
受持是經廣宣流布阿難言唯然我已受持
要者世尊當何名斯經佛言阿難是經名為維摩
詰所説亦名不可思議解脫法門如是受持佛
説是經已長者維摩詰文殊師利舍利弗阿
難等及諸天人阿脩羅一切大衆聞佛所説
皆大歡喜
維摩經卷下

BD00479 號　維摩詰所説經卷下　（15–15）

若有人言如来得阿耨多羅三藐三菩提須
提實无有法佛得阿耨多羅三藐三菩提
須菩提如来所得阿耨多羅三藐三菩提於
是中无實无虛是故如来説一切法皆是佛
法須菩提所言一切法者即非一切法是故名
一切法須菩提譬如人身長大須菩提言
世尊如来説人身長大則為非大身是名大
身須菩提菩薩亦如是若作是言我當滅
度无量衆生則不名菩薩何以故須菩提實
无有法名為菩薩是故佛説一切法无我无人
无衆生无壽者須菩提若菩薩作是言我
當莊嚴佛土是不名菩薩何以故如来説莊
嚴佛土者即非莊嚴是名莊嚴須菩提若
菩薩通達无我法者如来説名真是菩薩
須菩提於意云何如来有肉眼不如是世尊如
来有肉眼須菩提於意云何如来有天眼不
如是世尊如来有天眼須菩提於意云何
如来有慧眼不如是世尊如来有慧眼須菩
提於意云何如来有法眼不如是世尊如来
有法眼須菩提於意云何如来有佛眼不如
是世尊如来有佛眼須菩提於意云何恒河
中所有沙佛説是沙不如是世尊如来説是
沙須菩提於意云何如一恒河中所有沙有

BD00480 號 1　金剛般若波羅蜜經　（5–1）

中所有沙佛說是沙不如是世尊如来說是
沙須菩提於意云何如一恒河中所有沙有
如是等恒河是諸恒河所有沙數佛世界
如是寧為多不甚多世尊佛告須菩提尒所
国土中所有衆生若干種心如来悉知何以故
如来說諸心皆為非心是名為心所以者何須
菩提過去心不可得現在心不可得未来
心不可得須菩提於意云何若有人滿三千
大千世界七寶以用布施是人以是因緣得
福多不如是世尊此人以是因緣得福甚多
須菩提若福德有實如来不說得福德多
以福德无故如来說得福德多
須菩提於意云何佛可以具足色身見不不
也世尊如来不應以具足色身見何以故如来
說具足色身即非具足色身是名具足色身
須菩提於意云何如来可以具足諸相見不不
也世尊如来不應以具足諸相見何以故如
来說諸相具足即非具足是名諸相具足須
菩提汝勿謂如来作是念我當有所說法莫
作是念何以故若人言如来有所說法即為
謗佛不能解我所說故須菩提說法者无法
可說是名說法須菩提白佛言世尊佛得阿
耨多羅三藐三菩提為无所得耶如是如是
須菩提我於阿耨多羅三藐三菩提乃至无
有少法可得是名阿耨多羅三藐三菩提復
次須菩提是法平等无有高下是名阿耨多
羅三藐三菩提以无我无人无衆生无壽者

BD00480 號 1　金剛般若波羅蜜經　（5–2）

次須菩提是法平等无有高下是名阿耨多
羅三藐三菩提以无我无人无衆生无壽者
脩一切善法則得阿耨多羅三藐三菩提須
菩提所言善法者如来說非善法是名善法
須菩提若三千大千世界中所有諸須弥山
王如是等七寶聚有人持用布施若人以此
般若波羅蜜經乃至四句偈等受持讀誦為
他人說於前福德百分不及一百千万億分
乃至筭數譬喻所不能及
須菩提於意云何汝等勿謂如来作是念我
當度衆生須菩提莫作是念何以故實无有
衆生如来度者若有衆生如来度者如来
則有我人衆生壽者須菩提如来說有我
者則非有我而凡夫之人以為有我須菩提凡
夫者如来說則非凡夫須菩提於意云何可以
三十二相觀如来不須菩提言如是如是以三
十二相觀如来佛言須菩提若以三十二相
觀如来者轉輪聖王則是如来須菩提白
佛言世尊如我解佛所說義不應以三十二
相觀如来尒時世尊而說偈言
若以色見我　以音聲求我　是人行邪道　不能見如来
須菩提汝若作是念如来不以具足相故得阿
耨多羅三藐三菩提須菩提莫作是念如
来不以具足相故得阿耨多羅三藐三菩提
須菩提汝若作是念發阿耨多羅三藐三菩
提者說諸法斷滅相莫作是念何以故發阿
耨多羅三藐三菩提者於法不說斷滅相須

BD00480 號 1　金剛般若波羅蜜經　（5–3）

須[illegible]
提者說諸法斷滅相莫作是念何以故發阿
耨多羅三藐三菩提者於法不說斷滅相須
菩提若菩薩以滿恒河沙等世界七寶布施
若復有人知一切法无我得成於忍此菩薩
勝前菩薩所得功德須菩提以諸菩薩不受
福德故須菩提白佛言世尊云何菩薩不受
福德須菩提菩薩所作福德不應貪著是
故說不受福德須菩提若有人言如来若来若
去若坐若卧是人不解我所說義何以故如
来者无所從来亦无所去故名如来
須菩提若善男子善女人以三千大千世界碎
為微塵於意云何是微塵衆寧為多不甚
多世尊何以故若是微塵衆實有者佛則不
說是微塵衆所以者何佛說微塵衆則非微
塵衆是名微塵衆世尊如来所說三千大千
世界則非世界是名世界何以故若世界實
有者則是一合相如来說一合相則非一合相
是名一合相須菩提一合相者則是不可說
但凡夫之人貪著其事須菩提若人言佛
說我見人見衆生見壽者見須菩提於意
云何是人解我所說義不世尊是人不解如来
所說義何以故世尊說我見人見衆生見壽
者見即非我見人見衆生見壽者見是名我
見人見衆生見壽者見須菩提發阿耨多羅
三藐三菩提心者於一切法應如是知如是見
如是信解不生法相須菩提所言法相者
如来說即非法相是名法相須菩提若有人

BD00480 號 1　金剛般若波羅蜜經　（5–4）

如是信解不生法相須菩提所言法相者
如来說即非法相是名法相須菩提若有人
以滿无量阿僧祇世界七寶持用布施若有
善男子善女人發菩薩心者持於此經乃至
四句偈等受持讀誦為人演說其福勝彼
云何為人演說不取於相如如不動何以故
一切有為法　如夢幻泡影　如露亦如電　應作如是觀
佛說是經已長老須菩提及諸比丘比丘尼
優婆塞優婆夷一切世間天人阿脩羅聞
佛所說皆大歡喜信受奉行

金剛般若波羅蜜經

金剛經陀羅尼神呪
南謨薄伽伐帝
鉢　囉　底　　鉢　囉　讓
伊　利　底　　伊　利　底
伊　室　利　　伊　室　利
輸　魯　馱　　輸　魯　馱
毗　逝　泄　　毗　逝　泄
　　　　　　　娑婆訶
若有人誦此呪一遍勝誦金剛經一万九千遍

BD00480 號 1　金剛般若波羅蜜經　（5–5）
BD00480 號 2　金剛經陀羅尼神呪

不過時處相應時相應行相
種種身是名化身善男子云何
身謂諸如來為諸菩薩得通達故
為令解了生死涅槃是一味故為除身
生怖畏歡喜故為無邊佛法而作本故
相應如如如如智本願力故是身得現
十二相八十種好項背圓光是名應
子云何菩薩摩訶[illegible]如法身為除
等障為具諸[illegible]有如如如如智
法身前二種身[illegible]有此第三身是真
有為前二身而住根本何以故離法如如離
無分別智一切諸佛無有別法一切諸佛智
慧具足一切煩惱究竟滅盡得清淨佛地是
故法如如如如智攝一切佛法
復次善男子一切諸佛利益自他至於究竟
自利益者是法如如利益他者是如如智能
於自他利益之事而得自在成就種種無邊
用故是故分別一切佛法有無量無邊種種
差別善男子譬如依止妄想思惟說種種煩
惱說種種業因種種果報如是依法如如依
如智說種種佛法說種種獨覺法說種種聲
聞法依法如如依如如智一切佛法自在成
就是為第一不可思議譬如畫空作莊嚴具
是難思議如是依法如如依如如智成就佛

聞法依法如如依如如智一切佛法自在成
就是為第一不可思議譬如畫空作莊嚴具
是難思議如是依法如如依如如智成就佛
法亦難思議善男子云何法如如如如智二
無分別而得自在事業成就善男子譬如如
來入於涅槃願自在故種種事業皆得成就
法如如如如智自在事成亦復如是
復次菩薩摩訶薩入無心定依前願力從禪
定起作眾事業如是二法無有分別自在
事成善男子譬如日月無有分別亦如水鏡無
有分別光明亦無分別三種和合得有影生
如是法如如如如智亦無分別以願自在故
眾生有感現應化身如日月影和合出現
復次善男子譬如無量無邊水鏡依於光故
空影得現種種異相空者即是無相善男子
如是受化諸弟子等是法身影以願力故於
二種身現種種相於法身地無有異相善男
子依此二身一切諸佛說有餘涅槃依此法
身說無餘涅槃何以故一切餘法究竟盡故
依此三身一切諸佛說無住處涅槃為二身
故不住涅槃離於法身無有別佛何故二身
不住涅槃二身假名不實念念生滅不定住
故數數出現以不定故法身不爾是故二身
不住涅槃法身不二是故不住涅槃故依三
身說無住涅槃
善男子一切凡夫為三相故有縛有障遠離
三身不至三身何者為三一者遍計所執相
二者依他起相三者成就相如是諸相不能

三身不至三身何者為三一者遍計所執相
二者依他起相三者成就相如是諸相不能
解故不能滅故不能淨故是故不得至於三
身如是三相能解能滅能淨故是故諸佛具
足三身善男子諸凡夫人未能除遣此三心
故遠離三身不能得至何者為三一者起事
心二者依根本心三者根本心依諸伏道起
事心盡依法斷道依根本心盡依最勝道根
本心盡起事心滅故得現化身依根本心滅
故得顯應身根本心滅故得至法身是故一
切如來具足三身

善男子一切諸佛於第一身與諸佛同事於
第二身與諸佛同意於第三身與諸佛同體
善男子是初佛身隨衆生意有多種故現種
種相是故說多第二佛身弟子一意故現一
相是故說一第三佛身過一切種相非執相
境界是故說名不一不二善男子是第一身
依於應身得顯現故是第二身依於法身得
顯現故是法身者是真實有無依處故善男
子如是三身以有義故而說於常以有義故
說於無常化身者恒轉法輪處處隨緣方便
相續不斷絕故是故說常非是本故具足大
用不顯現故說為無常應身者從無始來相
續不斷一切諸佛不共之法能攝持故衆生
無盡用亦無盡是故說常非是本故以具足
用不顯現故說為無常法身者非是行法無
有異相是根本故猶如虛空是故說常善男
子離無分別智更無勝智離法如如無勝境

用不顯現故說為無常法身者非是行法無
有異相是根本故猶如虛空是故說常善男
子離無分別智更無勝智離法如如無勝境
界是法如如是慧如如是二種如如如如不
一不異是故法身慧清淨故滅清淨故是二
清淨是故法身具足清淨

復次善男子分別三身有四種異有化身非
應身有應身非化身有化身亦應身有非化
身亦非應身何者化身非應身謂諸如來般
涅槃後以願自在故隨緣利益是名化身何
者應身非化身是地前身何者化身亦應身
謂住有餘涅槃之身何者非化身非應身謂
是法身善男子是法身者二無所有所顯現
故何者名為二無所有於此法身相及相處
二皆是無非有非無非一非異非數非非數
非明非闇如是如如智不見相及相處不見
非有非無不見非一非異不見非數非非數
不見非明非闇是故當知境界清淨智慧清
淨不可分別無有中間為滅道本故於此法
身能顯如來種種事業

善男子是身因緣境界處所果依於本難思
議故若了此義是身即是大乘是如來性是
如來藏依於此身得發初心修行地心而得
顯現不退地心亦皆得現一生補處心金剛
之心如來之心而悉顯現無量無邊如來妙
法皆悉顯現依此法身不可思議摩訶三昧
而得顯現依此法身得現一切大智是故二
身依於三昧依於智慧而得顯現如此法身

法皆悉顯現依此法身不可思議摩訶三昧
而得顯現依此法身得現一切大智是故二
身依於三昧依於智慧而得顯現如此法身
依於自體說常說我依大三昧故說於樂依
於大智故說清淨是故如來常住自在安樂
清淨依大三昧一切禪定首楞嚴等一切念
處大法念等大慈大悲一切陁羅尼一切神
通一切自在一切法平等攝受如是佛法悉
皆出現依此大智十力四無所畏四無礙辯
一百八十不共之法一切希有不可思議法
悉皆顯現譬如依如意寶珠無量無邊種種
珎寶悉皆得現如是依大三昧寶依大智慧
寶能出種種無量無邊諸佛妙法善男子如
是法身三昧智慧過一切相不著於相不可
分別非常非斷是名中道雖有分別體無分
別雖有三數而無三體不增不減猶如夢幻
亦無所執亦無能執法體如如是解脫處過
死王境越生死闇一切衆生不能修行所不
能至一切諸佛菩薩之所住處善男子譬如
有人願欲得金處處求覓遂得金鑛既得鑛
已即便碎之擇取精者爐中銷鍊得清淨金
隨意迴轉作諸鐶釧種種嚴具雖有諸用金
性不改
復次善男子若善男子善女人求勝解脫修
行世善得見如來及弟子衆得親近已白佛
言世尊何者爲善何者不善何者正修得清
淨行諸佛如來及弟子衆見彼問時如是思
惟是善男子善女人欲求清淨欲聽正法即

淨行諸佛如來及弟子衆見彼問時如是思
惟是善男子善女人欲求清淨欲聽正法即
便爲說令其開悟彼既聞已正念憶持發心
修行得精進力除嬾惰障滅一切罪於諸學
處離不尊重息掉悔心入於初地依初地心
除利有情障得入二地於此地中除不逼惱
障入於三地於此地中除心軟淨障入於四
地於此地中除善方便障入於五地於此地
中除見真俗障入於六地於此地中除見行
相障入於七地於此地中除不見滅相障入
於八地於此地中除不見生相障入於九地
於此地中除六通障入於十地於此地中除
所知障除根本心入如來地如來地者由三
淨故名極清淨云何爲三一者煩惱淨二者
苦淨三者相淨譬如真金鎔銷冶鍊既燒打
已無復塵垢爲顯金性本清淨故金體清淨
非謂無金譬如濁水澄渟清淨無復滓穢爲
顯水性本清淨故非謂無水如是法身與煩
惱雜苦集除已無復餘習爲顯佛性本清淨
故非謂無體譬如虛空烟雲塵霧之所障蔽
若除屏已是空界淨非謂無空如是法身一
切衆苦悉皆盡故說爲清淨非謂無體譬如
有人於睡夢中見大河水漂汎其身運手動
足截流而渡得至彼岸由彼身心不懈退故
從夢覺已不見有水彼此岸別非謂無心生
死妄想既滅盡已是覺清淨非謂無覺如是
法界一切妄想不復生故說爲清淨非是諸

死妄想既滅盡已是覺清淨非謂無覺如是
法界一切妄想不復生故說爲清淨非是諸
佛無其實體
復次善男子是法身者惑障清淨能現應身
業障清淨能現化身智障清淨能現法身譬
如依空出電依電出光如是依法身故能現
應身依應身故能現化身由性淨故能現法
身智慧清淨能現應身三昧清淨能現化身
此三清淨是法如如不異如如一味如如解
脫如如究竟如如是故諸佛體無有異善男
子若有善男子善女人說於如來是我大師
若作如是決定信者此人即應深心解了如
來之身無有別異善男子以是義故於諸境
界不正思惟悉皆除斷即知彼法無有二相
亦無分別聖所修行如如於彼無有二相正
修行故如是如是一切諸障悉皆除滅如如
一切障滅如是如是法如如如如智得最清
淨如如法界正智清淨如是如是一切自在
具足攝受皆得成就一切諸障悉皆除滅一
切諸障得清淨故是名真如正智真實之相
如是見者是名聖見是則名爲真實見佛何
以故如實得見法真如故是故諸佛悉能普
見一切如來何以故聲聞獨覺已出三界求
真實境不能知見如是聖人所不知見一切
凡夫皆生疑惑顛倒分別不能得度如兔浮
海必不能過所以者何力微劣故凡夫之人
亦復如是不能通達法如如故然諸如來無

BD00481號　金光明最勝王經卷二　（17-7）

亦復如是不能通達法如如故然諸如來無
分別心於一切法得大自在具足清淨深智
慧故是自境界不共他故是故諸佛如來於
無量無邊阿僧祇劫不惜身命難行苦行方
得此身最上無比不可思議過言說境是妙
寂靜離諸怖畏
善男子如是知見法真如者無生老死壽命
無限無有睡眠亦無飢渴心常在定無有散
動若於如來起諍論心是則不能見於如來
諸佛所說皆能利益有聽聞者無不解脫諸
惡禽獸惡人惡鬼不相逢值由聞法故果報
無盡然諸如來無無記事一切境界無欲知
心生死涅槃無有異想如來所說無不決定
諸佛如來四威儀中無非智攝一切諸法無
有不爲慈悲所攝無有不爲利益安樂諸衆
生者善男子若有善男子善女人於此金光
明經聽聞信解不墮地獄餓鬼傍生阿蘇羅
道常處人天不生下賤恒得親近諸佛如來
聽受正法常生諸佛清淨國土所以者何由
得聞此甚深法故是善男子善女人則爲如
來已知已記當得不退阿耨多羅三藐三菩
提若善男子善女人於此甚深微妙之法一
經耳者當知是人不謗如來不毀正法不輕
聖衆一切衆生未種善根令得種故已種善
根令增長成熟故一切世界所有衆生皆勸
修行六波羅蜜多
尒時虛空藏菩薩梵釋四王諸天衆等即從

BD00481號　金光明最勝王經卷二　（17-8）

尒時虛空藏菩薩梵釋四王諸天衆等即從
座起偏袒右肩合掌恭敬頂礼佛足白佛言
世尊若所在處講說如是金光明王微妙經
典於其國土有四種利益何者為四一者國
王軍衆強盛無諸怨敵離於疾病壽命延長
吉祥安樂正法興顯二者中宮妃后王子諸
臣和悅無諍離於謟佞王所愛重三者沙門
婆羅門及諸國人修行正法無病安樂無枉
死者於諸福田悉皆修立四者於三時中四
大調適常為諸天增加守護慈悲平等無傷
害心令諸衆生歸敬三寶皆願修習菩提之
行是為四種利益之事世尊我等亦常為弘
經故隨逐如是持經之人所在住處為作利
益佛言善哉善哉善男子如是如是汝等應
當勤心流布此妙經王則令正法久住於世

金光明最勝王經夢見懺悔品第四

尒時妙幢菩薩親於佛前聞妙法已歡喜踊
躍一心思惟還至本處於夜夢中見大金鼓
光明晃耀猶如日輪於此光中得見十方無
量諸佛於寶樹下坐瑠璃座無量百千大衆
圍繞而為說法見一婆羅門桴擊金鼓出大
音聲聲中演說微妙伽他明懺悔法妙幢聞
已皆悉憶持繫念而住至天曉已與無量百
千大衆圍繞持諸供具出王舍城詣鷲峯山
至世尊所礼佛足已布設香花右繞三帀退
坐一面合掌恭敬瞻仰尊顏白佛言世尊我
於夢中見婆羅門以手執桴擊妙金鼓出大

BD00481號　金光明最勝王經卷二　（17–9）

坐一面合掌恭敬瞻仰尊顏白佛言世尊我
於夢中見婆羅門以手執桴擊妙金鼓出大
音聲聲中演說微妙伽他明懺悔法我皆憶
持唯願世尊降大慈悲聽我所說即於佛前
而說頌曰

我於昨夜中　夢見大金鼓　其形極姝妙　周遍有金光
猶如盛日輪　光明皆普耀　充滿十方界　咸見於諸佛
在於寶樹下　各處瑠璃座　無量百千衆　恭敬而圍繞
有一婆羅門　以杖擊金鼓　於其鼓聲內　說此妙伽他
金光明鼓出妙聲　遍至三千大千界
能滅三塗極重罪　及以人中諸苦厄
由此金鼓聲威力　永滅一切煩惱障
斷除怖畏令安隱　譬如自在牟尼尊
佛於生死大海中　積行修成一切智
能令衆生覺品具　究竟咸歸功德海
由此金鼓出妙聲　普令聞者獲梵響
證得無上菩提果　常轉清淨妙法輪
住壽不可思議劫　隨機說法利群生
能斷煩惱衆苦流　貪瞋癡等皆除滅
若有衆生處惡趣　大火猛焰周遍身
若得聞是妙鼓音　即能離苦歸依佛
皆得成就宿命智　能憶過去百千生
悉皆正念牟尼尊　得聞如來甚深教
由聞金鼓勝妙音　常得親近於諸佛
悉能捨離諸惡業　純修清淨諸善品
一切天人有情類　慇重至誠祈願者
得聞金鼓妙音聲　能令所求皆滿足

BD00481號　金光明最勝王經卷二　（17–10）

一切天人有情類　慇重至誠祈願者
得聞金鼓妙音聲　能令所求皆滿足
衆生墮在無間獄　猛火炎熾苦焚身
無有救護處輪迴　聞者能令苦除滅
人天餓鬼傍生中　所有現受諸苦難
得聞金鼓發妙響　皆蒙離苦得解脫
現在十方界　常住兩足尊　願以大悲心　哀愍憶念我
衆生無歸依　亦無有救護　為如是等類　能作大歸依
我先所作罪　極重諸惡業　今對十力前　至心皆懺悔
我不信諸佛　亦不敬尊親　不務修衆善　常造諸惡業
或自恃尊高　種姓及財位　盛年行放逸　常造諸惡業
心恒起邪念　口陳於惡言　不見於過罪　常造諸惡業
恒作愚夫行　無明闇覆心　隨順不善友　常造諸惡業
或因諸戲樂　或復懷憂惱　為貪瞋所纏　故我造諸惡
親近不善人　及由慳嫉意　貧窮行諂誑　故我造諸惡
雖不樂衆過　由有怖畏故　及不得自在　故我造諸惡
或為躁動心　或因瞋恚恨　及以飢渴惱　故我造諸惡
由飲食衣服　及貪愛女人　煩惱火所燒　故我造諸惡
於佛法僧衆　不生恭敬心　作如是衆罪　我今悉懺悔
於獨覺菩薩　亦無恭敬心　作如是衆罪　我今悉懺悔
無知謗正法　不孝於父母　作如是衆罪　我今悉懺悔
由愚癡憍慢　及以貪瞋力　作如是衆罪　我今悉懺悔
我於十方界　供養無數佛　當願拔衆生　令離諸苦難
願一切有情　皆令住十地　福智圓滿已　成佛導群迷
我為諸衆生　苦行百千劫　以大智慧力　皆令出苦海
我為諸含識　演說甚深經　最勝金光明　能除諸惡業
若人百千劫　造諸極重罪　暫時能發露　衆惡盡消除
依此金光明　作如是懺悔　由斯能速盡　一切諸苦業

我為諸含識　演說甚深經　最勝金光明　能除諸惡業
若人百千劫　造諸極重罪　暫時能發露　衆惡盡消除
依此金光明　作如是懺悔　由斯能速盡　一切諸苦業
勝定百千種　不思議總持　根力覺道支　修習常無倦
我當至十地　具足珍寶處　圓滿佛功德　濟度生死流
我於諸佛海　甚深功德藏　妙智難思議　皆令得具足
唯願十方佛　觀察護念我　皆以大悲心　哀受我懺悔
我於多劫中　所造諸惡業　由斯生苦惱　哀愍願消除
我造諸惡業　常生憂怖心　於四威儀中　曾無歡樂想
諸佛具大悲　能除衆生怖　願受我懺悔　令得離憂苦
我有煩惱障　及以諸報業　願以大悲水　洗濯令清淨
我先作諸罪　及現造惡業　至心皆發露　咸願得蠲除
未來諸惡業　防護令不起　設令有違者　終不敢覆藏
身三語四種　意業復有三　繫縛諸有情　無始恒相續
由斯三種行　造作十惡業　如是衆多罪　我今皆懺悔
我造諸惡業　苦報當自受　今於諸佛前　至誠皆懺悔
於此贍部洲　及他方世界　所有諸善業　今我皆隨喜
願離十惡業　修行十善道　安住十地中　常見十方佛
我以身語意　所修福智業　願以此善根　速成無上慧
我今親對十力前　發露衆多苦難事
凡愚迷惑三有難　恒造極重惡業難
我所積集欲邪難　常起貪愛流轉難
於此世間耽著難　一切愚夫煩惱難
狂心散動顛倒難　及以親近惡友難
於生死中貪染難　瞋癡闇鈍造罪難
生八無暇惡處難　未曾積集功德難
我今皆於最勝前　懺悔無邊罪惡業
我今歸依諸善逝　我禮德海無上尊

我今歸依諸善逝　我礼德海無上尊
如大金山照十方　唯願慈悲哀攝受
身色金光淨無垢　目如清淨紺瑠璃
吉祥威德名稱尊　大悲慧日除衆闇
佛日光明常普遍　善淨無垢離諸塵
牟尼月照極清涼　能除衆生煩惱熱
三十二相遍莊嚴　八十隨好皆圓滿
福德難思無與等　如日流光照世間
色如琉璃淨無垢　猶如滿月處虛空
妙頗梨網映金軀　種種光明以嚴飾
於生死苦暴流內　老病憂愁水所漂
如是苦海難堪忍　佛日舒光令永竭
我今稽首一切智　三千世界希有尊
光明晃耀紫金身　種種妙好皆嚴飾
如大海水量難知　大地微塵不可數
如妙高山叵稱量　亦如虛空無有際
諸佛功德亦如是　一切有情不能知
於無量劫諦思惟　無有能知德海岸
盡此大地諸山岳　析如微塵能算知
毛端渧海尚可量　佛之功德無能數
一切有情皆共讚　世尊名稱諸功德
清淨相好妙莊嚴　不可稱量知分齊
我之所有衆善業　願得速成無上尊
廣說正法利群生　悉令解脫於衆苦
降伏大力魔軍衆　當轉無上正法輪
久住劫數難思議　充足衆生甘露味
猶如過去諸最勝　六波羅蜜皆圓滿

降伏大力魔軍衆　當轉無上正法輪
久住劫數難思議　充足衆生甘露味
猶如過去諸最勝　六波羅蜜皆圓滿
滅諸貪欲及瞋癡　降伏煩惱除衆苦
願我常得宿命智　能憶過去百千生
亦常憶念牟尼尊　得聞諸佛甚深法
願我以斯諸善業　奉事無邊最勝尊
遠離一切不善因　恒得修行真妙法
一切世界諸衆生　悉皆離苦得安樂
所有諸根不具足　令彼身相皆圓滿
若有衆生遭病苦　身形羸瘦無所依
咸令病苦得消除　諸根色力皆充滿
若犯王法當刑戮　衆苦逼迫生憂惱
彼受如斯極苦時　無有歸依能救護
若受鞭杖枷鎖繫　種種苦具切其身
無量百千憂惱時　逼迫身心無暫樂
皆令得免於繫縛　及以鞭杖苦楚事
將臨刑者得命全　衆苦皆令永除盡
若有衆生飢渴逼　令得種種殊勝味
盲者得視聾者聞　跛者能行瘂能語
貧窮衆生獲寶藏　倉庫盈溢無所乏
皆令得受上妙樂　無一衆生受苦惱
一切人天皆樂見　容儀溫雅甚端嚴
悉皆現受無量樂　受用豐饒福德具
隨彼衆生念伎樂　衆妙音聲皆現前
念水即現清涼池　金色蓮花泛其上
隨彼衆生心所念　飲食衣服及牀敷
金銀珎寶妙瑠璃　瓔珞莊嚴皆具足

隨彼[illegible]
金銀琉寶妙瑠璃　瓔珞莊嚴皆具足
勿令衆生聞惡響　亦復不見有相違
所受容貌悉端嚴　各各慈心相愛樂
世間資生諸樂具　隨心念時皆滿足
所得珎財無悋惜　分布施與諸衆生
燒香末香及塗香　衆妙雜花非一色
每日三時從樹墮　隨心受用生歡喜
普願衆生咸供養　十方一切最勝尊
三乘清淨妙法門　菩薩獨覺聲聞衆
常願勿處於卑賤　不墮無暇八難中
生在有暇人中尊　恒得親承十方佛
願得常生富貴家　財寶倉庫皆盈滿
顏貌名稱無與等　壽命延長經劫數
悉願女人變為男　勇健聰明多智慧
一切常行菩薩道　勤修六度到彼岸
常見十方無量佛　寶王樹下而安處
處妙瑠璃師子座　恒得親承轉法輪
若於過去及現在　輪迴三有造諸業
能招可猒不善趣　願得消滅永無餘
一切衆生於有海　生死羂網堅牢縛
願以智劍為斷除　離苦速證菩提處
衆生於此贍部內　或於他方世界中
所作種種勝福因　我今皆悉生隨喜
以此隨喜福德事　及身語意造衆善
願此勝業常增長　速證無上大菩提
所有礼讚佛功德　深心清淨無瑕穢
迴向發願福無邊　當超惡趣六十劫

BD00481 號　金光明最勝王經卷二　（17–15）

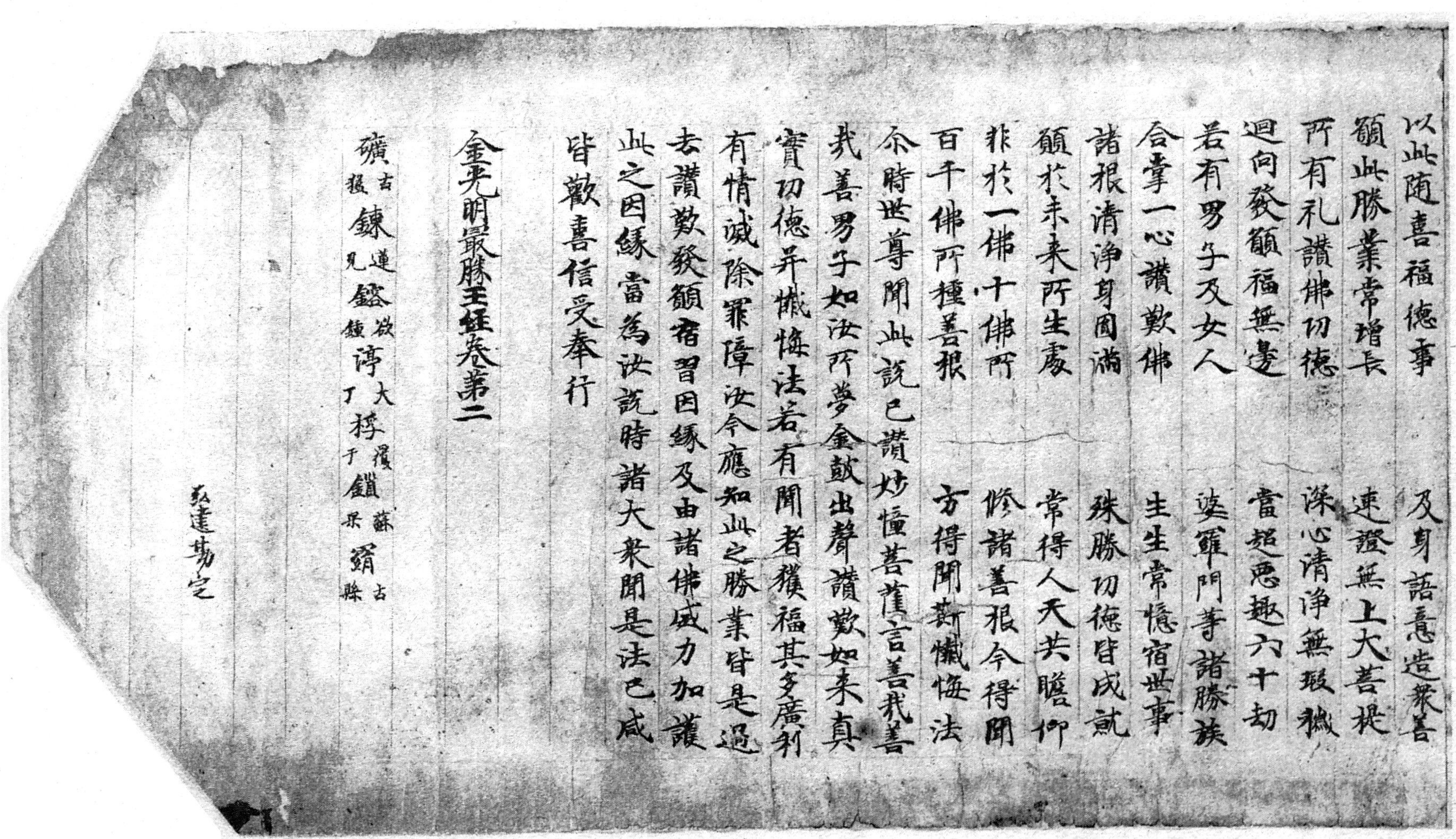
以此隨喜福德事　及身語意造衆善
願此勝業常增長　速證無上大菩提
所有礼讚佛功德　深心清淨無瑕穢
迴向發願福無邊　當超惡趣六十劫
若有男子及女人　婆羅門等諸勝族
合掌一心讚歎佛　生生常憶宿世事
諸根清淨身圓滿　殊勝功德皆成就
願於未來所生處　常得人天共瞻仰
非於一佛十佛所　修諸善根今得聞
百千佛所種善根　方得聞斯懺悔法
尒時世尊聞此說已讚妙幢菩薩言善哉善
哉善男子如汝所夢金鼓出聲讚歎如來真
實功德并懺悔法若有聞者獲福其多廣利
有情滅除罪障汝今應知此之勝業皆是過
去讚歎發願宿習因緣及由諸佛威力加護
此之因緣當為汝說時諸大衆聞是法已咸
皆歡喜信受奉行

金光明最勝王經卷第二

礦古猛　鍊連見　鎔欲鍾　渟大丁　桴覆于　鎖蘇果　羂古縣

弘建勘定

BD00481 號　金光明最勝王經卷二　（17–16）

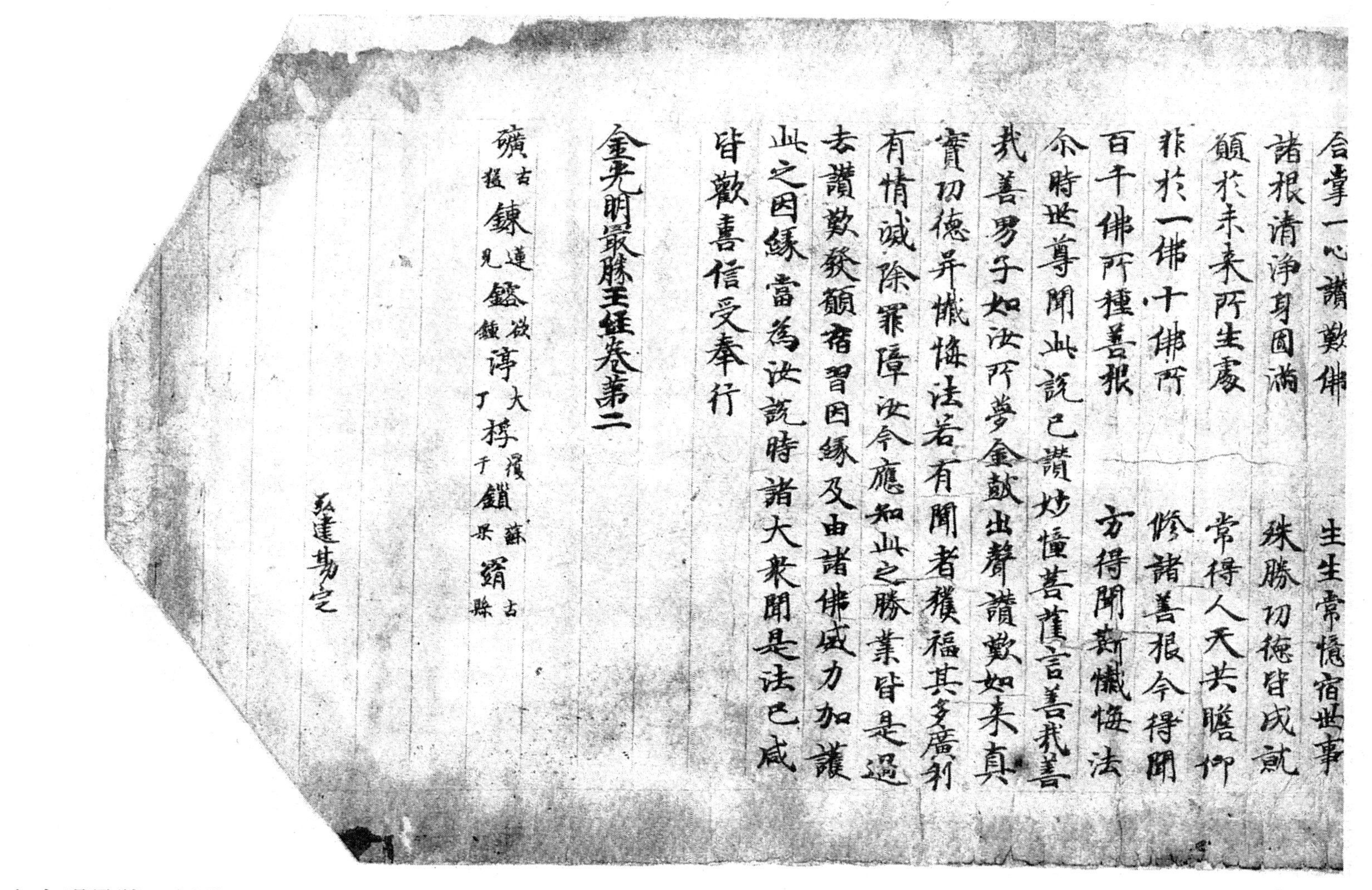

合掌一心讚歎佛　生生常憶宿世事
諸根清淨身圓滿　殊勝功德皆成就
願於未來所生處　常得人天共瞻仰
非於一佛十佛所　修諸善根今得聞
百千佛所種善根　方得聞斯懺悔法
尒時世尊聞此說已讚妙幢菩薩言善哉善
哉善男子如汝所夢金鼓出聲讚歎如來真
實功德并懺悔法若有聞者獲福甚多廣利
有情滅除罪障汝今應知此之勝業皆是過
去讚歎發願宿習因緣及由諸佛威力加護
此之因緣當為汝說時諸大衆聞是法已咸
皆歡喜信受奉行
金光明最勝王經卷第二
礦古猛　鍊連見　鑑敬鍾　渟大丁　捋履于　鎖蘇果　鋗古縣
弘建勘定

BD00481 號　金光明最勝王經卷二　　（17–17）

BD00481 號背　便物歷（擬）　　（1–1）

香積佛品第十

於是舍利弗心念日時欲至此諸菩薩當於
何食時維摩詰知其意而語言佛說八解脫仁
者受行豈雜欲食而聞法乎若欲食者
且待須臾當令汝得未曾有食時維摩詰
即入三昧以神通力示諸大衆上方分界過如四十二
恒河沙佛土有國名衆香佛号香積今現
在其國香氣比丘於十方諸佛世界人天之香
最為第一彼土无有聲聞辟支佛名唯有清淨
大菩薩衆佛為說法其界一切皆以香作樓
閣經行香地苑園皆香其食香氣周流
十方无量世界時彼佛與諸菩薩方共坐食有
諸天子皆号香嚴悉發阿耨多羅三藐三菩
提心供養彼佛及諸菩薩此諸大衆莫不目
見時維摩詰問衆菩薩諸仁者誰能致彼
佛飯以文殊師利威神力故咸皆默然維摩詰
言仁者此諸大衆无乃可恥文殊師利日如佛
所言勿輕未學與於是維摩詰不起于座居衆
會前化作菩薩相好光明威德殊勝蔽於衆
會而告之日汝往上方界分度如四十二恒
河沙佛土有國名衆香佛号香積與諸菩薩
方共坐食汝往致彼如我辭日維摩詰稽首

BD00482 號　維摩詰所說經卷下　（21–1）

會而告之日汝往上方界分度如四十二恒
河沙佛土有國名衆香佛号香積與諸菩薩
方共坐食汝往致彼如我辭日維摩詰稽首
世尊足下致敬无量問訊起居少病少惱氣
力安不願得世尊所食之餘當於娑婆世界施
作佛事令此樂小法者得弘大道亦使如来名
聲普聞時化菩薩即於會前昇于上方舉
衆皆見其去到衆香界礼彼佛足又聞其
言維摩詰稽首世尊足下致敬无量問訊起
居少病少惱氣力安不願得世尊所食之餘
欲於娑婆世界施作佛事使此樂小法者得
弘大道亦使如来名聲普聞彼諸大士見化
菩薩嘆未曾有今此上人從何而來娑婆世
界為在何許云何名為樂小法者即以問佛
佛告之日下方度如四十二恒河沙佛土有世界
名娑婆佛号釋迦牟尼今現在於五濁惡世為
樂小法衆生敷演道教彼有菩薩名維摩詰
住不可思議解脫為諸菩薩說法故遣化来
稱揚我名并讚此土令彼菩薩增益功德彼
菩薩言其人何如乃作是化德力无畏神足
若斯佛言甚大一切十方皆遣化往施作佛
事饒益衆生於是香積如来以衆香鉢盛
滿香飯與化菩薩時彼九百万菩薩俱發聲言
我欲詣娑婆世界供養釋迦牟尼佛并欲見維
摩詰等諸菩薩衆佛言可往攝汝身香无令
彼諸衆生起惑著心又當捨汝本形勿使彼

BD00482 號　維摩詰所說經卷下　（21–2）

摩詰等諸菩薩衆佛言可往攝汝身香无令
彼諸衆生起惑著心又當捨汝本形勿使彼
國求菩薩者而自鄙恥又汝於彼莫懷輕
賤而作礙想所以者何十方國土皆如虛空之諸
佛為欲化諸樂小法者不盡現其清淨土耳時
化菩薩既受鉢飯與彼九百万菩薩俱承佛
威神及維摩詰力於彼世界忽然不現須臾
之間至維摩詰舍維摩詰即化作九百万師
子之座嚴好如前諸菩薩皆坐其上化菩薩
以滿鉢香飯與維摩詰飯香普薰毗耶離城
及三千大千世界時毗耶離婆羅門居士等聞
是香氣身意快然歎未曾有於是長者
主月蓋從八万四千人來入維摩詰舍見其室
中菩薩甚多諸師子座高廣嚴好皆大歡喜
礼衆菩薩及大弟子却住一面諸地神虛空
神及欲色界諸天聞此香氣亦皆來入維摩
詰舍時維摩詰語舍利弗等諸大聲聞仁
者可食如來甘露味飯大悲所薰无所限意
食之使不消也有異聲聞念是飯少而此大
衆人人當食化菩薩曰勿以聲聞小德小智
稱量如來无量福慧四海有竭此飯无盡使
一切人食揣若須弥乃至一劫猶不能盡所
以者何无盡戒定智慧解脫解脫知見功德
具足者所食之餘終不可盡於是鉢飯悉飽
衆會猶故不賜其諸菩薩聲聞天人食此

具足者所食之餘終不可盡於是鉢飯悉飽
衆會猶故不賜其諸菩薩聲聞天人食此
飯者身安快樂譬如一切樂莊嚴國諸菩薩也
又諸毛孔皆出妙香亦如衆香國土諸樹之
香尒時維摩詰問衆香菩薩香積如來以
何說法彼菩薩曰我土如來无文字說但以衆
香令諸天人得入律行菩薩各各坐香樹下
聞斯妙香即獲一切德藏三昧得是三昧者菩
薩所有功德皆悉具足彼諸菩薩問維摩
詰今世尊釋迦牟尼以何說法維摩詰言此
土衆生剛强難化故佛為說剛强之語以調
伏之言是地獄是畜生是餓鬼是諸難處是
愚人生處是身邪行是身邪行報是口邪行
是口邪行報是意邪行是意邪行報是煞生
是煞生報是不與取是不與取報是邪婬是
邪婬報是妄語是妄語報是兩舌是兩舌報
是惡口是惡口報是无義語是无義語報是
貪嫉是貪嫉報是瞋惱是瞋惱報是邪見
是邪見報是慳悋是慳悋報是毀戒是毀戒報
是瞋恚是瞋恚報是懈怠是懈怠報是亂意
是亂意報是愚癡是愚癡報是結戒是持戒
是犯戒是應作是不應作是鄣礙是不鄣礙
是得罪是離罪是淨是垢是有漏是无漏是
耶道是正道是有為是无為是世間是涅槃
以難化之人心如猨猴故以若干種法制御其

耶道是正道是有為是无為是世間是涅槃
以難化之人心如猨猴故以若干種法制御其
心乃可調伏譬如象馬𢤱悷不調加諸楚毒
乃至徹骨然後調伏如是剛强難化衆生故
以一切苦切之言乃可入律彼諸菩薩聞說是
已皆曰未曾有也如世尊釋迦牟尼佛隱其
无量自在之力乃以貧所樂法度脫衆生
斯諸菩薩亦能勞謙以无量大悲生是佛
土維摩詰言此土菩薩於諸衆生大悲堅
固誠如所言然其一世饒益衆生多於彼國百
千劫行所以者何此娑婆世界有十事善法
諸餘淨土之所无有何等為十以布施攝貧
窮以淨戒攝毀禁以忍辱攝瞋恚以精進攝
懈怠以禪定攝亂意以智慧攝愚癡說除難
法度八難者以大乘法度樂小乘者以諸善
根濟无德者常以四攝成就衆生是為十彼菩
薩曰菩薩成就幾法於此世界行无瘡疣
生于淨土維摩詰言菩薩成就八法於此世
界行无瘡疣生于淨土何等為八饒益衆
生而不望報代一切衆生受諸苦惱所作功
德盡以施之等心衆生謙下无礙於諸菩薩
視之如佛所未聞經聞之不疑不與聲聞而
相違背不嫉彼供不高己利而於其中調伏
其心常省己過不訟彼短恒以一心求諸功
德是為八維摩詰文殊師利於大衆中說是

德是為八維摩詰文殊師利於大衆中說是
法時百千天人皆發阿耨多羅三藐三菩提
心十千菩薩得无生法忍

菩薩行品第十一

是時佛說法於菴羅樹園其地忽然廣博嚴
事一切衆會皆作金色阿難白佛言世尊以
何因緣有此瑞應是處忽然廣博嚴事一切
衆會皆作金色佛告阿難是維摩詰文殊
師利與諸大衆恭敬圍遶發意欲來故先為
此瑞應於是維摩詰語文殊師利可共見佛與諸
菩薩礼事供養文殊師利言善哉行矣今
正是時維摩詰即以神力持諸大衆并師子座
置於右掌往詣佛所到已著地稽首佛足
右繞七匝一心合掌在一面立其諸菩薩即
皆避座稽首佛足亦繞七匝於一面立諸大
弟子釋梵四天王等亦皆避座稽首佛足在
一面立於是世尊如法慰問諸菩薩已各令復
座即皆受教衆坐已定佛語舍利弗汝見菩
薩大士自在神力之所為乎唯然已見汝意
云何世尊我覩其為不可思議非意所圖非
度所測尒時阿難白佛言世尊今所聞香自
昔未有是為何香佛告阿難是彼菩薩毛
孔之香於是舍利弗語阿難言我等毛孔亦
出是香阿難言此所從來曰是長者維摩詰
從衆香國取佛餘飯於舍食者一切毛孔皆
香若此阿難問維摩詰是香氣住當久如維

香若此阿難問維摩詰是香氣住當久如維
摩詰言至此飯消曰此飯久如當消曰此飯
勢力至于七日然後乃消又阿難若聲聞人
未入正位食此飯者得入正位然後乃消已入
正位食此飯者得心解脫然後乃消若未發
大乘意食此飯者至發意乃消已發意食
此飯者得无生忍然後乃消已得无生忍食
此飯者至一生補處然後乃消譬如有藥名曰
上味其有服者身諸毒滅然後乃消此飯如
是滅除一切諸煩惱毒然後乃消阿難白
佛言未曾有也世尊如此香飯能作佛事
佛言如是如是阿難或有佛土以佛光明而
作佛事有以諸菩薩而作佛事有以佛所化
人而作佛事有以菩提樹而作佛事有以佛衣
服臥具而作佛事有以飯食而作佛事有以
園林臺觀而作佛事有以三十二相八十隨
形好而作佛事有以佛身而作佛事有以虛
空而作佛事眾生應以此緣得入律行有以
夢幻影響鏡中像水中月熱時焰如是等喻
而作佛事又以音聲語言文字而作佛事或
有清淨佛土寂漠无言无說无示无識无作
无為而作佛事如是阿難諸佛威儀進止諸
所施為无非佛事阿難有此四魔八万四千諸
煩惱門而諸眾生為之疲勞諸佛即以此法
而作佛事是名入一切諸佛法門菩薩入此

而作佛事是名入一切諸佛法門菩薩入此
門者若見一切淨妙佛土不以為喜不貪不
高若見一切不淨佛土不以為憂不礙不沒
但於諸佛生清淨心歡喜恭敬未曾有也諸
佛如来功德平等為教化眾生故而現佛土
不同阿難汝見諸佛國土地有若干而虛空
无若干也如是見諸佛色身有若干耳其
无礙慧无若干也阿難諸佛色身威德種姓戒
定智慧解脫解脫知見力无所畏不共之法大
慈大悲威儀所行及其壽命說法教化成就
眾生淨佛國土具諸佛法悉皆同等是故名
為三藐三佛陀名為多陀阿伽度名為佛陀
阿難若我廣說此三句義汝以劫壽不能
盡受正使三千大千世界滿中眾生皆如阿
難多聞第一得念總持此諸人等以劫之壽
亦不能受如是阿難諸佛阿耨多羅三藐三
菩提无有限量智慧辯才不可思議阿難
白佛言我從今已往不敢自謂以為多聞佛告
阿難勿起退意所以者何我說汝於聲聞中
為最多聞非謂菩薩且止阿難其有智者不
應限度諸菩薩也一切海淵尚不測量菩
薩禪定智慧總持辯才一切功德不可量
也阿難汝等捨置菩薩所行是維摩詰一
時所現神通之力一切聲聞辟支佛於百千
劫盡力變化所不能作

劫盡方變化所不能作
尒時衆香世界菩薩來者合掌白佛言世尊我
等初見此土生下劣想今自悔責捨離是心
所以者何諸佛方便不可思議為度衆生故
隨其所應現佛國異唯然世尊願賜少法
還於彼土當念如來佛告諸菩薩有盡无
盡解脫法門汝等當學何等為盡謂有為法何
謂无盡謂无為法如菩薩者不盡有為不住无
為何謂不盡有為謂不離大慈不捨大悲
深發一切智心而不忽忘教化衆生終不猒倦
於四攝法常念順行護持正法不惜軀命
種諸善根无有疲猒志常安住方便迴向求
法懈說法无悋勤供諸佛故入生死而无所
畏於諸榮辱心无憂喜不輕未學敬學如
佛墮煩惱者令發正念於遠離樂不以為貴
不著己樂慶於彼樂在諸禪定如地獄想於
生死中如園觀想見來求者為善師想捨諸
所有具一切智想見毀戒人起救護想諸波羅
蜜為父母想道品之法為眷屬想發行善根
无有齊限以諸淨國嚴飾之事成己佛土行
不限施具足相好除一切惡身口意淨生死无
數劫意而有勇聞佛无量德志而不倦以智
慧劍破煩惱賊出陰界入荷負衆生永使
解脫以大精進摧伏魔軍常求无念實
相智慧行少欲知足而不捨世間法不壞威

相智慧行少欲知足而不捨世間法不壞威
儀而能隨俗起神通慧引導衆生得念總
持所聞不忘善別諸根斷衆生疑以樂說辯
演法无礙淨十善道受天人福修四无量開梵
天道勸請說法隨喜讚善得佛音聲身口
意善得佛威儀深修善法所行轉勝以大乘
教成菩薩僧心无放逸不失衆善行如此法
是名菩薩不盡有為何謂菩薩不住无為謂
修學空不以空為證修學无相无作不以无相
无作為證修學无起不以无起為證觀於无常
而不猒善本觀世間苦而不惡生死觀於无
我而誨人不倦觀於寂滅而不永滅觀於遠離
而身心修善觀无所歸而歸趣善法觀於无
生而不生法荷負一切觀於无漏而不斷諸
漏觀无所行而以行法教化衆生觀於空无
而不捨大悲觀正法位而不隨小乘觀諸法
虛妄无牢无人无主无相本願未滿而不
虛福德禪定智慧修如此法是名菩薩不
住无為又具福德故不住无為具智慧故不
盡有為大慈悲故不住无為滿本願故不盡
有為集法藥故不住无為隨授藥故不盡
有為知衆生病故不住无為滅衆生病故不
盡有為諸正士菩薩已修此法不盡有為
不住无為是名盡无盡解脫法門汝等當學
尒時彼諸菩薩聞說是法皆大歡喜以衆妙

尒時彼諸菩薩聞說是法皆大歡喜以衆妙
華若干種色若干種香遍散三千大千世界
供養於佛及此經法并諸菩薩已稽首佛足
嘆未曾有言釋迦牟尼佛乃能於此善行
方便言已忽然不現還到本國

見阿閦佛品第十二

尒時世尊問維摩詰汝欲見如來為以何等
觀如來乎維摩詰言如自觀身實相觀佛亦
然我觀如來前際不來後際不去今則不住
不觀色不觀色如不觀色性不觀受想行識
不觀識如不觀識性非四大起同於虛空六
入无積眼耳鼻舌身心已過不在三界三垢
已離順三脫門三明與无明等不一相不異
相不自相不他相非无相非取相不此岸不
彼岸不中流而化衆生觀於寂滅亦不永滅
不此不彼不以此不以彼不可以智知不可以
識識无晦无明无名无相无強无弱非淨非
穢不在方不離方非有為非无為无示无說
不施不慳不戒不犯不忍不恚不進不怠不
定不亂不智不愚不誠不欺不來不去不出
不入一切言語道斷非福田非不福田非應
供養非不應供養非取非捨非有相非无
相同真際等法性不可稱不可量過諸稱量
非大非小非見非聞非覺非知離衆結縛等
諸智同衆生於諸法无分別一切无失无濁无
惱无作无起无生无滅无畏无憂无喜

諸智同衆生於諸法无分別一切无失无濁无
惱无作无起无生无滅无畏无憂无喜
无猒无著无已有无當有无今有不可以一切
言說分別顯示世尊如來身為若此作如是
觀以斯觀者名為正觀若他觀者名為邪觀
尒時舍利弗問維摩詰汝於何沒而來生此
維摩詰言汝所得法有沒生乎舍利弗言无
沒生也若諸法无沒生相云何問言汝於何
沒而來生此於意云何譬如幻師幻作男女
寧沒生耶舍利弗言无沒生也汝豈不聞佛
說諸法如幻相乎答曰如是若一切法如幻
相者云何問言汝於何沒而來生此舍利弗
沒者為虛誑法壞敗之相生者為虛誑法
相續之相菩薩雖沒不盡善本雖生不長諸
惡是時佛告舍利弗有國名妙喜佛號无動
是維摩詰於彼國沒而來生此舍利弗言未曾
有也世尊是人乃能捨清淨土而來樂此多怒害
處維摩詰語舍利弗於意云何日光出時與
冥合乎答曰不也日光出時則无衆冥維摩
詰言夫日何故行閻浮提答曰欲以明照為
之除冥維摩詰言菩薩如是雖生不淨佛
土為化衆生不與愚闇而共合也但滅衆生
煩惱闇耳是時大衆渴仰欲見妙喜世界无
動如來及其菩薩聲聞之衆佛知一切衆會
所念告維摩詰言善男子為此衆會現妙

煩悩闇耳是時大衆渴仰欲見妙喜世界无
動如來及其菩薩聲聞之衆佛知一切衆會
所念告維摩詰言善男子爲此衆會現妙
喜國不動如來及諸菩薩聲聞之衆衆皆欲
見於是維摩詰心念吾當不起于座接妙喜
國鐵圍山川溪谷江河大海泉源須弥諸山
及日月星宿天龍鬼神梵天等宮并諸菩
薩聲聞之衆城邑聚落男女大小乃至不動如
來及菩提樹諸妙蓮華能於十方作佛事者三
道寶階從閻浮提至忉利天以此寶階諸
天來下悉爲礼敬无動如來聽受經法閻浮
提人亦登其階上昇忉利見彼諸天妙喜世
界成就如是无量功德上至阿迦膩吒天下
至水際以右手斷取如陶家輪入此世界猶
持華鬘示一切衆生是念已入於三昧現神
通力以其右手斷取妙喜世界置於此土彼
得神通菩薩及聲聞衆并餘天人俱發聲言
唯然世尊誰取我去願見救護无動佛言
非我所爲是維摩詰神力所作其餘未得神通
者不覺不知己之所往妙喜世界雖入此土而
不增減於是世界亦不迫隘如本无異尒時
釋迦牟尼佛告諸大衆汝等且觀妙喜世界
无動如來其國嚴飾菩薩行淨弟子清白
皆曰唯然已見佛言若菩薩欲得如是清淨
佛土當學无動如來所行之道現此妙音國
時娑婆世界十四那由他人發阿耨多羅三藐

皆曰唯然已見佛言若菩薩欲得如是清淨
佛土當學无動如來所行之道現此妙音國
時娑婆世界十四那由他人發阿耨多羅三藐
三菩提心皆願生於妙喜佛土釋迦牟尼
佛即記之曰當生彼國時妙喜世界於此國土
所應饒益其事訖已還復本處舉衆皆見
佛告舍利弗汝見此妙喜世界及不動佛不唯
然已見世尊願使一切衆生得清淨土如
无動佛獲神通力如維摩詰世尊我等
快得善利得見是人親近供養其諸衆生若
今現在若佛滅後聞此經者亦得善利况復聞
已信解受持讀誦解說如法脩行若有手得是
經典者便爲已得法寶之藏若有讀誦解說
其義如說脩行則爲諸佛之所護念其有供
養如是人者當知則爲供養於佛其有書
持此經卷者當知其室則有如來若聞是
經能隨喜者斯人則爲取一切智若能信解
此經乃至一四句偈爲他說者當知此人即
是受阿耨多羅三藐三菩提記

法供養品第十三

尒時釋提桓因於大衆中白佛言世尊我雖
從佛及文殊師利聞百千經未曾聞此不可
思議自在神通決定實相經典如我解佛所
說義趣若有衆生聞是經法信解受持讀
誦之者必得是法不疑何况如說脩行斯人則

誦之者必得是法不疑何况如說脩行斯人則
爲開衆惡趣開諸善門常爲諸佛之所護念
降伏外學摧滅魔怨脩治菩提安處道場
履踐如来所行之跡世尊若有受持讀誦如說
脩行者我當與諸眷屬供養給事所在聚落
城邑山林曠野有是經處我亦與諸眷屬聽
受法故共到其所其未信者當令生信其已信
者當爲作護佛言善哉善哉天帝如汝所
說吾助尒喜此經廣說過去未来現在諸佛
不可思議阿耨多羅三藐三菩提是故天帝
若善男子善女人受持讀誦供養是經者則
爲供養去来今佛天帝正使三千大千世界
如来滿中譬如甘蔗竹葦稻麻叢林若有善
男子善女人或一劫或减一劫恭敬尊重讚
嘆供養奉諸所安至諸佛滅後以一一全身
舍利起七寶塔縱廣一四天下高至梵天
表刹莊嚴以一切華香瓔珞幢幡伎樂微妙
第一若一劫若减一劫而供養之於天帝意云
何其人殖福寧爲多不釋提桓因言多矣世
尊彼之福德若以百千億劫說不能盡佛告
天帝當知是善男子善女人聞是不可思議
解脫經典信解受持讀誦脩行福多於彼所
以者何諸佛菩提皆從是生菩提之相不可限
量以是因緣福不可量佛告天帝過去无量
阿僧祇劫時世有佛号曰藥王如来應供正
遍知明行足善逝世間解无上士調御丈夫天

阿僧祇劫時世有佛号曰藥王如来應供正
遍知明行足善逝世間解无上士調御丈夫天
人師佛世尊世界曰大莊嚴劫曰莊嚴佛壽
二十小劫其聲聞僧三十六億那由他菩薩
僧有十二億天帝是時有轉輪聖王名曰
寶蓋七寶具足王四天下王有千子端正
勇健能伏怨敵尒時寶蓋與其眷屬供養
藥王如来施諸所安至滿五劫過五劫已告
其千子汝等亦當如我以深心供養於佛於是
千子受父王命供養藥王如来復滿五劫一
切施安其王一子名曰月蓋獨坐思惟寧有
供養殊過此者以佛神力空中有天曰善男
子法之供養勝諸供養即問何謂法之供養
天曰汝可往問藥王如来當廣爲汝說法之
供養即時月蓋王子行詣藥王如来稽首
佛足却住一面白佛言世尊諸供養中法供養
勝云何爲法供養佛言善男子法供養者謂諸
佛所說深經一切世間難信難受微妙難見
清淨无染非但分別思惟之所能得菩薩
法藏所攝陀羅尼印印之至不退轉成就六
度善分別義順菩提法衆經之上入大慈悲
離衆魔事及諸邪見順因緣法无我无衆生
无壽命空无相无作无起能令衆生坐於道
場而轉法輪諸天龍神乾闥婆等所共嘆
譽能令衆生入佛法藏攝諸賢聖一切智慧

場而師法轉諸天龍神乹闥婆等所共嘆
譽能令衆生入佛法藏攝諸賢聖一切智慧
說衆菩薩所行之道依於諸法實相之義
明宣无常苦空无我寂滅能救一切毀禁
衆生諸魔外道及貪着者能使怖畏諸佛賢
聖所共稱嘆背生死苦示涅槃樂十方三世諸
佛所說若聞如是等經信解受持讀誦以方便力
為諸衆生分別解說顯示分明守護法故是名
法之供養又於諸法如說脩行隨順十二因緣
離諸邪見得无生忍決定无我无有衆生而
於因緣果報无違无諍離諸我所依於義
不依語依於智不依識依了義經不依不了
義經依於法不依人隨順法相无所入无所歸
无明畢竟滅故諸行亦畢竟滅乃至生畢竟
滅故老死亦畢竟滅作如是觀十二因緣无有
盡相不復起見是名最上法之供養佛告
天帝王子月蓋從藥王佛聞如是法得柔順
忍即解寶衣嚴身之具以供養佛白佛
言世尊如來滅後我當行法供養守護正法
願以威神加哀建立令我得降魔怨脩菩薩
行佛知其深心所念而記之曰汝於末後守護法城
天帝時王子月蓋見法清淨聞佛授記以信
出家脩集善法精進不久得五神通菩薩
道得陀羅尼无斷辯才於佛滅後以其
所得神通揔持辯才之力滿十小劫藥王如
来所轉法輪隨而分布月蓋比丘以護持法勤

BD00482 號　維摩詰所說經卷下　（21–17）

道得陀羅尼无斷辯才於佛滅後以其
所得神通揔持辯才之力滿十小劫藥王如
来所轉法輪隨而分布月蓋比丘以護持法勤
行精進即於此身化百万億人於阿耨多羅
三藐三菩提立不退轉十四那由他人深發聲
聞辟支佛心无量衆生得生天上天帝時王
寶蓋豈異人乎今現得佛号寶焰如来其
王千子即賢劫中千佛是也從迦羅鳩孫䭾
為始得佛最後如来号曰樓至月蓋比丘則
我身是也如是天帝當知此要以法供養於
諸供養為上為最第一无比是故天帝當知
法之供養供養於佛
囑累品第十四
於是佛告弥勒菩薩言弥勒我今以是无量
億阿僧祇劫所集阿耨多羅三藐三菩提付
囑於汝如是輩經於佛滅後末世之中汝等
當以神力廣宣流布於閻浮提无令斷絕所
以者何未来世中當有善男子善女人及天龍
鬼神乹闥婆羅刹等發阿耨多羅三藐三
菩提心樂于大法若使不聞如是等經則失
善利如此輩人聞是等經必多信樂發希有
心當以頂受隨諸衆生所應得利而為廣說
弥勒當知菩薩有二相何謂為二一者好於
雜句文飾之事二者不畏深義如實能入若
好雜句文飾事者當知是為新學菩薩若於
如是无染无着甚深經典无有恐畏能入其

BD00482 號　維摩詰所說經卷下　（21–18）

好雜句文飾事者當知是為新學菩薩若於
如是无染无著甚深經典无有恐畏能入其
中聞已心淨受持讀誦如說脩行當知是為
久脩道行弥勒復有二法名新學者不能
決定於甚深法何等為二一者所未聞深經聞
之驚怖生疑不能隨順毀謗不信而作是言
我初不聞從何所来二者若有護持解說如
是深經者不肯親近供養恭敬或時於中說
其過惡有此二法當知是新學菩薩為自毀
傷不能於深法中調伏其心弥勒復有二法菩
薩雖信解深法猶自毀傷而不能得无生法
忍何等為二一者輕慢新學菩薩而不教
誨二者雖解法而取相分別是為二法弥
勒菩薩聞說是已白佛言世尊未曾有也如
佛所說我當遠離如斯之惡奉持如来无數
阿僧祇劫所集阿耨多羅三藐三菩提法若未
来世善男子善女人求大乘者當令手得如是
等經與其念力使受持讀誦為他廣說世
尊若後末世有能受持讀誦為他說者當
知是弥勒神力之所建立佛言善哉善哉弥
如汝所說佛助尒喜於是一切菩薩合掌白
佛我等亦於如来滅後十方國土廣宣流布
阿耨多羅三藐三菩提復當開導諸說法者
令得是經尒時四天王白佛言世尊在在處處
城邑聚落山林曠野有是經卷讀誦解說
者我當率諸官屬為聽法故往詣其所擁

BD00482 號　維摩詰所說經卷下　（21–19）

城邑聚落山林曠野有是經卷讀誦解說
者我當率諸官屬為聽法故往詣其所擁
護其人面百由旬令无伺求得其便者是時
佛告阿難受持是經廣宣流布阿難言唯
我已受持要者世尊當何名斯經佛言阿難
是經名為維摩詰所說亦名不可思議解脫
法門如是受持佛說是經已長者維摩詰
文殊師利舍利弗阿難等及諸天人阿脩
羅一切大眾聞佛所說皆大歡喜

維摩詰經卷下

BD00482 號　維摩詰所說經卷下　（21–20）

羅一切大衆聞佛所說皆大歡喜

維摩詰經卷下

BD00482號　維摩詰所說經卷下　（21–21）

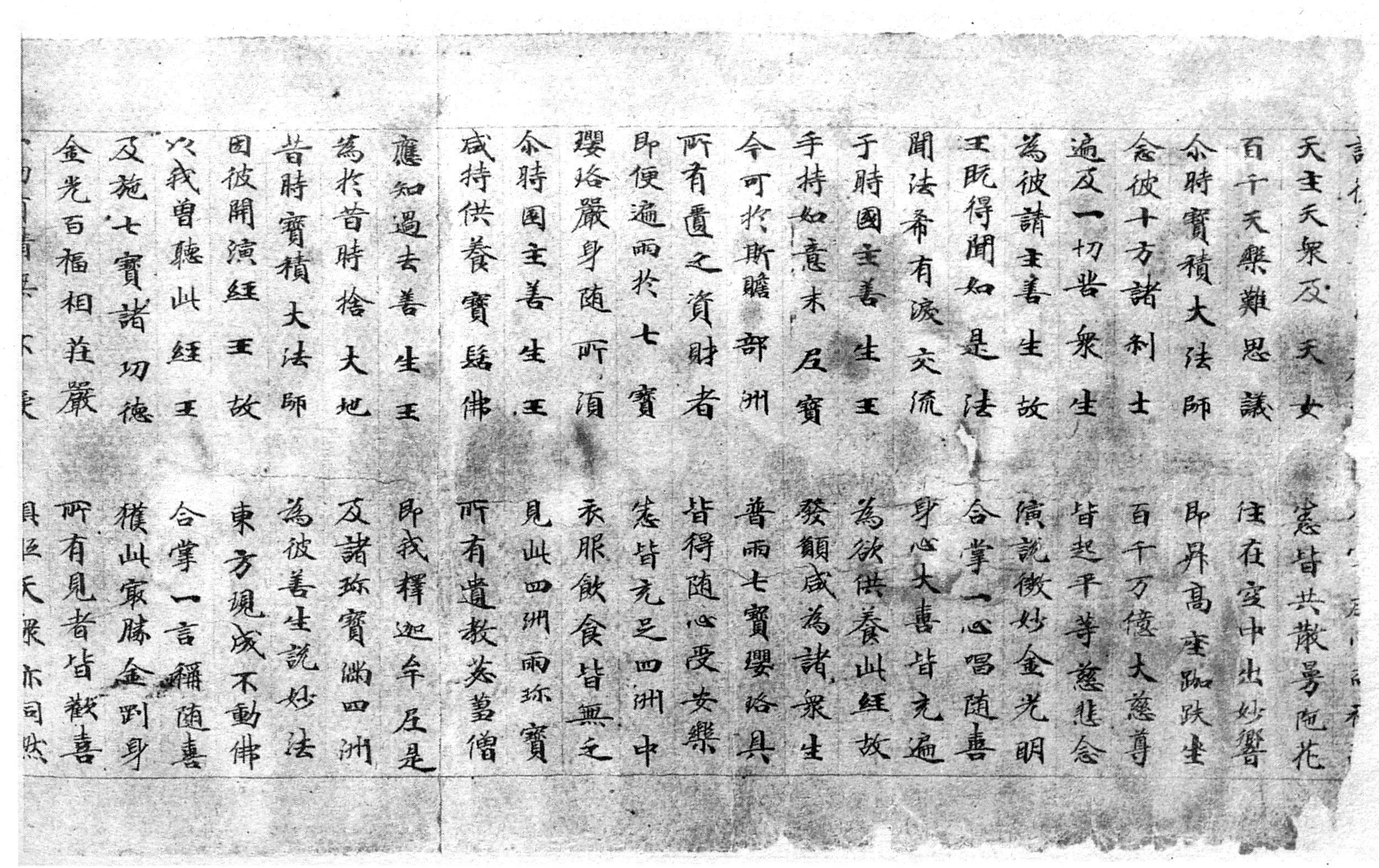

天主天衆及天女　悉皆共散曼陀花
百千天樂難思議　住在空中出妙響
尒時寶積大法師　即昇高座跏趺坐
念彼十方諸刹土　百千万億大慈尊
遍及一切苦衆生　皆起平等慈悲念
為彼請主善生故　演說微妙金光明
王既得聞如是法　合掌一心唱隨喜
聞法希有淚交流　身心大喜皆充遍
于時國主善生王　為欲供養此經故
手持如意末尼寶　發願咸為諸衆生
今可於斯贍部洲　普雨七寶瓔珞具
所有匱乏資財者　皆得隨心受安樂
即便遍雨於七寶　悉皆充足四洲中
瓔珞嚴身隨所須　衣服飲食皆無乏
尒時國主善生王　見此四洲雨珎寶
咸持供養寶髻佛　所有遺教苾芻僧
應知過去善生王　即我釋迦牟尼是
為於昔時捨大地　及諸珎寶滿四洲
昔時寶積大法師　為彼善生說妙法
因彼開演經王故　東方現成不動佛
以我曾聽此經王　合掌一言稱隨喜
及施七寶諸功德　獲此最勝金剛身
金光百福相莊嚴　所有見者皆歡喜

BD00483號　金光明最勝王經卷九　（18–1）

及施七寶諸功德　獲此最勝金剛身
金光百福相莊嚴　所有見者皆歡喜
一切有情無不愛　俱胝天眾亦同然
過去曾經九十九　俱胝億劫作輪王
亦於小國為人王　復經無量百千劫
於無量劫為帝釋　亦復曾為大梵王
供養十力大慈尊　彼之數量難窮盡
我昔聞經隨喜善　所有福聚量難知
由斯福故證菩提　獲得法身真妙智
尒時大眾聞是說已歎未曾有皆願奉持金
光明經流通不絕
金光明最勝王經諸天藥叉護持品第廿二
尒時世尊告大吉祥天女曰若有淨信善男
子善女人欲於過去未來現在諸佛以不可
思議廣大微妙供養之具而為奉獻及欲解
了三世諸佛甚深行處是人應當決定至心
隨是經王所在之處城邑聚落或山澤中廣
為眾生敷演流布其聽法者應除亂想攝耳
用心世尊即為彼天及諸大眾說伽他曰
若欲於諸佛　不思議供養　復了諸如來　甚深境界者
若見演說者　最勝金光明　應親詣彼方　至其所住處
此經難思議　能生諸功德　無邊大苦海　解脫諸有情
我觀此經王　初中後皆善　甚深不可測　譬喻無能比
假使恒河沙　大地塵海水　虛空諸山石　無能喻少分
欲入深法界　應先聽是經　法性之制底　甚深善安住
於斯制底內　見我牟尼尊　悅意妙音聲　演說斯經典

BD00483號　金光明最勝王經卷九

（18–2）

於斯制底內　見我牟尼尊　悅意妙音聲　演說斯經典
由此俱胝劫　數量難思議　生在人天中　常受勝妙樂
若聽是經者　應作如是心　我得不思議　無邊功德蘊
假使大火聚　滿百踰繕那　為聽此經王　直過無辭苦
既至彼住處　得聞如是經　能滅於罪業　及除諸惡夢
惡星諸變怪　蠱道邪魅等　得聞是經時　諸惡皆捨離
應嚴勝高座　淨妙若蓮花　法師處其上　猶如大龍坐
於斯安坐已　說此甚深經　書寫及誦持　并為解其義
法師捨此座　往詣餘方所　於此高座中　神通非一相
或見法師像　猶在高座上　或時見世尊　及以諸菩薩
或作普賢像　或如妙吉祥　或見慈氏尊　身處於高座
或見希奇相　及以諸天像　暫得覩容儀　忽然還不現
或就諸吉祥　所作皆隨意　功德悉圓滿　世尊如是說
最勝有名稱　能滅諸煩惱　他國賊皆除　戰時常得勝
惡夢悉皆無　及消諸毒害　所作三業罪　經力能除滅
於此贍部洲　名稱咸充滿　所有諸怨結　悉皆相捨離
設有惡敵至　聞名便退散　不假動兵戈　兩陣生歡喜
梵王帝釋主　護世四天王　及金剛藥叉　正了知大將
無熱池龍王　及以娑竭羅　緊那羅樂神　蘇羅金翅主
大辯才天女　并大吉祥天　斯等上首天　各領諸天眾
常供養諸佛　法寶不思議　恒生歡喜心　於經起恭敬
斯等諸天眾　皆悉共思惟　遍觀修福者　共作如是說
應觀此有情　咸是大福德　善根精進力　當來生我天
為聽甚深經　敬心來至此　供養法制底　尊重正法故
情愍於眾生　而作大饒益　於此深經典　能為法寶器
入此法門者　能入於法性　於此金光明　至心應聽受

BD00483號　金光明最勝王經卷九

（18–3）

入此法門者　能入於法性　於此金光明　至心應聽受
是人曾供養　無量百千佛　由彼諸善根　得聞此經典
如是諸天主　天女大辯才　并彼吉祥天　及以四王衆
無數藥叉衆　勇猛有神通　各於其四方　常來相擁護
日月天帝釋　風水火諸神　吠率怒大肩　閻羅辯才等
一切諸護世　勇猛具威神　擁護持經者　晝夜常不離
大力藥叉王　那羅延自在　正了知爲首　二十八藥叉
餘藥叉百千　神通有大力　恒於恐怖處　常來護此人
金剛藥叉王　并五百眷屬　諸大菩薩衆　常來護此人
寶王藥叉主　及以滿賢王　曠野金毗羅　賓度羅黃色
此等藥叉王　各五百眷屬　見聽此經者　皆來共擁護
彩軍健闥婆　華王常戰勝　珠頸及青頸　并勃里沙王
大最勝大黑　蘇跋拏雞舍　半之迦羊足　及以大婆伽
小渠并護法　及以獼猴王　針毛及日友　寶髮皆來護
大渠諸拘羅　旃檀欲中勝　舍羅及雪山　及以娑多山
皆有大神通　雄猛具大力　見持此經者　皆來相擁護
阿那婆答多　及以娑揭羅　目真隣羅葉　難陀小難陀
於百千龍中　神通具威德　共護持經人　晝夜常不離
婆稚羅睺羅　毗摩質多羅　母首苫跋羅　大肩及歡喜
及餘蘇羅王　并無數天衆　大力有勇健　皆來護是人
訶利底母神　五百藥叉衆　於彼人睡覺　常來相擁護
旃荼旃荼利　藥叉旃稚女　昆帝拘吒齒　吸衆生精氣
如是諸神衆　大力有神通　常護持經者　晝夜恒不離
上首辯才天　無量諸天女　吉祥天爲首　并餘諸眷屬
此大地神女　果寶園林神　樹神江河神　制底諸神等
如是諸天神　心生大歡喜　彼皆來擁護　讀誦此經人

BD00483號　金光明最勝王經卷九　（18–4）

此大地神女　果寶園林神　樹神江河神　制底諸神等
如是諸天神　心生大歡喜　彼皆來擁護　讀誦此經人
見有持經者　增壽命色力　威光及福德　妙相以莊嚴
星宿現災變　困厄當此人　夢見惡徵祥　皆悉令除滅
此大地神女　堅固有威勢　由此經力故　法味常充足
地肥若流下　過百踰繕那　地神令味上　滋潤於大地
此地厚六十　八億踰繕那　乃至金剛際　地味皆令上
由聽此經王　獲大功德蘊　能使諸天衆　悉蒙其利益
能令諸天衆　威力有光明　歡喜常安樂　捨離於衰相
於此南洲內　林菓苗稼神　由此經威力　心常得歡喜
苗實皆成就　處處有妙花　菓實並滋繁　充滿於大地
所有諸果樹　及以衆園林　悉皆生妙花　香氣常芬馥
衆草諸樹木　咸出微妙花　及生甘美果　隨處皆充遍
於此贍部洲　無量諸龍女　心生大歡喜　皆共入池中
種植鉢頭摩　及以分陁利　青白二蓮花　池中皆遍滿
由此經威力　虛空淨無翳　雲霧皆除遣　冥闇悉光明
日出放千光　無垢燄清淨　由此經王力　流暉遶四天
此經威德力　資助於天子　皆用贍部金　而作於宮殿
日天子初出　見此洲歡喜　常以大光明　周遍皆照耀
於斯大地內　所有蓮花池　日光照及時　無不盡開發
於此贍部洲　田疇諸果藥　悉皆令善熟　充滿於大地
由此經威力　日月所照處　星辰不失度　風雨皆順時
遍此贍部洲　國土咸豐樂　隨有此經處　殊勝倍餘方
若此金光明　經典流布處　有能講誦者　悉得如上福
尒時大吉祥天女及諸天等聞佛所說皆大
歡喜於此經王及受持者一心擁護令無
憂惱常得安樂

BD00483號　金光明最勝王經卷九　（18–5）

尒時大吉祥天女及諸天等聞佛所說皆大
歡喜於此經王及受持者一心擁護令無
憂惱常得安樂

金光明㝡勝王經授記品苐廿三

尒時如來於大衆中廣說法已欲為妙幢菩
薩及其二子銀幢銀光授阿耨多羅三藐三
菩提記時有十千天子㝡勝光明而為上首
俱從三十三天来至佛所頂礼佛足却坐一
面聽佛說法尒時佛告妙幢菩薩言汝於未
世過無量無數百千万億那庾多劫已於金
光明世界當成阿耨多羅三藐三菩提号金
寶山王如来應正遍知明行足善逝世間解
無上士調御丈夫天人師佛世尊出現於世
時此如来般涅槃後所有教法亦皆滅盡時
彼長子名曰銀幢即於此界次補佛處世界
尒時轉名淨幢當得作佛名曰金幢光如来
應正遍知明行足善逝世間解無上士調御丈
夫天人師佛世尊時此如来般涅槃後所有
教法亦皆滅盡次子銀光即補佛處還於此
界當得作佛号曰金光明如来應正遍知明
行足善逝世間解无上士調御丈夫天人師
佛世尊是時十千天子聞三大士得授記已
復聞如是㝡勝王經心生歡喜清淨無垢猶
如虗空尒時如来知是十千天子善根成熟即
便與授大菩提記汝等天子於當来世過無
量無數百千万億那庾多劫於㝡勝因陁

量無數百千万億那庾多劫於㝡勝因陁
羅高幢世界得成阿耨多羅三藐三菩提同
一種姓又同一名号曰面目清淨優鉢羅香
山十号具足如是次苐十千諸佛出現於世
尒時菩提樹神白佛言世尊是十千天子從
三十三天為聽法故来詣佛所云何如来便
與授記當得成佛世尊我未曾聞是諸天子
具足修習六波羅蜜多難行苦行捨於手足
頭目髓腦眷屬妻子象馬車乘奴婢僕使宫
殿園林金銀琉璃硨磲碼碯珊瑚虎珀璧玉
珂貝飲食衣服卧具醫藥如餘無量百千菩
薩以諸供具供養過去無數百千万億那庾
多佛如是菩薩各經無量無邊劫數然後方
得受菩提記世尊是諸天子以何因緣修何
勝行種何善根從彼天来暫時聞法便得授
記唯願世尊為我解說斷除疑網佛告地神
善女天如汝所說皆從勝妙善根因緣勤苦
修已方得授記此諸天子於妙天宫捨五欲
樂故来聽是金光明經既聞法已於是經中
心生慇重如淨瑠璃無諸瑕穢復得聞此三
大菩薩授記之事亦由過去久修正行誓願
因緣是故我今皆與授記於未来世當成阿
耨多羅三藐三菩提時彼樹神聞佛說已歡
喜信受

金光明㝡勝王經除病品苐廿四

佛告菩提樹神善女天諦聽諦聽善思念之

耨多羅三藐三菩提時彼樹神聞佛說已歡
喜信受
金光明最勝王經除病品第廿四
佛告菩提樹神善女天諦聽諦聽善思念之
是十千天子本願因緣今為汝說善女天過
去無量不可思議阿僧企耶劫尒時有佛出
現於世名曰寶髻如來應正遍知明行足善
逝世間解無上士調御丈夫天人師佛世尊
善女天時彼世尊般涅槃後正法滅已於像
法中有王名曰天自在光常以正法化於人
民猶如父母是王國中有一長者名曰持水
善解醫明妙通八術衆生病苦四大不調咸
能救療善女天尒時持水長者唯有一子名
曰流水顏容端正人所樂觀受性聰敏妙閑
諸論書畫筭印無不通達時王國內有无量
百千諸衆生類皆遇疫疾衆苦所逼乃至無
有歡樂之心善女天尒時長者子流水見是
無量百千衆生受諸病苦起大悲心作如是
念無量衆生為諸極苦之所逼迫我父長者
雖善醫方妙通八術能療衆病四大增損然
已衰邁老耄虛羸要假扶策方能進步不復
能往城邑聚落救諸病苦今有無量百千衆
生皆遇重病無能救者我今當至大醫父所
諮問治病醫方祕法若得解已當往城邑聚
落之所救諸衆生種種病令於長夜得　受
安樂時長者子作是念已即詣父所稽首礼
之合掌恭敬卻住一面即以伽他請其父曰

BD00483 號　金光明最勝王經卷九　（18–8）

落之所救諸衆生種種病令於長夜得　受
安樂時長者子作是念已即詣父所稽首礼
足合掌恭敬卻住一面即以伽他請其父曰
慈父當哀愍　我欲救衆生　今請諸醫方　幸願為我說
云何身衰壞　諸大有增損　復在何時中　能生諸疾病
云何噉飲食　得受於安樂　能使內身中　火勢不衰損
衆生有四病　風黃熱痰癊　及以惣集病　云何而療治
何時風病起　何時熱病發　何時動痰癊　何時惣集生
時彼長者聞子請已復以伽他而答之曰
我今依古仙　所有療病法　次第為汝說　善聽救衆生
三月是春時　三月名為夏　三月名秋分　三月謂冬時
此據一年中　三三而別說　二二為一節　便成歲六時
初二是花時　三四名熱際　五六名雨際　七八謂秋時
九十是寒時　後二名氷雪　既知如是別　授藥勿令差
當隨此時中　調息於飲食　入腹令消散　衆病則不生
節氣若變改　四大有推移　此時無藥資　必生於病苦
醫人解四時　復知其六節　明閑身七界　食藥使無差
謂味界血肉　膏骨及髓腦　病入此中時　知其可療不
病有四種別　謂風熱痰癊　及以惣集病　應知發動時
春中痰癊動　夏內風病生　秋時黃熱增　冬節三俱起
春食澀熱辛　夏膩熱醎醋　秋時冷甜膩　冬酸澀膩甜
於此四時中　服藥及飲食　若依如是味　衆病無由生
食後病由癊　食消時由熱　消後起由風　准時消識病
既識病源已　隨病而設藥　假令患狀殊　先須療其本
風病服油膩　患熱利為良　癊病應變吐　惣集須三藥
風熱癊俱有　是名為惣集　雖知病起時　應觀其本性

BD00483 號　金光明最勝王經卷九　（18–9）

風熱癊俱有　是名為摠集　雖知病起時　應觀其本性
如是觀知已　順時而授藥　飲食藥無差　斯名善醫者
復應知八術　摠攝諸醫方　於此若明閑　可療衆生病
謂針刺傷破　身疾并鬼神　惡毒及孩童　延年增氣力
先觀彼形色　語言及性行　然後問其夢　知風熱癊殊
乾瘦少頭髮　其心無定住　多語夢飛行　斯人是風性
少年生白髮　多汗及多瞋　聰明夢見火　斯人是熱性
心定身平整　慮審頭津膩　夢見水白物　是癊性應知
摠集性俱有　或二或具三　隨有一偏增　應知是其性
既知本性已　准病而授藥　驗其無死相　方名可救人
諸根倒取境　尊醫人起慢　親友生瞋恚　是死相應知
左眼白色變　舌黑鼻梁敧　耳輪與舊殊　下脣垂向下
訶梨勒一種　具足有六味　能除一切病　無忌藥中王
又三果三辛　諸藥中易得　沙糖蜜蘇乳　此能療衆病
自餘諸藥物　隨病可增加　先起慈愍心　莫規於財利
我已為汝說　療疾中要事　以此救衆生　當獲無邊果
善女天尒時長者子流水親問其父八術之
要四大增損時節不同餌藥方法既善了知
自忖堪能救療衆病即便遍至城邑聚落所
在之處隨有百千万億病苦衆生皆至其所
善言慰喻作如是語我是毉人我是毉人善
知方藥今為汝等療治衆病悉令除愈善女
天尒時衆人聞長者子善言慰喻許為治病
時有無量百千衆生遇極重病聞是語已身
心踊躍得未曾有以此因緣所有病苦悉得
蠲除氣力充實平復如本善女天尒時復有

蠲除氣力充實平復如本善女天尒時復有
無量百千衆生病苦深重難療治者即共往
詣長者子所重請醫療時長者子即以妙藥
令服皆蒙除差善女天是長者子於此國內
百千万億衆生病苦悉得除差

金光明最勝王經長者子流水品第廿五

尒時佛告菩提樹神善女天尒時長者子流
水於往昔時在天自在光王國內療諸衆生
所有病苦令得平復受安隱樂時諸衆生以
病除故多修福業廣行惠施以自歡娛即共
往詣長者子所咸生尊敬作如是言善哉善
哉大長者子善能滋長福德之事增益我等
安隱壽命仁今實是大力醫王慈悲菩薩妙
閑醫藥善療衆生無量病苦如是稱歎周
遍城邑善女天時長者子妻名水肩藏有其
二子一名水滿二名水藏是時流水將其二子
漸次遊行城邑聚落過空澤中深險之處見
諸禽獸豺狼狐玃鵰鷲之屬食血肉者皆悉
奔飛一向而去時長者子作如是念此諸禽
獸何因緣故一向飛走我當隨後暫往觀之
即便隨去見有大池名曰野生其水將盡於
此池中多有衆魚流水見已生大悲心時有
樹神示現半身作如是語善哉善哉善男子
汝有實義名流水者可愍此魚應與其水有
二因緣名為流水一能流水二能與水汝今應
當隨名而作是時流水問樹神言此魚頭數

當隨名而作是時流水問樹神言此魚頭數
爲有幾何樹神荅曰數滿十千善女天時長
者子聞是數已倍益悲心時此大池爲日所
暴餘水無幾是十千魚將入死門旋身婉轉
見是長者心有所希隨逐瞻視目未曾捨時
長者子見是事已馳趣四方欲覓於水竟不
能得復望一邊見有大樹即便昇上折取枝
葉爲作蔭涼復更推求此池中從何處來
尋覓不已見一大河名曰水生時此河邊有
諸漁人爲取魚故於河上流懸險之處決棄
其水不令下過於所決處卒難修補便作是
念此崖深峻設百千人時經三月亦未能
斷況我一身而堪濟辦時長者子速還本城
至大王所頭面禮足却住一面合掌恭敬作
如是言我爲大王國土人民治種種病悉令
安隱漸次遊行至某空澤見有一池名曰野
生其水欲涸有十千魚爲日所暴將死不久
唯願大王慈悲愍念與二十大象暫往負水
濟彼魚命如我與諸病人壽命尒時大王即
勅大臣速疾與此醫王大象時彼大臣奉王
勅已白長者子善哉大士仁今自可至象廄
中隨意選取二十大象利益衆生令得安樂
是時流水及其二子將二十大象又從酒家
多借皮囊往決水處以囊盛水象負至池寫
置池中水即彌滿還復如故善女天時長者
子於池四邊周旋而視時彼衆魚亦復隨逐

BD00483 號　金光明最勝王經卷九　（18–12）

多借皮囊往決水處以囊盛水象負至池寫
置池中水即彌滿還復如故善女天時長者
子於池四邊周旋而視時彼衆魚亦復隨逐
循岸而行時長者子復作是念衆魚何故隨
我而行必爲飢火之所惱逼復欲從我求索
於食我今當與尒時長者子流水告其子言
汝取一象最大力者速至家中啓父長者家
中所有可食之物乃至父母食噉之分及以妻
子奴婢之分悉皆收取即可持來尒時二子
受父教已乘最大象速往家中至祖父所
已即便入水唱言南謨過去寶髻如來應
正遍知明行足善逝世間解無上士調御丈
夫天人師佛世尊此佛往昔修菩薩行時作
是誓願於十方界所有衆生臨命終時聞我
名者命終之後得生三十三天尒時流水復爲池
空閑林處見一苾芻讀大乘經說十二緣生
甚深法要又經中說若有衆生臨命終時得
聞寶髻如來名者即生天上我今當爲是十
千魚演說甚深十二緣起亦當稱說寶髻佛
名然贍部洲有二種人一者深信大乘二者不
信毀呰亦當爲彼增長信心時長者子作如
是念我入池中可爲衆魚說深妙法作是念
已即便入水唱言南謨過去寶髻如來應
正遍知明行足善逝世間解無上士調御丈
夫天人師佛世尊此佛往昔修菩薩行時作
是誓願於十方界所有衆生臨命終時聞我

BD00483 號　金光明最勝王經卷九　（18–13）

是擔頭於十方界所有衆生臨命終時聞我
名者命終之後得生三十三天尒時流水復為池
魚演說如是甚深妙法此有故彼有此生故
彼生所謂無明緣行行緣識識緣名色名色
緣六處六處緣觸觸緣受受緣愛愛緣
取取緣有有緣生生緣老死憂悲苦惱此
滅故彼滅所謂無明滅則行滅行滅則識滅識
滅則名色滅名色滅則六處滅六處滅則觸
滅觸滅則受滅受滅則愛滅愛滅則取滅取
滅則有滅有滅則生滅生滅則老死滅老死
滅則憂悲苦惱滅如是純極苦蘊悉皆除滅
說是法已復為宣說十二緣起相應陀羅尼
曰
怛姪他　毗折你毗折你　毗折　你
僧塞枳你　僧塞枳你　僧塞枳　你
毗尒你　毗尒你　毗尒你莎訶
怛姪他　那弭你那弭你　那弭　你
敍雉你　敍雉你　敍雉　你
颯鉢哩設你　颯鉢哩設你　颯鉢哩設你莎訶
怛姪他　薜達你薜達你　薜達　你
室里瑟你　薜里瑟你　室里瑟你
鄔波地你　鄔波地你　鄔波他你莎訶
怛姪他　婆毗你婆毗你　波　毗　你
闍底丁里反下同你　闍　底　你　闍　底　你
闍摩你　闍摩你　闍摩你你莎訶
尒時世尊為諸大衆說長者子昔緣之時諸
人天衆歎未曾有時四大天王各於其處異
口同音作如是說
善哉釋迦尊　說妙法明呪　生福除衆惡　十二支相應

我等亦說呪　擁護如是法　若有生違逆　不善隨順者
頭破作七分　猶如蘭香梢　我等於佛前　共說其呪曰
怛姪他　呬里　謎　揭　睇　健　陀
旃茶　里　地　囉　顆代囉石呬代囉
補𡅏布囉短短末底　崎囉末底達地目契
窶嚕婆　母　嚕　婆　具茶母嚕　健　提
杜嚕杜嚕　毗　囉　鬚逅悉逅畓徒合反下同　娓
達畓娓鄔悉　怛　哩　烏　章　吒　羅　伐　底
頞剌　婆　伐　底　鉢杜摩伐　底
俱　蘇　摩　伐　底　莎　訶
佛告善女天尒時長者子流水及其二子為
彼池魚施水施食并說法已俱共還家是長
者子流水復於後時因有聚會設衆伎樂醉
酒而臥時十千魚同時命過生三十三天起如
是念我等以何善業因緣生此天中便相謂
日我等先於贍部洲內墮傍生中共受魚身
長者子流水施我等水及以餅食復為我等
說甚深法十二緣起及陀羅尼復稱寶髻如
來名号以是因緣能令我等得生此天是故
我今咸應詣彼長者子所報恩供養尒時十
千天子即於天沒至贍部洲大醫王所時長
者子在高樓上安隱而睡時十千天子共
以十千真珠瓔珞置其頭邊復以十千置其
足處復以十千置於右脅復以十千置左脅
邊雨曼陀羅花摩訶曼陀羅花積至于膝光
明普照種種天樂出妙音聲令贍部洲有睡眠

之處復以十千置於右脅復以十千置左脅
邊雨曼陁羅花摩訶曼陁羅花積至于膝光
明普照種種天樂出妙音聲令贍部洲有睡眠
者皆悉覺悟長者子流水亦從睡寤是時十
千天子為供養已即於空中飛騰而去於天自
在光王國內處處皆雨天妙蓮花是諸天子
復至本處空澤池中雨衆天蓮便於此沒還
天宮殿隨意自在受五欲樂天自在光王至
天曉已問諸大臣昨夜何緣忽現如是希有
瑞相放大光明大臣答言大王當知有諸天
衆於長者子流水家中雨四十千真珠瓔珞
及天曼陁羅花積至于膝王告臣曰詣長者
家喚取其子大臣受勅即至其家奉宣王命
喚長者子時長者子即至王所王曰何緣昨
夜示現如是希有瑞相長者子言如我思忖
定應是彼池內衆魚如經所說命終之後得
生三十三天彼來報恩故現如是希奇之相王
日何以得知流水答曰王可遣使并我二子往
彼池所驗其虛實彼十千魚為死為活王
聞是語即便遣使及子向彼池邊見其池
中多有曼陁羅花積成大聚諸魚並死見已
馳還為王廣說王聞是已心生歡喜歎未曾
有尒時佛告菩提樹神善女天汝今當知昔
時長者子流水者即我身是持水長者即妙
幢是彼之二子長子水滿即銀幢是次子水
藏即銀光是彼天自在光王者即汝菩提樹
神是十千魚者即十千子是因我往昔以

BD00483號　金光明最勝王經卷九　（18–16）

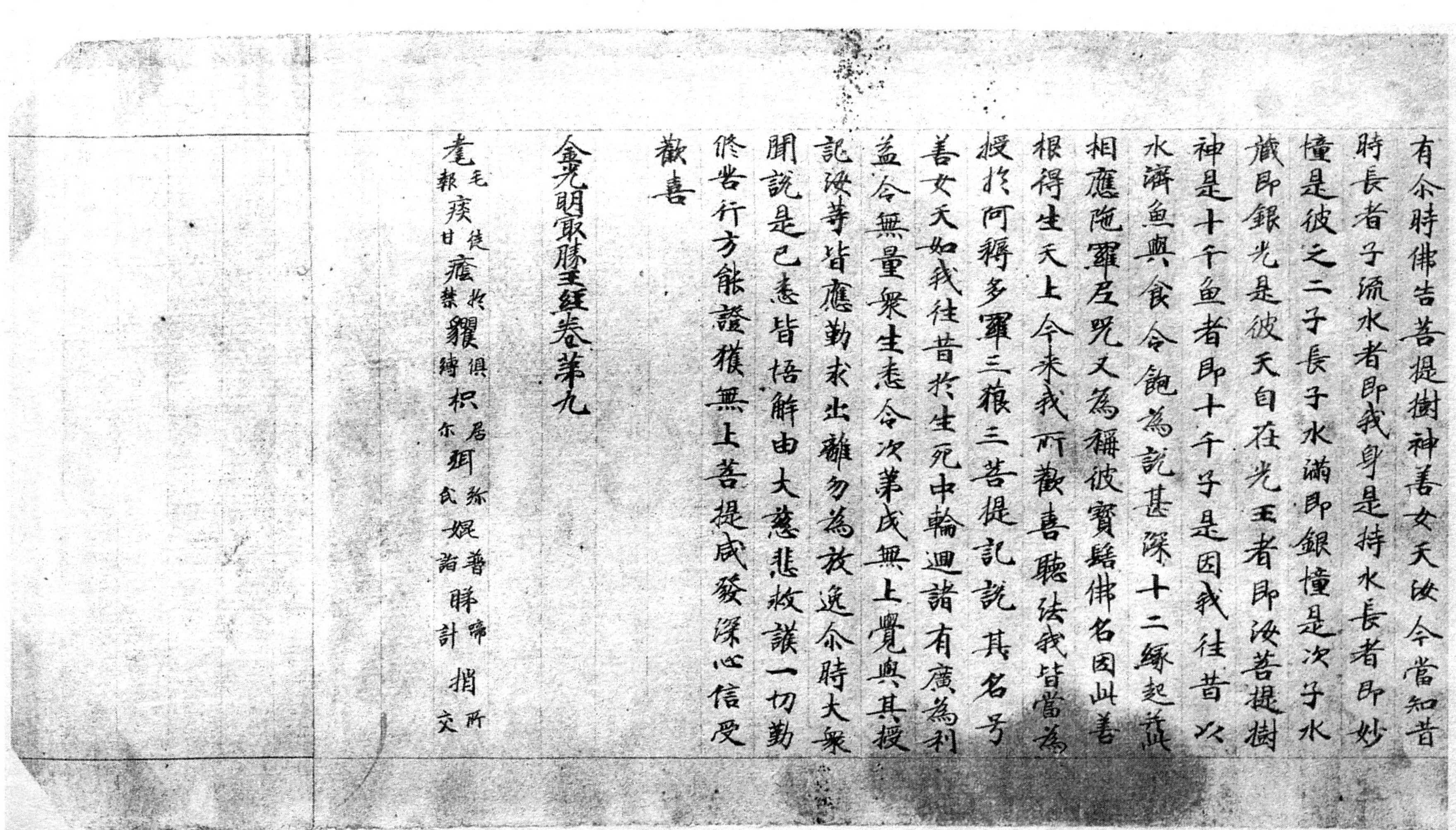
有尒時佛告菩提樹神善女天汝今當知昔
時長者子流水者即我身是持水長者即妙
幢是彼之二子長子水滿即銀幢是次子水
藏即銀光是彼天自在光王者即汝菩提樹
神是十千魚者即十千子是因我往昔以
水濟魚與食令飽為說甚深十二緣起並
相應陁羅尼咒又為稱彼寶髻佛名因此善
根得生天上今來我所歡喜聽法我皆當為
授於阿耨多羅三藐三菩提記說其名号
善女天如我往昔於生死中輪迴諸有廣為利
益令無量衆生悉令次第成無上覺與其授
記汝等皆應勤求出離勿為放逸尒時大衆
聞說是已悉皆悟解由大慈悲救護一切勤
修苦行方能證獲無上菩提咸發深心信受
歡喜

金光明最勝王經卷第九

氂毛報 痰徒甘 瘡於禁 韅俱縛 枳居尒 珂弥武 娓普諂 睇啼計 捐所交

BD00483號　金光明最勝王經卷九　（18–17）

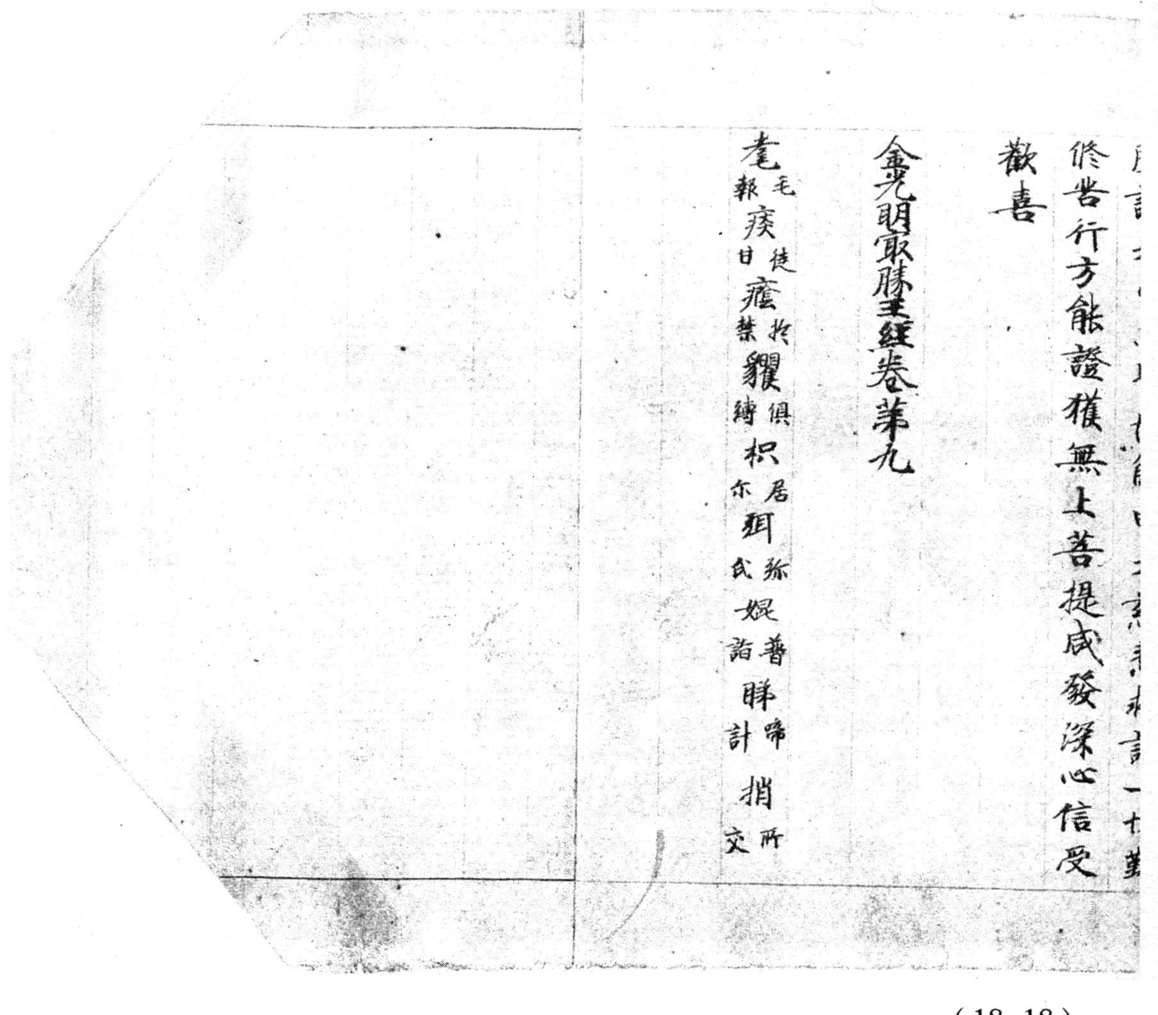

修習行方能證獲無上菩提咸發深心信受

歡喜

金光明最勝王經卷第九

耄毛報 痰徒甘 癊於禁 矍俱縛 枳居尔 弭弥氏 娑普諂 睇啼計 捎所交

BD00483號　金光明最勝王經卷九　（18–18）

皆有寶[illegible]高[illegible]由旬亦以大寶而挍飾
之亦无大海江河及目真隣陁山摩訶目真隣
陁山鐵圍山大鐵圍山須弥山等諸山王通為
一佛國土寶地平正寶交露幔遍覆其上
懸諸幡蓋燒大寶香諸天寶華遍布其地
尒時東方釋迦[illegible]所分之身百千万億那
由他恒河沙等國土中諸佛各各說法來集
於此如是次第十方諸佛皆悉來集坐於八方
尒時一一方四百万億那由他國土諸佛如
來遍滿其中是時諸佛各在寶樹下坐師子
座皆遣侍者問[illegible]釋迦牟尼佛各賫寶華
滿掬而告之言善男子汝往詣耆闍崛山釋迦
牟尼佛所如我辭曰少病少惱氣力安樂及
菩薩聲聞衆悉安隱不以此寶華散佛供養
而作是言彼某甲佛與欲開此寶塔諸佛遣
使亦復如是尒[illegible]迦牟尼佛見所分身佛悉
已來集各各坐於師子之座皆聞諸佛與欲
同開寶塔即從座起住虛空中一切四衆起
立合掌一心觀佛於是釋迦牟尼佛以右指
開七寶塔戶出大音聲如却關鑰開大城門即
時一切衆會皆見多寶如來於寶塔中坐
師子座全身不散如入禪定又聞其言善哉
善哉釋迦牟尼佛快說是法華經我為聽是
經故而來至此尒時四衆等見過去无量千

BD00484號　妙法蓮華經卷四　（12–1）

師子座合身不散如入禪定又聞其言善哉
善哉釋迦牟尼佛快說是法華經我為聽是
經故而來至此尒時四衆等見過去无量千
万億劫滅度佛說如是言歎未曾有以天寶
華聚散多寶佛及釋迦牟尼佛上尒時多
寶佛於寶塔中分半座與釋迦牟尼佛而作
是言釋迦牟尼佛可就此座即時釋迦牟尼
佛入其塔中坐其半座結加趺坐尒時大衆
見二如來在七寶塔中師子座上結加趺坐
各作是念佛座高遠唯願如來以神通力令
我等輩俱處虛空即時釋迦牟尼佛以神通
力接諸大衆皆在虛空以大音聲普告四衆
誰能於此娑婆國土廣說妙法華經今正是
時如來不久當入涅槃佛欲以此妙法華經
付囑有在尒時世尊欲重宣此義而說偈言
聖主世尊　雖久滅度　在寶塔中　尚為法來
諸人云何　不勤為法　此佛滅度　无央數劫
處處聽法　以難遇故　彼佛本願　我滅度後
在在所往　常為聽法　又我分身　无量諸佛
如恒沙等　來欲聽法　及見滅度　多寶如來
各捨妙土　及弟子衆　天人龍神　諸供養事
令法久住　故來至此　為坐諸佛　以神通力
移无量衆　令國清淨　諸佛各各　詣寶樹下
如清淨池　蓮華莊嚴　其寶樹下　諸師子座
佛坐其上　光明嚴飾　如夜闇中　然大炬火

BD00484 號　妙法蓮華經卷四　（12–2）

佛坐其上　光明嚴飾　如夜闇中　然大炬火
身出妙香　遍十方國　衆生蒙薰　喜不自勝
譬如大風　吹小樹枝　以是方便　令法久住
告諸大衆　我滅度後　誰能護持　讀說斯經
今於佛前　自說誓言
其多寶佛　雖久滅度　以大誓願　而師子吼
多寶如來　及與我身　所集化佛　當知此意
諸佛子等　誰能護法　當發大願　令得久住
其有能護　此經法者　則為供養　我及多寶
此多寶佛　處於寶塔　常遊十方　為是經故
亦復供養　諸來化佛　莊嚴光飾　諸世界者
若說此經　則為見我　多寶如來　及諸化佛
諸善男子　各諦思惟　此為難事　宜發大願
諸餘經典　數如恒沙　雖說此等　未足為難
若接須彌　擲置他方　无數佛土　亦未為難
若以足指　動大千界　遠擲他國　亦未為難
若立有頂　為衆演說　无量餘經　亦未為難
若佛滅後　於惡世中　能說此經　是則為難
假使有人　手把虛空　而以遊行　亦未為難
於我滅後　若自書持　若使人書　是則為難
若以大地　置足甲上　昇於梵天　亦未為難
佛滅度後　於惡世中　暫讀此經　是則為難
假使劫燒　擔負乾草　入中不燒　亦未為難
我滅度後　若持此經　為一人說　是則為難
若持八万　四千法藏　十二部經　為人演說

BD00484 號　妙法蓮華經卷四　（12–3）

若持八万　四千法藏　十二部經　為人演說
令諸聽者　得六神通　雖能如是　亦未為難
於我滅後　聽受此經　問其義趣　是則為難
若人說法　令千万億　无量无數　恒沙衆生
得阿羅漢　具六神通　雖有此益　亦未為難
於我滅後　若能奉持　如斯經典　是則為難
我為佛道　於无量土　從始至今　廣說諸經
而於其中　此經第一　若有能持　則持佛身
諸善男子　於我滅後　誰能受持　讀誦此經
今於佛前　自說誓言
此經難持　若蹔持者　我則歡喜　諸佛亦然
如是之人　諸佛所歎　是則勇猛　是則精進
是名持戒　行頭陀者　則為疾得　无上佛道
能於來世　讀持此經　是真佛子　住純善地
佛滅度後　能解其義　是諸天人　世間之眼
於恐畏世　能須臾說　一切天人　皆應供養
妙法蓮華經提婆達多品第十二
尒時佛告諸菩薩及天人四衆吾於過去无
量劫中求法華經无有懈惓於多劫中常作
國王發願求於无上菩提心不退轉為欲滿
足六波羅蜜勤行布施心无悋惜象馬七珎
國城妻子奴婢僕從頭目髓腦身肉手足不
惜軀命時世人民壽命无量為於法故捐捨
國位委政太子擊鼓宣令四方求法誰能為
我說大乘者吾當終身供給走使時有仙人
來白王言我有大乘名妙法蓮華經若不違

BD00484號　妙法蓮華經卷四　（12–4）

我說大乘者吾當終身供給走使時有仙人
來白王言我有大乘名妙法蓮華經若不違
我當為宣說王聞其言歡喜踊躍即隨仙
人供給所須採菓汲水拾薪設食乃至以身
而為牀座身心无惓于時奉事經於千歲為
於法故精勤給侍令无所乏尒時世尊欲重
宣此義而說偈言
我念過去劫　為求大法故　雖作世國王　不貪五欲樂
搥鍾告四方　誰有大法者　若為我解說　身當為奴僕
時有阿私仙　來白於大王　我有微妙法　世間所希有
若能修行者　吾當為汝說　時王聞仙言　心生大喜悅
即便隨仙人　供給於所須　採薪及果蓏　隨時恭敬與
情存妙法故　身心无懈惓　普為諸衆生　勤求於大法
亦不為己身　及以五欲樂　故為大國王　勤求獲此法
遂致得成佛　今故為汝說
佛告諸比丘尒時王者則我身是時仙人者
今提婆達多是由提婆達多善知識故令我
具足六波羅蜜慈悲喜捨三十二相八十種
好紫磨金色十力四无所畏四攝法十八不共
神通道力成等正覺廣度衆生皆因提婆
達多善知識故告諸四衆提婆達多却後過
无量劫當得成佛号曰天王如來應供正遍
知明行足善逝世間解无上士調御丈夫天
人師佛世尊世界名天道時天王佛住世二
十中劫廣為衆生說於妙法恒河沙衆生得

BD00484號　妙法蓮華經卷四　（12–5）

人師佛世尊世界名天道時天王佛住世二
十中劫廣為衆生說於妙法恒河沙衆生得
阿羅漢果无量衆生發緣覺心恒河沙衆生
發无上道心得无生法忍至不退轉時天王
佛般涅槃後正法住世二十中劫全身舍利
起七寶塔高六十由旬縱廣四十由旬諸天人
民悉以雜華末香燒香塗香衣服瓔珞
幢幡寶蓋伎樂歌頌禮拜供養七寶妙塔无
量衆生得阿羅漢果无量衆生悟辟支佛不可
思議衆生發菩提心至不退轉佛告諸比丘
未來世中若有善男子善女人聞妙法華經
提婆達多品淨心信敬不生疑惑者不墮地
獄餓鬼畜生生十方佛前所生之處常聞此
經若生人天中受勝妙樂若在佛前蓮華化
生於時下方多寶世尊所從菩薩名曰智積
白多寶佛當還本土釋迦牟尼佛告智積曰
善男子且待須臾此有菩薩名文殊師利可
與相見論說妙法可還本土
尒時文殊師利坐千葉蓮華大如車輪俱來
菩薩亦坐寶蓮華從於大海娑竭羅龍宮自
然踊出住虛空中詣靈鷲山從蓮華下至於
佛所頭面敬禮二世尊足脩敬已畢往智積
所共相慰問却坐一面智積菩薩問文殊師
利仁往龍宮所化衆生其數幾何文殊師利
言其數无量不可稱計非口所宣非心所測且

BD00484 號　妙法蓮華經卷四　（12–6）

利仁往龍宮所化衆生其數幾何文殊師利
言其數无量不可稱計非口所宣非心所測且
待須臾自當有證所言未竟无數菩薩坐
寶蓮華從海踊出詣靈鷲山住在虛空此
諸菩薩皆是文殊師利之所化度具菩薩行
皆共論說六波羅蜜本聲聞人在虛空中說
聲聞行今皆脩行大乘空義文殊師利謂智
積曰於海教化其事如此尒時智積菩薩以
偈讚曰
大智德勇健　化度无量衆　今此諸大會　及我皆已見
演暢實相義　開闡一乘法　廣導諸群生　令速成菩提
文殊師利言我於海中唯常宣說妙法華經
智積問文殊師利言此經甚深微妙諸經中
寶世所希有頗有衆生勤加精進脩行此經
速得佛不文殊師利言有娑竭羅龍王女年
始八歲智慧利根善知衆生諸根行業得陀
羅尼諸佛所說甚深祕藏悉能受持深入
禪定了達諸法於剎那頃發菩提心得不退
轉辯才无礙慈念衆生猶如赤子功德具足心
念口演微妙廣大慈悲仁讓志意和雅能至
菩提智積菩薩言我見釋迦如來於无量劫
難行苦行積功累德求菩提道未曾止息觀
三千大千世界乃至无有如芥子許非是菩
薩捨身命處為衆生故然後乃得成菩提
道不信此女於須臾頃便成正覺言論未訖時
龍王女忽現於前頭面禮敬却住一面以偈讚

BD00484 號　妙法蓮華經卷四　（12–7）

薩捨身命處，為衆生故，然後乃得成菩提
道。不信此女於須臾頃便成正覺。言論未訖，時
龍王女忽現於前，頭面禮敬，却住一面，以偈讚
曰：
深達罪福相，遍照於十方，微妙淨法身，具相三十二，
以八十種好，用莊嚴法身，天人所戴仰，龍神咸恭敬，
一切衆生類，无不宗奉者。又聞成菩提，唯佛當證知，
我闡大乘教，度脫苦衆生。
時舍利弗語龍女言：汝謂不久得无上道，是事
難信。所以者何？女身垢穢，非是法器，云何能
得无上菩提？佛道懸曠，經无量劫勤苦積
行，具修諸度，然後乃成。又女人身猶有五鄣：一
者不得作梵天王，二者帝釋，三者魔王，四者
轉輪聖王，五者佛身。云何女身速得成佛？尒
時龍女有一寶珠，價直三千大千世界，持以
上佛，佛即受之。龍女謂智積菩薩、尊者舍利
弗言：我獻寶珠，世尊納受，是事疾不？荅言：甚
疾。女言：以汝神力觀我成佛，復速於此。當時衆
會皆見龍女忽然之間變成男子，具菩薩
行，即往南方无垢世界，坐寶蓮華，成等正覺，
三十二相，八十種好，普為十方一切衆生演
說妙法。尒時娑婆世界菩薩、聲聞、天龍八部、
人與非人，皆遙見彼龍女成佛，普為時會人
天說法，心大歡喜，悉遙敬禮。无量衆生聞法
解悟，得不退轉；无量衆生得受道記。无垢世
界六反震動；娑婆世界三千衆生住不退地，三
千衆生發菩提心而得受記。智積菩薩及

BD00484號　妙法蓮華經卷四　（12-8）

解悟，得不退轉；无量衆生得受道記。无垢世
界六反震動；娑婆世界三千衆生住不退地，三
千衆生發菩提心而得受記。智積菩薩及
舍利弗，一切衆會，默然信受。
妙法蓮華經勸持品第十三
尒時藥王菩薩摩訶薩及大樂說菩薩摩
訶薩與二万菩薩眷屬俱，皆於佛前作是誓言：
唯願世尊不以為慮，我等於佛滅後當奉持
讀誦說此經典。後惡世衆生善根轉少，多增
上慢，貪利供養，增不善根，遠離解脫，雖難可
教化，我等當起大忍力，讀誦此經，持說書寫，
種種供養，不惜身命。尒時衆中五百阿羅漢
得受記者白佛言：世尊，我等亦自誓願，於異
國土廣說此經。復有學无學八千人得受記
者，從座而起，合掌向佛，作是誓言：世尊，我等
亦當於他國土廣說此經。所以者何？是娑婆
國中人多弊惡，懷增上慢，功德淺薄，瞋濁諂
曲，心不實故。
尒時佛姨母摩訶波闍波提比丘尼與學无
學比丘尼六千人俱，從座而起，一心合掌，瞻仰
尊顏，目不暫捨。於時世尊告憍曇彌：何故憂
色而視如來？汝心將无謂我不說汝名得授
阿耨多羅三藐三菩提記耶？憍曇彌，我先
惣說一切聲聞皆已授記，今汝欲知記者，將來
之世當於六萬八千億諸佛法中為大法師，
及六千學无學比丘尼俱為法師。汝如是漸

BD00484號　妙法蓮華經卷四　（12-9）

惣說一切聲聞[illegible]知記者將來
之世當於六[illegible]爲大法師
及六千學无學比丘尼俱[illegible]法師汝如是漸
漸具菩薩道[illegible]得作佛[illegible]衆生喜見如
來應供正遍知[illegible]无上士
調御丈夫天人師佛世尊[illegible]喬曇弥是一切衆
生喜見佛乃[illegible]菩薩[illegible]記[illegible]阿耨多
羅三藐三菩[illegible]輪陁羅比
丘尼作是念世尊於授記中獨不說我名佛
告耶輸陁羅[illegible]於來世百千[illegible]諸佛法中
脩菩薩行[illegible]國中當
得作佛号具足千万光相如來應供正遍知明
行足善逝世間解无上士[illegible]丈夫天人
師佛世尊[illegible]時摩訶波
闍波提比丘尼及耶輸陁羅比丘尼并其眷
屬皆大歡喜[illegible]說偈言
世尊導師　安隱天人　我等聞記　心安具足
諸比丘尼說是偈已白[illegible]亦能
於他方國土[illegible]
尒時世尊視八十万億那由他諸菩薩摩訶
薩是諸菩[illegible]退法輪得
諸陁羅尼即從座起至於佛前一心合掌而
作是念若世尊告勅我等持說此經者當
如佛教廣[illegible]是[illegible]默然不見
告勅我當[illegible]息并欲
自滿本願便於[illegible]言[illegible]

告勅我當[illegible]息并欲
自滿本願便於[illegible]誓言世
尊我等於如來滅後[illegible]往反十方世界能令
衆生書寫此經受持讀誦解說其義如法脩
行正憶念皆[illegible]在於他
方遥見守護即時諸菩薩俱同發聲而說
偈言
唯願不爲慮　於佛滅度後　恐怖惡世中　我等當廣說
有諸无智人　惡口罵詈等　及加刀杖者　我等皆當忍
惡世中比丘　邪智心諂曲　未得謂爲得　我慢心充滿
或有阿練若　納衣在空閑　自謂行真道　輕賤人間者
貪著利養故　與白衣說法　爲世所恭敬　如六通羅漢
是人懷惡心　常念世俗事　假名阿練若　好出我等過
而作如是言　此諸比丘等　爲貪利養故　說外道論議
自作此經典　誑惑世間人　爲求名聞故　分別於是經
常在大衆中　欲毀我等故　向國王大臣　婆羅門居士
及餘比丘衆　誹謗說我惡　謂是邪見人　說外道論議
我等敬佛故　悉忍是諸惡　爲斯所輕言　汝等皆是佛
如此輕慢言　皆當忍受之
濁劫惡世中　多有諸恐怖　惡鬼入其身　罵詈毀辱我
我等敬信佛　當著忍辱鎧　爲說是經故　忍此諸難事
我不愛身命　但惜无上道　我等於來世　護持佛所囑
世尊自當知　濁世惡比丘　不知佛方便　隨宜所說法
惡口而顰蹙　數數見擯出　遠離於塔寺　如是等衆惡
念佛告勅故　皆當忍是事
諸聚落城邑　其有求法者　我皆到其所　說佛所囑法

濁劫惡世中　多有諸恐怖　惡鬼入其身　罵詈毀辱我
我等敬信佛　當著忍辱鎧　為說是經故　忍此諸難事
我不愛身命　但惜无上道　我等於來世　護持佛所囑
世尊自當知　濁世惡比丘　不知佛方便　隨宜所說法
惡口而顰蹙　數數見擯出　遠離於塔寺　如是等眾惡
念佛告勑故　皆當忍是事
諸聚落城邑　其有求法者　我皆到其所　說佛所囑法
我是世尊使　處眾无所畏　我當善說法　願佛安隱住
我於世尊前　諸來十方佛　發如是誓言　佛自知我心

妙法蓮華經卷第四

BD00484 號　妙法蓮華經卷四　　　　（12–12）

有緣名為因緣非无因无緣故是故名為因緣之法世尊略
說因緣之相彼緣生果如來出現若不出現法性常住乃至
法性法住性法定性與因緣相應性真如性无錯謬性无變
異性真實性　實際性不虛妄性不顛倒性等作如是說
此因緣法以其二種而得生起云何為二所謂因相應緣相應彼復
有二謂外及內此中何者是外因緣法因相應所謂從種生芽
從芽生葉從葉生莖從莖生節從節生穗從穗生花從花
生實若无種者芽即不生乃至若无有花實亦不生有種
芽生如是有花實亦得生彼種亦不作是念我能生芽芽
亦不作是念我從種生乃至花亦不作是念我能生實實
亦不作是念我從花生雖然有種故而芽得生如是有花
故實即而能成就應如是觀外因緣法因相應義
應云何觀外因緣法緣相應義謂六界和合故以何六界和合
所謂地水火風空時界等和合外因緣法而得生起應如是
觀外因緣法緣相應義　地界者能持於種水界者潤漬於
種火界者能暖於種風界者動搖於種空界者不障於種
時則能變於種子若无此眾緣種則不能生於芽若
其外地界无不具足如是乃至水火風空時等无不具足
一切和合種子滅時而芽得生　此中地界不作是念我能任持
種子如是水界亦不作是念我能潤漬於種火界亦不作是念
我能暖於種子風界亦不作是念我能動搖於種空界亦不
作是念我能不障於種時亦不作是念我能變於種子種子亦
亦不作是念我能生芽芽亦不作是念我今從此眾緣而生雖然
有此眾緣而種滅時芽即得生如是有花之時實即得生彼

BD00485 號 1　大乘稻芉經　　　　（6–1）

作是念我能不障於種時亦不作是念我能變於種子種子亦
亦不作是念我能生芽芽亦不作是念我今從此衆緣而生雖然
有此衆緣而種滅時芽即得生如是有花之時實即得生彼
亦非自作亦非他作非自他俱作非自在作亦非時變非自性生
亦非無因而生雖然地水火風空時界等和合種滅之時而芽得
生是故應如是觀外因緣法緣相應義　應以五種觀彼外
因緣法何等為五不常不斷不移從於小因而生大果与彼
相似云何不常為芽與種各別異故彼芽非種非種壞時而
芽得生亦非不滅而得生起種壞之時而芽得生是故不常
云何不斷非過去種壞而生於芽亦非不滅而得生起種子亦壞
當爾之時如秤高下而芽得生是故不斷云何不移芽與種別
芽非種故是故不移云何小因而生大果從小種子而生大果
是故從於小因而生大果云何與彼相似如所殖種生彼果故是故
與彼相似是以五種觀外因緣之法　如是內因緣法亦以五種而得
生起云何為二所謂因相應緣相應何者是內因緣法因相應
義所謂始從無明緣行乃至生緣老死若無明不生行亦不
有乃至若無有生老死非有如是有無明故行乃得生乃至有
生故老死得有無明亦不作是念我能生行行亦不作念我從
無明而生乃至生亦不作是念我能生於老死老死亦不作念我從
生有雖然有無明行乃得生如是有生故老死得有是故應如是
觀內因緣法因相應義　應云何觀內因緣法緣相應事為六
界和合故以何六界和合所謂地水火風空識界等和合故應如
是觀內因緣法緣相應事　何者是內因緣之地界之相為
此身中作堅硬者名為地界為令此身而聚集者名為水界
能消身所食飲嚼噉者名為火界為此身中作內外出入息
者名為風界為此身中作虛通者名為空界五識界相應
身

BD00485號1　大乘稻竿經　（6–2）

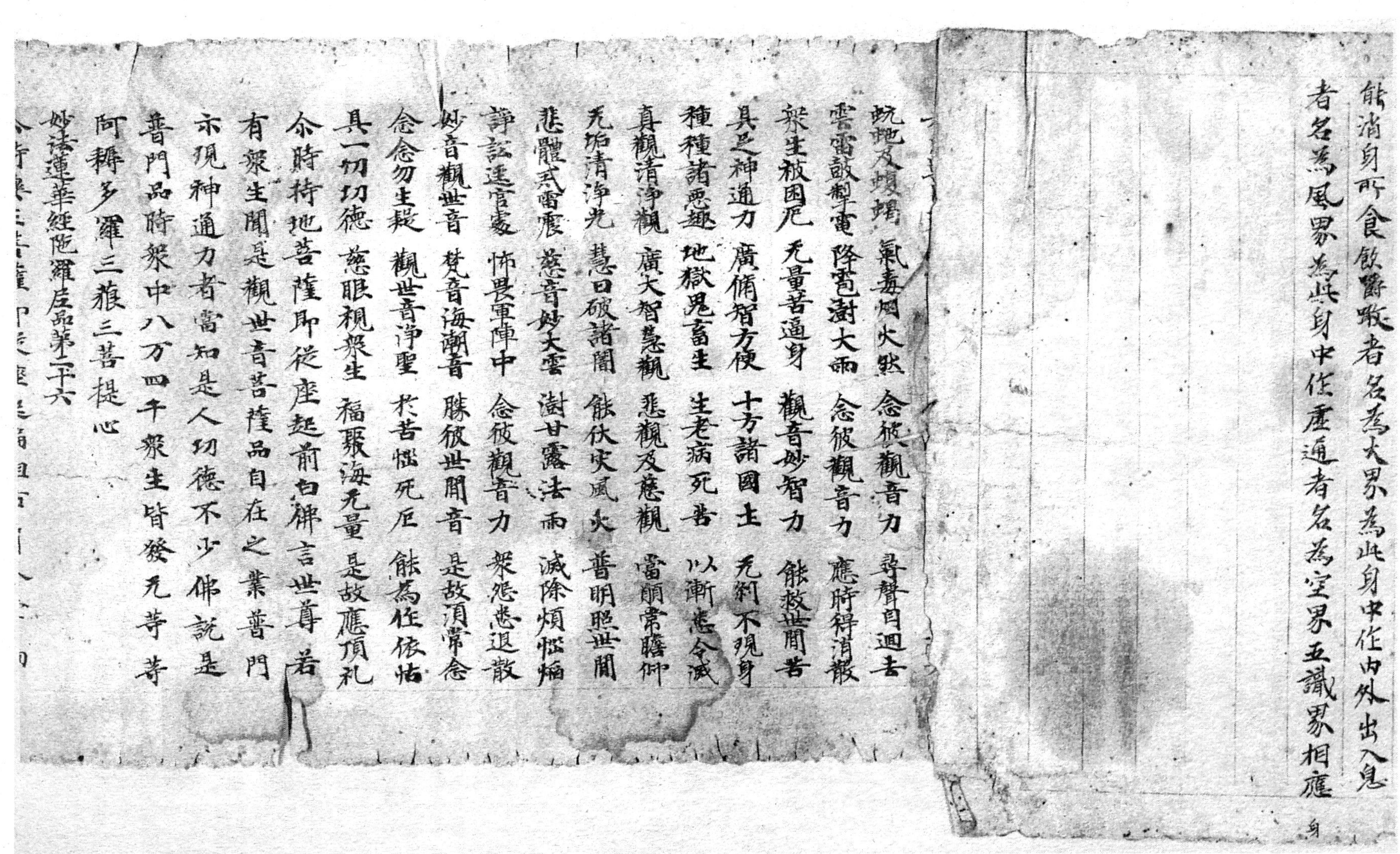
能消身所食飲嚼噉者名為火界為此身中作內外出入息
者名為風界為此身中作虛通者名為空界五識界相應
身

蚖蛇及蝮蠍　氣毒煙火燃　念彼觀音力　尋聲自迴去
雲雷鼓掣電　降雹澍大雨　念彼觀音力　應時得消散
衆生被困厄　無量苦逼身　觀音妙智力　能救世間苦
具足神通力　廣脩智方便　十方諸國土　無剎不現身
種種諸惡趣　地獄鬼畜生　生老病死苦　以漸悉令滅
真觀清淨觀　廣大智慧觀　悲觀及慈觀　常願常瞻仰
無垢清淨光　慧日破諸闇　能伏災風火　普明照世間
悲體戒雷震　慈意妙大雲　澍甘露法雨　滅除煩惱焰
諍訟經官處　怖畏軍陣中　念彼觀音力　衆怨悉退散
妙音觀世音　梵音海潮音　勝彼世間音　是故須常念
念念勿生疑　觀世音淨聖　於苦惱死厄　能為作依怙
具一切功德　慈眼視衆生　福聚海無量　是故應頂禮
爾時持地菩薩即從座起前白佛言世尊若
有衆生聞是觀世音菩薩品自在之業普門
示現神通力者當知是人功德不少佛說是
普門品時衆中八万四千衆生皆發無等等
阿耨多羅三藐三菩提心
妙法蓮華經陁羅尼品第二十六
爾時藥王菩薩即從座起偏袒右

BD00485號2　妙法蓮華經卷七　（6–3）

普門品時衆中八万四千衆生皆發无等等
阿耨多羅三藐三菩提心
妙法蓮華經陁羅尼品第二十六
尒時藥王菩薩即從座起偏袒右肩合掌向
佛而白佛言世尊若善男子善女人有能受
持法華經者若讀誦通利若書寫經卷得幾
所福佛告藥王若有善男子善女人供養八
百万億那由他恒河沙等諸佛於汝意云何
其所得福寧為多不甚多世尊佛言若善男
子善女人能於是經乃至受持一四句偈讀
誦解義如說脩行功德甚多尒時藥王菩薩
白佛言世尊我今當與說法者陁羅尼呪以
守護之即說呪曰
安尒一 曼尒二 摩祢三 摩摩祢四 旨隸五 遮
梨第六 賒咩羊鳴音七 賒履因律反多瑋八 羶輸干反
帝九 目帝十 目多履十一 娑履十二 阿瑋娑履十三
桑履十四 娑履十五 叉裔十六 阿叉裔十七 阿耆膩十八
羶帝十九 賒履二十 陁羅尼二十一 阿盧伽婆娑蘇奈反
簸蔗毗叉膩二十二 祢毗剃二十三 阿便哆都餓反邏祢
履剃二十四 阿亶哆波隸輸地途賣反二十五 漚究隸
二十六 牟究隸二十七 阿羅隸二十八 波羅隸二十九 首迦
差初几反三十 阿三磨三履三十一 佛䭾毗吉利袠
帝三十二 達磨波利差猜離反帝三十三 僧伽涅
瞿沙祢三十四 婆舍婆舍輸地三十五 曼哆邏三十六
曼哆邏叉夜多三十七 郵樓哆三十八 郵樓哆憍
舍略三十九 惡叉邏四十 惡叉冶多冶四十一 阿婆盧
四十二 阿摩若荏蔗反 那多夜四十三

BD00485 號 2　妙法蓮華經卷七　（6–4）

舍略三十九 惡叉邏四十 惡叉冶多冶四十一 阿婆盧
四十二 阿摩若荏蔗反 那多夜四十三
世尊是陁羅尼神呪六十二億恒河沙等諸
佛所說若有侵毀此法師者則為侵毀是諸
佛已時釋迦牟尼佛讚藥王菩薩言善哉善
哉藥王汝愍念擁護此法師故說是陁羅尼
於諸衆生多所饒益尒時勇施菩薩白佛言
世尊我亦為擁護讀誦受持法華經者說陁
羅尼若此法師得是陁羅尼若夜叉若羅刹
若冨單那若吉蔗若鳩槃荼若餓鬼等伺求
其短无能得便即於佛前而說呪曰
痤誓螺反隸一 摩訶痤隸二 郁枳三 目枳四 阿
隸五 阿羅婆第六 涅隸第七 涅隸多婆第八
伊緻猪履反柅九 韋緻柅十 旨緻柅十一 涅隸墀
柅十二 涅犁墀婆底十三
世尊是陁羅尼神呪恒河沙等諸佛所說亦
皆隨喜若有侵毀此法師者則為侵毀是諸
佛已尒時毗沙門天王護世者白佛言世尊
我亦為愍念衆生擁護此法師故說是陁羅
尼即說呪曰
阿梨一 那梨二 㝹那梨三 阿那盧四 那履五
拘那履六
世尊以是神呪擁護法師我亦自當擁護持
是經者令百由旬內无諸衰患尒時持國天
王在此會中與千万億那由他乾闥婆衆恭
敬圍繞前詣佛所合掌白佛言世尊我亦以
陁羅尼神呪擁護持法華經者即說呪曰

BD00485 號 2　妙法蓮華經卷七　（6–5）

阿梨一那梨二㝹那梨三阿那盧四那履五
拘那履六
世尊以是神呪擁護法師我亦自當擁護持
是經者令百由旬內无諸衰患尒時持國天
王在此會中與千万億那由他乾闥婆衆恭
敬圍繞前詣佛所合掌白佛言世尊我亦以
陁羅尼神呪擁護持法華經者即說呪曰
阿伽祢一伽祢二瞿利三乾陁利四旃陁利五摩
蹬耆六常求利七浮樓莎抳八頞底九
世尊是陁羅尼神呪四十二億諸佛所說若
有侵毀此法師者則為侵毀是諸佛已尒時
有羅刹女等一名藍婆二名毗藍婆三名曲
齒四名華齒五名黑齒六名多髮七名无厭
足八名持瓔珞九名睪帝十名奪一切衆生
精氣是十羅刹女與鬼子母并其子及眷屬
俱詣佛所同聲白佛言世尊我等亦欲擁護
持法華經者除其衰患若有伺求法
於佛前而說呪曰
履三阿提履四伊
泥履九泥履
醯十五多

BD00485 號 2　妙法蓮華經卷七　（6–6）

多羅三藐三菩提心不應住色生心不應住
聲香味觸法生心應无所住心若心有住
則為非住是故佛說菩薩心不應住色布施
須菩提菩薩為利益一切衆生應如是布施
如来說一切諸相即是非相又說一切衆生
則非衆生須菩提如来是真語者實語者
如語者不誑語者不異語者須菩提如来所得
法此法无實无虛須菩提若菩薩心住於法
而行布施如人入闇則无所見若菩薩心不
住法而行布施如人有目日光明照見種種
色須菩提當来之世若有善男子善女人能
於此經受持讀誦則為如来以佛智慧悉知
是人悉見是人皆得成就无量无邊功德
須菩提若有善男子善女人初日分以恒河
沙等身布施中日分復以恒河沙等身布施
後日分亦以恒河沙等身布施如是无量百
千万億劫以身布施若復有人聞此經典信
心不逆其福勝彼何況書寫受持讀誦為人
解說須菩提以要言之是經有不可思議不
可稱量无邊功德如来為發大乘者說為發
最上乘者說若有人能受持讀誦廣為人說
如来悉知是人悉 得成就不可量不
可稱无有邊不可思議 如是人等則為

BD00486 號　金剛般若波羅蜜經　（2–1）

而行布施如人入闇則无所見若菩薩心不
住法而行布施如人有目日光明照見種種
色須菩提當來之世若有善男子善女人能
於此經受持讀誦則為如來以佛智慧悉知
是人悉見是人皆得成就无量无邊功德
須菩提若有善男子善女人初日分以恒河
沙等身布施中日分復以恒河沙等身布施
後日分亦以恒河沙等身布施如是无量百
千万億劫以身布施若復有人聞此經典信
心不逆其福勝彼何況書寫受持讀誦為人
解說須菩提以要言之是經有不可思議不
可稱量无邊功德如來為發大乘者說為發
最上乘者說若有人能受持讀誦廣為人說
如來悉知是人悉[illegible]得成就不可量不
可稱无有邊不可思議功德如是人等則為
荷擔如來阿耨多羅三藐三菩提何以故須
菩提若樂小法者著我見人見衆生見壽者
見則於此經不能聽受讀誦為人解說須菩
提在在處處若有此經一切世間天人阿脩
羅所應供養當知此處則為是塔皆應恭

BD00486號　金剛般若波羅蜜經　（2–2）

依法如如依如如
為第一不可思
思議如是依法
難思議善男子云何法如如如
無分別而得自在事業成就善男
来入於涅槃願自在故種種事業
法如如如如智自在事成亦復如是
復次菩薩摩訶薩入無心定依前願力從禪
定起作衆事業如是二法無有分別自在事
成善男子譬如日月無有分別亦如水鏡無
有分別光明亦無分別三種和合得有影生
如是法如如如如智亦無分別以願自在故
上有感現應化身如日月影和合出現
善男子譬如無量無邊水鏡依於光故
得現種種異相空者即是無相善男子
化諸弟子等是法身影以願力故於
現種種相於法身地無有異相善男
此二身一切諸佛說有餘涅槃依此法
身說無餘涅槃何以故一切餘法究竟盡故
依此三身一切諸佛說無住處涅槃為二身
故不住涅槃離於法身無有別佛何故二身
不住涅槃二身假名不實念念生滅不定住

BD00487號　金光明最勝王經卷二　（16–1）

[illegible]
不住涅槃二身假名不實念念生滅不定住
故數數出現以不定故法身不尒是故二身
不住涅槃法身不二是故不住溫槃故依三
身說無住涅槃
善男子一切凡夫為三相故有縛有障遠離
三身不至三身何者為三一者遍計所執相
二者依他起相三者成就相如是諸相不能
解故不能滅故不能淨故是故不得至於三
身如是三相能解能滅能淨故是故諸佛具
足三身善男子諸凡夫人未能除遣此三心
故遠離三身不能得至何者為三一者起事
心二者依根本心三者根本心依諸伏道起
事心盡依法斷道依根本心盡依最勝道根
本心盡起事心滅故得現化身依根本心滅
故得顯應身根本心滅故得至法身是故一
切如來具足三身
善男子一切諸佛於第一身與諸佛同事
於第二身與諸佛同意於第三身與諸佛同
體善男子是初佛身隨衆生意有多種故現
種種相是故說多第二佛身弟子一意故現一
相是故說一第三佛身過一切種相非執相
境界是故說名不一不二善男子是第一身
依於應身得顯現故是第二身依於法身得
顯現故是法身者是真實有無依處故善
男子如是三身以有義故而說於常以有義故
說於無常化身者恒轉法輪處處隨緣方便
相續不斷絕故是故說常非是本故具足大

BD00487 號　金光明最勝王經卷二　（16–2）

[illegible]
說於無常化身者恒轉法輪處處隨緣方便
相續不斷絕故是故說常非是本故具足大
用不顯現故說為無常應身者從無始來相
續不斷一切諸佛不共之法能攝持故衆生
無盡用亦無盡是故說常非是本故以具足
用不顯現故說為無常法身者非是行法無
有異相是根本故猶如虛空是故說常善男
子離無分別智更無勝智離法如如無勝境
界是法如如是慧如如是二種如如如如不一
不異是故法身慧清淨故滅清淨故是二清
淨是故法身具足清淨
復次善男子分別三身有四種異有化身非
應身有應身非化身有化身亦應身有非化
身亦非應身何者化身非應身謂諸如來般
涅槃後以願自在故隨緣利益是名化身何
者應身非化身是地前身何者化身亦應身
謂住有餘涅槃之身何者非化身非應身謂
是法身善男子是法身者二無所有所顯現
故何者名為二無所有於此法身相及相處
二皆是無非有非無非一非異非數非非數
非明非闇如是如如智不見相及相處不見
非有非無不見非一非異不見非數非非數
不見非明非闇是故當知境界清淨智慧清
淨不可分別無有中間為滅道本故於此法
身能顯如來種種事業
善男子是身因緣境界處所果依於本難思
議故若了此義是身即是大乘是如來性是

BD00487 號　金光明最勝王經卷二　（16–3）

善男子是身因緣境界處所果依於本難思
議故若了此義是身即是大乘是如來性是
如來藏依於此身得發初心脩行地心而得
顯現不退地心亦皆得現一生補處心金剛
之心如來之心而悉顯現無量無邊如來妙
法皆悉顯現依此法身不可思議摩訶三昧
而得顯現依此法身得現一切大智是故二
身依於三昧依於智慧而得顯現如此法身
依於自體說常說我依大三昧故說於樂依
於大智故說清淨是故如來常住自在安樂
清淨依大三昧一切禪定首楞嚴等一切念
處大法念等大慈大悲一切陀羅尼一切神
通一切自在一切法平等攝受如是佛法悉
皆出現依此大智十力四無所畏四無礙辯
一百八十不共之法一切希有不可思議法
悉皆顯現譬如依如意寶珠無量無邊種種
珎寶悉皆得現如是依大三昧寶依大智慧寶
能出種種無量無邊諸佛妙法善男子如
是法身三昧智慧過一切相不著於相不可
分別非常非斷是名中道雖有分別體無分
別雖有三數而無三體不增不減猶如夢幻
亦無所執亦無能執法體如如是解脫處過
死王境越生死闇一切衆生不能脩行所不
能至一切諸佛菩薩之所住處善男子譬如
有人願欲得金處處求覓遂得金礦既得礦
已即便碎之擇取精者爐中銷鍊得清淨金
隨意迴轉作諸鐶釧種種嚴具雖有諸用金
性不改

BD00487 號　金光明最勝王經卷二　（16–4）

已即便碎之擇取精者爐中銷鍊得清淨金
隨意迴轉作諸鐶釧種種嚴具雖有諸用金
性不改
復次善男子若善男子善女人求勝解脫脩
行世善得見如來及弟子衆得親近已白佛
言世尊何者爲善何者不善何者正脩得清
淨行諸佛如來及弟子衆見彼問時如是思
惟是善男子善女人欲求清淨欲聽正法即
便爲說令其開悟彼既聞已正念憶持發心
脩行得精進力除懶墮障滅一切罪於諸學
處離不尊重息掉悔心入於初地依初地心
除利有情障得入二地於此地中除不逼惱
障入於三地於此地中除心軟淨障入於四
地於此地中除善方便障入於五地於此地
中除見真俗障入於六地於此地中除見行
相障入於七地於此地中除不見滅相障入
於八地於此地中除不見生相障入於九地
於此地中除六通障入於十地於此地中除
所知障除根本心入如來地如來地者由三
淨故名極清淨云何爲三一者煩惱淨二者
業淨三者相淨譬如真金鎔銷冶鍊既燒打
已無復塵垢爲顯金性本清淨故金體清淨
非謂無金譬如濁水澄渟清淨無復滓穢爲
顯水性本清淨故非謂無水如是法身與煩
惱雜苦集除已無復餘習爲顯佛性本清淨
故非謂無體譬如虛空烟雲塵霧之所障
蔽除屏已是空淨非謂無空如是法身一
切衆苦悉皆盡故說爲清淨非謂無體譬如

BD00487 號　金光明最勝王經卷二　（16–5）

蔽除屏已是空淨非謂無空如是法身一
切衆苦悉皆盡故說為清淨非謂無體譬如
有人於睡夢中見大河水漂從其身運手動
足截流而渡得至彼岸由彼身心不懈退故
從夢覺已不見有水彼此岸別非謂無心生
死妄想既滅盡已是覺清淨非謂無覺如是
法界一切妄想不復生故說為清淨非是諸
佛無其實體
復次善男子是法身者惑障清淨能現應
身業障清淨能現化身智障清淨能現法身
譬如依空出電依電出光如是依法身故能現
應身依應身故能現化身由性淨故能現法
身智慧清淨能現應身三昧清淨能現化身
此三清淨是法如如不異如如一味如如解
脫如如究竟如如是故諸佛體無有異善男
子若有善男子善女人說於如來是我大師
若作如是決定信者此人即應深心解了如
來之身無有別異善男子以是義故於諸境
界不正思惟悉皆除斷即知彼法無有二相
亦無分別聖所修行如如於彼無有二相正
修行故如是如是一切諸障悉皆除滅如如一
切障滅如是如是法如如如如智得最清淨
淨如如法界正智清淨如是如是一切自在
具足攝受皆得成就一切諸障悉皆除滅一
切諸障得清淨故是名真如正智真實之相
如是見者是名聖見是則名為真實見佛
何以故如實得見法真如故是故諸佛悉能
普見一切如來何以故聲聞獨覺已出三界求

何以故如實得見法真如故是故諸佛悉能
普見一切如來何以故聲聞獨覺已出三界求
真實境不能智見如是聖人所不知見一切
凡夫皆生疑惑顛倒分別不能得度如兔浮
海必不能過所以者何力微劣故凡夫之人
亦復如是不能通達法如如故然諸如來無
分別心於一切法得大自在具足清淨深智
慧故是自境界不共他故是故諸佛如來於
無量無邊阿僧祇劫不惜身命難行苦行
方得此身最上無比不可思議過言說境是妙
寂靜離諸怖畏
善男子如是知見法真如者無生老死壽命
無限無有睡眠亦無飢渴心常在定無有散
動若於如來起諍論心是則不能見於如來
諸佛所說皆能利益有聽聞者無不解脫諸
惡禽獸惡人惡鬼不相逢值由聞法故果報
無盡然諸如來無無記事一切境界無欲知
心生死涅槃無有異想如來所說無不決定
諸佛如來四威儀中無非智攝一切諸法無
有不為慈悲所攝無有不為利益安樂諸衆
生者善男子若有善男子善女人於此金光
明經聽聞信解不墮地獄餓鬼傍生阿蘇羅
道常處人天不生下賤恒得親近諸佛如來
聽受正法常生諸佛清淨國土所以者何由
得聞此甚深法故是善男子善女人則為如
來已知已記當得不退阿耨多羅三藐三菩
提甚善男子善女人於此甚深微妙之法一

得聞此甚深法故是善男子善女人則為如
來已知已記當得不退阿耨多羅三藐三菩
提善善男子善女人於此甚深微妙之法一
經耳者當知是人不謗如來不毀正法不輕
聖衆一切衆生亦種善根令得種故已種善
根令增長成熟故一切世界所有衆生皆勸
脩行六波羅蜜多
尒時虛空藏菩薩梵釋四王諸天衆等即
從座起偏袒右肩合掌恭敬頂禮佛足白佛言
世尊若所在處講說如是金光明王微妙經典
於其國土有四種利益何者為四一者國王
軍衆強盛無諸怨敵離於疾病壽命延
長吉祥安樂正法興顯二者中宮妃后王子諸
臣和悅無諍離於諂佞王所愛重三者沙門
婆羅門及諸國人脩行正法無病安樂無枉
死者於諸福田悉皆脩立四者於三時中四
大調適常為諸天增加守護慈悲平等無
傷害心令諸衆生歸敬三寶皆願脩習菩提
之行是為四種利益之事世尊我等亦常為
弘經故隨逐如是持經之人所在住處為作利
益佛言善哉善哉善男子如是如是汝等
應當勤心流布此妙經王則令正法久住於世

金光明最勝王經夢見懺悔品第四

尒時妙幢菩薩親於佛前聞妙法已歡喜
踊躍一心思惟還至本處於夜夢中見大金鼓
光明晃耀猶如日輪於此光中得見十方無
量諸佛於寶樹下坐瑠璃座無量百千大衆
圍繞而為說法見一婆羅門桴擊金鼓出大

光明晃耀猶如日輪於此光中得見十方無
量諸佛於寶樹下坐瑠璃座無量百千大衆
圍繞而為說法見一婆羅門桴擊金鼓出大
音聲聲中演說微妙伽他明懺悔法妙幢聞
已皆悉憶持繫念而住至天曉已與無量百
千大衆圍繞持諸供具出王舍城詣鷲峯山
至世尊所禮佛足已布設香花右繞三匝退
坐一面合掌恭敬瞻仰尊顏白佛言世尊我
於夢中見婆羅門以手執桴擊妙金鼓出大
音聲聲中演說微妙伽他明懺悔法我皆憶
持唯願世尊降大慈悲聽我所說即於佛前
而說頌曰

我於昨夜中　夢見大金鼓　其形極殊妙　周遍有金光
猶如盛日輪　光明皆普耀　充滿十方界　咸見於諸佛
在於寶樹下　各處瑠璃座　無量百千衆　恭敬而圍繞
有一婆羅門　以杖擊金鼓　於其鼓聲內　說此妙伽他
金光明鼓出妙聲　遍至三千大千界
能滅三塗極重罪　及以人中諸苦厄
由此金鼓聲威力　永滅一切煩惱障
斷除怖畏令安隱　譬如自在牟尼尊
佛於生死大海中　積行脩成一切智
能令衆生覺品具　究竟咸歸功德海
由此金鼓出妙聲　普令聞者獲梵響
證得無上菩提果　常轉清淨妙法輪
住壽不可思議劫　隨機說法利群生
能斷煩惱衆苦流　貪瞋癡等皆除滅
若有衆生處惡趣　大火猛焰周遍身
若得聞是妙鼓音　即能離苦歸依佛

能斷煩惱衆苦流　貪瞋癡等皆除滅
若有衆生處惡趣　大火猛焰周遍身
若得聞是妙鼓音　即能離苦歸依佛
皆得成就宿命智　能憶過去百千生
悉皆正念牟尼尊　得聞如來甚深教
由聞金鼓勝妙音　常得親近於諸佛
悉能捨離諸惡業　純修清淨諸善品
一切天人有情類　殷重至誠祈願者
得聞金鼓妙音聲　能令所求皆滿足
衆生墮在無間獄　猛火炎熾苦焚身
無有救護處輪迴　聞者能令苦除滅
人天餓鬼傍生中　所有現受諸苦難
得聞金鼓發妙響　皆蒙離苦得解脫
現在十方界　常住兩足尊　願以大悲心　哀愍憶念我
衆生無歸依　亦無有救護　為如是等類　能作大歸依
我先所作罪　極重諸惡業　今對十方前　至心皆懺悔
我不信諸佛　亦不敬尊親　不務修衆善　常造諸惡業
或自恃尊高　種姓及財位　盛年行放逸　常造諸惡業
心恒起邪念　口陳於惡言　不見於過罪　常造諸惡業
恒作愚夫行　無明闇覆心　隨順不善友　常造諸惡業
或因諸戲樂　或復懷憂惱　為貪瞋所纏　故我造諸惡
親近不善人　及由慳嫉意　貧窮行諂誑　故我造諸惡
雖不樂衆過　由有怖畏故　及不得自在　故我造諸惡
或為躁動心　或因瞋恚恨　及以飢渴惱　故我造諸惡
由飲食衣服　及貪愛女人　煩惱火所燒　故我造諸惡
於佛法僧衆　不生恭敬心　作如是衆罪　我今悉懺悔
於獨覺菩薩　亦無恭敬心　作如是衆罪　我今悉懺悔
無知謗正法　不孝於父母　作如是衆罪　我今悉懺悔

BD00487號　金光明最勝王經卷二　（16–10）

於獨覺菩薩　亦無恭敬心　作如是衆罪　我今悉懺悔
無知謗正法　不孝於父母　作如是衆罪　我今悉懺悔
由愚癡憍慢　及以貪瞋力　作如是衆罪　我今悉懺悔
我於十方界　供養無數佛　當願拔衆生　令離諸苦難
願一切有情　皆令住十地　福智圓滿已　成佛導群迷
我為諸衆生　苦行百千劫　以大智慧力　皆令出苦海
我為諸含識　演說甚深經　最勝金光明　能除諸惡業
若人百千劫　造諸極重罪　暫時能發露　衆惡盡消除
依此金光明　作如是懺悔　由斯能速盡　一切諸苦業
勝定百千種　不思議總持　根力覺道支　修習常無倦
我當至十地　具足珍寶處　圓滿佛功德　濟度生死流
我於諸佛海　甚深功德藏　妙智難思議　皆令得具足
唯願十方佛　觀察護念我　皆以大悲心　哀受我懺悔
我於多劫中　所造諸惡業　由斯生苦惱　哀愍願消除
我造諸惡業　常生憂怖心　於四威儀中　曾無歡樂想
諸佛具大悲　能除衆生怖　願受我懺悔　令得離憂苦
我有煩惱障　及以諸報業　願以大悲水　洗濯令清淨
我先作諸罪　及現造惡業　至心皆發露　咸願得蠲除
未來諸惡業　防護令不起　設令有違者　終不敢覆藏
身三語四種　意業復有三　繫縛諸有情　無始恒相續
由斯三種行　造作十惡業　如是衆多罪　我今皆懺悔
我造諸惡業　苦報當自受　今於諸佛前　至誠皆懺悔
於此贍部洲　及他方世界　所有諸善業　今我皆隨喜
願離十惡業　修行十善道　安住十地中　常見十方佛
我以身語意　所修福智業　願以此善根　速成無上慧
我今親對十方前　發露衆多苦難事
凡愚迷惑三有難　恒造極重惡業難
我所積集欲邪難　常起貪愛流轉難

BD00487號　金光明最勝王經卷二　（16–11）

我今親對十方前 發露衆多苦難事
凡愚迷惑三有難 恒造極重惡業難
我所積集欲邪難 常起貪愛流轉難
於此世間耽著難 一切愚夫煩惱難
狂心散動顛倒難 及以親近惡友難
於生死中貪染難 瞋癡闇鈍造罪難
生八無暇惡處難 未曾積集功德難
我今皆於最勝前 懺悔無邊罪惡業
我今歸依諸善逝 我禮德海無上尊
如大金山照十方 唯願慈悲哀攝受
身色金光淨無垢 目如清淨紺瑠璃
吉祥威德名稱尊 大悲慧日除衆闇
佛日光明常普遍 善淨無垢離諸塵
牟尼月照極清涼 能除衆生煩惱熱
三十二相遍莊嚴 八十隨好皆圓滿
福德難思無與等 如日流光照世間
色如瑠璃淨無垢 猶如滿月處虛空
妙頗梨網映金軀 種種光明以嚴飾
於生死苦暴流內 老病憂愁水所漂
如是苦海難堪忍 佛日舒光令永竭
我今稽首一切智 三千世界希有尊
光明晃耀紫金身 種種妙好皆嚴飾
如大海水量難知 大地微塵不可數
如妙高山叵稱量 亦如虛空無有際
諸佛功德亦如是 一切有情不能知
於無量劫諦思惟 無有能知德海岸
盡此大地諸山岳 析如微塵能算知
毛端渧海尚可量 佛之功德無能數

BD00487號　金光明最勝王經卷二　（16–12）

盡此大地諸山岳 析如微塵能算知
毛端渧海尚可量 佛之功德無能數
一切有情皆共讚 世尊名稱諸功德
清淨相好妙莊嚴 不可稱量知分齊
我之所有衆善業 願得速成無上尊
廣說正法利群生 悉令解脫於衆苦
降伏大力魔軍衆 當轉無上正法輪
久住劫數難思議 充足衆生甘露味
猶如過去諸最勝 六波羅蜜皆圓滿
滅諸貪欲及瞋癡 降伏煩惱除衆苦
願我常得宿命智 能憶過去百千生
亦常憶念牟尼尊 得聞諸佛甚深法
願我以斯諸善業 奉事無邊最勝尊
遠離一切不善因 恒得修行真妙法
一切世界諸衆生 悉皆離苦得安樂
所有諸根不具足 令彼身相皆圓滿
若有衆生遭病苦 身形羸瘦無所依
咸令病苦得消除 諸根色力皆充滿
若犯王法當刑戮 衆苦逼迫生憂惱
彼受如斯極苦時 無有歸依能救護
若受鞭杖枷鎖繫 種種苦具切其身
無量百千憂惱時 逼迫身心無暫樂
皆令得免於繫縛 及以鞭杖苦楚事
將臨刑者得命全 衆苦皆令永除盡
若有衆生飢渴逼 令得種種殊勝味
盲者得視聾者聞 跛者能行瘂能語
貧窮衆生獲寶藏 倉庫盈溢無所乏

BD00487號　金光明最勝王經卷二　（16–13）

盲者得視聾者聞　跛者能行瘂能語
貧窮衆生獲寶藏　倉庫盈溢無所乏
皆令得受上妙樂　無一衆生受苦惱
一切人天皆樂見　容儀溫雅甚端嚴
悉皆現受無量樂　受用豐饒福德具
隨彼衆生念伎樂　衆妙音聲皆現前
念水即現清涼池　金色蓮花泛其上
隨彼衆生心所念　飲食衣服及牀敷
金銀珎寶妙瑠璃　瓔珞莊嚴皆具足
勿令衆生聞惡響　亦復不見有相違
所受容貌悉端嚴　各各慈心相愛樂
世間資生諸樂具　隨心念時皆滿足
所得珎財無悋惜　分布施與諸衆生
燒香末香及塗香　衆妙雜花非一色
每日三時從樹墮　隨心受用生歡喜
普願衆生咸供養　十方一切最勝尊
三乘清淨妙法門　菩薩獨覺聲聞衆
常願勿處於卑賤　不墮無暇八難中
生在有暇人中尊　恒得親承十方佛
願得常生富貴家　財寶倉庫皆盈滿
顏貌名稱無與等　壽命延長經劫數
悉願女人變為男　勇健聰明多智慧
一切常行菩薩道　勤脩六度到彼岸
常見十方無量佛　寶王樹下而安處
處妙瑠璃師子座　恒得親承轉法輪
若於過去及現在　輪迴三有造諸業
能招可猒不善趣　願得消滅永無餘

BD00487號　金光明最勝王經卷二　（16–14）

常見十方無量佛　寶王樹下而安處
處妙瑠璃師子座　恒得親承轉法輪
若於過去及現在　輪迴三有造諸業
能招可猒不善趣　願得消滅永無餘
一切衆生於有海　生死羂網堅牢縛
願以智劍為斷除　離苦速證菩提處
衆生於此贍部內　或於他方世界中
所作種種勝福田　我今皆悉生隨喜
以此隨喜福德事　及身語意造衆善
願此勝業常增長　速證無上大菩提
所有禮讚佛功德　深心清淨無瑕穢
迴向發願福無邊　當超惡趣六十劫
若有男子及女人　婆羅門等諸勝族
合掌一心讚歎佛　生生常憶宿世事
諸根清淨身圓滿　殊勝功德皆成就
願於未來所生處　常得人天共瞻仰
非於一佛十佛所　脩諸善根今得聞
百千佛所種善根　方得聞斯懺悔法
尒時世尊聞此語已讚妙幢菩薩言善哉善
哉善男子如汝所夢金鼓出聲讚歎如來真
實功德并懺悔法若有聞者獲福甚多廣利
有情滅除罪障汝今應知此之勝業皆是過
去讚歎發願宿習因緣及由諸佛威力加護
此之因緣當為汝說時諸大衆聞是法已咸
皆歡喜信受奉行

金光明最勝王經卷第二

BD00487號　金光明最勝王經卷二　（16–15）

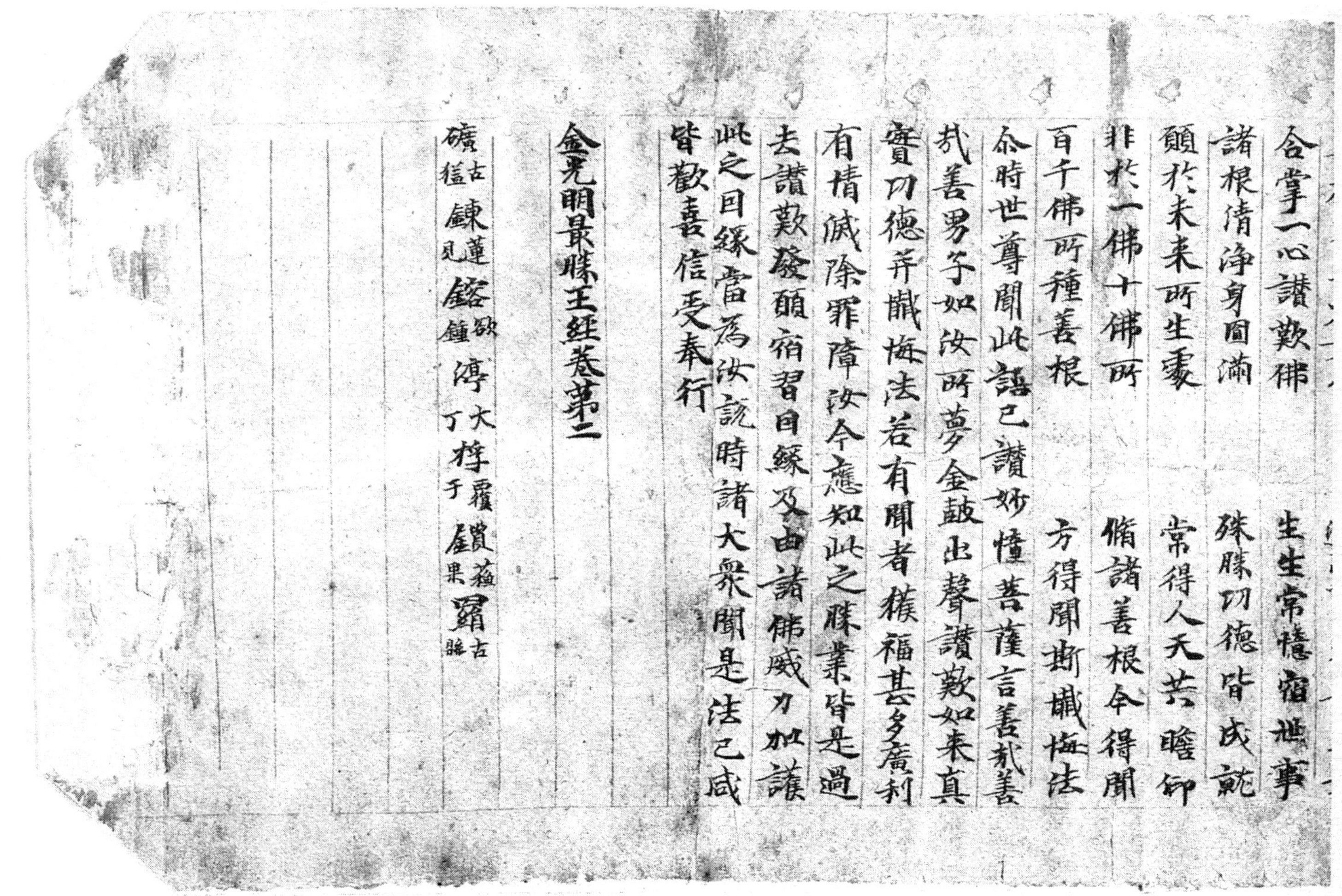

合掌一心讚歎佛　生生常憶宿世事
諸根清淨身圓滿　殊勝功德皆成就
願於未來所生處　常得人天共瞻仰
非於一佛十佛所　脩諸善根今得聞
百千佛所種善根　方得聞斯懺悔法
尒時世尊聞此語已讚妙幢菩薩言善哉善
哉善男子如汝所夢金鼓出聲讚歎如來真
實功德并懺悔法若有聞者獲福甚多廣利
有情滅除罪障汝今應知此之勝業皆是過
去讚歎發願宿習因緣及由諸佛威力加護
此之因緣當爲汝說時諸大衆聞是法已咸
皆歡喜信受奉行

金光明最勝王經卷第二

礦古猛　鍊蓮見　鎔欲鍾　渟大丁　桴羅孚　鑽藴果　羂古胝

BD00487號　金光明最勝王經卷二　（16–16）

法當得作佛號娑羅樹王國名大光劫名
大高王其娑羅樹王佛有无量菩薩衆及无
量聲聞其國平正功德如是其王即時以國
付弟與夫人二子并諸眷屬於佛法中出家
脩道王出家已於八万四千歲常勤精進脩
行妙法華經過是已後得一切淨功德莊嚴三
昧即升虛空高七多羅樹而白佛言世尊此
子已作佛事以神通變化轉我邪心令
住於佛法中得見世尊此二子者是我
善知識爲欲發起宿世善根饒益我故來
生我家尒時雲雷音宿王華智佛告妙莊嚴
王言如是如是如汝所言若善男子善女人種
善根故世世得善知識其善知識能作佛事
示教利喜令入阿耨多羅三藐三菩提大王
當知善知識者是大因緣所謂化導令得見
佛發阿耨多羅三藐三菩提心大王汝見此
二子不此二子已曾供養六十五百千万億
那由他恒河沙諸佛親近恭敬於諸佛所受
持法華經愍念邪見衆生令住正見妙莊
嚴王即從虛空中下而白佛言世尊如來甚
希有以功德智慧故頂上肉髻光明顯照其
眼長廣而紺青色眉間豪相白如珂月齒白齊

BD00488號　妙法蓮華經卷七　（7–1）

嚴王即從虛空中下而白佛言世尊如來甚
希有以功德智慧故頂上肉髻光明顯照其
眼長廣而紺青色眉間毫相白如珂月齒白齊
密常有光明脣色赤好如頻婆果尒時妙莊
嚴王讚歎佛如是等无量百千万億功德已
於如來前一心合掌復白佛言世尊未曾有
也如來之法具足成就不可思議微妙功德
教戒所行安隱快善我從今日不復自隨心
行不生邪見憍慢瞋恚諸惡之心說是語
已礼佛而出佛告大衆於意云何妙莊嚴王豈
異人乎今華德菩薩是其淨德夫人今佛
前光照莊嚴相菩薩是哀愍妙莊嚴王及諸
眷屬故於彼中生其二子者今藥王菩薩藥上
菩薩是是藥王藥上菩薩成就如此諸大功
德已於无量百千万億諸佛所植衆德本成
就不可思議諸善功德若有人識是二菩薩
名字者一切世間諸天人民亦應礼拜佛說
是妙莊嚴王本事品時八万四千人遠塵離
垢於諸法中得法眼淨
妙法蓮華經普賢菩薩勸發品第二十八
尒時普賢菩薩以自在神通威德名聞與大
菩薩无量无邊不可稱數從東方來所經諸
國普皆震動雨寶蓮華作无量百千万億
種種伎樂又與无數諸天龍夜叉乾闥婆阿脩
羅迦樓羅緊那羅摩睺羅伽人非人等大衆

BD00488號　妙法蓮華經卷七　（7–2）

種種伎樂又與无數諸天龍夜叉乾闥婆阿脩
羅迦樓羅緊那羅摩睺羅伽人非人等大衆
圍繞各現威德神通之力到娑婆世界耆闍
崛山中頭面礼釋迦牟尼佛右繞七帀白佛
言世尊我於寶威德上王佛國遙聞此娑婆
世界說法華經與无量无邊百千万億諸菩
薩衆共來聽受唯願世尊當為說之若善
男子善女人於如來滅後云何能得是法華
經佛告普賢菩薩若善男子善女人成就四法
於如來滅後當得是法華經一者為諸佛護
念二者植衆德本三者入正定聚四者發救
一切衆生之心善男子善女人如是成就四
法於如來滅後必得是經尒時普賢菩薩白
佛言世尊於後五百歲濁惡世中其有受
持是經典者我當守護除其衰患令得安
隱使无伺求得其便者若魔若魔子若魔女
若魔民若為魔所著者若夜叉若羅剎若鳩
槃荼若毗舍闍若吉蔗若富單那若韋陀羅
等諸惱人者皆不得便是人若行若立讀誦此
經我尒時乘六牙白象王與大菩薩衆俱詣其
所而自現身供養守護安慰其心亦為供養
法華經故是人若坐思惟此經尒時我復乘
白象王現其人前其人若於法華經有所忘
失一句一偈我當教之與共讀誦還令通利
尒時受持讀誦法華經者得見我身甚大
歡喜轉復精進以見我故即得三昧及陀羅

BD00488號　妙法蓮華經卷七　（7–3）

尒時受持讀誦法華經者得見我身甚大
歡喜轉復精進以見我故即得三昧及陁羅
尼名爲旋陁羅尼百千万億旋陁羅尼法音
方便陁羅尼得如是等陁羅尼世尊若後世後
五百歲濁惡世中比丘比丘尼優婆塞優婆
夷求索者受持者讀誦者書寫者欲脩習
是法華經於三七日中應一心精進滿三七日
已我當乘六牙白象與无量菩薩而自圍繞
以一切衆生所憙見身現其人前而爲說法
示教利喜亦復與其陁羅尼呪得是陁羅
尼故无有非人能破壞者亦不爲女人之所惑
亂我身亦自常護是人唯願世尊聽我說此
陁羅尼呪即於佛前而說呪曰
阿檀地途賣反一 檀陁婆地二 檀陁婆帝三 檀陁
鳩舍隸四 檀陁脩陁隸五 脩陁隸六 脩陁羅
婆底七 佛馱波羶祢八 薩婆陁羅尼阿婆多
尼九 薩婆婆沙阿婆多尼十 脩阿婆多尼十一
僧伽婆履叉尼十二 僧伽涅伽陁尼十三 阿僧祇
十四 僧伽波伽地十五 帝隸阿惰僧伽兜略盧遮反
波羅帝十六 薩婆僧伽三摩地伽蘭地十七 薩
婆達磨脩波利刹帝十八 薩婆薩埵樓馱憍
舍略阿㝹伽地十九 辛阿毗吉利帝二十
世尊若有菩薩得聞是陁羅尼者當知普
賢神通之力若法華經行閻浮提有受持者
應作此念皆是普賢威神之力若有受持讀

BD00488號　妙法蓮華經卷七　（7–4）

賢神通之力若法華經行閻浮提有受持者
應作此念皆是普賢威神之力若有受持讀
誦正憶念解其義趣如說脩行當知是人行
普賢行於无量无邊諸佛所深種善根爲諸
如來手摩其頭若但書寫是人命終當生忉
利天上是時八万四千天女作衆伎樂而來迎
之其人即著七寶冠於婇女中娛樂快樂何
況受持讀誦正憶念解其義趣如說脩行若
有人受持讀誦解其義趣是人命終爲千佛
授手令不恐怖不墮惡趣即往兜率天上弥
勒菩薩所弥勒菩薩有三十二相大菩薩衆
所共圍繞有百千万億天女眷屬而於中生
有如是等功德利益是故智者應當一心自
書若使人書受持讀誦正憶念如說脩行世
尊我今以神通力守護是經於如來滅後閻
浮提內廣令流布使不斷絕尒時釋迦牟尼
佛讚言善哉善哉普賢汝能護助是經令多
所衆生安樂利益汝已成就不可思議功德
深大慈悲從久遠來發阿耨多羅三藐三菩
提意而能作是神通之願守護是經我當以
神通力守護能受持普賢菩薩名者普賢
若有受持讀誦正憶念脩習書寫是法華經
者當知是人則見釋迦牟尼佛如從佛口聞
此經典當知是人供養釋迦牟尼佛當知是
人佛讚善哉當知是人爲釋迦牟尼佛手摩

BD00488號　妙法蓮華經卷七　（7–5）

者當知是人則見釋迦牟尼佛如從佛口聞
此經典當知是人供養釋迦牟尼佛當知是
人佛讚善哉當知是人為釋迦牟尼佛手摩
其頭當知是人為釋迦牟尼佛衣之所覆如
是之人不復貪著世樂不好外道經書手筆
亦復不喜親近其人及諸惡者若屠兒若畜猪
羊雞狗若獵師若衒賣女色是人心意質直
有正憶念有福德力是人不為三毒所惱亦
不為嫉妬我慢邪慢增上慢所惱是人少欲
知足能脩普賢之行普賢若如來滅後後五
百歲若有人見受持讀誦法華經者應作
是念此人不久當詣道場破諸魔眾得阿耨
多羅三藐三菩提轉法輪擊法鼓吹法螺雨
法雨當坐天人大眾中師子法座上普賢若於
後世受持讀誦是經典者是人不復貪著衣
服臥具飲食資生之物所願不虛亦於現世
得其福報若有人輕毀之言汝狂人耳空作是
行終无所獲如是罪報當世世无眼若有供
養讚歎之者當於今世得現果報若復見
受持是經者出其過惡若實若不實此人
現世得白癩病若輕笑之者當世世牙齒踈缺
醜脣平鼻手脚繚戾眼目角睞身體臭穢
惡瘡膿血水腹短氣諸惡重病是故普賢若
見受持是經典者當起遠迎當如敬佛說是
普賢勸發品時恒河沙等无量无邊菩薩得

BD00488號　妙法蓮華經卷七　（7–6）

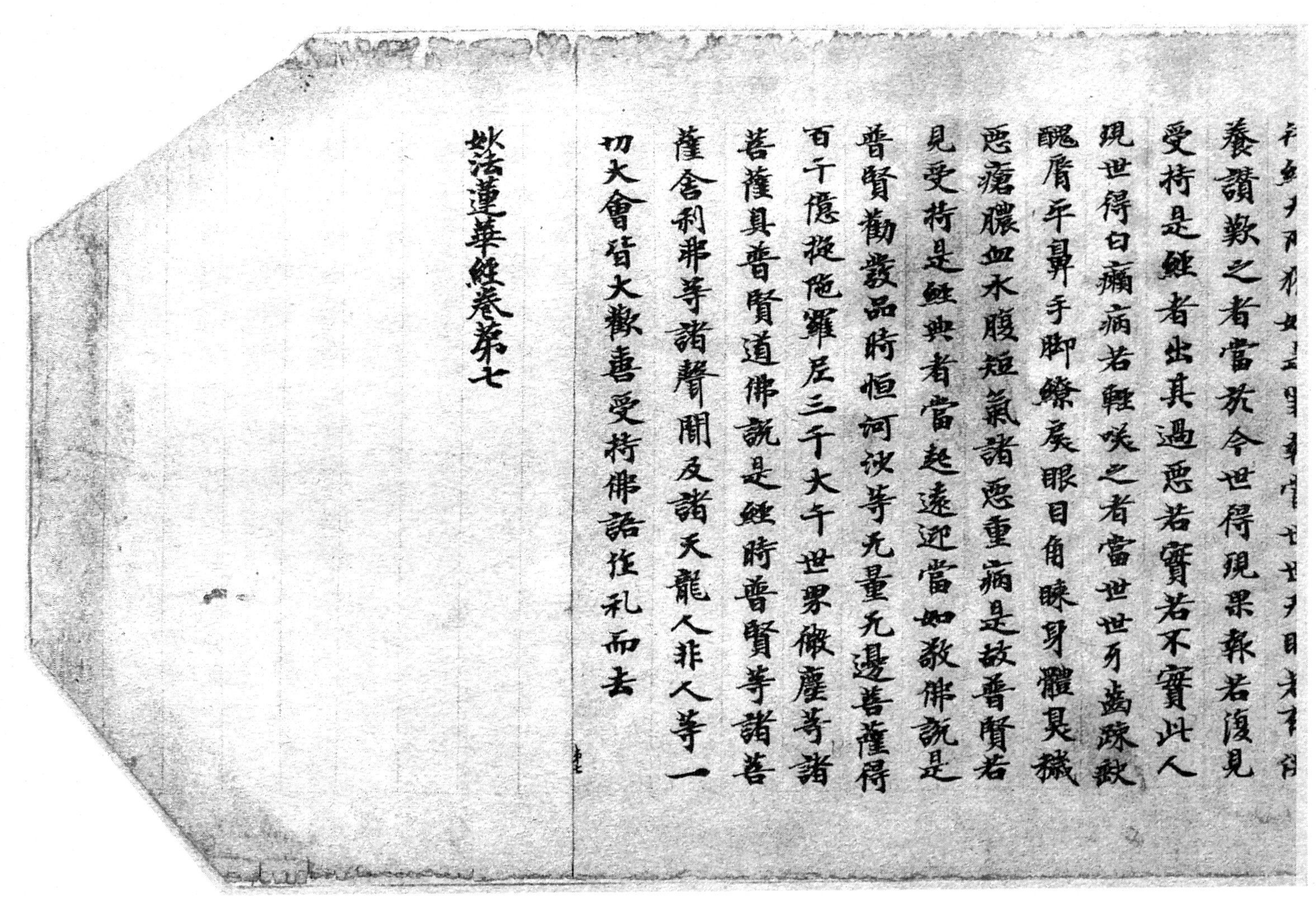

行終无所獲如是罪報當世世无眼若有供
養讚歎之者當於今世得現果報若復見
受持是經者出其過惡若實若不實此人
現世得白癩病若輕笑之者當世世牙齒踈缺
醜脣平鼻手脚繚戾眼目角睞身體臭穢
惡瘡膿血水腹短氣諸惡重病是故普賢若
見受持是經典者當起遠迎當如敬佛說是
普賢勸發品時恒河沙等无量无邊菩薩得
百千億旋陀羅尼三千大千世界微塵等諸
菩薩具普賢道佛說是經時普賢等諸菩
薩舍利弗等諸聲聞及諸天龍人非人等一
切大會皆大歡喜受持佛語作禮而去

妙法蓮華經卷第七

BD00488號　妙法蓮華經卷七　（7–7）

佛告樹神尒時流水長者子於天自在光王國內
治一切衆生无量苦患已令其身體平復如故
受諸快樂以除病故多設福業脩行布施尊
重恭敬是長者子作如是言善哉善哉長者
能大增長福德之事能益衆生无量壽命
汝今真是大醫之王善治衆生无量重病必
是菩薩善解方藥善女天時長者子有妻
名曰水空龍藏而生二子一名水空二名水藏
時長者子將是二子次第遊行城邑聚落最
後到一大空澤中見諸虎狼狐犬鳥狩多食肉
血悉皆一向馳奔而去時長者子作是念言是
諸禽狩何因緣一向馳走我當隨後逐而觀之
時長者子逐便隨逐見有一池其水枯涸於
其池中多有諸魚時長者子見是魚已生大
悲心時有樹神示現半身作如是言善哉善
哉大善男子此魚可愍汝可與水是故号汝名
為流水復有二緣名為流水一能流水二能與
水汝今應當隨名定實時長者子問樹神言
汝此魚頭數為有幾何樹神答言其數具足
足滿十千善女天尒時流水聞是數已倍復增
益生大悲心善女天時此空池為日所曝唯少
水在是十千魚將入死門四向婉轉見是長者心
生恃賴隨是長者所至方面隨逐瞻視目未

BD00489號　金光明經卷四

（19–1）

益生大悲心善女天時此空池為日所曝唯少
水在是十千魚將入死門四向婉轉見是長者心
生恃賴隨是長者所至方面隨逐瞻視目未
曾捨時長者子馳趣四方推求索水了不能得
便四顧望見有大樹尋取枝葉還到池上與
作陰涼作陰涼已復更推求是池中水本從何
来即出四向周遍覓求莫知水處復更疾走遠
至餘處見一大河名曰水生尒時復有諸餘惡
人為捕此魚故於上流懸嶮之處決棄其水
不令下過然其決處懸嶮難補計當脩治
經九十日百千人功猶不能成況我一身時長者
子速疾還反至大王所頭面礼拜却坐一面合掌
向王說其因緣作如是言我為大王國土人民治
種種病漸漸遊行至彼空澤見有一池其水
枯涸有十千魚為日所曝今日困厄將死不久
唯願大王借二十大象令得負水濟彼魚命
如我與諸病人壽命尒時大王即勅大臣速疾
供給尒時大臣奉王告勅語是長者善哉大
士汝今自可至象廄中隨意選取利益衆
生令得快樂是時流水及其二子將二十大
象從治城人借索皮囊疾至彼河上流決處
盛水象負馳疾奔還至空澤池從象背上
下其囊水瀉置池中水遂弥滿還復如本
時長者子於池四邊彷徉而行是魚尒時亦復
隨逐循岸而行時長者子復作是念魚何緣
隨我而行是魚必為飢火所惱復欲從我求

BD00489號　金光明經卷四

（19–2）

隨逐稚岸而行時長者子復作是念魚何緣
隨我而行是魚必為飢火所惱復欲從我求
索飲食我今當與善女天尒時流水長者子
告其二子言汝取一象最大力者速往家中啟
父長者家中所有可食之物及是父母飲噉之
分及以妻子奴婢之分一切聚集悉載象上急
速來還尒時二子如父教勅乘最大象往至
家中白其祖父說如上事尒時二子收取家中
可食之物載象背上疾還父所至空澤池時
長者子見其子還心生歡喜踊躍無量從子
邊取飲食之物散著池中與魚食已即自
思惟我今已能與此魚食令其飽滿未來
之世當施法食復更思惟曾聞過去空閑
之處有一比丘讀誦大乘方等經典其經中
說若有眾生臨命終時得聞寶勝如來名
号即生天上我今當為是十千魚解說甚
深十二因緣亦當稱說寶勝佛名時閻浮提
中有二種人一者深信大乘方等二者毀呰
不生信樂時長者子作是思惟我今當入池
水之中為是諸魚說深妙法思惟是已即便
入水作如是言南無過去寶勝如來應正遍
知明行足善逝世間解無上士調御丈夫天人
師佛世尊寶勝如來本往昔時行菩薩道作
是誓願若有眾生於十方界臨命終時聞我
名者當令是輩即命終已尋得上生三十三
天尒時流水復為是魚解說如是甚深妙法

名者當令是輩即命終已尋得上生三十三
天尒時流水復為是魚解說如是甚深妙法
所謂無明緣行行緣識識緣名色名色緣六入
六入緣觸觸緣受受緣取取緣有有緣生生
緣老老死憂悲苦聚善女天尒時流水長者
子及其二子說是法已即共還家是長者子
復於後時賓客聚會醉酒而臥尒時其地
卒大震動時十千魚同日命終命終已生
忉利天作是思惟我等以何善業因緣得生
於此忉利天中復相謂言我等先於閻浮
提內墮於畜生中受作魚身流水長者與我
等水及以飲食復為我等解說甚深十二因
緣并稱寶勝如來名号以是因緣令我等輩
得生此天是故我等今當往至長者子所報恩
供養尒時十千天子從忉利天下閻浮提至流
水長者子大醫王家時長者子在樓屋上
露臥睡眠是十千天子以十千真珠天妙瓔珞
置其頭邊復以十千置其足邊復以十千置
右脅邊雨曼陀羅華摩訶曼陀羅華積
至于膝種種天樂出妙音聲閻浮提中有
睡眠者皆悉覺悟流水長者子亦從睡悟是十
千天子於上空中飛騰遊行天自在光王國內處
處皆雨天妙蓮華是諸天子復至本處空澤
池所復雨天華便從此沒還忉利宮隨意自在
受五天欲時閻浮提過是夜已天自在光王問
諸大臣今夜何緣示現如是淨妙瑞相有大光

受五天欲時閻浮提是夜已天自在光王問
諸大臣今夜何緣示現如是淨妙瑞相有大光
明大臣答言大王當知切利諸天於流水長者
子家雨四十千真珠瓔珞及不可計曼陀羅華
王即告臣卿可往至彼長者家善言誘喻喚
令使來大臣受勅即至其家宣王教令喚是
長者是時長者尋至王所王問長者何緣示現
如是瑞相長者子言我必定知是十千魚其
命已終時大王言今可遣人審實是事尒時
流水尋遣其子彼池所審是諸魚死活定實
尒時其子聞是語已向於彼池既至池已見其
池中多有摩訶曼陀羅華積聚成積其中
諸魚悉皆命終見已即還白其父言彼諸魚
等已命終尒時流水知是事已復往王所作如
是言十千魚悉皆命終我聞是已心生歡喜尒時
世尊告道場菩提樹神善女天欲知尒時流
水長者子今我身是長者子水空羅睺羅是
次子水藏今阿難是時十千魚者今十天子
是是故我今為其受阿耨多羅三藐三菩
提記尒時樹神現半身者今汝身是

金光明經捨身品第十七

尒時道場菩提樹神復白佛言世尊我聞世
尊過去脩行菩薩道時具受無量百千苦行
捐捨身命血肉骨髓唯願世尊少說往昔苦
行因緣為利衆生受諸快樂尒時世尊即現
神足神足力故令此大地六種震動於大講堂

神足神足力故令此大地六種震動於大講堂
衆會之中有七寶塔從地踊出衆寶羅網
弥滿其上尒時大衆見是事已生希有心尒時
世尊即從坐起礼拜是塔恭敬圍繞還就本
處尒時道場菩提樹神白佛言世尊如來世
雄出現於世常為一切之所恭敬於諸衆生最
勝最尊何因緣故礼拜是塔佛言善女天我
本脩行菩薩道時我身舍利安止是塔因由
是身令我早成阿耨多羅三藐三菩提尒時
佛告尊者阿難汝可開塔取中舍利示此大衆
是舍利者乃是無量六波羅蜜功德所勳尒時
阿難聞佛勅即往塔所礼拜供養開其塔戶見
其塔中有七寶函以手開函見其舍利色妙紅
白佛言世尊是中舍利其色紅白佛告阿難汝
可持來此是大士真身舍利尒時阿難即舉
寶函還至佛所持以上佛尒時佛告一切大衆
汝等今可礼是舍利此舍利者是戒定慧之
所勳脩甚難可得最上福田尒時大衆聞是
語已心懷歡喜即從座起合掌恭敬頂礼菩
薩大士舍利尒時世尊欲為大衆斷除疑網故
說是舍利往昔因緣阿難過去之世有王名
曰摩訶羅陁脩行善法善治國土無有怨敵
時有三子端正微妙形色殊特威德第一第
一太子名曰摩訶波那羅次子名曰摩訶提婆
小子名曰摩訶薩埵是三王子於諸園林遊
戲觀看次第漸到一大竹林憩駕止息第一

小子名曰摩訶薩埵是三王子於諸園林遊
戲觀看次第漸到一大竹林憩駕心息第一
王子作如是言我於今日心甚怖懅於是林
中將无衰損第二王子復作是言我於今日
不自惜身但離所愛心憂愁耳第三王子復
作是言我於今日獨无怖懅亦无愁惱山中
空寂神仙所讚是處閑靜能令行人安隱受
樂時諸王子說是語已轉復前行見有一虎
適生七日而有七子圍繞周匝飢餓窮悴身
體羸損命將欲絕第一王子見是虎已作如
是言怪哉此虎產來七日七子圍繞不得求
食若為飢逼必還噉子第三王子言此虎經
常所食何物第一王子言此虎唯食雜熱肉
血第三王子言君等誰能與此虎食第二
王子言此虎飢餓身體羸瘦窮困頓乏餘
命无幾不容餘處為其求食設餘求者命
必不濟誰能為此不惜身命第一王子言一切
難捨不過己身第三王子言我等今日以貪惜
故於此身命不能放捨智慧薄少故於是事
而生驚怖若諸大士欲利益他生大悲心為衆
生者捨此身命不足為難時諸王子心大愁憂
久住視之目未曾捨作是觀已尋便離去尒
時第三王子作是念言我今捨身時已到矣
何以故我從昔來多棄是身都无所求亦常
愛護處之屋宅又復供給衣服飲食臥具醫
藥象馬車乘隨時將養令无所乏而不知恩

BD00489號　金光明經卷四　（19–7）

愛護處之屋宅又復供給衣服飲食臥具醫
藥象馬車乘隨時將養令无所乏而不知恩
反生怨害然復不免无常敗壞復次是身不
堅无所利益可惡如賊猶若行廁我於今日
當使此身作无上業於生死海中作大橋梁
復次若捨此身則捨无量癰疽瘑疾百千怖
畏是身唯有大小便利是身不堅如水上沫是
身不淨多諸蟲戶是身不淨筋纏血塗皮
骨髓腦共相連持如是觀察甚可患厭是
我今應當捨離以求寂滅无上涅槃永離憂
患无常變異生死休息无諸塵累无量禪
定智慧功德具足成就微妙法身百福莊嚴
諸佛所讚證成如是无上法身與諸衆生无量
法樂是時王子勇猛堪任作是大願以上大悲
熏脩其心慮其二兄心懷怖懅或恐固遮為
作留難即便語言兄等今者可與眷屬還其
所止尒時王子摩訶薩埵還至虎所脫身衣
裳置竹枝上作是誓言我今為利諸衆生故
證於最勝无上道故大悲不動捨難捨故為
求菩提智所讚故欲度三有諸衆生故欲滅
生死衆惱熱故是時王子作是誓已即自放
身臥餓虎前是時王子以大慈力故虎无能為
王子復作如是念言虎今羸瘦身无勢力不能
得我身血肉食即起求刀周遍求之了不能
得即以乾竹刺頸出血於高山上投身虎前
是時大地六種震動日无精光如羅睺羅向脩

BD00489號　金光明經卷四　（19–8）

得即以乾竹刺頸出血於高山上投身虎前
是時大地六種震動日无精光如羅睺羅阿脩
羅王捉持鄣蔽又雨雜花種種妙香時虛空
中有諸餘天見是事已心生歡喜嘆未曾有
讚言善哉善哉大士汝今真是行大悲者　為
衆生故能捨難捨於諸學人第一勇健汝已
為得諸佛所讚常樂住處不久當證无惱
无熱清淨涅槃是虎尒時見血流出汙王子
身即便噉食其肉唯留餘骨尒時第一王子
見大地動為第二王子而說偈言
震動大地　及以大海　日无精光　如有覆蔽
於上虛空　雨於華香　必是我弟　捨所愛身
第二王為　復說偈言
彼虎產來　已經七日　七子圍繞　窮无飲食
氣力羸損　命不去遠　小弟大悲　知其窮悴
懼不堪忍　還食其子　必定捨身　以救彼命
時二王子心大悲怖涕泣悲歎容貌憔悴復共
相將還至虎所見弟所著衣服衣裳皆悉
在一竹枝之上骸骨髮爪布散狼藉流血處處
遍汙其地見已悶絕不自勝持投身骨上良
久乃悟即起舉手號天而哭我弟幼稚才
能過人特為父母之所愛念奄忽捨身以餧
餓虎我今還宮父母設問當云何荅我寧在
此併命一處不忍見是骸骨髮爪何以捨離還
見父母妻子眷屬朋友知識時二王子悲號
懊惱漸捨而去時小王子所將侍從各散諸

BD00489號　金光明經卷四　（19–9）

懊惱漸捨而去時小王子所將侍從各散諸
方求相謂言今者我天為何所在尒時王
妃於睡中夢乳被割牙齒墮落得三
鴿鶵一為鷹奪尒時王妃大地動時即便
驚悟心大悲怖而說偈言
今日何故　大地大水　一切皆動　物不安所
日无精光　如有覆蔽　我心憂苦　目睫瞤動
如我今者　所見瑞相　必有災異　不祥苦惱
於是王妃說是偈已時有青衣在外已聞王
子消息心驚惶怖尋即入內諮白王妃作如是
言向者在外聞諸侍從推覓王子不知所在
王妃聞已生大憂惱涕泣滿目至大王所我於
向者傳聞外人失我最小所愛之子大王聞已
而復悶絕悲哽苦惱收淚而言如何今日失我
心中所愛重者尒時世尊欲重宣此義而說
偈言
我於往昔　无量劫中　捨所重身　以求菩提
若為國王　及作王子　常捨難捨　以求菩提
我念宿命　有大國王　其王名曰　摩訶羅陀
是王有子　能大布施　其子名曰　摩訶薩埵
復有二兄　長者名曰　大波那羅　次名大天
二人同遊　至一空山　見新產虎　飢窮无食
時勝大士　生大悲心　我今當捨　所重之身
此虎或為　飢餓所逼　儻能還食　自所生子
自上高山　自投虎前　為令虎前　得全性命
是時大地　及諸大山　皆悉震動　驚諸虫狩
虎狼師子　四散馳走　世間皆闇　无有光明

BD00489號　金光明經卷四　（19–10）

虎狼師子　四散馳走　世間皆闇　无有光明
是時二兄　故在竹林　心懷憂惱　愁苦涕泣
漸漸推求　遂至虎所　見虎虎子　血汙其口
又見骸骨　髮毛爪齒　處處迸血　狼藉在地
是二王子　見是事已　心更悶絶　自躄於地
以灰塵土　自塗全身　忘失正念　生狂癡心
所將侍從　覩見是事　亦生悲慟　失聲號哭
手以冷水　共相噴灑　然後蘇息　而復得起
是時王子　當捨身時　正值後宮　妃后綵女
眷屬五百　共相娛樂　王妃是時　兩乳汁出
一切支節　痛如針刺　心生愁惱　以喪愛子
於是王妃　疾至王所　其聲微細　悲泣而言
大王今當　諦聽諦聽　憂愁盛火　今來燒我
我今二乳　俱時汁出　身體苦切　如被針刺
我見如是　不祥瑞相　恐更不復　見所愛子
今已身命　奉上大王　願速遣人　求覓我子
夢三鴿鶵　在我懷抱　其最小者　可適我心
有鷹飛來　奪我而去　夢見是事　即生憂惱
我今愁怖　恐命不濟　願速遣人　推求我子
是時王妃　說是語已　即時悶絶　而復躄地
王聞是語　復生憂惱　以不得見　所愛子故
其王大臣　及諸眷屬　悉皆聚集　在王左右
哀哭悲號　聲動天地　尒時城内　所有人民
聞是聲已　驚愕而出　各相謂言　今是王子
為活來耶　為已死亡　如是大士　常出軟語

聞是聲已　驚愕而出　各相謂言　今是王子
為活來耶　為已死亡　如是大士　常出軟語
為衆所愛　今難可見　已有諸人　入林尋求
不久自當　得定消息　諸人尒時　悼惶如是
而復悲號　哀動神祇　尒時大王　即從坐起
以水灑妃　良久乃蘇　還得正念　微聲問王
我子今者　為死活耶　尒時王妃　念其子故
倍復愕惱　心无暫捨　可惜我子　形色端正
如何一旦　捨我終亡　云何我身　不先薨沒
而見如是　諸苦惱事　善子妙色　猶淨蓮花
誰懷汝身　使令分離　將非是我　昔日怨讎
挾本業緣　而煞汝耶　我子面目　淨如滿月
不圖一旦　遇斯禍對　寧使我身　破碎如塵
不令我子　喪失身命　我所見夢　已為得報
值我无情　能堪是苦　如我所夢　牙齒墮落
二乳一時　汁自流出　必定是我　失所愛子
夢三鴿鶵　鷹奪一去　三子之中　必定失一
尒時大王　即告其妃　我今當遣　大臣使者
周遍東西　推求覓子　汝今且可　莫大憂愁
大王如是　慰喻妃已　即使嚴駕　出其宮殿
心出愁惱　憂苦所切　雖在大衆　顏貌憔悴
即出其城　覓所愛子　尒時亦有　无量諸人
哀號動地　尋從王後　是時大王　既出城已
四向顧望　求覓其子　煩寃心亂　靡知所在
最後遙見　有一信來　頭坌塵土　血汙其衣
灰糞塗身　悲號而至　尒時大王　摩訶波羅

塵土坌身 亂髮而至 尒時大王 摩訶隨羅
見是使已 倍生懊惱 舉手號叫 仰天而哭
生所遣臣 尋復來至 既至王所 作如是言
願王莫愁 諸子猶在 不久當至 令王得見
須臾之頃 復有臣來 王見愁苦 顏貌憔悴
身所著衣 垢膩塵汙 大王當知 一子已終
二子雖存 哀悴无賴 第三王子 見虎新產
飢窮七日 恐還食子 見是虎已 深生悲心
發大誓願 當度衆生 於未來世 證成菩提
即上高處 投身餓虎 虎飢所逼 便起噉食
一切血肉 已為都盡 唯有骸骨 狼藉在地
是時大王 聞臣語已 轉復悶絕 失念躃地
憂愁盛火 熾然其身 諸臣眷屬 亦復如是
以水灑王 良久乃蘇 復起舉手 號天而哭
復有臣來 而白王言 向於林中 見王二子
悲憂苦惱 悲號涕泣 迷悶失志 自投於地
臣即求水 灑其身上 良久之頃 乃還蘇息
望見四方 大火熾盛 扶持暫起 尋復躃地
舉手悲哀 號天而哭 作復讚歎 其弟功德
是時大王 以離愛子 其心迷悶 氣息假然
憂惱悲泣 并復思惟 是最小子 我所愛重
无常大鬼 奄便吞食 其餘二子 今雖存在
而為憂火 之所焚燒 或能為是 喪失命根
我宜速往 至彼林中 速載諸子 急還宮殿
其母在後 憂苦逼切 心肝分裂 或能失命
若見二子 慰喻其心 可使終保 餘年壽命
尒時大王 駕乘名象 與諸侍從 欲至彼林

BD00489號　金光明經卷四　(19–13)

尒時大王 駕乘名象 與諸侍從 欲至彼林
即於中路 見其二子 號天扣地 稱弟名字
時王即前 抱持二子 悲號涕泣 隨路還宮
速令二子 覲見其母 佛告樹神 汝今當知
尒時王子 摩訶薩埵 捨身飼虎 今我身是
尒時大王 摩訶隨羅 於今父王 輸頭檀是
尒時王妃 今摩耶是 第一王子 今彌勒是
第二王子 今調達是 尒時虎者 今瞿夷是
時虎七子 今五比丘 及舍利弗 目揵連是
尒時大王 摩訶隨羅 及其妃后 悲號涕泣
悉皆脫身 御服瓔珞 與諸大衆 往至竹林 收
其舍利 即於此處 起七寶塔 是時王子 摩
訶薩埵 臨捨命時 作是誓願 我舍利 於未
來世 過算數劫 常為衆生 而作佛事 說是經
時 无量阿僧祇天及人 發阿耨多羅三藐三
菩提心 樹神 是名礼塔 往昔因緣 尒時佛神
力故 是七寶塔 即沒不現

金光明經讚佛品第十八

尒時无量百千万億諸菩薩衆 從此世界至
金寶蓋山王如來國土 到彼土已 五體投地 為
佛作礼 却一面立 向佛合掌 異口同音 而讚歎
曰
如来之身 金色微妙 其明照曜 如金山王
身淨柔軟 如金蓮華 无量妙相 以自莊嚴
隨形之好 光飾其體 淨潔无比 如紫金色
圓足无垢 如淨滿月 其音清徹 妙如梵音

BD00489號　金光明經卷四　(19–14)

[illegible]
圓足无垢 如淨滿月 其音清徹 妙如梵音
師子吼聲 六種清淨 微妙音聲 迦陵頻伽
孔雀之聲 清淨无垢 威德具足 百福相好
莊嚴其身 光明遠照 无有齊限 智慧寂滅
无諸愛習 世尊成就 无量功德 譬如大海
須弥寶山 為諸眾生 生憐愍心 於未來世
能與快樂 如來所說 第一深義 能令眾生
寂滅安樂 能與眾生 无量快樂 能演无上
甘露妙法 能開无上 甘露法門 能入一切
无患窟宅 能令眾生 悉得解脫 度於三有
无量苦海 安住正道 无諸苦惱 如來世尊
功德智慧 大慈悲力 精進方便 如是无量
不可稱計 我等今日 不能說徐 諸天世人
於无量劫 盡思度量 不能得知 如來所有
功德智慧 无量大海 一渧少分 我今略讚
如來功德 百千億分 不能宣一 若我功德
得聚集者 迴與眾生 證无上道
尒時信相菩薩即於此會從座而起偏袒
右肩右膝著地合掌向佛而說讚言
世尊百福 相好微妙 功德千數 莊嚴其身
色淨遠照 視之无猒 如日千光 弥滿虛空
光明熾盛 无量无邊 猶如无數 珍寶大聚
其明五色 青紅赤白 琉璃頗梨 如融真金
光明赫弈 通徹諸山 悉皆遠照 无量佛土
能滅眾生 无量苦惱 又與眾生 上妙快樂
諸根清淨 微妙第一 眾生見者 无有猒足

光明赫弈 通徹諸山 悉皆遠照 无量佛土
能滅眾生 无量苦惱 又與眾生 上妙快樂
諸根清淨 微妙第一 眾生見者 无有猒足
髮紺柔軟 猶孔雀項 如諸蜂王 集在蓮華
清淨大悲 功德莊嚴 无量三昧 及以大慈
如是功德 悉已聚集 相好妙色 嚴飾其身
種種功德 助成菩提 如來悉能 調伏眾生
令心柔軟 受諸快樂 種種深妙 功德莊嚴
亦為十方 諸佛所讚 其光遠照 遍於十方
猶如日明 无遍虛空 功德成就 如須弥山
在在現現 於諸世界 齒白齊密 猶如珂雪
其德如日 處空明顯 眉間豪相 右旋婉轉
光明流出 如頗梨珠 其色微妙 如日處空
尒時道場菩提樹神復說讚曰
南无清淨 无上正覺 甚深妙法 隨順覺了
遠離一切 非法非道 獨拔而出 成佛正覺
智有非本 本性清淨 希有希有 如來大海
希有希有 如須弥山 希有希有 佛无邊行
希有希有 佛出於世 如優曇華 時一現耳
希有希有 无量大悲 釋迦牟尼 為人中日
為欲利益 諸眾生故 宣說如是 妙寶經典
善哉如來 諸根寂滅 而復遊入 善寂大城
无垢清淨 甚深三昧 入於諸佛 所行之處
一切聲聞 身皆空寂 兩足世尊 行處亦空
如是一切 无量諸法 推本性相 皆亦空寂
一切眾生 性相亦空 狂愚心故 不能覺知

如是一切 无量諸法 唯本性相 皆亦空寂
一切衆生 性相亦空 狂愚心故 不能覺知
我常念佛 樂見世尊 常作誓願 不離佛日
我常於地 長跪合掌 其心戀慕 欲見於佛
我常脩行 最上大悲 哀泣雨淚 欲見於佛
我常渴仰 欲見於佛 為是事故 憂火熾然
唯願世尊 賜我慈悲 清冷法水 以滅是故
世尊慈愍 悲心无量 願使我等 常得見佛
世尊常護 一切人天 是故我今 渴仰欲見
聲聞之身 猶如虛空 炎幻響化 如水中月
衆生之性 如夢所見 如來行處 如淨琉璃
入於无上 甘露法處 能與衆生 无量快樂
如來行處 微妙甚深 一切衆生 无能知者
五通神仙 及諸聲聞 一切緣覺 亦不能知
我今不疑 佛所行處 唯願慈悲 為我現身
尒時世尊 從三昧起 以微妙音 而讚嘆言
善哉善哉 樹神善女 汝於今日 快說是言

金光明經囑累品第十九

尒時釋迦牟尼佛從三昧起現大神力以右
手摩諸大菩薩摩訶薩頂與諸天王及龍王
二十八部散脂鬼神大將軍等而作是言我
於无量百千万億恒河沙劫脩集是金光明
微妙經典汝等當受持讀誦廣說此法流於
閻浮提內无令斷絕若有善男子善女人於
未來世中有受持讀誦此經典者汝等諸天
常當擁護當知是人於未來世无量百

千人天之中常受快樂於未來世值遇諸佛疾
得證成阿耨多羅三藐三菩提
尒時諸大菩薩及天龍王二十八部散脂大
將等即從座起到於佛前五體投地俱發聲
言如世尊勅當具奉行如是三白如世尊勅
當具奉行於是散脂大將軍而白佛言如世
尊若後末世中有受持是經若自書若使
人書我當與此二十八部諸鬼神等常當
隨侍擁護隱蔽其身是說法者皆悉消滅
諸惡令得安隱願不有慮
尒時釋迦牟尼佛現大神力十方无量世界
皆六種震動是時諸佛皆大歡喜囑累是典
故讚美持法者現无量神力於是无量无
邊阿僧祇菩薩大衆及信相菩薩金光金
藏常悲法上等及四天大王十千天子與道
場菩提樹神堅牢等及一切世間天人阿脩
羅等聞佛所說皆發无上菩提之道踴躍
歡喜作礼而去

金光明經卷第四

BD00489 號　金光明經卷四　（19–19）

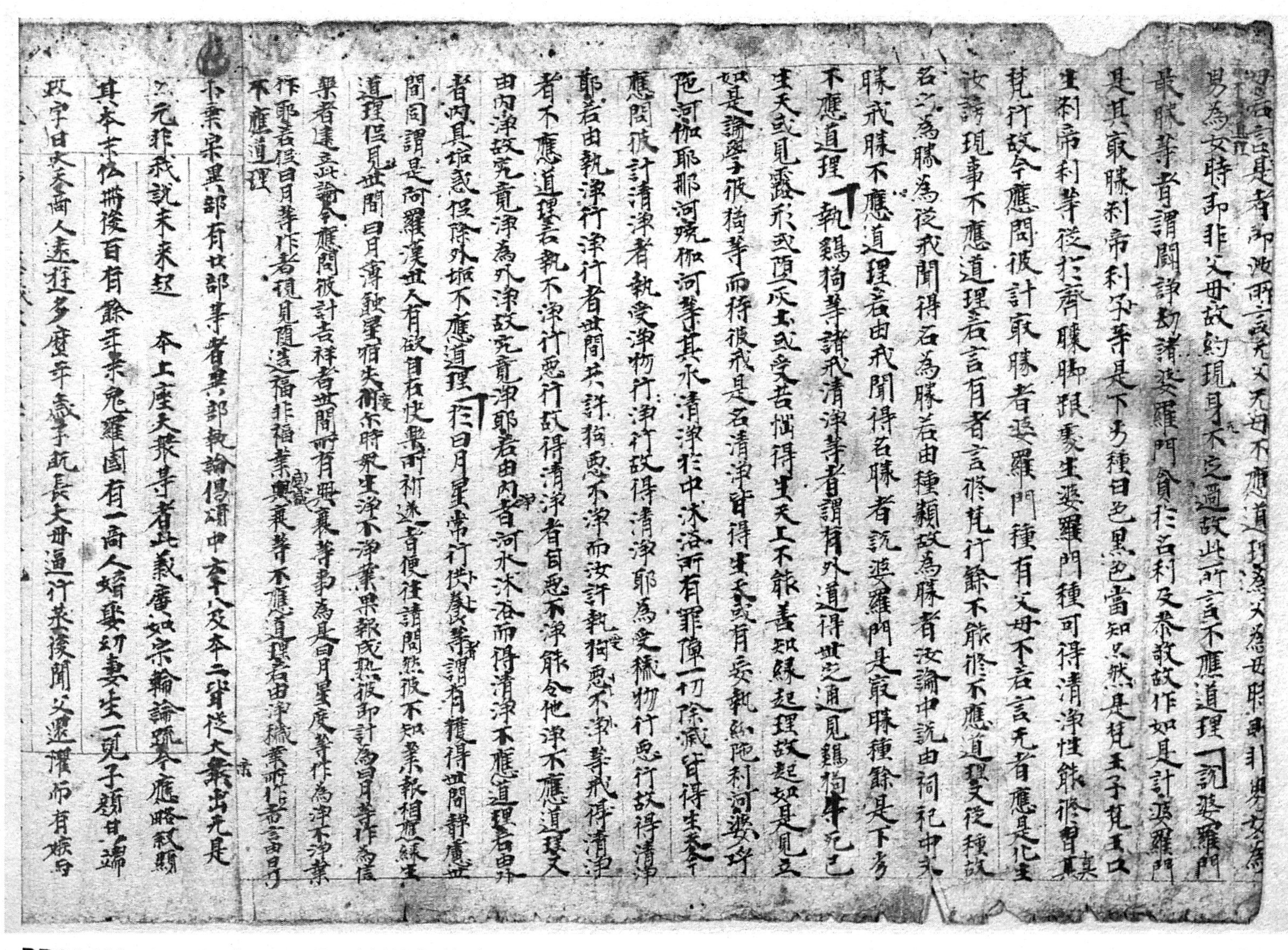

BD00490 號　大乘百法明門論開宗義決　（2–1）

BD00490 號　大乘百法明門論開宗義決　（2–2）

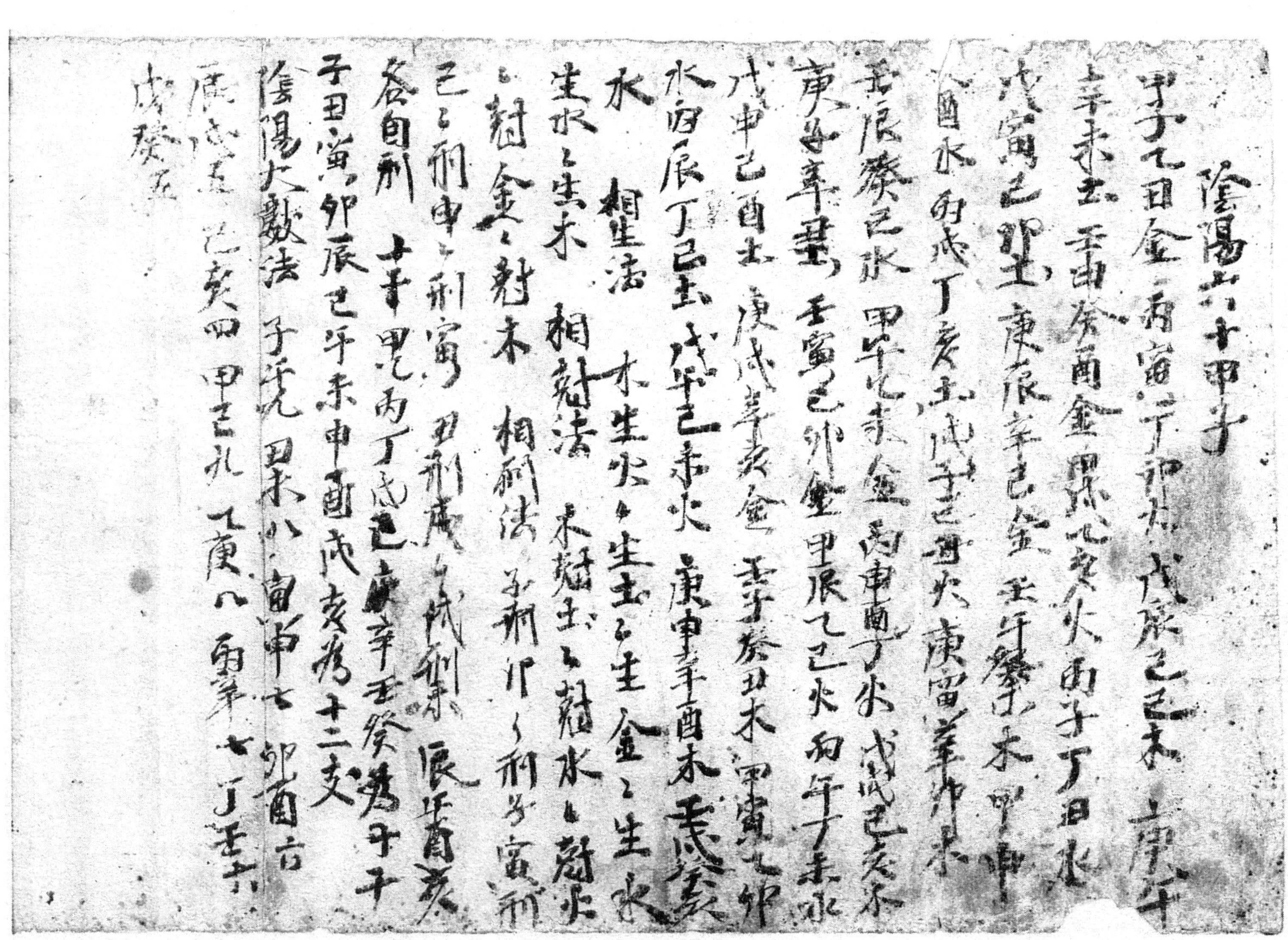

BD00490 號背　陰陽六十甲子　（1–1）

與大菩薩衆俱
藐三菩提不退轉悉
切菩薩智所住境入一切如來
行不息善能示現種種神
調伏一切衆生而不失時
願於一切世一切劫一切
滿息具足菩薩福智助道善
遠到一切菩薩智慧方便究竟彼岸示入生
死及以涅槃而不廢　菩薩行善入一切
菩薩禪定解脫三　摩鉢底神通明智諸
所施爲皆得自在於　自在神力於
一念頃无所動作悉能往詣一切　如來道場
衆會爲衆上首請佛說法護持諸佛正法
之輪以廣大心供養承事一切諸佛常勤修
習一切菩薩所行事業其身普現一切世間
其音普及十方法界心智无礙普見三世一
切菩薩所有功德悉已修行而得圓滿於不
可說劫說不能盡其　金剛藏菩薩寶藏
菩薩蓮花藏菩薩　藏菩薩蓮花德藏菩
薩日藏菩薩蘇利耶藏菩薩无垢月藏菩薩
於一切國土普現莊嚴藏菩薩毗盧遮那智藏菩
薩妙德藏菩薩栴檀德藏菩薩花德藏菩
薩俱蘇摩德藏菩薩優鉢羅德藏菩薩天德

於一切國土普現莊嚴藏菩薩毗盧遮那智藏菩
薩妙德藏菩薩栴檀德藏菩薩花德藏菩
薩俱蘇摩德藏菩薩優鉢羅德藏菩薩天德
藏菩薩福德藏菩薩无礙清淨智德藏菩薩
功德藏菩薩那羅延德藏菩薩无垢藏菩薩
離垢藏菩薩種種辯才莊嚴藏菩薩大光明
網藏菩薩淨威德　王藏菩薩金莊嚴大
功德光明王藏菩薩一切相莊嚴淨德藏菩
薩金剛焰德相莊嚴藏菩薩光明焰藏菩
薩星宿王光照藏菩薩虛空无礙智藏菩薩
妙音无礙藏菩薩陀羅尼功德持一切衆生願藏
菩薩海莊嚴藏菩薩須彌德藏菩薩淨一切
功德藏菩薩如來藏菩薩佛德藏菩薩解脫
月菩薩如是等无數无量无邊无等不可數
不可稱不可思不可　可說諸菩薩摩訶
薩衆金剛藏菩薩而爲上首
尒時金剛藏菩薩承佛神力入菩薩大智慧
光明三昧入是三昧已即時十方各過十億
佛剎微塵數世界外各有十億佛剎微塵數
諸佛同名金剛藏而現其前作如是言善哉
善哉金剛藏乃能入是菩薩大智慧光明三
昧善男子此是十方各十億佛剎微塵數諸
佛共加於汝以毗盧遮　如來應正等覺本
願力故威神力故亦　汝勝智力故欲令汝
爲一切菩薩說不思議諸佛法光明故所謂
令入智地故攝一切善根故善簡擇一切佛

為一切菩薩說不思議諸佛法光明故所謂
令入智地故攝一切善根故善簡擇一切佛
法故廣知諸法故善能說法故無分別智清
淨故一切世法不染故出世善根清淨故得
不思議智境界故得一切智人智境界故又
令得菩薩十地始終故如實說菩薩十地差
別相故緣念一切佛法故修習分別無漏法
故善選擇觀察大智光明巧莊嚴故善入
決定智門故隨所住處次第顯說無所畏故
得無礙辯才光明故住大辯才地善決定故
憶念菩薩心不忘失故成熟一切眾生界故
能遍至一切處決定開悟故善男子汝當辯
說此法門差別善巧法所謂承佛神力如來
智明所加故淨自善根故普淨法界故普攝
眾生故深入法身智身故受一切佛灌頂故得
一切世間最高大身故超一切世間道故清
淨出世善根故滿足一切智智故
爾時十方諸佛與金剛藏菩薩無能暎奪身
與無礙樂說辯與善分別清淨智與善憶念
不忘力與善決定明了慧與至一切處開悟
智與成道自在力與如來無所畏與一切智
人觀察分別諸法門辯才智與一切如來上
妙身語意具足莊嚴何以故得此三昧法如
是故本願所起故善淨深心故善淨智輪故
善積集助道故善修治所作故念其無量法
器故知其清淨信解故得無錯謬總持故

BD00491號　大方廣佛華嚴經（唐譯八十卷本）卷三四　（21–3）

是故本願所起故善淨深心故善淨智輪故
善積集助道故善修治所作故念其無量法
器故知其清淨信解故得無錯謬總持故
法界智印善印故
爾時十方諸佛各申右手摩金剛藏菩薩頂
摩頂已金剛藏菩薩從三昧起普告一切菩
薩眾言諸佛子諸菩薩願善決定無雜不
可見廣大如法界究竟如虛空盡未來際遍
一切佛剎救護一切眾生為一切諸佛所護入
過去未來現在諸佛智地佛子何等為菩薩
摩訶薩智地佛子菩薩摩訶薩智地有十種
過去未來現在諸佛已說當說今說我亦如
是說何等為十一者歡喜地二者離垢地三
者發光地四者焰慧地五者難勝地六者現
前地七者遠行地八者不動地九者善慧地
十者法雲地佛子此菩薩十地三世諸佛已
說當說今說佛子我不見有諸佛國土其中
如來不說此十地者何以故此是菩薩摩訶
薩向菩提最上道亦是清淨法光明門所謂
分別演說菩薩諸地佛子此處不可思議所
謂諸菩薩隨證智
爾時金剛藏菩薩說此菩薩十地名已默然
而住不復分別是時一切菩薩眾聞菩薩十
地名不聞解釋咸生渴仰作如是念何因何
緣金剛藏菩薩唯說菩薩十地名而不解釋
解脫月菩薩知諸大眾心之所念以頌問金

BD00491號　大方廣佛華嚴經（唐譯八十卷本）卷三四　（21–4）

地名不聞解釋咸生渴仰作如是念何因何
緣金剛藏菩薩唯說菩薩十地名而不解釋
解脫月菩薩知諸大衆心之所念以頌問金
剛藏菩薩曰
何故淨覺人　念智功德具　說諸上妙地　有力不解釋
一切咸決定　勇猛无怯弱　何故說地名　而不爲開演
諸地妙義趣　此衆皆欲聞　其心无怯弱　願爲分別說
衆會悉清淨　離懈怠嚴潔　能堅固不動　具功德智慧
相視咸恭敬　一切悉專仰　如蜂念好蜜　如渴思甘露
尒時大智无所畏金剛藏菩薩聞說是已欲
令衆會心歡喜故爲諸佛子而說頌言
菩薩行地事　最上諸佛本　顯示分別說　第一希有難
微細難可見　離念超心地　出生佛境界　聞者悉迷惑
持心如金剛　深信佛勝智　知心地无我　能聞此勝法
如空中彩畫　如空中風相　牟尼智如是　分別甚難見
我念佛智慧　最勝難思議　世間无能受　默然而不說
尒時解脫月菩薩聞是說已白金剛藏菩薩
言佛子今此衆會皆悉已集善淨深心善潔
思念善修諸行善集助道善能親近百千億
佛成就无量功德善根捨離癡惑无有垢染
深心信解於佛法中不隨他教善哉佛子當
承佛神力而爲演說此諸菩薩於如是等甚
深之處皆能證知尒時解脫月菩薩欲重宣
其義而說頌曰
願說最安隱　菩薩无上行　分別於諸地　智淨成正覺
此衆无諸垢　志解悉明潔　承事无量佛　能知此地義

BD00491 號　大方廣佛華嚴經（唐譯八十卷本）卷三四　（21–5）

願說最安隱　菩薩无上行　分別於諸地　智淨成正覺
此衆无諸垢　志解悉明潔　承事无量佛　能知此地義
尒時金剛藏菩薩言佛子雖此衆集善淨思
念捨離愚癡及以疑惑於甚深法不隨他教
然有其餘劣解衆生聞此甚深難思議事多
生疑惑於長夜中受諸衰惱我愍此等是故
默然尒時金剛藏菩薩欲重宣其義而說
頌曰
雖此衆淨廣智慧　甚深明利能決擇
其心不動如山王　不可傾覆猶大海
有行未久解未得　隨識而行不隨智
聞此生疑墮惡道　我愍是等故不說
尒時解脫月菩薩重白金剛藏菩薩言佛
子願承佛神力分別說此不思議法此人當得
如來護念而生信受何以故說十地時一切菩
薩法應如是得佛護念得護念故於此智
地能生勇猛何以故此是菩薩最初所行成
就一切諸佛法故譬如書字數說一切皆以字
母爲本字母究竟无有少分離字母者佛
子一切佛法皆以十地爲本十地究竟修行
成就得一切智是故佛子願爲演說此人必
爲如來所護令其信受尒時解脫月菩薩
欲重宣其義而說頌曰
善哉佛子願演說　趣入菩提諸地行
十方一切自在尊　莫不護念智根本
此安住智亦究竟　一切佛法所從生

BD00491 號　大方廣佛華嚴經（唐譯八十卷本）卷三四　（21–6）

善哉佛子願演說　趣入菩提諸地行
十方一切自在尊　莫不護念智根本
此安住智亦究竟　一切佛法所從生
譬如書數字母攝　如是佛法依於地
尒時諸大菩薩衆一時同聲向金剛藏菩
薩而說頌言
上妙无垢智　无邊分別辯　宣暢深美言　第一義相應
念持清淨行　十力集功德　辯才分別義　說此最勝地
定戒集正心　離我慢邪見　此衆生疑念　唯願聞善說
如渴思冷水　如飢念美食　如病憶良藥　如蜂貪好蜜
我等亦如是　願聞甘露法　善哉廣大智　願說入諸地
成十力无礙　善逝一切行
尒時世尊從眉間出清淨光明名菩薩力焰
明百千阿僧祇光明以為眷屬普照十方一
切世界靡不周遍三惡道苦皆得休息又照
一切如來衆會顯現諸佛不思議力又照十
方一切世界一切諸佛所加說法菩薩之身
作是事已於上虛空中成大光明雲網臺而
住時十方諸佛悉亦如是從眉間出清淨光
明其光名号眷屬作業悉同於此又亦照此
娑婆世界佛及大衆并金剛藏菩薩身師
子座已於上虛空中成大光明雲網臺時光臺
中以諸佛威神力故而說頌言
佛无等等如虛空　十力无量勝功德
人間最勝世中上　釋師子法加於彼
佛子當承諸佛力　開此法王最勝藏

佛子當承諸佛力　開此法王最勝藏
諸地廣智勝妙行　以佛威神分別說
若為善逝力所加　當得法寶入其心
諸地无垢次第滿　亦具如來十種力
雖住海水劫火中　堪受此法必得聞
其有生疑不信者　永不得聞如是義
應說諸地勝智道　入住展轉次修習
從行境界法智生　利益一切衆生故
尒時金剛藏菩薩觀察十方欲令大衆增
淨信故而說頌曰
如來大仙道　微妙難可知　非念離諸念　求見不可得
无生亦无滅　性淨恒寂然　離垢聰慧人　彼智所行處
自性本空寂　无二亦无盡　解脫於諸趣　涅槃平等住
非初非中後　非言辭所說　出過於三世　其相如虛空
寂滅佛所行　言說莫能及　地行亦如是　難說難可受
智起佛境界　非念離心道　非蘊界處門　智知意不及
如空中鳥跡　難說難可示　如是十地義　心意不能了
慈悲及願力　出生入地行　次第圓滿心　智行非慮境
是境界難見　可知不可說　佛力故開演　汝等應敬受
如是智入行　億劫說不盡　我今但略說　真實義无餘
一心恭敬待　我承佛力說　勝法微妙音　譬喻字相應
无量佛神力　咸來入我身　此處難宣示　我今說少分
佛子若有衆生深種善根善修諸行善集助
道善供養諸佛善集白淨法為善知識善攝
善清淨深心立廣大志生廣大解慈悲現前
為求佛智故為得十力故為得大无畏故為

善清淨深心立廣大志生廣大解慈悲現前
爲求佛智故爲得十力故爲得大无畏故爲
得佛平等法故爲救一切世間故爲淨大慈
悲故爲得十方无餘智故爲淨一切佛刹无
障礙故爲一念知一切三世故爲轉大法輪
无所畏故佛子菩薩起如是心以大悲爲首
智慧增上善巧方便所攝最上深心所持如
來力无量善觀察分別勇猛力智力无礙智
現前隨順自然智能受一切佛法以智慧教
化廣大如法界究竟如虛空盡未來際佛子
菩薩始發如是心即得超凡夫地入菩薩位
生如來家无能說其種族過失離世間趣入
出世道得菩薩法住菩薩處入三世平等於
如來種中決定當得无上菩提菩薩住如是
法名住菩薩歡喜地以不動相應故
佛子菩薩住歡喜地成就多歡喜多淨信多
愛樂多適悅多欣慶多踊躍多勇猛多无
鬪諍多无惱害多无瞋恨佛子菩薩住此歡喜
地念諸佛故生歡喜念諸佛法故生歡喜念
諸菩薩故生歡喜念諸菩薩行故生歡喜念
清淨諸波羅蜜故生歡喜念諸菩薩地殊勝
故生歡喜念菩薩不可壞故生歡喜念如來
教化衆生故生歡喜念能令衆生得利益故
生歡喜念入一切如來智方便故生歡喜復
作是念我轉離一切世間境界故生歡喜親
近一切佛故生歡喜遠離凡夫地故生歡喜

生歡喜念入一切如來智方便故生歡喜復
作是念我轉離一切世間境界故生歡喜親
近一切佛故生歡喜遠離凡夫地故生歡喜
近智慧地故生歡喜永斷一切惡趣故生歡
喜與一切衆生作依止處故生歡喜見一切
如來故生歡喜生佛境界中故生歡喜入一
切菩薩平等性中故生歡喜遠離一切怖畏
毛竪等事故生歡喜何以故此菩薩得歡喜
地已所有怖畏悉得遠離所謂不活畏惡名
畏死畏惡道畏大衆威德畏如是怖畏皆得
永離何以故此菩薩離我想故尚不愛自身
何況資財是故无有不活畏不於他所希求
供養唯專給施一切衆生是故无有惡名畏
遠離我見无有我想是故无有死畏自知死
已決定不離諸佛菩薩是故无有惡道畏我
所志樂一切世間无與等者何況有勝是故
无有大衆威德畏菩薩如是遠離驚怖毛
竪等事
佛子此菩薩以大悲爲首廣大志樂无能沮
壞轉更勤修一切善根而得成就所謂信增
上故多淨信故解清淨故信決定故發生悲
愍故成就大慈故心无疲懈故慚愧莊嚴故
成就柔和故敬順尊重諸佛教法故日夜修
集善根无猒足故親近善知識故常愛樂法
故求多聞无猒足故如所聞法正觀察故心
无依著故不耽著利養名聞恭敬故不求一

故求多聞无猒足故如所聞法正觀察故心
无依着故不躭着利養名聞恭敬故求一
切資生之物故生如寶心无猒足故求一切智
地故求如來力无畏不共佛法故求諸波
羅蜜助道法故離諸諂誑故如說能行故常
護實語故不汙如來家故不捨菩薩戒故生
一切智心如山王不動故不捨一切世間事成
就出世間道故集助菩提分法无猒足故
常求上上殊勝道故佛子菩薩成就如是淨
治地法名為安住菩薩歡喜地
佛子菩薩住此歡喜地能成就如是大誓願
如是大勇猛如是大作用所謂生廣大清淨
決定解以一切供養之具恭敬供養一切諸
佛令无有餘廣大如法界究竟如虛空盡未
來際一切劫數无有休息又發大願願受一
切佛法輪願攝一切佛菩提願護一切諸佛
教願持一切諸佛法廣大如法界究竟如虛
空盡未來際一切劫數无有休息又發大願
願一切世界佛興于世從兜率天宮沒入胎
住胎初生出家成道說法示現涅槃皆悉往
詣親近供養為衆上首受行正法於一切處
一時而轉廣大如法界究竟如虛空盡未來
際一切劫數无有休息又發大願願一切菩薩
行廣大无量不壞不離攝諸波羅蜜淨治
諸地總相別相同相異相成相壞相所有菩
薩行皆如實說教化一切令其受行心得增

行廣大无量不壞不離攝諸波羅蜜淨治
諸地總相別相同相異相成相壞相所有菩
薩行皆如實說教化一切令其受行心得增
長廣大如法界究竟如虛空盡未來際一切
劫數无有休息又發大願願一切衆生界有
色无色有想无想非有想非无想卵生胎生
濕生化生三界所繫入於六趣一切生處名
色所攝如是等類我皆教化令入佛法令
永斷一切世間趣令安住一切智智道廣大如
法界究竟如虛空盡未來際一切劫數无有
休息又發大願願一切世界廣大无量麤細
亂住倒住正住若入若行若去如帝網差別
十方无量種種不同智皆明了現前知見廣
大如法界究竟如虛空盡未來際一切劫數
无有休息又發大願願一切國土入一國土
一國土入一切國土无量佛土普皆清淨光
明衆具以為莊嚴離一切煩惱成就清淨道
无量智慧衆生充滿其中普入廣大諸佛
境界隨衆生心而為示現皆令歡喜廣大如法
界究竟如虛空盡未來際一切劫數无有休
息又發大願願與一切菩薩同一志行无有
怨嫉集諸善根一切菩薩平等一緣常共集
會不相捨離隨意能現種種佛身任其自心
能知一切如來境界威力智慧得不退如意
神通遊行一切世界現形一切衆會普入一
切生處成就不思議大乘修菩薩行廣大如

能知一切如來境界威力智慧得不退如意
神通遊行一切世界現於一切衆會普入一
切生處成就不思議大乘修菩薩行廣大如
法界究竟如虛空盡未來際一切劫數无有
休息又發大願願乘不退輪行菩薩行身語
意業悉不唐捐若暫見者則必定佛法暫聞
音聲則得實智慧纔生淨信則永斷煩惱得
如大藥王樹身得如如意寶身修行一切菩薩
行廣大如法界究竟如虛空盡未來際一
切劫數无有休息又發大願願於一切世界
成阿耨多羅三藐三菩提不離一毛端處於
一切毛端處皆悉示現初生出家詣道場成
正覺轉法輪入涅槃得佛境界大智慧力於
念念中隨一切衆生心示現成佛令得寂滅以
一三菩提知一切法界即涅槃相以一音說
法令一切衆生心皆歡喜示入大涅槃而不
斷菩薩行示大智慧地安立一切法以法
智通神足通幻通自在變化充滿一切法界
廣大如法界究竟如虛空盡未來際一切劫
數无有休息佛子菩薩住歡喜地發如是大
誓願如是大勇猛如是大作用以此十願門為
首滿足百萬阿僧祇大願
佛子此大願以十盡句而得成就何等為十所
謂衆生界盡世界盡虛空界盡法界盡涅
槃界盡佛出現界盡如來智界盡心所緣界
盡佛智所入境界界盡世間轉法轉智轉界

槃界盡佛出現界盡如來智界盡心所緣界
盡佛智所入境界界盡世間轉法轉智轉界
盡若衆生界盡我願乃盡若世界乃至世間
轉法轉智轉界盡我願乃盡而衆生界不可
盡乃至世間轉法轉智轉界不可盡故我此大
願善根无有窮盡
佛子菩薩發如是大願已則得利益心柔軟
心隨順心寂靜心調伏心寂滅心謙下心潤澤
心不動心不濁心成淨信者有信功用能信
如來本行所入信成就諸波羅蜜信入諸勝
地信成就力信具足无所畏信生長不可壞
不共佛法信不思議佛法信出生无中邊
佛境界信隨入如來无量境界信成就果舉
要言之信一切菩薩行乃至如來智地說力
故
佛子此菩薩復作是念諸佛正法如是甚深
如是寂靜如是寂滅如是空如是无相如是
无願如是无染如是无量如是廣大而諸凡
夫心墮邪見无明覆翳立憍慢高幢入渴愛
網中行諂誑稠林不能自出心與慳嫉相應
不捨恒造諸趣受生因緣貪恚愚癡積集諸
業日夜增長以忿恨風吹心識火熾然不息
凡所作業皆顛倒相應欲流有流无明流見
流相續起心意識種子於三界田中復生苦
芽所謂名色共生不離此名色增長生六處

流相續起心意識種子於三界田中復生苦
芽所謂名色共生不離此名色增長生六處
聚落於中相對生觸觸故生受因受生愛愛
增長故生取取增長故生有有生故有生老
死憂悲苦惱如是衆生生長苦聚是中皆空
離我我所无知无覺无作无受如草木石壁
亦如影像然諸衆生不覺不知菩薩見諸衆
生於如是苦聚不得出離是故即生大悲智
慧復作是念此諸衆生我應救拔置於究竟
安樂之處是故即生大慈光明智
佛子菩薩摩訶薩隨順如是大悲大慈以深
重心住初地時於一切物无所恡惜求佛大
智修行大捨凡是所有一切能施所謂財穀
倉庫金銀摩尼真珠瑠璃珂貝璧玉珊瑚等
物珍寶瓔珞嚴身之具象馬車乘奴婢人民
城邑聚落園林臺觀妻妾男女內外眷屬及
餘所有珍玩之具頭目手足血肉骨髓一切身
分皆无所惜為求諸佛廣大智慧是名菩
薩住於初地大捨成就佛子菩薩以此慈悲
大施心為欲救護一切衆生轉更推求世出
世間諸利益事无疲猒故即得成就无疲猒
心得无疲猒心已於一切經論心无怯弱无
怯弱故即得成就一切經論智獲是智已善
能籌量應作不應作於上中下一切衆生隨
應隨力隨其所習如是而行是故菩薩得成
世智成世智已知時知量以慚愧莊嚴勤修

BD00491號　大方廣佛華嚴經（唐譯八十卷本）卷三四　（21-15）

能籌量應作不應作於上中下一切衆生隨
應隨力隨其所習如是而行是故菩薩得成
世智成世智已知時知量以慚愧莊嚴勤修
自利利他之道是故成就慚愧莊嚴於此行
中勤修出離不退不轉成堅固力得堅固力
已勤供諸佛於佛教法能如說行佛子菩薩
如是成就十種淨諸地法所謂信悲慈捨无有
疲猒知諸經論善解世法慚愧堅固力供
養諸佛依教修行
佛子菩薩住此歡喜地已以大願力得見多
佛所謂見多百佛多千佛多百千佛多億佛
多百億佛多千億佛多百千億佛多億那由
他佛多百億那由他佛多千億那由他佛多
百千億那由他佛悉以大心深心恭敬尊重
承事供養衣服飲食卧具醫藥一切資生
悉以奉施亦以供養一切衆僧以此善根皆悉
迴向无上菩提佛子此菩薩因供養諸佛故
得成就衆生法以前二攝攝取衆生謂布施
愛語後二攝法但以信解力故行未善通達
是菩薩十波羅蜜中檀波羅蜜增上餘波羅
蜜非不修行但隨力隨分是菩薩隨所勤修
供養諸佛教化衆生皆以修行清淨地法所
有善根悉以迴向一切智地轉轉明淨調柔成
就隨意堪用佛子譬如金師善巧鍊金數
數入火轉轉明淨調柔成就隨意堪用菩薩

BD00491號　大方廣佛華嚴經（唐譯八十卷本）卷三四　（21-16）

數入火轉轉明淨調柔成就隨意堪用菩薩
亦復如是供養諸佛教化衆生皆爲修行清
淨地法所有善根悉以迴向一切智地轉轉明
淨調柔成就隨意堪用
佛子菩薩摩訶薩住於初地應從諸佛菩薩
善知識所推求請問於此地中相及得果无
有猒足爲欲成就此地法故亦應從諸佛菩
薩善知識所推求請問第二地中相及得果
无有猒足爲欲成就彼地法故亦應如是推
求請問第三第四第五第六第七第八第九
第十地中相及得果无有猒足爲欲成就彼
地法故是菩薩善知諸地障對治善知地成
壞善知地相果善知地得修善知地法清淨
善知地地轉行善知地地處非處善知地地
殊勝智善知地地不退轉善知淨治一切菩
薩地乃至轉入如來地佛子菩薩如是善知
地相始於初地起行不斷如是乃至入第十
地无有斷絶由此諸地智光明故成於如來
智慧光明佛子譬如商主善知方便欲將諸
商人往詣大城未發之時先問道中功德過
失及住止之處安危可不然後具道資糧作
所應作佛子彼大商主雖未發足能知道中
所有一切安危之事善以智慧籌量觀察備
其所須令无乏少將諸商衆乃至安隱到彼
大城身及衆人悉免憂患佛子菩薩商主亦
復如是住於初地善知諸地障對治乃至善

BD00491 號　大方廣佛華嚴經（唐譯八十卷本）卷三四　（21–17）

大城身及衆人悉免憂患佛子菩薩商主亦
復如是住於初地善知諸地障對治乃至善
知一切菩薩地清淨轉入如來地然後乃具
福智資糧將一切衆生經生死曠野險難之
處安隱得至薩婆若城身及衆生不經患難
是故菩薩常應匪懈勤脩諸地殊勝淨業
乃至趣入如來智地佛子是名略說菩薩摩訶
薩入菩薩初地門廣說則有无量无邊百千
阿僧祇差別事
佛子菩薩摩訶薩住此初地多作閻浮提王
豪貴自在常護正法能以大施攝取衆生
善除衆生慳貪之垢常行大施无有窮盡布
施愛語利益同事如是一切諸所作業皆不離
念佛不離念法不離念僧不離念同行菩薩
不離念菩薩行不離念諸波羅蜜不離念諸
地不離念力不離念无畏不離念不共佛法
乃至不離念具足一切種一切智智復作是
念我當於一切衆生中爲首爲勝爲殊勝爲
妙爲微妙爲上爲无上爲導爲將爲師乃至
爲一切智智依止者是菩薩若欲捨家於佛
法中勤行精進便能捨家妻子五欲依如來
教出家學道既出家已勤行精進於一念頃
得百三昧得見百佛智百佛神力能動百世
界能過百佛世界能照百佛世界能教化百
世界衆生能住壽百劫能知前後際各百劫
事能入百法門能示現百身於一一身能示

BD00491 號　大方廣佛華嚴經（唐譯八十卷本）卷三四　（21–18）

界能過百佛世界能照百佛世界能教化百
世界衆生能住壽百劫能知前後際各百劫
事能入百法門能示現百身於一一身能示
百菩薩以爲眷屬若以菩薩殊勝願力自在
示現過於是數百劫千劫百千劫乃至百千
億那由他劫不能數知尒時金剛藏菩薩欲
重宣其義而説頌曰
若人集衆善　具足白淨法　供養天人尊　隨順慈悲道
信解極廣大　志樂亦清淨　爲求佛智慧　發此无上心
淨一切智力　及以无所畏　成就諸佛法　救攝群生衆
爲得大慈悲　及轉勝法輪　嚴淨佛國土　發此最勝心
一念知三世　而无有分別　種種時不同　以示於世間
略説求諸佛　一切勝功德　發生廣大心　量等虛空界
悲先慧爲主　方便共相應　信解清淨心　如來无量力
无礙智現前　自悟不由他　具足同如來　發此最勝心
佛子始發生　如是妙寶心　則超凡夫位　入佛所行處
生在如來家　種族无瑕點　與佛共平等　決成无上覺
纔生如是心　即得入初地　志樂不可動　譬如大山王
多喜多愛樂　亦復多淨信　極大勇猛心　及以慶躍心
遠離於鬪諍　惱害及瞋恚　慙敬而質直　善守護諸根
救世无等者　所有衆智慧　此處我當得　憶念生歡喜
始得入初地　即超五怖畏　不活死惡名　惡趣衆威德
以不貪著我　及以於我所　是諸佛子等　遠離諸怖畏
常行大慈悲　恒有信恭敬　慙愧功德備　日夜增善法
樂法真實利　不愛受諸欲　思惟所聞法　遠離取著行
不貪於利養　唯樂佛菩提　一心求佛智　專精无異念

樂法真實利　不愛受諸欲　思惟所聞法　遠離取著行
不貪於利養　唯樂佛菩提　一心求佛智　專精无異念
修行波羅蜜　遠離諂虛誑　如説而修行　安住實語中
不汙諸佛家　不捨菩薩戒　不樂於世事　常利益世間
修善无厭足　轉求增勝道　如是好樂法　功德義相應
恒起大願心　願見於諸佛　護持諸佛法　攝取大仙道
常生如是願　修行最勝行　成熟諸群生　嚴淨佛國土
一切諸佛刹　佛子悉充遍　平等共一心　所作皆不空
一切毛端處　一時成正覺　如是等大願　无量无邊際
虛空與衆生　法界及涅槃　世間佛出興　佛智心境界
如來智所入　及以三轉盡　彼諸若有盡　我願方始盡
如彼无盡期　我願亦復然
如是發大願　心柔耎調順　能信佛功德　觀察於衆生
知從因緣起　則興慈念心　如是苦衆生　我今應救脱
爲是衆生故　而行種種施　王位及珍寶　乃至象馬車
頭目與手足　乃至身血肉　一切皆能捨　心得无憂悔
求種種經書　其心无厭倦　善解其義趣　能隨世所行
慙愧自莊嚴　修行轉堅固　供養无量佛　恭敬而尊重
如是常修習　日夜无懈倦　善根轉明淨　如火鍊真金
菩薩住於此　淨修於十地　所作无障礙　具足不斷絶
譬如大商主　爲利諸商衆　問知道險易　安隱至大城
菩薩住初地　應知亦如是　勇猛无障礙　到於第十地
住於初地中　作大功德王　以法化衆生　慈心无損害
統領閻浮地　化行靡不及　皆令住大捨　成就佛智慧
欲求最勝道　捨已國王位　能於佛教中　勇猛勤修習
則得百三昧　及見百諸佛　振動百世界　光照行亦尒

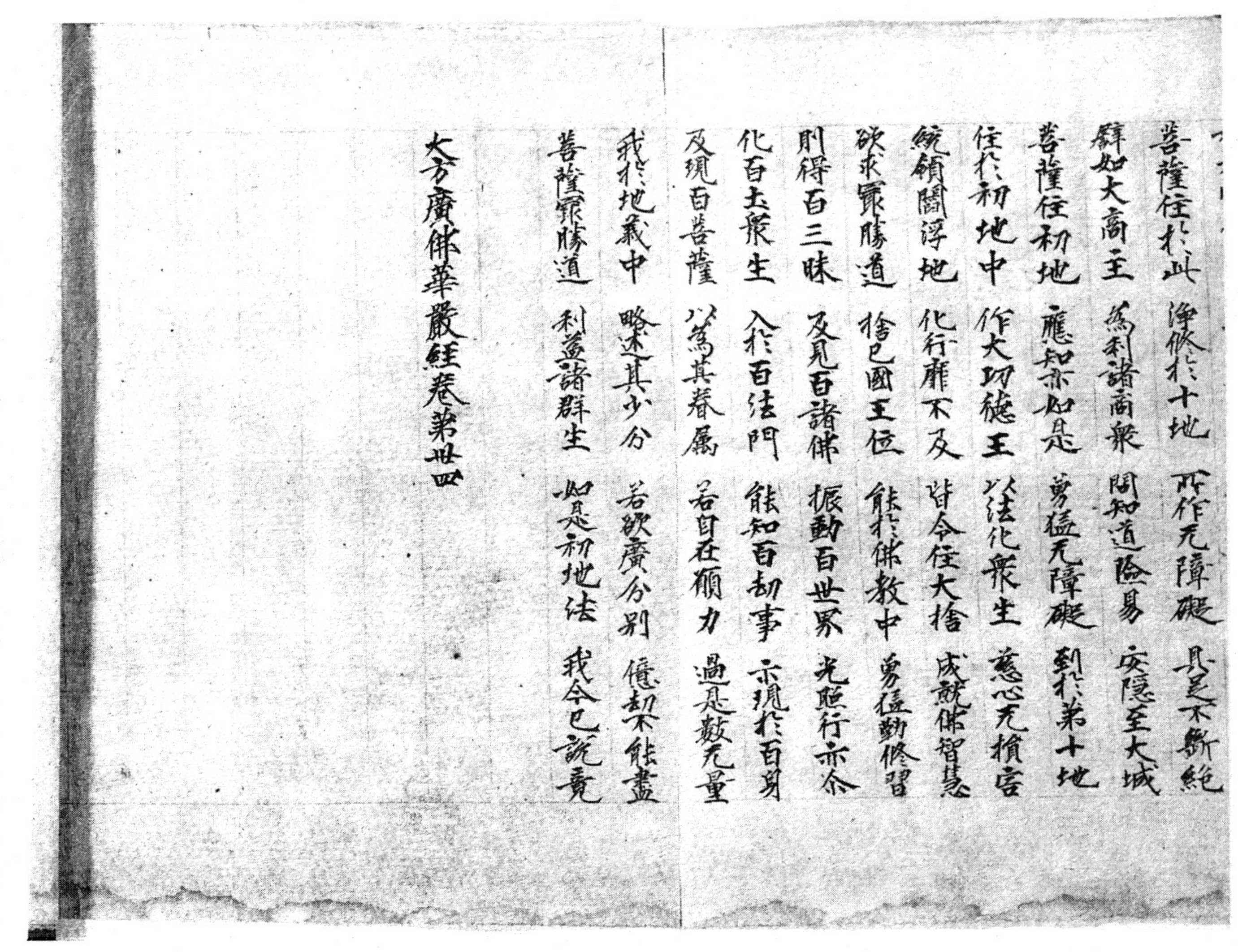

菩薩住於此　淨修於十地　所作无障礙　具足不斷絕
辟如大商主　為利諸商衆　問知道險易　安隱至大城
菩薩住初地　應知亦如是　勇猛无障礙　到於第十地
住於初地中　作大功德王　以法化衆生　慈心无損害
統領閻浮地　化行靡不及　皆令住大捨　成就佛智慧
欲求衆勝道　捨已國王位　能於佛教中　勇猛勤修習
則得百三昧　及見百諸佛　振動百世界　光照行亦尔
化百土衆生　入於百法門　能知百劫事　示現於百身
及現百菩薩　以為其眷屬　若自在願力　過是數无量
我於地義中　略述其少分　若欲廣分別　億劫不能盡
菩薩最勝道　利益諸群生　如是初地法　我今已說竟

大方廣佛華嚴經卷第卅四

BD00491號　大方廣佛華嚴經（唐譯八十卷本）卷三四　　（21–21）

BD00491號背　勘記　　（1–1）

宮眷屬諸王子等亦應得護衰惱消滅快樂
熾盛宮殿堂宇安隱清淨无諸灾變護宅
之神增長威德亦受无量歡悅快樂是諸國
土所有人民悉受種種五欲之樂一切惡事悉
皆消滅
尒時四天王白佛言世尊未來之世若有人
王欲得護身及后妃婇女諸王子等宮殿屋
宅得第一護身所王領處為殊勝具不可思議
王者功德欲得穪取无量福聚國土无有他
方怨賊无諸憂惱及諸苦事世尊如是人王
不應放逸散乱其心應生恭敬謙下之心應
當莊嚴第一微妙最勝宮宅種種香汁持用
灑地散種種華敷大法坐師子之座兼以
无量珎琦異物而為校餝張施種種无數微
妙幢憣寶蓋當清洗浴以香塗身著好淨
衣瓔珞自嚴坐小卑座不自高大除去自在離
諸放逸謙下自卑除去憍慢正念聽受如是
妙典於說法者生世尊想復於宮內后妃王
子婇女眷屬生慈哀心和顏與語勸以種種
供養之具供養法師是王尒時既勸化已即
生无量歡喜快樂心懷悅豫倍復自勵不生
疲倦多作利益於說法者倍生恭敬
尒時佛告四天大王尒時人王應著白淨鮮潔
之衣種種瓔珞齊整莊嚴執持素白微妙

BD00492 號　金光明經卷二　（3–1）

供養之具供養法師是王尒時既勸化已即
生无量歡喜快樂心懷悅豫倍復自勵不生
疲倦多作利益於說法者倍生恭敬
尒時佛告四天大王尒時人王應著白淨鮮潔
之衣種種瓔珞齊整莊嚴執持素白微妙
上蓋服餝容儀不失常則躬出奉迎說法之
人何以故是王如是隨其舉足步步之中即
是供養值遇百千億那由他諸佛世尊復
得超越如是等劫生死之難復於來世尒時
劫中常得封受轉輪王位隨其步步亦得
如是現世功德不可思議自在之力常得最勝
殊妙七寶人天宮殿在在生處增益壽命言
語辯了人所信用无所畏忌有大名稱常為
人天之所恭敬天上人中受上妙樂得大勢力具
足威德身色微妙端嚴第一常值諸佛遇
善知識成就具足无量福聚汝等四天王
如是人王見如是等種種无量功德利益是故
此王應當躬出奉迎法師若一由旬至百千
由旬於說法師應生佛想應作是念今日
釋迦如來正知入於我宮受我供養為我說
法我聞是法即不退轉於阿耨多羅三藐三
菩提已為得值百千万億那由他佛為已
供養過去未來現在諸佛已得畢竟三惡道
苦我今已種百千无量轉輪聖王釋梵之因已
種无邊善根種子已令无量百千万億諸眾生
等度於生死已集无量无邊福聚後宮眷屬

BD00492 號　金光明經卷二　（3–2）

如是現世功德不可思議自在之力常得最勝
極妙七寶人天宮殿在在生處增益壽命言
語辯了人所信用无所畏忌有大名稱常為
人天之所恭敬天上人中受上妙樂得大勢力具
足威德身色微妙端嚴第一常值諸佛遇
善知識成就具足无量福聚汝等四天王
如是人王見如是等種種无量功德利益是故
此王應當躬出奉迎法師若一由旬至百千
由旬於說法師應生佛想應作是念今日
釋迦如來正知入於我宮受我供養為我說
法我聞是法即不退轉於阿耨多羅三藐三
菩提已為得值百千万億那由他佛為已
供養過去未來現在諸佛已得畢竟三惡道
苦我今已種百千无量轉輪聖王釋梵之因已
種无邊善根種子已令无量百千万億諸衆生
等度於生死已集无量无邊福聚後宮眷屬
已得擁護宮宅諸衰悉已消滅國土无有怨
賊棘刺方怨敵不能侵陵汝等四王如是人
王應作如是供養正法清淨聽受是妙經
典及恭敬供養尊重讚嘆持是經典四部之
衆亦當迴此所得最勝功德之分施與汝等
及餘眷屬諸天鬼神聚集如是諸善功德現
世常得无量无邊不可思議自在之利威德勢

BD00492號　金光明經卷二　(3–3)

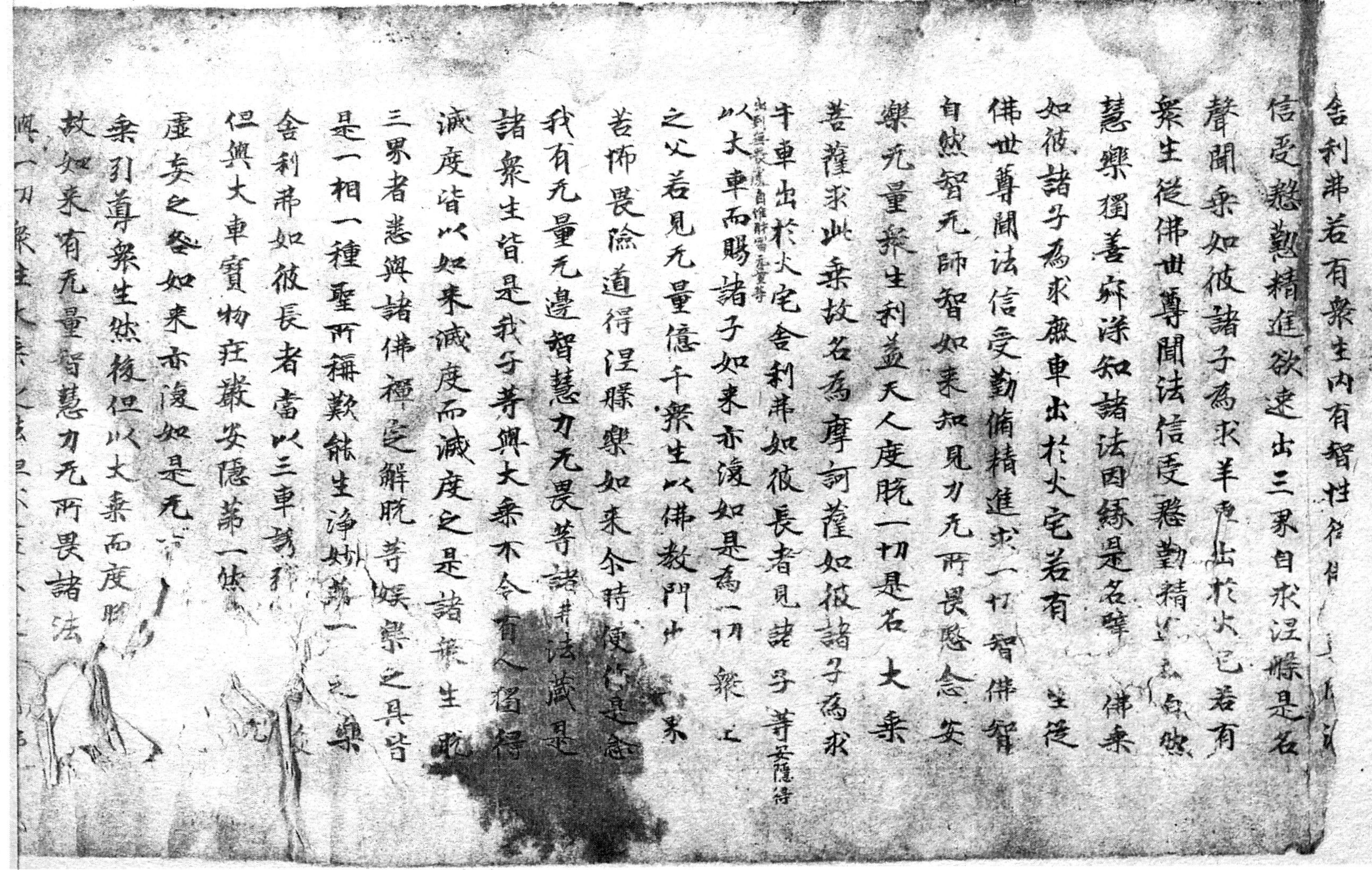
舍利弗若有衆生内有智性[illegible]
信受慇懃精進欲速出三界自求涅槃是名
聲聞乘如彼諸子為求羊車出於火宅若有
衆生從佛世尊聞法信受慇懃精進求自然
慧樂獨善寂深知諸法因緣是名辟支佛乘
如彼諸子為求鹿車出於火宅若有衆生從
佛世尊聞法信受勤脩精進求一切智佛智
自然智无師智如來知見力无所畏愍念安
樂无量衆生利益天人度脫一切是名大乘
菩薩求此乘故名為摩訶薩如彼諸子為求
牛車出於火宅舍利弗如彼長者見諸子等安隱得
出到無畏處自惟財富无量等
以大車而賜諸子如來亦復如是為一切衆生
之父若見无量億千衆生以佛教門出三界
苦怖畏險道得涅槃樂如來爾時便作是念
我有无量无邊智慧力无畏等諸佛法藏是
諸衆生皆是我子等與大乘不令有人獨得
滅度皆以如來滅度而滅度之是諸衆生脫
三界者悉與諸佛禪定解脫等娛樂之具皆
是一相一種聖所稱歎能生淨妙第一之樂
舍利弗如彼長者當以三車誘[illegible]
但與大車寶物莊嚴安隱第一然[illegible]
虛妄之咎如來亦復如是无[illegible]
乘引導衆生然後但以大乘而度脫[illegible]
故如來有无量智慧力无所畏諸法[illegible]
與一切衆生[illegible]

BD00493號　妙法蓮華經卷二　(4–1)

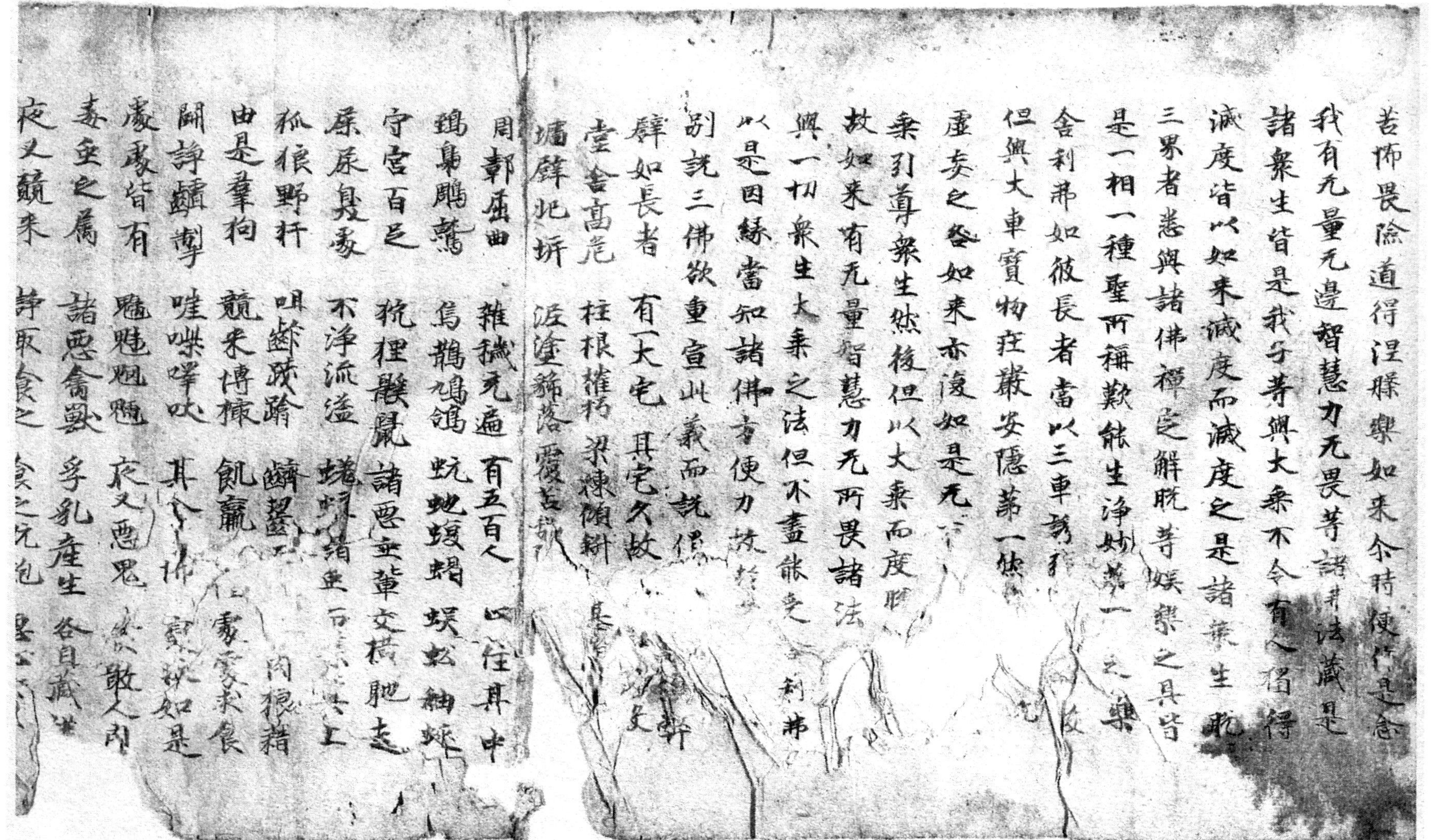
苦怖畏險道得涅槃樂如來介時便作是念
我有无量无邊智慧力无畏等諸佛法藏是
諸衆生皆是我子等與大乘不令有人獨得
滅度皆以如來滅度而滅度之是諸衆生脫
三界者悉與諸佛禪定解脫等娛樂之具皆
是一相一種聖所稱歎能生淨妙第一之樂
舍利弗如彼長者當以三車誘引諸子然後
但與大車寶物莊嚴安隱第一然彼長者无
虛妄之咎如來亦復如是无有虛妄初說三
乘引導衆生然後但以大乘而度脫之何以
故如來有无量智慧力无所畏諸法之藏能
與一切衆生大乘之法但不盡能受舍利弗
以是因緣當知諸佛方便力故於一佛乘分
別說三佛欲重宣此義而說偈言
譬如長者　有一大宅　其宅久故　而復頓弊
堂舍高危　柱根摧朽　梁棟傾斜　基陛隤毀
牆壁圮坼　泥塗褫落　覆苫亂墜　椽梠差脫
周障屈曲　雜穢充遍　有五百人　止住其中
鵄梟鵰鷲　烏鵲鳩鴿　蚖蛇蝮蠍　蜈蚣蚰蜒
守宮百足　狖狸鼷鼠　諸惡虫輩　交橫馳走
屎尿臭處　不淨流溢　蜣蜋諸虫　而集其上
狐狼野干　咀嚼踐蹋　嚌齧死屍　骨肉狼藉
由是群狗　競來搏撮　飢羸慞惶　處處求食
鬪諍齟掣　啀喍嘷吠　其舍恐怖　變狀如是
處處皆有　魑魅魍魎　夜叉惡鬼　食噉人肉
毒虫之屬　諸惡禽獸　孚乳產生　各自藏護
夜叉競來　爭取食之　食之既飽

BD00493號　妙法蓮華經卷二　（4–2）

守宮百足　狖狸鼷鼠　諸惡虫輩　交橫馳走
屎尿臭處　不淨流溢　蜣蜋諸虫　而集其上
狐狼野干　咀嚼踐蹋　嚌齧死屍　骨肉狼藉
由是群狗　競來搏撮　飢羸慞惶　處處求食
鬪諍齟掣　啀喍嘷吠　其舍恐怖　變狀如是
處處皆有　魑魅魍魎　夜叉惡鬼　食噉人肉
毒虫之屬　諸惡禽獸　孚乳產生　各自藏護
夜叉競來　爭取食之　食之既飽　惡心轉熾
鬪諍之聲　甚可怖畏　鳩槃荼鬼　蹲踞土埵
或時離地　一尺二尺　往返遊行　縱逸嬉戲
捉狗兩足　撲令失聲　以腳加頸　怖狗自樂
復有諸鬼　其身長大　裸形黑瘦　常住其中
發大惡聲　叫呼求食　復有諸鬼　其咽如針
復有諸鬼　首如牛頭　或食人肉　或復噉狗
頭髮蓬亂　殘害凶險　飢渴所逼　叫喚馳走
夜叉餓鬼　諸惡鳥獸　飢急四向　窺看窗牖
如是諸難　恐畏无量　是朽故宅　屬于一人
其人近出　未久之間　於後宅舍　忽然火起
四面一時　其焰俱熾　棟梁椽柱　爆聲震裂
摧折墮落　牆壁崩倒　諸鬼神等　揚聲大叫
鵰鷲諸鳥　鳩槃荼等　周章惶怖　不能自出
惡獸毒虫　藏竄孔穴　毗舍闍鬼　亦住其中
薄福德故　為火所逼　共相殘害　飲血噉肉
野干之屬　並已前死　諸大惡獸　競來食噉
臭煙熢㶿　四面充塞　蜈蚣蚰蜒　毒蛇之類
為火所燒　爭走出穴　鳩槃荼鬼　隨取而食
又諸餓鬼　頭上火然　飢渴熱惱

BD00493號　妙法蓮華經卷二　（4–3）

鬪諍之聲　甚可怖畏　鳩槃荼鬼　[illegible]
或時離地　一尺二尺　往返遊行　[illegible]戲
捉狗兩足　撲令失聲　以脚加[illegible]　[illegible]狗[illegible]
復有諸鬼　其身長大　裸形黑瘦　常住其中
發大惡聲　叫呼求食　復有諸鬼　其咽如[illegible]
復有諸鬼　首如牛頭　或食人肉　或復噉[illegible]
頭髮蓬亂　殘害凶險　飢渴所逼　叫喚[illegible]
夜叉餓鬼　諸惡鳥獸　飢急四向　窺看[illegible]
如是衆難　恐畏无量　是朽故宅　屬于一人
其人近出　未久之間　於後宅舍　忽然火起
四面一時　其焰俱熾　棟梁椽柱　爆聲震[illegible]
摧折墮落　牆壁崩倒　諸鬼神等　揚聲大[illegible]
鵰鷲諸鳥　鳩槃荼等　周章惶怖　不能自出
惡獸毒虫　藏竄孔穴　毗舍闍鬼　亦住其中
薄福德故　為火所逼　共相殘害　飲血噉[illegible]
野干之屬　並已前死　諸大惡獸　競來食噉
臭烟熢㶿　四面充塞　蜈蚣蚰蜒　毒蛇之[illegible]
為火所燒　諍走出穴　鳩槃荼鬼　隨取而[illegible]
又諸餓鬼　頭上火燃　飢渴熱惱　[illegible]
其宅如是　甚可怖畏　毒害火災　衆難非[illegible]
是時宅主　在門外立　聞有人言　汝諸子[illegible]
先因遊戲　來入此宅　稚小无知　歡娛樂[illegible]
長者聞已　驚入火宅　方宜救濟　令[illegible]

BD00493號　妙法蓮華經卷二　（4–4）

[illegible]言大衆无乃
言勿輕未學於是維摩詰[illegible]
前化作菩薩相好光明威德
而告之曰汝往上方界分度如卌二
佛土有國名衆香佛号香積與諸[illegible]
坐食汝往到彼如我辭曰維摩詰稽[illegible]
足下致敬无量問訊起居少病少惱
不顧得世尊所食之餘[illegible]於娑婆世[illegible]
佛事令此樂小法者得弘大道亦使[illegible]
聲普聞時化菩薩即於會前昇于上方舉衆
皆見其去到衆香界礼彼佛足又聞其言
維摩詰稽首世尊足下致敬无量問訊起居
少病少惱氣力安不願得世尊所食之餘欲
於娑婆世界施作佛事使此樂小法者得弘
大道亦使如來名聲普聞彼諸大士見化菩
薩歎未曾有今此上人從何所來娑婆世界
為在何許云何名為樂小法者即以問佛佛
告之曰下方度如卌二恒河沙佛土有世界
名娑婆佛号釋迦牟尼今現在於五濁惡世
為樂小法衆生敷演道教彼有菩薩名維摩
詰住不可思議解脫為諸菩薩說法故遣化
來稱揚我名并讚此土令彼菩薩增益功德
彼菩薩言其人何如乃作是化德力无畏神
足若斯佛言甚大一切十方皆遣化往施作

BD00494號　維摩詰所說經卷下　（19–1）

彼菩薩言其人何如乃作是化德力无畏神
足若斯佛言甚大一切十方皆遣化往施作
佛事饒益衆生於是香積如来以衆香鉢盛
滿香飯與化菩薩時彼九百万菩薩俱發聲
言我欲詣娑婆世界供養釋迦牟尼佛并欲
見維摩詰等諸菩薩衆佛言可往攝汝身香
无令彼諸衆生起惑著心又當捨汝本形勿
使彼國求菩薩者而自鄙恥又汝於彼莫懷
輕賤而作閡想所以者何十方國土皆如虚
空又諸佛爲欲化諸樂小法者不盡現其清
淨土耳時化菩薩既受鉢飯與彼九百万菩
薩俱承佛威神及維摩詰力於彼世界忽然
不現須臾之間至維摩詰舍維摩詰即化作
九百万師子之座嚴好如前諸菩薩皆坐其
上化菩薩以滿鉢香飯與維摩詰飯香普薰
毗耶離城及三千大千世界時毗耶離婆羅
門居士等聞是香氣身意快然歎未曾有於
是長者主月蓋從八万四千人来入維摩詰舍
見其室中菩薩甚多諸師子座高廣嚴好皆
大歡喜禮衆菩薩及大弟子却住一面諸地神
虚空神及欲色界諸天聞此香氣亦皆来入
維摩詰舍時維摩詰語舍利弗等諸大聲聞
仁者可食如来甘露味飯大悲所薰无以限
意食之使不消也有異聲聞念是飯少而此
大衆人人當食化菩薩曰勿以聲聞小德小
智稱量如来无量福慧四海有竭此飯无盡
使一切人食揣若須弥乃至一劫猶不能盡所
以者何无盡戒定慧解脫解脫知見功德具足

BD00494號　維摩詰所說經卷下　（19–2）

使一切人食揣若須弥乃至一劫猶不能盡所
以者何无盡戒定慧解脫解脫知見功德具足
者所食之餘終不可盡於是鉢飯悉飽衆會
猶故不賜其諸菩薩聲聞天人食此飯者身
安快樂譬如一切樂莊嚴國諸菩薩也又諸
毛孔皆出妙香亦如衆香國土諸樹之香
尒時維摩詰問衆香菩薩香積如来以何説
法彼菩薩曰我土如来无文字説但以衆香
令諸天人得入律行菩薩各各坐香樹下聞
斯妙香即獲一切德藏三昧得是三昧者菩
薩所有功德皆悉具足彼諸菩薩問維摩詰
今世尊釋迦牟尼以何説法維摩詰言此土
衆生剛强難化故佛爲説剛强之語以調伏
之言是地獄是畜生是餓鬼是諸難處是愚
人生處是身耶行是身耶行報是口耶行是
口耶行報是意耶行是意耶行報是煞生是煞
生報是不與取是不與取報是耶婬是耶婬
報是妄語是妄語報是兩舌是兩舌報是惡
口是惡口報是无義語是无義語報是貪嫉
是貪嫉報是瞋惱是瞋惱報是耶見是耶見
報是慳悋是慳悋報是毀戒是毀戒報是瞋
恚是瞋恚報是懈怠是懈怠報是亂意是
亂意報是愚癡是愚癡報是結戒是持戒是
犯戒是應作是不應作是鄣閡是不鄣閡是
得罪是離罪是淨是垢是有漏是无漏是耶
道是正道是有爲是无爲是世間是涅槃以
難化之人心如猨猴故以若干種法制御其

BD00494號　維摩詰所說經卷下　（19–3）

道是正道是有為是无為是世間是涅槃以
難化之人心如猨猴故以若干種法制御其
心乃可調伏辟如象馬𢤱悷不調加諸楚毒
乃至徹骨然後調伏如是剛強難化衆生故
以一切苦切之言乃可入律彼諸菩薩聞說
是已皆曰未曾有也如世尊釋迦牟尼佛隱
其无量自在之力乃以貧所樂法度脫衆生
斯諸菩薩亦能勞謙以无量大悲生是佛土
維摩詰言此土菩薩於諸衆生大悲堅固誠
如所言然其一世饒益衆生多於彼國百千
劫行所以者何此娑婆世界有十事善法諸
餘淨土之所无有何等為十以布施攝貧窮
以淨戒攝毀禁以忍辱攝瞋恚以精進攝懈
怠以禪定攝亂意以智慧攝愚癡說除難法
度八難者以大乘法度樂小乘者以諸善根
濟无德者常以四攝成就衆生是為十彼菩
薩曰菩薩成就幾法於此世界行无瘡疣生
于淨土維摩詰言菩薩成就八法於此世界
行无瘡疣生于淨土何等為八饒益衆生而
不望報代一切衆生受諸苦惱所作功德盡
以施之等心衆生謙下无㝵於諸菩薩視之
如佛所未聞經聞之不疑不與聲聞而相違
背不嫉彼供不高己利而於其中調伏其心
常省己過不訟彼短恒以一心求諸功德是
為八維摩詰文殊師利於大衆中說是法時
百千天人皆發阿耨多羅三藐三菩提心十
千菩薩得无生法忍

菩薩行品第十一

BD00494 號　維摩詰所說經卷下　（19–4）

百千天人皆發阿耨多羅三藐三菩提心十
千菩薩得无生法忍
菩薩行品第十一
是時佛說法於菴羅樹園其地忽然廣博嚴
事一切衆會皆作金色阿難白佛言世尊以
何因緣有此瑞應是處忽然廣博嚴事一切
衆會皆作金色佛告阿難是維摩詰文殊師
利與諸大衆恭敬圍遶發意欲來故先為此
瑞應於是維摩詰語文殊師利可共見佛與
諸菩薩禮事供養文殊師利言善哉行矣今
正是時維摩詰即以神力持諸大衆并師子
座置於右掌往詣佛所到已著地稽首佛足
右遶七匝一心合掌在一面立其諸菩薩即
皆避座稽首佛足亦遶七匝於一面立諸大
弟子釋梵四天王等亦皆避座稽首佛足在
一面立於是世尊如法慰問諸菩薩已各令
復坐即皆受教衆坐已定佛語舍利弗汝見
菩薩大士自在神力之所為乎唯然已見汝
意云何世尊我覩其為不可思議非意所圖
非度所測尒時阿難白佛言世尊今所聞香
自昔未有是為何香佛告阿難是彼菩薩毛
孔之香於是舍利弗語阿難言我等毛孔亦
出是香阿難言此所從來曰是長者維摩詰
從衆香國取佛餘飯於舍食者一切毛孔皆
香若此阿難問維摩詰是香氣住當久如維
摩詰言至此飯消曰此飯久如當消曰此飯勢
力至于七日然後乃消又阿難若聲聞人

BD00494 號　維摩詰所說經卷下　（19–5）

香若此阿難問維摩詰是香氣住當久如維
摩詰言至此飯消曰此飯久如當消曰此飯勢
力至于七日然後乃消又阿難若聲聞人
未入正位食此飯者得入正位然後乃消已
入正位食此飯者得心解脫然後乃消若未
發大乘意食此飯者至發意乃消已發意食
此飯者得无生忍然後乃消已得无生忍食
此飯者至一生補處然後乃消辟如有藥名
曰上味其有服者身諸毒滅然後乃消此飯
如是滅除一切諸煩惱毒然後乃消阿難白
佛言未曾有也世尊如此香飯能作佛事　佛
言如是如是阿難或有佛土以佛光明而作
佛事有以諸菩薩而作佛事有以佛所化人
而作佛事有以菩提樹而作佛事有以佛衣
服卧具而作佛事有以飯食而作佛事有以
園林臺觀而作佛事有以卅二相八十隨形
好而作佛事有以佛身而作佛事有以虛空
而作佛事衆生應以此緣得入律行有以夢
幻影響鏡中像水中月熱時炎如是等喻而
作佛事有以音聲語言文字而作佛事或有
清淨佛土寂漠无言无說无示无識无作无
爲而作佛事如是阿難諸佛威儀進止諸所
施爲无非佛事阿難有此四魔八万四千諸
煩惱門而諸衆生爲之疲勞諸佛即以此法
而作佛事是名入一切諸佛法門菩薩入此
門者若見一切淨妙佛土不以爲喜不貪不
高若見一切不淨佛土不以爲憂不㝵不沒

BD00494號　維摩詰所說經卷下　（19–6）

高若見一切不淨佛土不以爲憂不㝵不沒
但於諸佛生清淨心歡喜恭敬未曾有也諸
佛如來功德平等爲教化衆生故而現佛土
不同阿難汝見諸佛國土地有若干而虛空
无若干也如是見諸佛色身有若干耳其无
㝵慧无若干也阿難諸佛色身威相種性戒
定智慧解脫解脫知見力无所畏不共之法大
慈大悲威儀所行及其壽命說法教化成就
衆生淨佛國土具諸佛法悉皆同等是故名
爲三藐三佛陁名爲多陁阿伽度名爲佛陁
阿難若我廣說此三句義汝以劫壽不能盡受
正使三千大千世界滿中衆生皆如阿難多
聞第一得念總持此諸人等以劫之壽亦不
能受如是阿難諸佛阿耨多羅三藐三菩提
无有限量智慧辯才不可思議阿難白佛言
我從今已往後不敢自謂以爲多聞佛告阿難勿
起退意所以者何我說汝於聲聞中爲最多
聞非謂菩薩且止阿難其有智者不應限度
諸菩薩也一切海淵尚可測量菩薩禪定智
慧總持辯才一切功德不可量也阿難汝等
捨置菩薩所行是維摩詰一時所現神通之
力一切聲聞辟支佛於百千劫盡力變化所
不能作
尒時衆香世界菩薩來者合掌白佛言世尊
我等初見此土生下劣想今自悔責捨離是
心所以者何諸佛方便不可思議爲度衆生
故隨其所應現佛國異唯然世尊願賜少法

BD00494號　維摩詰所說經卷下　（19–7）

心所以者何諸佛方便不可思議為度衆生
故隨其所應現佛國異唯然世尊願賜少法
還於彼土當念如來佛告諸菩薩有盡无盡
觧脫法門汝等當學何謂為盡謂有為法何
謂无盡謂无為法如菩薩者不盡有為不住
无為何謂不盡有為謂不離大慈不捨大悲
深發一切智心而不忽忘教化衆生終不猒
惓於四攝法常念順行護持正法不惜軀命
種諸善根无有疲猒志常安住方便迴向求
法不懈說法无悋勤供養諸佛不畏生死於
諸榮辱心无憂喜不輕未學敬學如佛墮煩
惱者令發正念於遠離樂不以為貴不著己樂
慶於彼樂在諸禪定如地獄想於生死中如
園觀想見來求者為善師想捨諸所有具一
切智想見毀戒人起救護想諸波羅蜜為父
母想道品之法為眷屬想發行善根无有齊
限以諸淨國嚴飾之事成己佛土行不限施
具足相好除一切惡淨身口意生死无數劫
意而有勇聞佛无量德志而不倦以智慧劍
破煩惱賊出陰界入荷負衆生永使解脫以
大精進摧伏魔軍常求无念實相智慧行少
欲知足而不捨世法不壞威儀而能隨俗起
神通慧引導衆生得念揔持所聞不忘善別
諸根斷衆生疑以樂說辯演法无閡淨十善
道受天人福脩四无量開梵天道勸請說法隨
喜讚善得佛音聲身口意善得佛威儀深脩
善法所行轉勝以大乘教成菩薩僧心无放
逸不失衆善行如此法是名菩薩不盡有為

喜讚善得佛音聲身口意善得佛威儀深脩
善法所行轉勝以大乘教成菩薩僧心无放
逸不失衆善行如此法是名菩薩不盡有為
何謂菩薩不住无為謂脩學空不以空為證
脩學无相无作不以无相无作為證脩學无
起不以无起為證觀於无常而不猒善本觀世
間苦而不惡生死觀於无我而誨人不惓觀於
寂滅而不永寂滅觀於遠離而身心脩善觀
无所歸而歸趣善法觀於无生而以生法荷
負一切觀於无漏而不斷諸漏觀无所行而
以行法教化衆生觀於空无而不捨大悲觀
正法位而不隨小乘觀諸法虛妄无牢无人
无主无相本願未滿而不虛福德禪定智慧
脩如此法是名菩薩不住无為又具福德故不
住无為具智慧故不盡有為大慈悲故不住
无為滿本願故不盡有為集法藥故不住无
為隨授藥故不盡有為知衆生病故不住无
為滅衆生病故不盡有為諸正士菩薩已脩
此法不盡有為不住无為是名盡无盡解脫
法門汝等當學尒時彼諸菩薩聞說是法
皆大歡喜以衆妙華若干種色若干種香
散遍三千大千世界供養於佛及此經法并
諸菩薩已稽首佛足歎未曾有言釋迦牟尼
佛乃能於此善行方便言已忽然不現還到
彼國

見阿閦佛品第十二

尒時世尊問維摩詰汝欲見如來為以何等
觀如來乎維摩詰言如自觀身實相觀佛亦

彼國

見阿閦佛品第十二

尒時世尊問維摩詰汝欲見如来為以何等
觀如来乎維摩詰言如自觀身實相觀佛亦
然我觀如来前際不来後際不去今則不住
不觀色不觀色如不觀色性不觀受想行識
不觀識如不觀識性非四大起同於虛空六
入无積眼耳鼻舌身心已過不在三界三垢
已離順三脫門三明與无明等不一相不異
相不自相不他相非无相非取相不此岸不
彼岸不中流而教化衆生觀於寂滅亦不永
滅不此不彼不以此不以彼不可以智知不
可以識識无晦无明无名无相无強无弱非
淨非穢不在方不離方非有為非无為无示
无説不施不慳不戒不犯不忍不恚不進不
怠不定不乱不智不愚不誠不欺不来不去
不出不入一切言語道斷非福田非不福田
非應供養非不應供養非取非捨非有相非无
相同真際等法性不可稱不可量過諸稱量
非大非小非見非聞非覺非知離衆結縛等
諸智同衆生於諸法无分別一切无失无濁
无惱无作无起无生无滅无畏无憂无喜无猒
无著无已有无當有无今有不可以一切言說
分別顯示世尊如来身為若此作如是觀以
斯觀者名為正觀若他觀者名為耶觀尒時
舍利弗問維摩詰汝於何沒而来生此維摩
詰言汝所得法有沒生乎舍利弗言无沒生
也若諸法无沒生相云何問

BD00494號　維摩詰所説經卷下　（19–10）

分別顯示世尊如来身為若此作如是觀以
斯觀者名為正觀若他觀者名為耶觀尒時
舍利弗問維摩詰汝於何沒而来生此維摩
詰言汝所得法有沒生乎舍利弗言无沒生
也若諸法无沒生相云何問言汝於何沒而
来生此於意云何譬如幻師幻作男女寧有
沒生耶舍利弗言无沒生也汝豈不聞佛説
諸法如幻相乎荅曰如是若一切法如幻相
者云何問言汝於何沒而来生此舍利弗沒
者為虛誑法敗壞之相生者為虛誑法相續
之相菩薩雖沒不盡善本雖生不長諸惡是
時佛告舍利弗有國名妙喜佛号无動是維
摩詰於彼國沒而来生此舍利弗言未曾有
也世尊是人乃能捨清淨土而来樂此多怒
害處維摩詰語舍利弗於意云何日光出時
與冥合乎荅曰不也日光出時則无衆冥維
摩詰言夫日何故行閻浮荅曰欲以明照
為之除冥維摩詰言菩薩如是雖生不淨佛
土為化衆生不與愚闇而共合也但滅衆生
煩惱闇耳
是時大衆渴仰欲見妙喜世界不動如来及
其菩薩聲聞之衆佛知一切衆會所念告維
摩詰言善男子為此衆會現妙喜國不動如
来及諸菩薩聲聞之衆衆皆欲見於是維摩
詰心念吾當不起于座接妙喜國鐵圍山川
溪谷江河大海泉源須弥諸山及日月星宿
天龍鬼神梵天等宮并諸菩薩聲聞之衆城

BD00494號　維摩詰所説經卷下　（19–11）

溪谷江河大海泉源須弥諸山及日月星宿
天龍鬼神梵天等宮并諸菩薩聲聞之衆城
邑聚落男女大小乃至无動如來及菩提樹
諸妙蓮華能於十方作佛事者三道寶階從
閻浮提至忉利天以此寶階諸天來下悉為
礼敬无動如來聽受經法閻浮提人亦登其
階上昇忉利見彼諸天妙喜世界成就如是
无量功德上至阿迦膩吒天下至水際以右
手斷取如陶家輪入此世界猶持華鬘示一
切衆作是念已入於三昧現神通力以其右
手斷取妙喜世界置於此土彼得神通菩薩
及聲聞衆并餘天人俱發聲言唯然世尊誰
取我去願見救護无動佛言非我所為是維
摩詰神力所作其餘未得神通者不覺不知
己之所往妙喜世界雖入此土而不增減於
是世界亦不迫隘如本无異
尒時釋迦牟尼佛告諸大衆汝等且觀妙喜
世界无動如來其國嚴飾菩薩行淨弟子清
白皆曰唯然已見佛言若菩薩欲得如是清
淨佛土當學无動如來所行之道現此妙喜
國時娑婆世界十四那由他人發阿耨多羅三
藐三菩提心皆願生於妙喜佛土釋迦牟尼
佛即記之曰當生彼國時妙喜世界於此國
土所應饒益其事訖已還復本處佛告舍利
弗汝見此妙喜世界及无動佛不唯然已見
世尊願使一切衆生得清淨土如无動佛獲
神通力如維摩詰世尊我等快得善利得見
是人親近供養其諸衆生若今見在若佛滅

神通力如維摩詰世尊我等快得善利得見
是人親近供養其諸衆生若今現在若佛滅
後聞此經者亦得善利况復聞已信解受持
讀誦解說如法脩行若有手得是經典者便
為已得法寶之藏若有讀誦解釋其義如說
脩行則為諸佛之所護念其有供養如是人
者當知則為供養於佛其有書持此經卷者
當知其室則有如來若聞是經能隨喜者斯
人則為取一切智若能信解此經乃至一四
句偈為他說者當知此人即是受阿耨多羅
三藐三菩提記
法供養品第十三
尒時釋提桓因於大衆中白佛言世尊我雖
從佛及文殊師利聞百千經未曾聞此不可
思議自在神通決定實相經典如我解佛所
說義趣若有衆生聞是經法信解受持讀誦
之者必得是法不疑何况如說脩行斯人則
為閉衆惡趣開諸善門常為諸佛之所護念
降伏外學摧滅魔怨脩治菩提安處道場履
踐如來所行之跡世尊若有受持讀誦如說
脩行者我當與諸眷屬供養給事所在聚落
城邑山林曠野有是經處我亦與諸眷屬聽
受法故共到其所其未
信者當為作護佛言善哉善哉天帝如汝所
說吾助汝喜此經廣說過去未來現在諸佛
不可思議阿耨多羅三藐三菩提是故天帝
若善男子善女人受持讀誦供養是經者則
為供養去來今佛天帝正使三千大千世界

說吾助汝喜此經廣說過去未來現在諸佛
不可思議阿耨多羅三藐三菩提是故天帝
若善男子善女人受持讀誦供養是經者則
為供養去來今佛天帝正使三千大千世界
如來滿中譬如甘蔗竹葦稻麻叢林若有善
男子善女人或一劫或減一劫恭敬尊重讚歎
供養奉諸所安至諸佛滅後以一一全身舍
利起七寶塔縱廣一四天下高至梵天表剎
莊嚴以一切華香瓔珞幢幡伎樂微妙第一
若一劫若減一劫而供養之於天帝意云
何其人殖福寧為多不釋提桓因言多矣世
尊彼之福德若以百千億劫說不能盡佛告
天帝當知是善男子善女人聞是不可思議
解脫經典信解受持讀誦脩行福多於彼所
以者何諸佛菩提皆從是生菩提之相不可
限量以是因緣福不可量佛告天帝過去无
量阿僧祇劫時世有佛号曰藥王如來應供
正遍知明行足善逝世間解无上士調御丈
夫天人師佛世尊世界曰大莊嚴劫曰莊嚴
佛壽廿小劫其聲聞僧卅六億那由他菩薩
僧有十二億天帝是時有轉輪聖王名曰寶
蓋七寶具足主四天下王有千子端正勇健
能伏怨敵尒時寶蓋與其眷屬供養藥王如
來施諸所安至滿五劫過五劫已告其千子
汝等亦當如我以深心供養於佛於是千子
受父王命供養藥王如來復滿五劫一切施
安其王一子名曰月蓋獨坐思惟寧有供養
殊過此者以佛神力空中有天曰善男子法

BD00494號　維摩詰所說經卷下　（19–14）

安其王一子名曰月蓋獨坐思惟寧有供養
殊過此者以佛神力空中有天曰善男子法
之供養勝諸供養即問何謂法之供養天曰
汝可往問藥王如來當廣為汝說法之供養
即時月蓋王子行詣藥王如來稽首佛足却
住一面白佛言世尊諸供養中法供養勝云
何為法供養佛言善男子法供養者謂諸佛
所說經一切世間難信難受微妙難見清淨
无染非但分別思惟之所能得菩薩法藏所
攝陀羅尼印印之至不退轉成就六度善分
別義順菩提法眾經之上入大慈悲離眾魔事
及諸耶見順因緣法无我无人无眾生无壽命
空无相无作无起能令眾生坐於道場而轉
法轉諸天龍神乾闥婆等所共歎譽能令眾生
入佛法藏攝諸賢聖一切智慧說眾菩薩所
行之道依於諸法實相之義明宣无常苦空
无我寂滅能救一切毀禁眾生諸魔外道及
貪著者能使怖畏諸佛賢聖所共稱歎背生
死苦示涅槃樂十方三世諸佛所說若聞如是
等經信解受持讀誦以方便力為諸眾生
分別解說顯示分明守護法故是名法之供
養又於諸法如說脩行隨順十二因緣離諸
耶見得无生忍決定无我无有眾生而於因
緣果報无違无諍離諸我所依於義不依語
依於智不依識依了義經不依不了義經依
於法不依人隨順法相无所入无所歸无明畢
竟滅故諸行亦畢竟滅乃至生畢竟滅故
老死亦畢竟滅作如是觀十二因緣无有盡

BD00494號　維摩詰所說經卷下　（19–15）

老死亦畢竟滅作如是觀十二因緣无有盡
相不復起見是名冣上法之供養
佛告天帝王子月蓋從藥王佛聞如是法得
柔順忍即解寶衣嚴身之具以供養佛白佛
言世尊如來滅後我當行法供養守護正法
願以威神加哀建立令我得降魔怨脩菩薩
行佛知其深心所念而記之曰汝於末後守
護法城天帝時王子月蓋見法清淨聞佛授
記以信出家脩集善法精進不久得五神通
成菩薩道得陁羅尼无斷辯才於佛滅後以
其所得神通揔持辯才之力滿十小劫藥王
如來所轉法輪隨而分布月蓋比丘以護持
法勤行精進即於此身化百万億人於阿耨
多羅三藐三菩提立不退轉十四那由他人
深發聲聞辟支佛心无量衆生得生天上天
帝時王寶蓋豈異人乎今現得佛号寶炎如
來其王千子即賢劫中千佛是也從迦羅鳩
孫馱為始得佛冣後如來号曰樓至月蓋比
丘則我身是也如是天帝當知此要以法供
養於諸供養為上為冣第一无比是故天帝
當以法之供養供養於佛

囑累品第十四

於是佛告弥勒菩薩言弥勒我今以是无量
億阿僧祇劫所集阿耨多羅三藐三菩提付
囑於汝如是輩經於佛滅後末世之中汝等
當以神力廣宣流布於閻浮提无令斷絕所
以者何未來世中當有善男子善女人及天龍

當以神力廣宣流布於閻浮提无令斷絕所
以者何未來世中當有善男子善女人及天龍
鬼神乾闥婆羅剎等發阿耨多羅三藐三菩
提心樂于大法若使不聞如是等經則失善
利如此輩人聞是等經必多信樂發希有心
當以頂受隨諸衆生所應得利而為廣說弥
勒當知菩薩有二相何謂為二一者好於雜
句文飾之事二者不畏深義如實能入若好
雜句文飾事者當知是為新學菩薩若於如
是无深无着甚深經典无有恐畏能入其中
聞已心淨受持讀誦如說脩行當知是為久
脩道行弥勒復有二法名新學者不能決定
於甚深法何等為二一者所未聞深經聞之
驚怖生疑不能隨順毀謗不信而作是言我
初不聞從何所來二者若有護持解說如是
深經者不肯親近供養恭敬或時於中說其
過惡有此二法當知是新學菩薩為自毀傷
不能於深法中調伏其心弥勒復有二法菩
薩雖信解深法猶自毀傷而不能得无生法
忍何等為二一者輕慢新學菩薩而不教誨
二者雖解深法而取相分別是為二法弥勒
菩薩聞說是已白佛言世尊未曾有也如佛
所說我當遠離如斯之惡奉持如來无數阿
僧祇劫所集阿耨多羅三藐三菩提法若未

[illegible]
所說我當遠離如斯之惡奉持如來无數阿
僧祇劫所集阿耨多羅三藐三菩提法若未
來世善男子善女人求大乘者當令手得如
是等經與其念力使受持讀誦為他廣說世
尊若後末世有能受持讀誦為他說者當知
是彌勒神力之所建立佛言善哉善哉彌勒
如汝所說佛助汝喜於是一切菩薩合掌白
佛我等亦於如來滅後十方國土廣宣流布
阿耨多羅三藐三菩提復當開導諸說法者
令得是經
尒時四天王白佛言世尊在在處處城邑聚
落山林曠野有是經卷讀誦解說者我當率
諸官屬為聽法故往詣其所擁護其人面百
由旬令无伺求得其便者是時佛告阿難受
持是經廣宣流布阿難言唯我已受持要者
世尊當何名斯經佛言阿難是經名為維摩
詰所說亦名不可思議解脫法門如是受持
佛說是經已長者維摩詰文殊師利舍利弗
阿難等及諸天人阿脩羅一切大眾聞佛所
說皆大歡喜
維摩詰經卷下

BD00494號　維摩詰所說經卷下　（19–18）

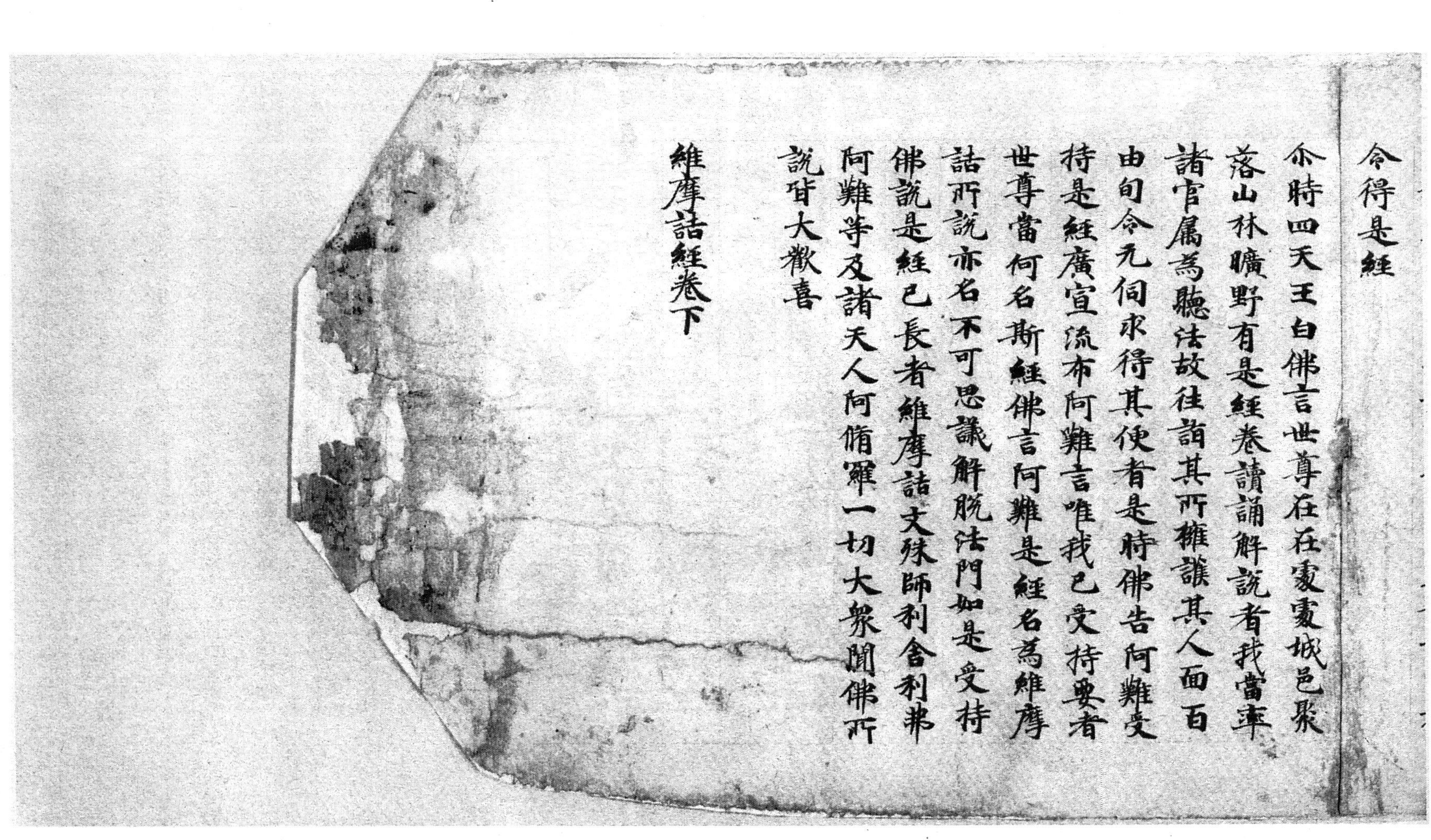
令得是經
尒時四天王白佛言世尊在在處處城邑聚
落山林曠野有是經卷讀誦解說者我當率
諸官屬為聽法故往詣其所擁護其人面百
由旬令无伺求得其便者是時佛告阿難受
持是經廣宣流布阿難言唯我已受持要者
世尊當何名斯經佛言阿難是經名為維摩
詰所說亦名不可思議解脫法門如是受持
佛說是經已長者維摩詰文殊師利舍利弗
阿難等及諸天人阿脩羅一切大眾聞佛所
說皆大歡喜
維摩詰經卷下

BD00494號　維摩詰所說經卷下　（19–19）

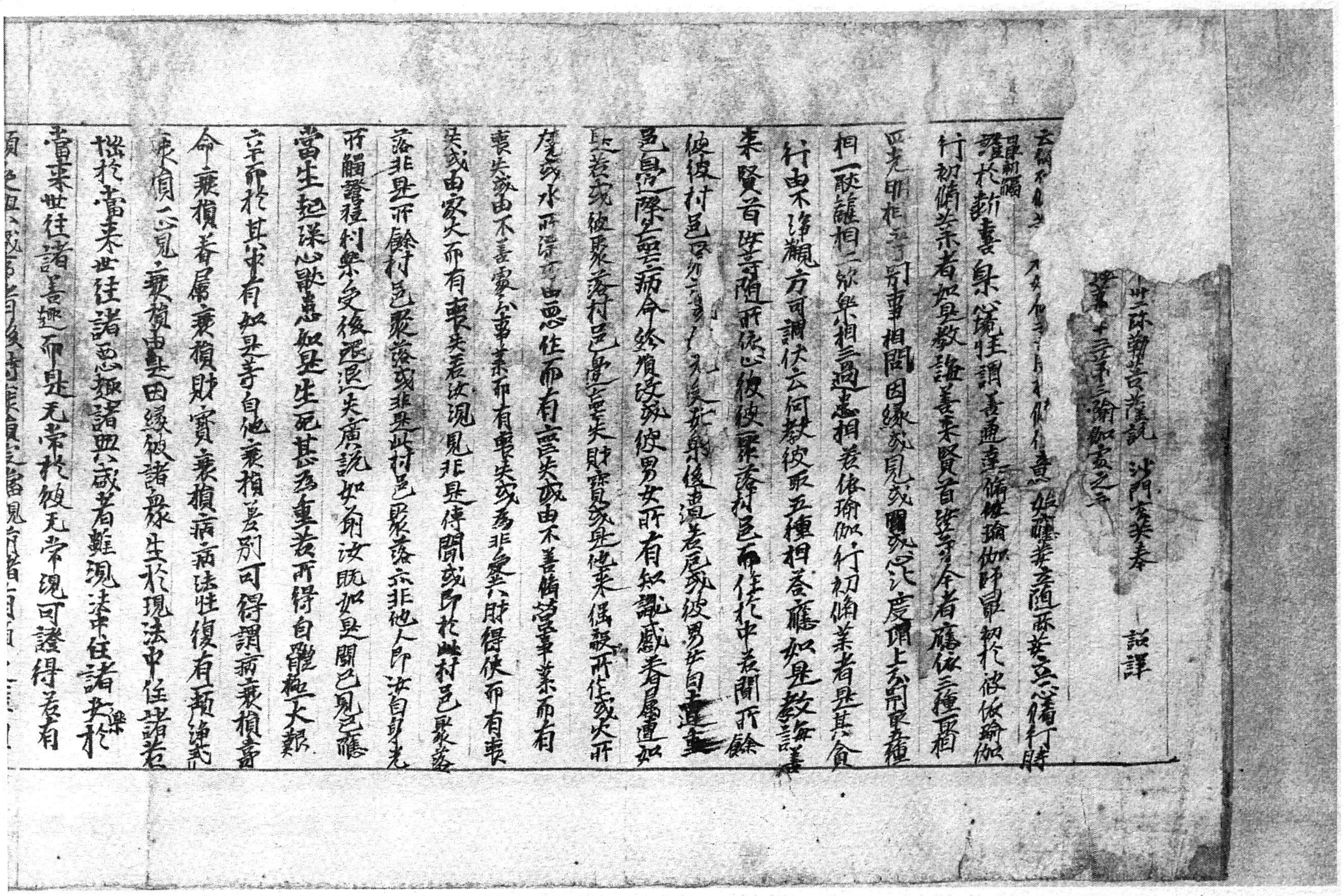

彌勒菩薩說　沙門玄奘奉詔譯

地第十三第三瑜伽處之三

云何[illegible]作意始修業者隨所安立心修行時

於斷善品心懷住謂善通達修瑜伽師最初於彼依瑜伽

行初修業者如是教誨善來賢首汝今者應依三種相

以光明作意思惟別事相聞因緣或見或聞或分別度頭上品別取種

相一厭離相二欣樂相三過患相若依瑜伽行初修業者是其貪

行由不淨觀方可調伏云何教彼取五種相應如是教誨善

來賢首汝當隨所依止彼彼聚落村邑而住於中若聞所餘

彼彼村邑或男或女或身死[illegible]後遺若疾或彼男女自遭重

患息逝際或無病命終復次或彼男女所有知識親戚眷屬遭如

是衰或彼聚落村邑身遭衰喪失財寶或是他來侵殺所作或火所

焚或水所漂或由惡住而有喪失或由不善營事業而有

喪失或由不善處分事業而有喪失或為非愛共財得使而有喪

失或由家火而有喪失若汝現見非是傳聞或即於此村邑聚

落非是所餘村邑聚落或非是此村邑聚落亦非他人即汝自身先

所經歷種種衆受後退没失廣說如前汝既如是聞已見已應

當生起深心厭患如是生死甚為衰惡若所得自體極大衰

喪而於其中有如是等自他衰損差別可得謂病衰損壽

命衰損眷屬衰損財寶衰損病病法性復有顛諍若

衰損一心見衰損由是因緣彼諸衆生於現法中住諸苦

惱於當來世往諸惡趣諸四識者雖現法中住諸樂於

當來世往諸善趣而是无常於彼无常現可證得若有

[illegible]

衰損一心見衰損由是因緣彼諸衆生於現法中住諸苦

惱於當來世往諸惡趣諸四識者雖現法中住諸樂於

當來世往諸善趣而是无常於彼无常現可證得若有

顧戀四識事者後時衰損定當現前諸有顧戀衰損事

者後時四識雖可現前諸四識事皆是難得易失壞法如是

汝應深心厭患無善住意如理受持如是處所雖可保信

我今於是生死輪轉未般涅槃未解脫離可保信如是衰損

興盛二法力現我前多彼因緣今我隨在如是處所生起

福相對緣善惡不適意者即由此事增上力故我當令

誡善樂於斷修不放逸又我如是多安住故當於无義

能住自邊際如是汝應善極住意如理受持汝亦如是

厭離相已復應精勤取欣樂相當自觀察所受尸羅爲

善清淨爲不清淨我於我失念或不恭敬或多煩惱或由无

知於諸學處有所違犯既違犯已我當如法如本性增

上意樂於諸學處發起深心更不毀犯我於所住當正應作於

非所住不復當住以要言之於諸學處當令增上意樂圓滿

亦令所有加行圓滿汝於如是正觀察時若自了知我善清淨

雖不作思我當發起清淨无悔然其法尒尸羅淨者定生如

是清淨无悔若起如是清淨无悔雖不作思我起歡悅然其

法尒无有悔者定生歡悅如是且於一種歡悅所依處所汝應

生起清淨无悔爲先歡悅復於除障喜悅處所當生喜

悅謂我今者尸羅清淨有能安住世尊所制學

處於現法中能得未得能觸未觸能證未證由

是處所生喜悅意若汝獲得前後所證少分差別即由

如是增上力故於他圓滿所證差別謂諸如來或聖弟子及白

後時所證差別當生信解發喜悅意如是行相諸

適悅意名歡悅今名喜悅總名悅意如是名爲取欣樂

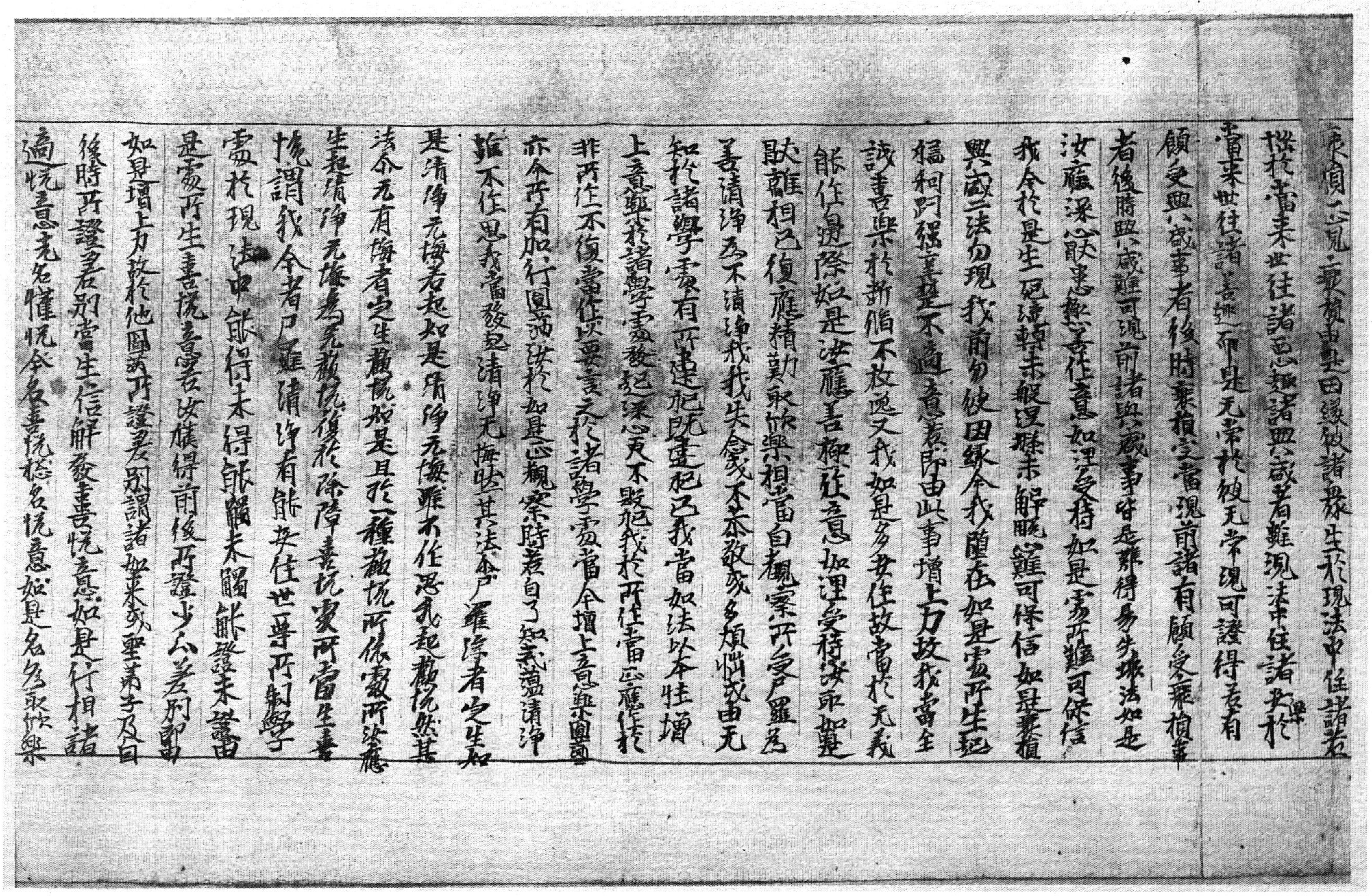

是處所生喜悅意受汝應得前後所證少分差別謂即
如是增上方便於他因所證差別謂諸如來或聖弟子及自
後時所證多有差別當生信解發喜悅意如是修行相諸
適悅意光名慊悅令名喜悅恬名悅意如是名為取欣樂
相取是相已復應數數於先所言賢首汝由如是厭離相故調
練其心復由如是欣樂相故滋潤其心汝於斷滅世間貪憂
應多安住隨於彼彼所緣境界勤脩加行或奢摩
他品或毗鉢舍那品即於彼彼所緣境界當令心住內
住等住汝當勤得心一趣安及境性汝若如是於諸
畢竟四句諸白品中調練心故復應數取過患相謂於所
有諸相尋思及隨煩惱所過患相言諸相者謂色等相
尋思者謂欲等八隨煩惱者謂貪欲等五汝應於彼取
過患相如是諸相能令其心住用處務如是尋思
能令其心思慕躁擾如是隨煩惱能令其心恒不寂靜
若心作用諸相所作思慕躁擾尋思所作恒不寂靜隨煩惱
所作由是令心荏惱而住是故如是諸相尋思及隨惱是若非聖能
引无義令心散動令心躁擾令心染汙汝應如是取過患相又汝應依
心一境性心安住性心无亂性以六種正取其相何等為六一无相想二於无
相中无作用想三无分別想四於无分別中无所思慕无躁擾想五寂靜
想六於寂靜中離諸煩惱寂滅樂想汝取如是過患相已復應數數
取光明相謂或燈明或火大明或日輪明或月輪明既取如是光明
相已復詣冢間取青瘀相廣說乃至取骨鎖相汝若不能往詣冢
間當取繒畫木石所作如是諸相取是相已還所住處或阿練若
或林樹下或空閑室或在大牀或小繩牀或草葉座先洗足已
結跏趺坐端身正願安住背念先於一境令心不散繫念在前復於
其中依六種想作意思惟謂无相想无分別想寂靜想无作用想无所思
慕无躁擾想離諸煩惱寂滅樂想又於其中汝當審諦周遍了知亂

結跏趺坐端身正願安住背念先於一境令心不散繫念在前復於
其中依六種想作意思惟謂无相想无分別想寂靜想无作用想无所思
慕无躁擾想離諸煩惱寂滅樂想又於其中汝當審諦周遍了知亂
不亂相分明顯前如審諦周遍了知亂不亂相如是如是汝能了知諸
相尋思隨煩惱中所有亂相及能了知心一境性隨六想能諸不亂想又汝
相此亂不亂相如是審諦了知便能安住一所緣境亦能安住內心寂止諸心
相續諸心流注前後一味无相无分別寂靜而轉又善汝心雖得寂靜由先舍
故及由串習諸相尋思隨煩惱等諸過失故如鏡中面所緣影像數現在前
隨所生起即於其中當更修習不念作意謂先所見諸過患相增上力故
即於如是所緣境相由所修習不念作意除遣散滅當令畢竟不現在前
賢首當知如是所緣甚為微細難可通達汝應發起猛利樂欲為求通達
發勤精進世尊依此所緣境相密意說言汝善苾芻當知眾善善者謂於大眾
共集中盛正義色　此眾善眾殊勝者謂於多眾大集會中歌儛倡伎假
使有一智慧丈夫從外而來告一人曰咄哉男子汝於今者可持如是手滿鉢油勿
令灩溢經歷如是大眾中過當遣其間所有眾善及諸眾勝歌儛倡伎
大等生等今有魁膾露拔利劍隨逐汝行若汝鉢油滿溢墮地此之魁膾即以利
劍當斬汝首斷汝命根苾芻汝等於意云何是持鉢人頗不作意專心油鉢拔劍
魁膾不平地等而能作意觀視眾善及諸眾勝歌儛倡伎大等生耶
不也世尊何以故是持鉢人既見魁膾露拔利劍隨逐而行極大怖畏專作是
念我所持鉢油既弥滿經是眾中極難將度脫有一渧墮地者定為如是拔劍魁
膾當斬我首斷我命根是人不能於彼眾善及諸眾勝歌儛倡伎大等生等都不作
意思觀視唯於油鉢專心作意而正護持如是苾芻我諸弟子殷重專
心憶念修四念住當知亦爾言眾善者喻能隨順貪欲纏等隨煩惱法處中眾
勝歌儛倡伎喻能隨順尋思戲論躁擾處法大等生者喻色相等諸相法
智慧丈夫喻瑜伽師手滿油鉢喻奢摩他所安住心能令身心輕安調適是奢
摩他義露拔利劍隨行魁膾喻所諸相尋思隨煩惱中諸過患相專心持護
不令鉢油一渧墮地喻能審諦周遍了知亂不亂相是所攝受奢摩他道由是

智慧丈夫喻瑜伽師手滿油鉢喻奢摩他所安住心能令身心輕安適悅是奢
摩他義或有拔利劍隨行地膽喻先所諸相尋思隨煩惱中諸過患事相心持護
不令鉢油一渧墮地喻能審諦周遍了知亂不亂相之所攝受奢摩他道由是
能令諸心相續心諸相續諸心流注由精進力無間常發前後一味無相無別
寂靜而轉不起一心復緣諸相或緣尋思隨煩惱中積擾是瑜伽師復應如是教勸
教誨於奢摩他初脩業者告言賢首汝若如是精勤脩習奢摩他道
如是方便攝受正念正知俱行有堪能性乃名為脩奢摩他道若復由習諸
失故不能於中深心愛樂猶如大難辛勵方乃發方便前者還應速疾出无如
別所緣境相有分別所緣境相繫念在前如先所取諸不淨相汝今復應住
意思惟先應用彼唯隨相行毗鉢舍那或觀青瘀或觀膿爛廣說乃至觀
骨觀鏁或觀骨鏁汝於是初脩觀時於青瘀廣說乃至於骨鏁當起勝解
於其中已串脩習觀道明淨於所緣相明了勝解相續轉時復應於一於二於三於四乃至十於
廿卌五十或百青瘀或千青瘀乃至一切諸方諸維所有青瘀起無量行廣解
處無間勝解於中乃至無有容受針鋒處如於青瘀如是乃至骨鏁亦爾汝依
如是勝解作意應當趣入真實作意於趣入時應作是念我今者勝解
所作無量青瘀廣說乃至無量骨鏁真實青瘀乃至骨鏁其量過此不可
數解所以者何從前際來我於有彼趣中輪迴生死我所曾經命終天沒所棄尸
骸所起青瘀廣說乃至所骨鏁無邊如是所起推其前際不可知故假使
有能攝聚如是所棄尸骸令無爛朽大地亦不容受從劫中所棄尸骸乃骨
鏁假使有能鏁在一處其聚量等廣大勝山如從前際後際亦尒乃至未能作苦邊
際如是汝依勝解作意應當趣入真實作意又非脩習如青瘀乃至骨鏁毗鉢舍那應須
觀察於應於一方所緣相起勝解已還復令心於內寂靜乃至於此所緣境相無樂
明淨無諸擾惱不擾勵力療治所時應於如是尸骸青瘀發起勝解無邊於此方
至勵力方現在前尒時於內應脩寂靜於青瘀乃至骨鏁當知亦尒由此道理乃
至无量當知亦尒如是令心於內寂靜已作發起寂靜謂從最後无量青瘀勝解
乃至最後无量骨鏁內略其心除遣其最後眾相不顯現中不令棄捨有
分別相不分別唯即於此所緣境界安住其心无相无分別寂靜而轉從瑜伽師復應

至勵力方現在前尒時於內應脩寂靜於青瘀乃至骨鏁當知亦尒由此道理乃
至无量當知亦尒如是令心於內寂靜已作發起寂靜謂從最後无量青瘀勝解
乃至最後无量骨鏁內略其心除遣其最後眾相不顯現中不令棄捨有
分別相不分別唯即於此所緣境界安住其心无相无分別寂靜而轉從瑜伽師復應
教授告言賢首汝先所取諸光明相於奢摩他品加行中及於毗鉢舍那品加行
中修應住意如理思惟若汝能以光明俱心明淨俱心無闇俱心脩奢
摩他毗鉢舍那如是乃為於奢摩他毗鉢舍那道脩光明想若有最初於所緣
境多不分明數習勝解其相闇昧是因緣後所脩習所有勝解亦不分明
雖多串習而相闇昧若有最初於所緣境多分分明數習勝解其相明了由
是因緣後所脩轉復分明雖少串習而相明了如是當中善取如是厭離相故善取
如是所樂相故善取如是奢摩他相故善取如是毗鉢舍那相故善取如是光明
相故於時時中內以寂靜於時時中中直相行毗鉢舍那思擇諸法即於不淨
正脩加行增上力故於諸念住漸次趣入將趣入時汝應先於內身所有一一物始
從髮毛乃至小便善取其相汝應於是自內身中諸不淨物先當發起不淨勝
解數數發起此勝解已復令其心於內寂靜如是名為於內身中脩循身
觀依自身內而發起故次應於外諸不淨物善取其相汝當發起青瘀勝解
廣說乃至骨鏁勝解或小勝解或廣大勝解或无量勝解數數發起此
勝解已復令其心於內寂靜如是名為於外身中脩循身觀依他外身而發起
故後復應於自身內外諸不淨物善取相令心明了又於他身內外不淨善取
其相令心明了於自所受內外當發起如是勝解復於死已出送冢間至冢間已棄之在地
棄在地已至青瘀位至膿爛位廣說乃至骨鏁位發起勝解數數發起此勝
解已復令其心於內寂靜如是名為於內外身脩循身觀依自他身若內若外而發
起故汝復應於四无色蘊由聞思增上力分別取相於其三分發起勝解於奢
摩他品一於无散亂於毗鉢舍那品脩行奢摩他品者謂若汝心於內略時
起无相无分別寂靜極寂靜行等無住用思惡尋无懈動離諸擾惱寂滅樂
想於於所緣境无亂受等四无色蘊剎那剎那展轉名異唯是新新而
非故故相續流轉汝應於此種思惟發起勝解如是名為於內受心法脩循

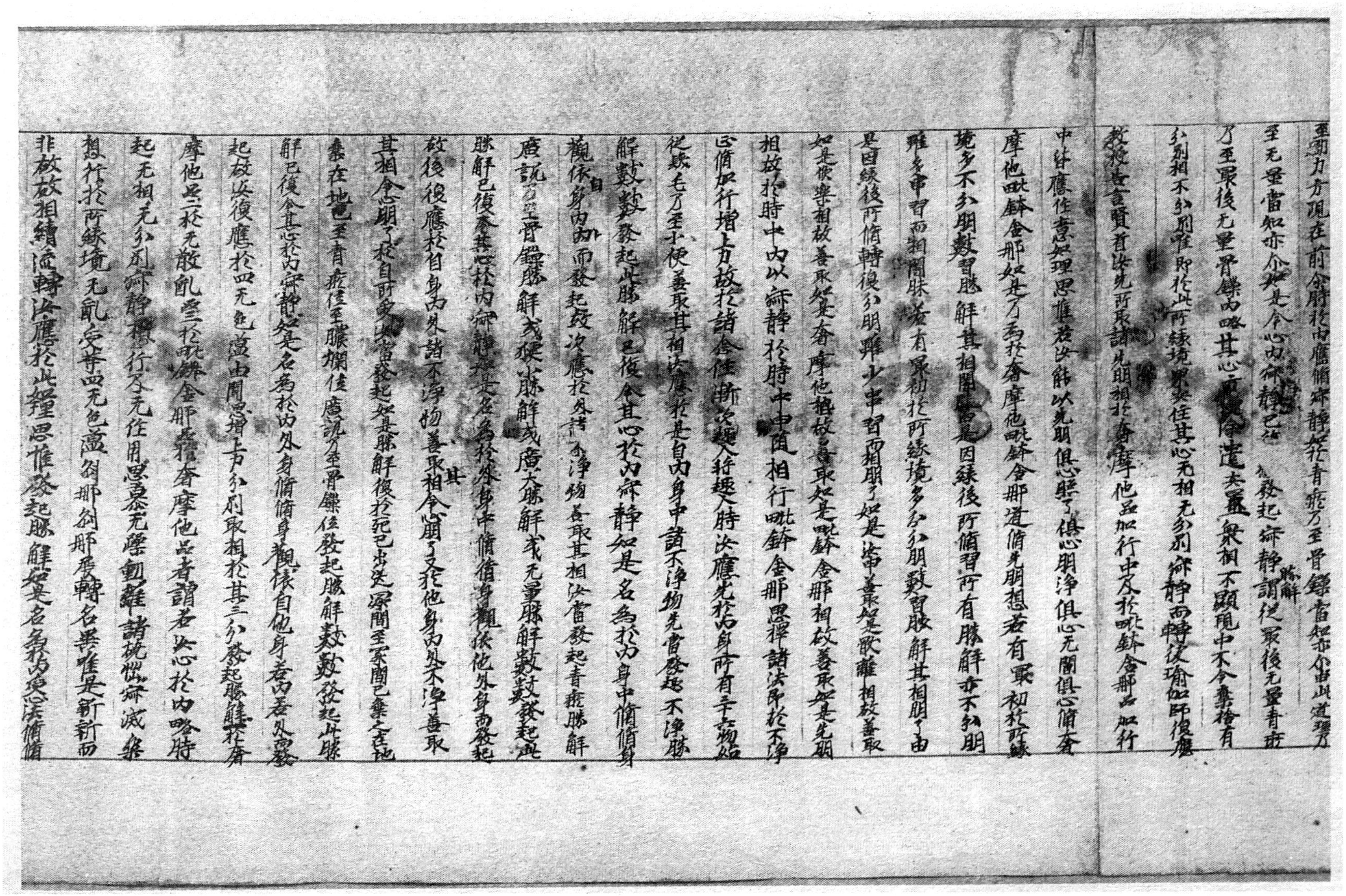

摩他品二於无散亂品二於毗鉢舍那品猶奢摩他品者謂若於心於內略時
起无相无分別寂靜極寂行等无住用思慮无際動離諸掉悩寂滅樂
想行於所緣境无亂受等四无色蘊刹那刹那展轉名異唯是新新而
非故故相續流轉汝應於此種思惟發起勝解如是名爲於內受心法循
受心法觀於无散亂品者謂汝於先取諸境界緣諸境界還不安住
盡滅又令失念心亂所生諸相尋思隨煩惱境增上受等四无色蘊汝應於此如
理作意如是諸法其性皆是誑幻所作暫時而有率尒現前多諸過患
其性无常可信信汝應如是發起勝解如是名爲於外受心法循受心法觀
於毗鉢舍那品者謂汝善取毗鉢舍那相已住有相有分別作意於有分
別有相所緣增上內所生受等四无色蘊如理作意思惟此法刹那刹那展轉別
異唯是新新而非故故相續流轉如前所說發起勝解如是名爲於內外
受心法循受心法觀如是汝由依不淨觀正修加行增上力故於四念住當
得趣入汝應於念住加行時時修習勝奢摩他毗鉢舍那汝於如是四念住
中安住正念趣依彼彼村邑聚落遊際而住於心隨順趣向臨入所緣境界
汝應棲止所緣境相入彼村邑聚落乞食應當善護惡象惡馬惡牛惡
狗惡蛇惡獸坑澗隊塹株杌毒刺泥水糞穢及應遠離諸惡威儀識坐臥
具汝應如是善護己身善於如是諸境界相不應策發諸根汝應於彼不
住切用善守諸根善於如是諸境界相應當策發諸根汝應於彼正住切用善
住正念令諸煩惱不起現行汝應如是善護己身善守諸根善住正念於
彼住意善知其量受用飲食又汝應與在家出家說應量語說應理
語說應時語說正直語說寂靜語一切世間非法言論皆當遠離雖
復宣說如法言論不應諍競何以故若諸士夫補特伽羅住諍競
語平相難詰其心便住多戲論中多戲論故其心掉舉心掉舉故心
不寂靜不寂靜故便令其心遠三摩地如是行已汝應速疾不捨所
緣結加趺坐於奢摩他毗鉢舍那如所取相由恒常作及畢竟作修瑜
伽行猶如世間鑽火方便起无間加行又殷重加行汝應如是恒常修
作畢竟修作又汝應起如是欲心假使一切贍部洲人盡贍部洲曾

BD00495號　瑜伽師地論卷三二　（11–7）

緣結加趺坐於奢摩他毗鉢舍那如所取相由恒常作及畢竟作修瑜
伽行猶如世間鑽火方便起无間加行又殷重加行汝應如是恒常修
作畢竟修作又汝應起如是欲心假使一切贍部洲人盡贍部洲曾
經遍量今皆總集在我一身我亦盡此无量壽命決定於斷瑜伽
作意勝奢摩他毗鉢舍那精勤修習時无暫捨由正了知如是所修瑜
伽加行有大勝果大勝利故何況如是少分壽量少時存活難極速去
不過百年受惹苦計但須臾頃如是汝應隨所教誨恒常修作
畢竟修作若爲此義受習於斷汝於此義必當獲得汝當最初證
得下劣身心輕安心一境性後當證得世出世間廣大圓滿初修業
者始修業時善達瑜伽諸瑜伽師依不淨觀如是教誨名正教誨
如是修行名正修行如說貪行是不淨觀之所調伏如是瞋行是慈愍觀
之所調伏乃至最後尋思行是阿那波那念之所調伏如其所應皆當了
知其中差別餘起入門我當顯示依慈愍觀初修業者於外親品怨
品及中庸品善取相已處如法坐由利益安樂增上意樂俱行定地作
意先依一親一怨一中庸所發起勝解於此三品由平等利益安樂增上
意樂俱行作意欲與其樂如是念言願彼求樂諸有情類皆當
得樂謂或无罪欲樂或无罪有喜樂或无罪无喜樂次後或於二親或
於三親或於四親或於五親十親二十三十如前乃至遍諸方維其中親
品充滿无間發起勝解於中乃至无有容受一杖端處如於親品如是
於怨及中庸品當知亦尒又彼不捨慈愍加行即由修習如是慈愍於
諸念住能正趣入云何趣入謂趣入時應當發起如是勝解如彼於我謂
親謂怨謂中庸品我既欲樂厭背其苦如是名爲於其內身修循
身觀餘亦於彼謂親謂怨謂中庸品如我彼亦欲樂背苦如是名爲
於其外身修循身觀如我既尒彼諸有情亦復如是如我自欲求得勝
樂彼諸有情亦復如是彼諸有情與己平等與己相似我當與彼利益安
樂如是名爲於內外身修循身觀此四念住總緣諸蘊爲境界故當
知說名緣總念住[illegible]

BD00495號　瑜伽師地論卷三二　（11–8）

樂彼諸有情亦復如是彼諸有情與已平等與已相似我當與彼利益安
樂如是名為於內外身脩循身觀此四念住捴緣諸蘊為境界故當
知說名壞緣念住者脩行者但取色相謂取顯相刑相表相於親品怨
品及中庸品而起解脫由此建立唯身念住彼復依止勝解作意能
正趣入真實作意謂起入時起是勝解我於乃至无量有情發起勝
解利益安樂增上意樂如是我從先際已來所有親品怨品及中庸品
流謝過去諸有類情其數无量甚過今者勝解所作如是過去諸有
情類為我親已復為怨為我怨已復為我親為怨親已復為中庸
為中庸已復為怨親由是義門一切有情平等平等无有少分親性
怨性及中庸性而非真實由是因緣遍於三品起平等心平等應與利益
安樂如從先際如是後際於生死中當復流轉應知亦尒又我於彼先際
已來諸有情類未曾發起慈愍之心彼皆過去今起慈愍復有何益
俱為除遣自心垢穢令得清淨故起念言當令過去諸有情類皆得
安樂諸未來世非曾有者亦皆令彼當得安樂如是趣入真實作意
慈愍住中諸福滋潤諸善滋潤堅前所脩勝解作意慈愍住中所獲福果
彼於百分不及此一彼於千分不及此一彼於數分筭分計分鄔波尼煞
曇分不及此一餘如前說又於緣性緣起觀中初脩業者由闇愚癡增
上力故分別取相謂諸有情由有種種无智闇癡現見无常妄計
為常現見不淨妄計為淨現見其苦妄計為樂現見无我妄計為我
彼諸有情有如是等種種顛倒為因於現法受及後所生諸自體中發
起貪愛由貪愛故造作種種生根本業此煩惱業為因緣故感得
當來純大苦蘊彼既善取如是相已復於其內發起勝解謂我今
此純大苦蘊亦如是生又我自體无邊无際從先際來初不可知亦如
是生彼諸有情去來現在一切自體苦蘊所攝亦皆如是已生當生
如是緣性緣起正觀一切皆是真實作意更无所餘勝解作意若於
自身現在諸蘊緣性緣生作意思惟是名於內身受心法住彼脩觀
若於他身現在諸蘊緣性緣生作意思惟是名於外身受心法住

BD00495號　瑜伽師地論卷三二　（11–9）

此純大苦蘊亦如是生又我自體无邊无際從先際來初不可知亦如
是生彼諸有情去來現在一切自體苦蘊所攝亦皆如是已生當生
如是緣性緣起正觀一切皆是真實作意更无所餘勝解作意若於
自身現在諸蘊緣性緣生作意思惟是名於內身受心法住彼脩觀
若於他身現在諸蘊緣性緣生作意思惟是名於外身受心法住
彼脩觀若於自他過去未來所有諸蘊緣性緣生作意思惟名於內外身受
心法住彼脩觀餘如前說又於界差別觀初脩業者先取其外所有堅鞕
所謂大地山林草木瓦石礫等末尼真珠瑠璃螺貝珊瑚玉等取彼相已
復於內堅而起勝解次取其外諸大水相所謂江河衆流陂湖池沼井等
取彼相已復於內濕而起勝解次取其外諸大火相所謂熱時烈日炎
熾焚燒山澤火大蔓延室宅等中所有諸火取彼相已復於內煖而起
勝解次取其外諸大風相所謂東西南北等風乃至風輪取彼相已復於
內風而起勝解次取其外諸大空相所謂諸方无障无礙諸聚色中孔
隙竅穴有所容受善取如是空界相已於內空界而起勝解復由聞
思增上力故起細分別取識界相所謂內眼處不壞色外處現前若
无能生作意正起所生眼識亦不得生與是相違眼識得生如是乃至
意法意識當知亦尒取是相已次起勝解了知如是四大身中有一切
識諸種子界種姓自性又於如是四大種中先起支節麁大解勝
後起分析種種細分微細勝解如是漸次分析乃至向遊塵量
如是漸次乃至極微而起勝解一一支分尚起无量最極微塵積集
勝解何况身中一切支分如是名為界差別觀中分析諸色界差別
邊際微細勝解於空界先當發起所有麁大空界勝解所謂眼耳
鼻唯筒等種種竅穴由是吞咽於是吞咽既吞咽已由是下分不淨
流出次後漸漸發起種種微細勝解乃至身中一切微細諸毛孔穴
皆悉了知後於識界漸漸發起所依所緣及以作意三世時分品類
差別无量勝解即於識界起勝解時由諸所依所緣勝解分析識
界亦於十種所造諸色而起勝解如諸大種微細分析照亦如是若於

BD00495號　瑜伽師地論卷三二　（11–10）

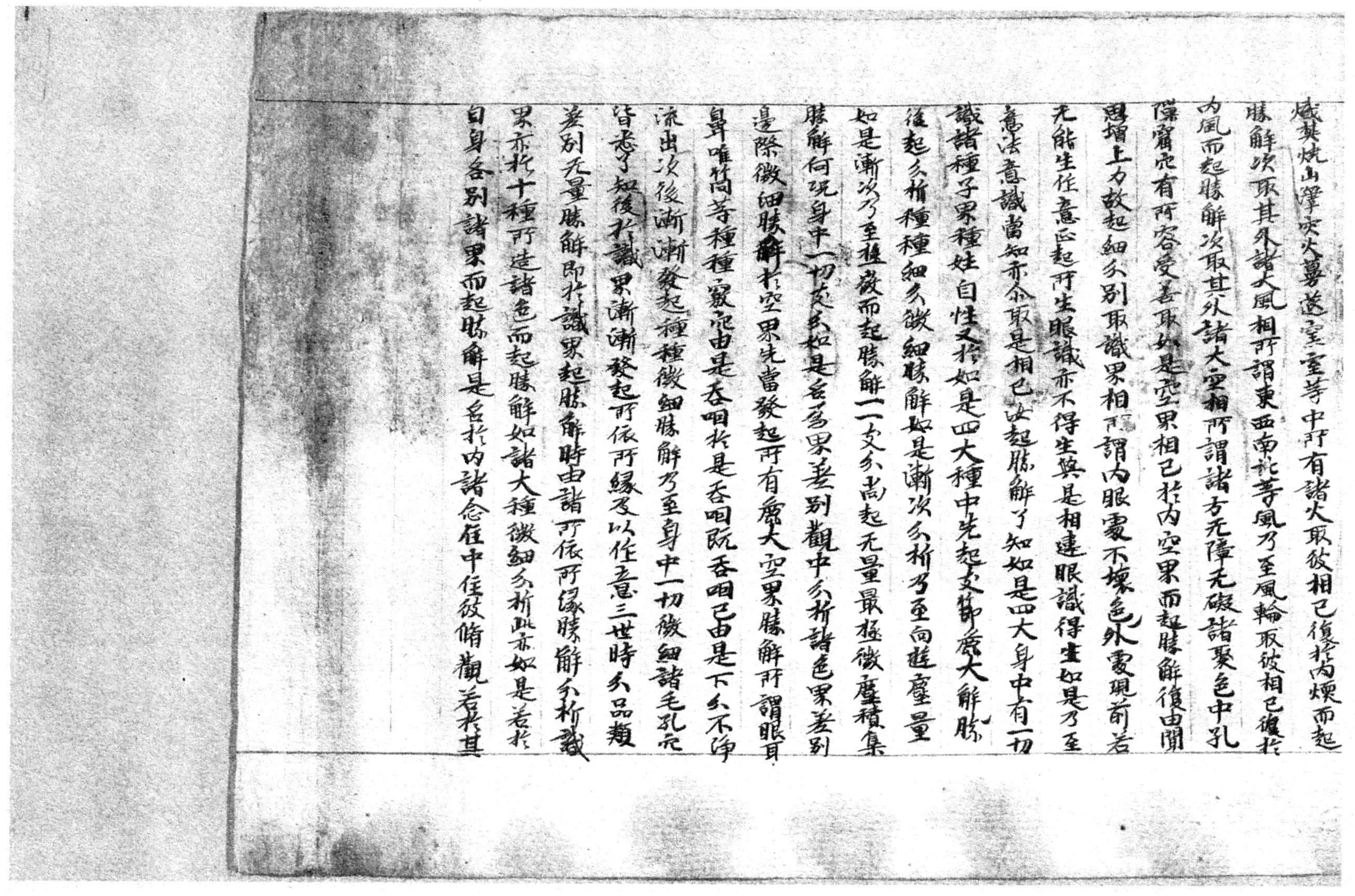
燒其村山澤災火蔓莚室臺等中所有諸火取彼相已復於內煖而起
勝解次取其外諸大風相所謂東西南北等風乃至風輪取彼相已復於
內風而起勝解次取其外諸大空相所謂諸方无障无礙諸聚色中孔
隙竅穴有所容受善取如是空界相已於內空界而起勝解復由聞
思增上力故起細分別取識界相所謂內眼處不壞色外處現前若
无能生作意正起所生眼識亦不得生與是相違眼識得生如是乃至
意法意識當知亦尒取是相已次起勝解了知如是四大身中有一切
識諸種子界種姓自性又於如是四大種中先起支節麁大勝解
復起分析種種細分微細勝解如是漸次分析乃至向遊塵量
如是漸次乃至極微而起勝解一一支分尚起无量最極微塵積集
勝解何况身中一切支分如是名為界差別觀中分析諸色界差別
邊際微細勝解於空界先當發起所有麁大空界勝解所謂眼耳
鼻唯筒等種種竅穴由是吞咽於是吞咽既吞咽已由是下分不淨
流出次後漸漸發起種種微細勝解乃至身中一切微細諸毛孔穴
皆悉了知後於識界漸漸發起所依所緣及以作意三世時分品類
差別无量勝解即於識界起勝解時由諸所依勝解分析識
界亦於十種所造諸色而起勝解如諸大種微細分析此亦如是若於
自身分別諸界而起勝解是名於內諸念住中住循身觀若於其

BD00495 號　瑜伽師地論卷三二　（11–11）

羅蜜多時以
无所畏四无礙解大
佛不共法一切智道相智一切相智
中定當得為上首復次善現以此菩
薩脩行般若波羅蜜多時以无所得而
便住金剛喻三摩地乃至以无所得而為方
便住无著无為无染解脫如虛空三摩地故
得於大有情衆中定當得為上首善現以如
是等種種因緣此菩薩摩訶薩於大有情衆
中定當得為上首善現是故菩薩復名摩訶
薩
尒時具壽舍利子白佛言世尊我亦樂說菩
薩由此義故復名摩訶薩佛言舍利子隨汝
意說舍利子言世尊由諸菩薩能為有情以
无所得而為方便說斷我見有情見命者見
生者見養者見士夫見補特伽羅見意生見
儒童見作者見使作者見起者見使起者見
受者見使受者見知者見見者見法故此菩
薩復名摩訶薩世尊由諸菩薩能為有情以
无所得而為方便說斷常見斷見法故此菩
薩復名摩訶薩世尊由諸菩薩能為有情以
无所得而為方便說斷有見无見法故此菩
薩復名摩訶薩世尊由諸菩薩能為有情以
无所得而為方便說斷蘊見處見界見諦見

BD00496 號　大般若波羅蜜多經卷四七　（16–1）

无所得而為方便説斷有見无見法故此菩
薩復名摩訶薩世尊由諸菩薩能為有情以
无所得而為方便説斷蘊見處見界見諦見
緣起見法故此菩薩復名摩訶薩世尊由諸
菩薩能為有情以无所得而為方便説斷四
静慮見四无量見四无色定見法故此菩薩
復名摩訶薩世尊由諸菩薩能為有情以无
所得而為方便説斷四念住見四正斷見四
神足見五根見五力見七等覺支見八聖道
支見法故此菩薩復名摩訶薩世尊由諸菩
薩能為有情以无所得而為方便説斷三解
脱門見六到彼岸見法故此菩薩復名摩訶
薩世尊由諸菩薩能為有情以无所得而為
方便説斷五眼見六神通見法故此菩薩復
名摩訶薩世尊由諸菩薩能為有情以无所
得而為方便説斷佛十力見四无所畏見四
无礙解見大慈大悲大喜大捨見十八佛不
共法見一切智見道相智見一切相智見法
故此菩薩復名摩訶薩世尊由諸菩薩能為
有情以无所得而為方便説斷成熟有情見
嚴淨佛土見菩薩見佛陁見轉法輪見法故
此菩薩復名摩訶薩世尊以要言之由諸菩
薩能為有情以无所得而為方便説斷一切
見法故此菩薩復名摩訶薩
時具壽善現問舍利子言若菩薩摩訶薩能

見法故此菩薩復名摩訶薩
時具壽善現問舍利子言若菩薩摩訶薩能
為有情以无所得而為方便説斷諸見法者
何緣菩薩摩訶薩自有所得而為方便起色
見受想行識見起眼處見耳鼻舌身意處見
起色處見聲香味觸法處見起眼界見色界
眼識界及眼觸眼觸為緣所生諸受見起耳
界見聲界耳識界及耳觸耳觸為緣所生諸
受見起鼻界見香界鼻識界及鼻觸鼻觸為
緣所生諸受見起舌界見味界舌識界及舌
觸舌觸為緣所生諸受見起身界見觸界身
識界及身觸身觸為緣所生諸受見起意界
見法界意識界及意觸意觸為緣所生諸受
見起地界見水火風空識界見起苦聖諦見
集滅道聖諦見起无明見行識名色六處觸
受愛取有生老死愁歎苦憂惱見起四静慮
見四无量四无色定見起四念住見四正斷
四神足五根五力七等覺支八聖道支見起
空解脱門見无相无願解脱門見起布施波
羅蜜多見淨戒安忍精進静慮般若波羅蜜
多見起五眼見六神通見起佛十力見四无
所畏四无礙解大慈大悲大喜大捨十八佛不
共法一切智道相智一切相智見起成熟有
情見嚴淨佛土見菩薩見佛陁見轉法輪見
邪具壽舍利子荅善現言若菩薩摩訶薩脩
行般若波羅蜜多時无方便善巧者以有所

情見嚴淨佛土見菩薩見佛隨見轉法輪見
邪具壽舍利子荅善現言若菩薩摩訶薩脩
行般若波羅蜜多時无方便善巧者以有所
得而為方便起色見受想行識見乃至便
起佛隨見轉法輪見是菩薩摩訶薩不能為
諸有情以无所得而為方便說斷諸見法若
菩薩摩訶薩脩行般若波羅蜜多時有方便
善巧者能為有情以无所得而為方便說斷
諸見法是菩薩摩訶薩不起色見受想行識
見乃至不起佛隨見轉法輪見
尒時具壽善現白佛言世尊我亦樂說菩薩
由此義故復名摩訶薩佛言善現隨汝意說
善現白言世尊由諸菩薩為一切智智發菩
提心无等等心不共一切聲聞獨覺心於如
是心亦不取着何以故世尊彼一切智智心
是真无漏不墮三界求一切智智心亦是无
漏不墮三界於如是心不應取着故此菩薩
復亦名摩訶薩時舍利子問善現言云何菩
薩摩訶薩无等等心不共一切聲聞獨覺心
善現荅言諸菩薩摩訶薩從初發心不見諸
法有生有滅有增有減有來有去有染有淨
舍利子若不見諸法有生有滅有增有減有
來有去有染有淨亦不見有聲聞心獨覺心
菩薩心如來心舍利子是名菩薩摩訶薩无
等等心不共一切聲聞獨覺心諸菩薩摩訶

菩薩心如來心舍利子是名菩薩摩訶薩无
等等心不共一切聲聞獨覺心諸菩薩摩訶
薩於如是心亦不取着時舍利子問善現言
若於如是心不應取着者則於一切愚夫異
生聲聞獨覺等心亦不應取着及於色心不
應取着於受想行識心亦不應取着於眼處
心不應取着於耳鼻舌身意處心亦不應取
着於色處心不應取着於聲香味觸法處心
亦不應取着於眼界心不應取着於色界眼識
界及眼觸眼觸為緣所生諸受心亦不應取
着於耳界心不應取着於聲界耳識界及耳
觸耳觸為緣所生諸受心亦不應取着於鼻
界心不應取着於香界鼻識界及鼻觸鼻觸
為緣所生諸受心亦不應取着於舌界心不
應取着於味界舌識界及舌觸舌觸為緣所
生諸受心亦不應取着於身界心不應取着
於觸界身識界及身觸身觸為緣所生諸受
心亦不應取着於意界心不應取着於法界
意識界及意觸意觸為緣所生諸受心亦不
應取着於地界心不應取着於水火風空識
界心亦不應取着於苦聖諦心不應取着於
集滅道聖諦心亦不應取着於无明心不應
取着於行識名色六處觸受愛取有生老死
愁歎苦憂惱心亦不應取着於四靜慮心不
應取着於四无量四无色定心亦不應取着

愁歎苦憂惱心亦不應取着於四静慮心不
應取着於四无量四无色定心亦不應取着
於四念住心不應取着於四正斷四神足五
根五力七等覺支八聖道支心亦不應取着
於空解脫門心不應取着於无相无願解脫門
心亦不應取着於布施波羅蜜多心不應取
着於淨戒安忍精進静慮般若波羅蜜多心
亦不應取着於五眼心不應取着於六神通
心亦不應取着於佛十力心不應取着於四
无所畏四无礙解大慈大悲大喜大捨十八
佛不共法一切智道相智一切相智心亦不
應取着何以故如是諸心皆无心性故善現
荅曰如是如是誠如所言
時舍利子問善現言若一切心无心性故不
應取着者則色无性故不應取着受想行
識无受想行識性故亦不應取着眼處无眼
處性故不應取着耳鼻舌身意處无耳鼻舌
身意處性故亦不應取着色處无色處性故
不應取着聲香味觸法處无聲香味觸法處
性故亦不應取着眼界无眼界性故不應取
着色界眼識界及眼觸眼觸為緣所生諸受
无色界乃至眼觸為緣所生諸受性故亦不
應取着耳界无耳界性故不應取着聲界耳
識界及耳觸耳觸為緣所生諸受无聲界乃
至耳觸為緣所生諸受性故亦不應取着鼻
界无鼻界性故不應取着香界鼻識界及鼻

至耳觸為緣所生諸受性故亦不應取着鼻
界无鼻界性故不應取着香界鼻識界及鼻
觸鼻觸為緣所生諸受无香界乃至鼻觸為
緣所生諸受性故亦不應取着舌界无舌界
性故不應取着味界舌識界及舌觸舌觸為
緣所生諸受无味界乃至舌觸為緣所生諸
受性故亦不應取着身界无身界性故不應
取着觸界身識界及身觸身觸為緣所生諸
受无觸界乃至身觸為緣所生諸受性故亦
不應取着意界无意界性故不應取着法界
意識界及意觸意觸為緣所生諸受无法界
乃至意觸為緣所生諸受性故亦不應取着
地界无地界性故不應取着水火風空識界
无水火風空識界性故亦不應取着苦聖諦
无苦聖諦性故不應取着集滅道聖諦无集
滅道聖諦性故亦不應取着无明无无明性
故不應取着行識名色六處觸受愛取有生
老死愁歎苦憂惱无行乃至老死愁歎苦憂
惱性故亦不應取着四静慮无四静慮性故
不應取着四无量四无色定无四无量四无
色定性故亦不應取着四念住无四念住性
故不應取着四正斷四神足五根五力七等
覺支八聖道支无四正斷乃至八聖道支性
故亦不應取着空解脫門无空解脫門性故
不應取着无相无願解脫門无无相无願解
脫門性故亦不應取着布施波羅蜜多无布

不應取著无相无願解脫門无无相无願解
脫門性故亦不應取著布施波羅蜜多无布
施波羅蜜多性故不應取著淨戒安忍精進
靜慮般若波羅蜜多无淨戒乃至般若波羅
蜜多性故亦不應取著五眼无五眼性故不
應取著六神通无六神通性故亦不應取著
佛十力无佛十力性故不應取著四无所畏
四无礙解大慈大悲大喜大捨十八佛不共
法一切智道相智一切相智无四无所畏乃
至一切相智性故亦不應取著善現荅言如
是如是誠如所說時舍利子問善現言若一
切智智心是真无漏不墮三界者則一切愚
夫異生聲聞獨覺等心亦應是真无漏不墮
三界何以故如是諸心亦本性空故所以者
何以本性空法是真无漏不墮三界善現荅
言如是如是誠如所說舍利子言色亦應是
真无漏不墮三界受想行識亦應是真无漏
不墮三界何以故以色受想行識皆本性空
故所以者何以本性空法是真无漏不墮三
界善現荅言如是如是誠如所說舍利子言
眼處亦應是真无漏不墮三界耳鼻舌身意
處亦應是真无漏不墮三界何以故以眼耳
鼻舌身意處皆本性空故所以者何以本性
空法是真无漏不墮三界善現荅言如是如
是誠如所說舍利子言色處亦應是真无漏

空法是真无漏不墮三界善現荅言如是如
是誠如所說舍利子言色處亦應是真无漏
不墮三界聲香味觸法處亦應是真无漏不
墮三界何以故以色聲香味觸法處皆本性
空故所以者何以本性空法是真无漏不墮
三界善現荅言如是如是誠如所說舍利子
言眼界亦應是真无漏不墮三界色界眼識
界及眼觸眼觸為緣所生諸受亦應是真无
漏不墮三界何以故以眼界乃至眼觸為緣
所生諸受皆本性空故所以者何以本性空
法是真无漏不墮三界善現荅言如是如是
誠如所說舍利子言耳界亦應是真无漏不
墮三界聲界耳識界及耳觸耳觸為緣所生
諸受亦應是真无漏不墮三界何以故以耳
界乃至耳觸為緣所生諸受皆本性空故所
以者何以本性空法是真无漏不墮三界善
現荅言如是如是誠如所說舍利子言鼻界
亦應是真无漏不墮三界香界鼻識界及鼻
觸鼻觸為緣所生諸受亦應是真无漏不墮
三界何以故以鼻界乃至鼻觸為緣所生諸
受皆本性空故所以者何以本性空法是真
无漏不墮三界善現荅言如是如是誠如所
說舍利子言舌界亦應是真无漏不墮三界
味界舌識界及舌觸舌觸為緣所生諸受亦
應是真无漏不墮三界何以故以舌界乃至

應是真无漏不墮三界何以故以舌界乃至
舌觸為緣所生諸受皆本性空故所以者何
以本性空法是真无漏不墮三界善現荅言
如是如是誠如所說舍利子言身界亦應是
真无漏不墮三界觸界身識界及身觸身觸
為緣所生諸受亦應是真无漏不墮三界何
以故以身界乃至身觸為緣所生諸受皆本
性空故所以者何以本性空法是真无漏不
墮三界善現荅言如是如是誠如所說舍利
子言意界亦應是真无漏不墮三界法界意
識界及意觸意觸為緣所生諸受亦應是真
无漏不墮三界何以故以意界乃至意觸為
緣所生諸受皆本性空故所以者何以本性
空法是真无漏不墮三界善現荅言如是如
是誠如所說舍利子言地界亦應是真无漏
不墮三界水火風空識界亦應是真无漏不
墮三界何以故以地水火風空識界皆本性
空故所以者何以本性空法是真无漏不墮
三界善現荅言如是如是誠如所說舍利子
言苦聖諦亦應是真无漏不墮三界集滅道
聖諦亦應是真无漏不墮三界何以故以苦
集滅道聖諦皆本性空故所以者何以本性
空法是真无漏不墮三界善現荅言如是如
是誠如所說舍利子言无明亦應是真无漏
不墮三界行識名色六處觸受愛取有生老

是誠如所說舍利子言无明亦應是真无漏
不墮三界行識名色六處觸受愛取有生老
死愁歎苦憂惱亦應是真无漏不墮三界何
以故以无明乃至老死愁歎苦憂惱皆本性
空故所以者何以本性空法是真无漏不墮
三界善現荅言如是如是誠如所說舍利子
言四靜慮亦應是真无漏不墮三界四无量
四无色定亦應是真无漏不墮三界何以故
以四靜慮四无量四无色定皆本性空故所
以者何以本性空法是真无漏不墮三界善
現荅言如是如是誠如所說舍利子言四念
住亦應是真无漏不墮三界四正斷四神足
五根五力七等覺支八聖道支亦應是真无
漏不墮三界何以故以四念住乃至八聖道
支皆本性空故所以者何以本性空法是真
无漏不墮三界善現荅言如是如是誠如所
說舍利子言空解脫門亦應是真无漏不墮
三界无相无願解脫門亦應是真无漏不墮
三界何以故以空无相无願解脫門皆本性
空故所以者何以本性空法是真无漏不墮
三界善現荅言如是如是誠如所說舍利子
言布施波羅蜜多亦應是真无漏不墮三界
淨戒安忍精進靜慮般若波羅蜜多亦應是
真无漏不墮三界何以故以布施波羅蜜多
乃至般若波羅蜜多皆本性空故所以者何

乃至般若波羅蜜多皆本性空故所以者何
以本性空法是真无漏不墮三界善現荅言
如是如是誠如所說舍利子言五眼亦應是
真无漏不墮三界六神通亦應是真无漏不
墮三界何以故以五眼六神通皆本性空故
所以者何以本性空法是真无漏不墮三界
善現荅言如是如是誠如所說舍利子言佛
十力亦應是真无漏不墮三界四无所畏四
无礙解大慈大悲大喜大捨十八佛不共法
一切智道相智一切相智亦應是真无漏不
墮三界何以故以佛十力乃至一切相智智
本性空故所以者何以本性空法是真无漏
不墮三界善現荅言如是如是誠如所說時
舍利子問善現言若心色等法无心色等性
故咸不應取著者則一切法應皆平等无有
差別善現荅言如是如是誠如所說舍利子
言若一切法定无別者云何如來說心色等
法有種種差別善現荅言此乃如來隨世俗
言說施設有此種種差別非由實義時舍利
子問善現言若一切愚夫異生聲聞獨覺菩
薩如來心色等法皆本性空故是真无漏不
墮三界者則聖者異生及一切智與非一切
智應皆平等无有差別善現荅言如是如是
誠如所說舍利子言若諸凡聖定无別者云
何如來說諸凡聖有種種差別善現荅言此
亦如來隨世俗言說施設有此種種差別非

何如來說諸凡聖有種種差別善現荅言此
亦如來隨世俗言說施設有此種種差別非
由實義舍利子如是菩薩摩訶薩脩行般若
波羅蜜多時以无所得為方便故於所發菩
提心无等等心不共一切聲聞獨覺心不恃
不著於一切法亦无取執由此義故名摩訶
薩
尒時具壽滿慈子白佛言世尊我亦樂說菩
薩由此義故復名摩訶薩佛言滿慈子隨汝
意說滿慈子言世尊由諸菩薩為欲利樂一
切有情擐大功德鎧故發趣大乘乘大乘故
復名摩訶薩時舍利子問滿慈子言云何菩
薩摩訶薩為欲利樂一切有情擐大功德鎧
滿慈子言舍利子菩薩摩訶薩脩菩提行不
為少分有情得利樂故乃為一切有情得利
樂故脩菩提行舍利子如是名為菩薩摩訶
薩為欲利樂一切有情擐大功德鎧復次舍
利子菩薩摩訶薩住布施波羅蜜多脩布施
波羅蜜多時不為少分有情得利樂故乃為
一切有情得利樂故脩布施波羅蜜多舍利
子菩薩摩訶薩住淨戒波羅蜜多脩淨戒波
羅蜜多時不為少分有情得利樂故乃為一
切有情得利樂故脩淨戒波羅蜜多舍利子
菩薩摩訶薩住安忍波羅蜜多脩安忍波羅
蜜多時不為少分有情得利樂故乃為一切
有情得利樂故脩安忍波羅蜜多舍利子菩

菩薩摩訶薩住安忍波羅蜜多脩安忍波羅
蜜多時不為少分有情得利樂故乃為一切
有情得利樂故脩安忍波羅蜜多舍利子菩
薩摩訶薩住精進波羅蜜多脩精進波羅蜜
多時不為少分有情得利樂故乃為一切有
情得利樂故脩精進波羅蜜多舍利子菩薩
摩訶薩住靜慮波羅蜜多脩靜慮波羅蜜多
時不為少分有情得利樂故乃為一切有情
得利樂故脩靜慮波羅蜜多舍利子菩薩摩
訶薩住般若波羅蜜多脩般若波羅蜜多時
不為少分有情得利樂故乃為一切有情得
利樂故脩般若波羅蜜多舍利子如是名為
菩薩摩訶薩為欲利樂一切有情擐大功德
鎧復次舍利子菩薩摩訶薩擐大功德鎧利
樂有情不為齊限謂不作是念我教尒所有
情令得无餘涅槃尒所有情不令其得我教
尒所有情令住无上菩提尒所有情不令其
住然此菩薩摩訶薩普令一切有情得无餘
涅槃及住无上菩提故擐如是大功德鎧復
次舍利子菩薩摩訶薩作如是念我當自圓
滿布施波羅蜜多亦教一切有情於布施波
羅蜜多脩令圓滿我當自圓滿淨戒安忍精
進靜慮般若波羅蜜多亦教一切有情於淨
戒乃至般若波羅蜜多脩令圓滿我當自住
內空亦教一切有情令住內空我當自住外
空內外空空空大空勝義空有為空无為空

BD00496號　大般若波羅蜜多經卷四七　（16–14）

空內外空空空大空勝義空有為空无為空
畢竟空无際空散空无變異空本性空自相
空共相空一切法空不可得空无性空自性
空无性自性空亦教一切有情令住外空乃
至无性自性空我當自住四靜慮亦教一切
有情令脩四靜慮我當自住四无量四无色
定亦教一切有情令脩四无量四无色定我
當自住四念住亦教一切有情令脩四念住
我當自住四正斷四神足五根五力七等覺
支八聖道支亦教一切有情令脩四正斷乃
至八聖道支我當自住空解脫門亦教一切
有情令脩空解脫門我當自住无相无願解
脫門亦教一切有情令脩无相无願解脫門
我當自住五眼亦教一切有情令脩五眼我
當自住六神通亦教一切有情令脩六神通
我當自住佛十力亦教一切有情令脩佛十
力我當自住四无所畏四无礙解大慈大悲大
喜大捨十八佛不共法一切智道相智一切相
智亦教一切有情令脩四无所畏乃至一切
相智舍利子如是名為菩薩摩訶薩為欲
利樂一切有情擐大功德鎧

大般若波羅蜜多經卷第卌七

BD00496號　大般若波羅蜜多經卷四七　（16–15）

脫門亦教一切有情令脩无相无願解脫門
我當自住五眼亦教一切有情令脩五眼我
當自住六神通亦教一切有情令脩六神通
我當自住佛十力亦教一切有情令脩佛十
力我當自住四无所畏四无礙解大慈大悲大
喜大捨十八佛不共法一切智道相智一切相
智亦教一切有情令脩四无所畏乃至一切
相智舍利子如是名爲菩薩摩訶薩爲欲
利樂一切有情擐大功德鎧

大般若波羅蜜多經卷第卌七

BD00496號　大般若波羅蜜多經卷四七　（16–16）

又諸佛子專
決定無疑　是
度無量億　百
佛平等說　如一
如彼草木　所稟各異
種種言辭　演說一法
如彼叢林　藥草諸樹
我雨法雨　充滿世間
諸佛之法　常以一味
漸次脩行　皆得道果
住最後身　聞法得果
若諸菩薩　智慧堅固
是名小樹　而得增長
聞諸法空　心大歡喜　放無數光　度諸
是名大樹　而得增長　如是迦葉　佛所說法
譬如大雲　以一味雨　潤於人華　各得成實
迦葉當知　以諸因緣　種種譬喻　開示佛道
是我方便　諸佛亦然　今為汝等　說最實事
諸聲聞衆　皆非滅度　汝等所行　是菩薩道
漸漸脩學　悉當成佛

妙法蓮華經授記品第六

尒時世尊說是偈已告諸大衆唱如是言我
此弟子摩訶迦葉於未來世當得奉覲三百

BD00497號　妙法蓮華經卷三　（20–1）

諸

漸漸修學 悉當成佛

妙法蓮華經授記品第六

尒時世尊說是偈已告諸大衆唱如是言我
此弟子摩訶迦葉於未來世當得奉覲三百
萬億諸佛世尊供養恭敬尊重讚歎廣宣
諸佛無量大法於冣後身得成為佛名曰光明
如來應供正遍知明行足善逝世間解無上
士調御丈夫天人師佛世尊國名光德劫名
大莊嚴佛壽十二小劫正法住世二十小劫
像法亦住二十小劫國界嚴飾無諸穢惡瓦
礫荊棘便利不淨其土平正無有高下坑坎
堆阜琉璃為地寶樹行列黃金為繩以界道
側散諸寶華周遍清淨其國菩薩無量千億
諸聲聞衆亦復無數無有魔事雖有魔及魔
民皆護佛法尒時世尊欲重宣此義而說偈
言

告諸比丘 我以佛眼 見是迦葉 於未來世
過無數劫 當得作佛 而於來世 供養奉見
三百萬億 諸佛世尊 為佛智慧 淨修梵行
供養冣上 二足尊已 修習一切 無上之慧
於冣後身 得成為佛 其土清淨 琉璃為地
多諸寶樹 行列道側 金繩界道 見者歡喜
常出好香 散衆名華 種種奇妙 以為莊嚴
其地平正 無有丘坑 諸菩薩衆 不可稱計
其心調柔 逮大神通 奉持諸佛 大乘經典
諸聲聞衆 無漏後身 法王之子 亦不可計

BD00497 號　妙法蓮華經卷三　（20–2）

諸聲聞衆 無漏後身 法王之子 亦不可計
乃以天眼 不能數知 其佛當壽 十二小劫
正法住世 二十小劫 像法亦住 二十小劫
光明世尊 其事如是

尒時大目揵連須菩提摩訶迦旃延等皆
悉悚慄一心合掌瞻仰尊顏目不暫捨即
共同聲而說偈言

大雄猛世尊 諸釋之法王 哀愍我等故 而賜佛音聲
若知我深心 見為授記者 如以甘露灑 除熱得清涼
如從飢國來 忽遇大王膳 心猶懷疑懼 未敢即便食
若復得王教 然後乃敢食 我等亦如是 每惟小乘過
不知當云何 得佛無上慧 雖聞佛音聲 言我等作佛
心尚懷憂懼 如未敢便食 若蒙佛授記 尒乃快安樂
大雄猛世尊 常欲安世間 願賜我等記 如飢須教食

尒時世尊知諸大弟子心之所念告諸比丘
是須菩提於當來世奉覲三百萬億那由他
佛供養恭敬尊重讚歎常修梵行具菩薩
於冣後身得成為佛号曰名相如來應供正
遍知明行足善逝世間解無上士調御丈夫
天人師佛世尊劫名有寶國名寶生其土平
正頗梨為地寶樹莊嚴無諸丘坑沙礫荊棘
便利之穢寶華覆地周遍清淨其土人民皆
處寶臺珍妙樓閣聲聞弟子無量無邊算數
譬喻所不能知諸菩薩衆無數千萬億那由
他佛壽十二小劫正法住世二十小劫像法
亦住二十小劫其佛常處虛空為衆說法度
脫無量菩薩及聲聞衆尒時世尊欲重宣

BD00497 號　妙法蓮華經卷三　（20–3）

亦住二十小劫其佛常處虛空為衆說法度
脫無量菩薩及聲聞衆尒時世尊欲重宣
此義而說偈言
諸比丘衆　今告汝等　皆當一心　聽我所說
我大弟子　須菩提者　當得作佛　号曰名相
當供無數　萬億諸佛　隨佛所行　漸具大道
冣後身得　三十二相　端正姝妙　猶如寶山
其佛國土　嚴淨第一　衆生見者　無不愛樂
佛於其中　度無量衆　其佛法中　多諸菩薩
皆悉利根　轉不退輪　彼國常以　菩薩莊嚴
諸聲聞衆　不可稱量　皆得三明　具六神通
住八解脫　有大威德　其佛說法　現於無量
神通變化　不可思議　諸天人民　數如恒沙
皆共合掌　聽受佛語　其佛當壽　十二小劫
正法住世　二十小劫　像法亦住　二十小劫
尒時世尊復告諸比丘衆我今語汝是大迦
旃延於當来世以諸供具供養奉事八千億
佛恭敬尊重諸佛滅後各起塔廟高千由旬
縱廣正等五百由旬以金銀瑠璃車璖馬瑙
真珠玫瑰七寶合成衆華瓔珞塗粖香燒
香繒蓋幢幡供養塔廟過是已後當復供養
二萬億佛亦復如是供養是諸佛已具菩薩
道當得作佛号曰閻浮那提金光如来應供
正遍知明行足善逝世間解無上士調御丈
夫天人師佛世尊其土平正頗梨為地寶樹
莊嚴黃金為繩以界道側妙華覆地周遍清

道當得作佛号曰閻浮那提金光如来應供
正遍知明行足善逝世間解無上士調御丈
夫天人師佛世尊其土平正頗梨為地寶樹
莊嚴黃金為繩以界道側妙華覆地周遍清
淨見者歡喜無四惡道地獄餓鬼畜生阿脩
羅道多有天人諸聲聞衆及諸菩薩無量萬
億莊嚴其國佛壽十二小劫正法住世二十
小劫像法亦住二十小劫尒時世尊欲重宣
此義而說偈言
諸比丘衆　皆一心聽　如我所說　真實無量
是迦旃延　當以種種　妙好供具　供養諸佛
諸佛滅後　起七寶塔　亦以華香　供養舍利
其冣後身　得佛智慧　成等正覺　國土清淨
度脫無量　萬億衆生　皆為十方　之所供養
佛之光明　無能勝者　其佛号曰　閻浮金光
菩薩聲聞　斷一切有　無量無數　莊嚴其國
尒時世尊復告大衆我今語汝是大目揵連
當以種種供具供養八千諸佛恭敬尊重諸
佛滅後各起塔廟高千由旬縱廣正等五百
由旬以金銀瑠璃車璖馬瑙真珠玫瑰七寶
合成衆華瓔珞塗香粖香燒香繒蓋幢幡以
用供養過是已後當復供養二百萬億諸佛
亦復如是當得成佛号曰多摩羅跋栴檀香
如来應供正遍知明行足善逝世間解無上
士調御丈夫天人師佛世尊劫名喜滿國名
意樂其土平正頗梨為地寶樹莊嚴散真珠
華周遍清淨見者歡喜多諸天人菩薩聲聞

士調御丈夫天人師佛世尊劫名喜滿國名
意樂其土平正頗梨爲地寶樹莊嚴散眞珠
華周遍清淨見者歡喜多諸天人菩薩聲聞
其數無量佛壽二十四小劫正法住世四十
小劫像法亦住四十小劫尒時世尊欲重宣
此義而說偈言
我此弟子　大目揵連　捨是身已　得見八千
二百萬億　諸佛世尊　爲佛道故　供養恭敬
於諸佛所　常脩梵行　於無量劫　奉持佛法
諸佛滅後　起七寶塔　長表金刹　華香伎樂
而以供養　諸佛塔廟　漸漸具足　菩薩道已
於意樂國　而得作佛　号多摩羅　栴檀之香
其佛壽命　二十四劫　常爲天人　演說佛道
聲聞無量　如恒河沙　三明六通　有大威德
菩薩無數　志固精進　於佛智慧　皆不退轉
佛滅度後　正法當住　四十小劫　像法亦尒
我諸弟子　威德具足　其數五百　皆當授記
於未來世　咸得成佛
我及汝等　宿世因緣　吾今當說　汝等善聽
妙法蓮華經化城喻品第七
佛告諸比丘乃往過去無量無邊不可思議
阿僧祇劫尒時有佛名大通智勝如來應供
正遍知明行足善逝世間解無上士調御丈
夫天人師佛世尊其國名好成劫名大相諸
比丘彼佛滅度已來甚大久遠譬如三千大
千世界所有地種假使有人磨以爲墨過於
東方千國土乃下一點大如微塵又過千國

BD00497號　妙法蓮華經卷三　（20–6）

比丘彼佛滅度已來甚大久遠譬如三千大
千世界所有地種假使有人磨以爲墨過於
東方千國土乃下一點大如微塵又過千國
土復下一點如是展轉盡地種墨於汝等意
云何是諸國土若筭師若筭師弟子能得邊
際知其數不不也世尊諸比丘是人所經國
土若點不點盡抹爲塵一塵一劫彼佛滅度
已來復過是數無量無邊百千萬億阿僧祇
劫我以如來知見力故觀彼久遠猶若今日
尒時世尊欲重宣此義而說偈言
我念過去世　無量無邊劫　有佛兩足尊　名大通智勝
如人以力磨　三千大千土　盡此諸地種　皆悉以爲墨
過於千國土　乃下一塵點　如是展轉點　盡此諸塵墨
如是諸國土　點與不點等　復盡抹爲塵　一塵爲一劫
此諸微塵數　其劫復過是　彼佛滅度來　如是無量劫
如來無礙智　知彼佛滅度　及聲聞菩薩　如見今滅度
諸比丘當知　佛智淨微妙　無漏無所礙　通達無量劫
佛告諸比丘大通智勝佛壽五百四十萬億
那由他劫其佛本坐道場破魔軍已垂得阿
耨多羅三藐三菩提而諸佛法不現在前如
是一小劫乃至十小劫結跏趺坐身心不動
而諸佛法猶不在前尒時忉利諸天先爲彼
佛於菩提樹下敷師子座高一由旬佛於此
坐當得阿耨多羅三藐三菩提適坐此座時
諸梵天王雨衆天華面百由旬香風時來吹
去萎華更雨新者如是不絕滿十小劫供養
此佛乃至滅度常雨此華四王諸天爲供養

BD00497號　妙法蓮華經卷三　（20–7）

去萎華更雨新者如是不絕滿十小劫供養
於佛乃至滅度常雨此華四王諸天爲供養
佛常擊天鼓其餘諸天作天伎樂滿十小劫
至于滅度亦復如是諸比丘大通智勝佛過
十小劫諸佛之法乃現在前成阿耨多羅三
藐三菩提其佛未出家時有十六子其第一
者名曰智積諸子各有種種珍異玩好之具
聞父得成阿耨多羅三藐三菩提皆捨所珍
往詣佛所諸母涕泣而隨送之其祖轉輪聖
王與一百大臣及餘百千萬億人民皆共圍
繞隨至道場咸欲親近大通智勝如來供養
恭敬尊重讚歎到已頭面礼足繞佛畢已一
心合掌瞻仰世尊以偈頌曰
大威德世尊　爲度衆生故　於無量億歲　尒乃得成佛
諸願已具足　善哉吉無上　世尊甚希有　一坐十小劫
身體及手足　靜然安不動　其心常憺怕　未曾有散亂
究竟永寂滅　安住無漏法　今者見世尊　安隱成佛道
我等得善利　稱慶大歡喜　衆生常苦惱　盲瞑無導師
不識苦盡道　不知求解脫　長夜增惡趣　減損諸天衆
從瞑入於瞑　永不聞佛名　今佛得最上　安隱無漏道
我等及天人　爲得最大利　是故咸稽首　歸命無上尊
尒時十六王子偈讚佛已勸請世尊轉於法
輪咸作是言世尊說法多所安隱憐愍饒益
諸天人民重說偈言
世雄無等倫　百福自莊嚴　得無上智慧　願爲世間說
度脫於我等　及諸衆生類　爲分別顯示　令得是智慧

BD00497號　妙法蓮華經卷三

（20–8）

世雄無等倫　百福自莊嚴　得無上智慧　願爲世間說
度脫於我等　及諸衆生類　爲分別顯示　令得是智慧
若我等得佛　衆生亦復然　世尊知衆生　深心之所念
亦知所行道　又知智慧力　欲樂及脩福　宿命所行業
世尊悉知已　當轉無上輪
佛告諸比丘大通智勝佛得阿耨多羅三藐
三菩提時十方各五百萬億諸佛世界六種
震動其國中間幽瞑之處日月威光所不能
照而皆大明其中衆生各得相見咸作是言
此中云何忽生衆生又其國界諸天宮殿乃
至梵宮六種震動大光普照遍滿世界勝諸
天光尒時東方五百萬億諸國土中梵天宮
殿光明照曜倍於常明諸梵天王各作是念
今者宮殿光明昔所未有以何因緣而現此
相是時諸梵天王即各相詣共議此事時彼
衆中有一大梵天王名救一切爲諸梵衆而
說偈言
我等諸宮殿　光明昔未有　此是何因緣　宜各共求之
爲大德天生　爲佛出世間　而此大光明　遍照於十方
尒時五百萬億國土諸梵天王與宮殿俱各
以衣祴盛諸天華共詣西方推尋是相見大
通智勝如來處于道場菩提樹下坐師子座
諸天龍王乾闥婆緊那羅摩睺羅伽人非人
等恭敬圍繞及見十六王子請佛轉法輪即
時諸梵天王頭面礼佛繞百千帀即以天華
而散佛上其所散華如須弥山并以供養佛
菩提樹其菩提樹高十由旬華供養已各以

BD00497號　妙法蓮華經卷三

（20–9）

時諸梵天王頭面礼佛繞百千帀即以天華
而散佛上其所散華如須弥山并以供養佛
菩提樹其菩提樹高十由旬華供養已各以
宮殿奉上彼佛而作是言唯見哀愍饒益我
等所獻宮殿願垂納處時諸梵天王即於佛
前一心同聲以偈頌曰
世尊甚希有 難可得值遇 具無量功德 能救護一切
天人之大師 哀愍於世間 十方諸衆生 普皆蒙饒益
我等所從来 五百萬億國 捨深禪定樂 為供養佛故
我等先世福 宮殿甚嚴飾 今以奉世尊 唯願哀納受
尒時諸梵天王偈讚佛已各作是言唯願世
尊轉於法輪度脫衆生開涅槃道時諸梵天
王一心同聲而說偈言
世雄兩足尊 唯願演說法 以大慈悲力 度苦惱衆生
尒時大通智勝如来嘿然許之又諸比丘東
南方五百萬億國土諸大梵王各自見宮殿
光明照曜昔所未有歡喜踊躍生希有心即
各相詣共議此事時彼衆中有一大梵天王
名曰大悲為諸梵衆而說偈言
是事何因緣 而現如此相 我等諸宮殿 光明昔未有
為大德天生 為佛出世間 未曾見此相 當共一心求
過千萬億土 尋光共推之 多是佛出世 度脫苦衆生
尒時五百萬億諸梵天王與宮殿俱各以衣
祴盛諸天華共詣西北方推尋是相見大通
智勝如来處于道場菩提樹下坐師子座諸
天龍王乾闥婆緊那羅摩睺羅伽人非人等

祴盛諸天華共詣西北方推尋是相見大通
智勝如来處于道場菩提樹下坐師子座諸
天龍王乾闥婆緊那羅摩睺羅伽人非人等
恭敬圍繞及見十六王子請佛轉法輪時諸
梵天王頭面礼佛繞百千帀即以天華而散
佛上所散之華如須弥山并以供養佛菩提
樹華供養已各以宮殿奉上彼佛而作是言
唯見哀愍饒益我等所獻宮殿願垂納受尒
時諸梵天王即於佛前一心同聲以偈頌曰
聖主天中王 迦陵頻伽聲 哀愍衆生者 我等今敬礼
世尊甚希有 久遠乃一現 一百八十劫 空過無有佛
三惡道充滿 諸天衆減少 今佛出於世 為衆生作眼
世間所歸趣 救護於一切 為衆生之父 哀愍饒益者
我等宿福慶 今得值世尊
尒時諸梵天王偈讚佛已各作是言唯願世
尊哀愍一切轉於法輪度脫衆生時諸梵天
王一心同聲而說偈言
大聖轉法輪 顯示諸法相 度苦惱衆生 令得大歡喜
衆生聞此法 得道若生天 諸惡道減少 忍善者增益
尒時大通智勝如来嘿然許之又諸比丘南
方五百萬億國土諸大梵王各自見宮殿光
明照曜昔所未有歡喜踊躍生希有心即各
相詣共議此事以何因緣我等宮殿有此光
曜而彼衆中有一大梵天王名曰妙法為諸
梵衆而說偈言
我等諸宮殿 光明甚威曜 此非無因緣 是相宜求之
過於百千劫 未曾見是相 為大德天生 為佛出世間

我等諸宮殿　光明甚威曜　此非無因緣　是相宜求之
過於百千劫　未曾見是相　爲大德天生　爲佛出世間
尒時五百萬億諸梵天王與宮殿俱各以衣
裓盛諸天華共詣北方推尋是相見大通智
勝如來處于道場菩提樹下坐師子座諸天
龍王乾闥婆緊那羅摩睺羅伽人非人等恭
敬圍繞及見十六王子請佛轉法輪時諸梵
天王頭面禮佛繞百千帀即以天華而散佛
上所散之華如須彌山并以供養佛菩提樹
華供養已各以宮殿奉上彼佛而作是言唯
見哀愍饒益我等所獻宮殿願垂納受尒
時諸梵天王即於佛前一心同聲以偈頌
曰
世尊甚難見　破諸煩惱者　過百三十劫　今乃得一見
諸飢渴衆生　以法雨充滿　昔所未曾見　無量智慧者
如優曇鉢羅　今日乃值遇　我等諸宮殿　蒙光故嚴飾
世尊大慈愍　唯願垂納受
尒時諸梵天王偈讚佛已各作是言唯願世
尊轉於法輪令一切世間諸天魔梵沙門婆
羅門皆獲安隱而得度脫時諸梵天王一心
同聲以偈頌曰
唯願天人尊　轉無上法輪　擊于大法鼓　而吹大法螺
普雨大法雨　度無量衆生　我等咸歸請　當演深遠音
尒時大通智勝如來嘿然許之西南方乃至
下方亦復如是尒時上方五百萬億國土諸
大梵王皆悉自覩所止宮殿光明威曜昔所

大梵王皆悉自覩所止宮殿光明威曜昔所
未有歡喜踊躍生希有心即各相詣共議此
事以何因緣我等宮殿有斯光明時彼衆中
有一大梵天王名曰尸棄爲諸梵衆而說偈
言
今以何因緣　我等諸宮殿　威德光明曜　嚴飾未曾有
如是之妙相　昔所未聞見　爲大德天生　爲佛出世間
尒時五百萬億諸梵天王與宮殿俱各以衣
裓盛諸天華共詣下方推尋是相見大通智
勝如來處于道場菩提樹下坐師子座諸天
龍王乾闥婆緊那羅摩睺羅伽人非人等恭
敬圍繞及見十六王子請佛轉法輪時諸梵
天王頭面禮佛繞百千帀即以天華而散佛
上所散之華如須彌山并以供養佛菩提樹
華供養已各以宮殿奉上彼佛而作是言唯
見哀愍饒益我等所獻宮殿願垂納處時諸
梵天王即於佛前一心同聲以偈頌曰
善哉見諸佛　救世之聖尊　能於三界獄　勉出諸衆生
普智天人尊　愍哀羣萌類　能開甘露門　廣度於一切
於昔無量劫　空過無有佛　世尊未出時　十方常暗瞑
三惡道增長　阿脩羅亦盛　諸天衆轉減　死多墮惡道
不從佛聞法　常行不善事　色力及智慧　斯等皆減少
罪業因緣故　失樂及樂想　住於邪見法　不識善儀則
不蒙佛所化　常墮於惡道　佛爲世間眼　久遠時乃出
哀愍諸衆生　故現於世間　超出成正覺　我等甚欣慶
及餘一切衆　喜歎未曾有　我等諸宮殿　蒙光故嚴飾
今以奉世尊　唯垂哀納受　願以此功德　普及於一切

哀愍諸衆生　故現於世間　超出成正覺　我等甚欣慶
及餘一切衆　喜嘆未曾有　我等諸宮殿　蒙光故嚴餝
今以奉世尊　唯垂哀納受　願以此功德　普及於一切
我等與衆生　皆共成佛道
尒時五百萬億諸梵天王偈讚佛已各白佛
言唯願世尊轉於法輪多所安隱多所度脫
時諸梵天王而說偈言
世尊轉法輪　擊甘露法鼓　度苦惱衆生　開示涅槃道
唯願受我請　以大微妙音　哀愍而敷演　無量劫習法
尒時大通智勝如来受十方諸梵天王及十
六王子請即時三轉十二行法輪若沙門婆
羅門若天魔梵及餘世間所不能轉謂是苦
是苦集是苦滅是苦滅道及廣說十二因緣
法無明緣行行緣識識緣名色名色緣六入
六入緣觸觸緣受受緣愛愛緣取取緣有有
緣生生緣老死憂悲苦惱無明滅則行滅行
滅則識滅識滅則名色滅名色滅則六入滅
六入滅則觸滅觸滅則受滅受滅則愛滅愛
滅則取滅取滅則有滅有滅則生滅生滅則
老死憂悲苦惱滅佛於天人大衆之中說是
法時六百萬億那由他人以不受一切法故
而於諸漏心得解脫皆得深妙禪定三明六
通具八解脫第二第三第四說法時千萬億
恒河沙那由他等衆生亦以不受一切法故
而於諸漏心得解脫從是已後諸聲聞衆無
量無邊不可稱數尒時十六王子皆以童子

量無邊不可稱數尒時十六王子皆以童子
出家而為沙弥諸根通利智慧明了已曾供
養百千萬億諸佛淨脩梵行求阿耨多羅三
藐三菩提倶白佛言世尊是諸無量千萬億
大德聲聞皆已成就世尊亦當為我等說阿
耨多羅三藐三菩提法我等聞已皆共脩學
世尊我等志願如来知見深心所念佛自證
知尒時轉輪聖王所将衆中八萬億人見十
六王子出家亦求出家王即聽許尒時彼佛
受沙弥請過二萬劫已乃於四衆之中說是
大乘經名妙法蓮華教菩薩法佛所護念說
是經已十六沙弥為阿耨多羅三藐三菩提
故皆共受持諷誦通利說是經時十六菩薩
沙弥皆悉信受聲聞衆中亦有信解其餘衆
生千萬億種皆生疑惑佛說是經於八千劫
未曾休廢說此經已即入靜室住於禪定八
萬四千劫是時十六菩薩沙弥知佛入室寂
然禪定各昇法座亦於八萬四千劫為四部
衆廣說分別妙法華經一一皆度六百萬億
那由他恒河沙等衆生示教利喜令發阿耨
多羅三藐三菩提心大通智勝佛過八萬四
千劫已從三昧起往詣法座安詳而坐普告
大衆是十六菩薩沙弥甚為希有諸根通利
智慧明了已曾供養無量千萬億數諸佛於
諸佛所常脩梵行受持佛智開示衆生令入
其中汝等皆當數數親近而供養之所以者

諸佛所常脩梵行受持佛智開示衆生令入
其中汝等皆當數數親近而供養之所以者
何若聲聞辟支佛及諸菩薩能信是十六菩
薩所說經法受持不毀者是人皆當得阿耨
多羅三藐三菩提如來之慧佛告諸比丘是
十六菩薩常樂說是妙法蓮華經一一菩薩
所化六百萬億那由他恒河沙等衆生世世
所生與菩薩俱從其聞法悉皆信解以此因
緣得值四萬億諸佛世尊于今不盡諸比丘
我今語汝彼佛弟子十六沙弥今皆得阿耨
多羅三藐三菩提於十方國土現在說法有
無量百千萬億菩薩聲聞以為眷屬其二沙
弥東方作佛一名阿閦在歡喜國二名須弥
頂東南方二佛一名師子音二名師子相南
方二佛一名虛空住二名常滅西南方二佛
一名帝相二名梵相西方二佛一名阿弥陁
二名度一切世間苦惱西北方二佛一名多
摩羅跋栴檀香神通二名須弥相北方二佛
一名雲自在二名雲自在王東北方佛名壞
一切世間怖畏第十六我釋迦牟尼佛於娑
婆國土成阿耨多羅三藐三菩提諸比丘我
等為沙弥時各各教化無量百千萬億恒河
沙等衆生從我聞法為阿耨多羅三藐三菩
提此諸衆生于今有住聲聞地者我常教化
阿耨多羅三藐三菩提是諸人等應以是法
漸入佛道所以者何如來智慧難信難解尒
時所化無量恒河沙等衆生者汝等諸比丘

漸入佛道所以者何如來智慧難信難解尒
時所化無量恒河沙等衆生者汝等諸比丘
及我滅度後未來世中聲聞弟子是也我滅
度後復有弟子不聞是經不知不覺菩薩所
行自於所得功德生滅度想當入涅槃我於
餘國作佛更有異名是人雖生滅度之想入
於涅槃而於彼土求佛智慧得聞是經唯以
佛乘而得滅度更無餘乘除諸如來方便說
法諸比丘若如來自知涅槃時到衆又清淨
信解堅固了達空法深入禪定便集諸菩薩
及聲聞衆為說是經世間無有二乘而得滅
度唯一佛乘得滅度耳比丘當知如來方便
深入衆生之性知其志樂小法深著五欲為
是等故說於涅槃是人若聞則便信受譬如
五百由旬險難惡道曠絕無人怖畏之處若
有多衆欲過此道至珎寶處有一導師聰慧
明達善知險道通塞之相將導衆人欲過此
難所將人衆中路懈退白導師言我等疲極
而復怖畏不能復進前路猶遠今欲退還導
師多諸方便而作是念此等可愍云何捨大
珎寶而欲退還作是念已以方便力於險道
中過三百由旬化作一城告衆人言汝等勿
怖莫得退還今此大城可於中止隨意所作
若入是城快得安隱若能前至寶所亦可得
去是時疲極之衆心大歡喜嘆未曾有我等
今者免斯惡道快得安隱於是衆人前入化

去是時疲極之衆心大歡喜嘆未曾有我等
今者免斯惡道快得安隱於是衆人前入化
城生已度想生安隱想尒時導師知此人衆
既得止息無復疲惓即滅化城語衆人言汝
等去来寶處在近向者大城我所化作爲止
息耳諸比丘如来亦復如是今爲汝等作大
導師知諸生死煩惱惡道險難長遠應去
應度若衆生但聞一佛乘者則不欲見佛不欲
親近便作是念佛道長遠久受懃苦乃可得
成佛知是心怯弱下劣以方便力而於中道爲
止息故說二涅槃若衆生住於二地如来
尒時即便爲說汝等所作未辦汝所住地近
於佛慧當觀察籌量所得涅槃非真實也
但是如来方便之力於一佛乘分別說三如彼
導師爲止息故化作大城既知息已而告之
言寶處在近此城非實我化作耳尒時世尊
欲重宣此義而說偈言
大通智勝佛　十劫坐道場　佛法不現前　不得成佛道
諸天神龍王　阿脩羅衆等　常雨於天華　以供養彼佛
諸天擊天鼓　并作衆伎樂　香風吹萎華　更雨新好者
過十小劫已　乃得成佛道　諸天及世人　心皆懷踊躍
彼佛十六子　皆與其眷屬　千萬億圍繞　俱行至佛所
頭面礼佛足　而請轉法輪　聖師子法雨　充我及一切
世尊甚難値　久遠時一現　爲覺悟群生　震動於一切
東方諸世界　五百萬億國　梵宫殿光曜　昔所未曾有
諸梵見此相　尋来至佛所　散華以供養　并奉上宫殿
請佛轉法輪　以偈而讚嘆　佛知時未至　受請嘿然坐

東方諸世界　五百萬億國　梵宫殿光曜　昔所未曾有
諸梵見此相　尋来至佛所　散華以供養　并奉上宫殿
請佛轉法輪　以偈而讚嘆　佛知時未至　受請嘿然坐
三方及四維　上下亦復尒　散華奉宫殿　請佛轉法輪
世尊甚難値　願以大慈悲　廣開甘露門　轉無上法輪
無量慧世尊　受彼衆人請　爲宣種種法　四諦十二緣
無明至老死　皆從生緣有　如是衆過患　汝等應當知
宣暢是法時　六百萬億姟　得盡諸苦際　皆成阿羅漢
第二說法時　千萬恒沙衆　於諸法不受　亦得阿羅漢
從是後得道　其數無有量　萬億劫筭數　不能得其邊
時十六王子　出家作沙弥　皆共請彼佛　演說大乘法
我等及營從　皆當成佛道　願得如世尊　慧眼第一淨
佛知童子心　宿世之所行　以無量因緣　種種諸譬喻
說六波羅蜜　及諸神通事　分別真實法　菩薩所行道
說是法華經　如恒河沙偈　彼佛說經已　靜室入禪定
一心一處坐　八萬四千劫　是諸沙弥等　知佛禪未出
爲無量億衆　說佛無上慧　各各坐法座　說是大乘經
於佛宴寂後　宣揚助法化　一一沙弥等　所度諸衆生
有六百萬億　恒河沙等衆　彼佛滅度後　是諸聞法者
在在諸佛土　常與師俱生　是十六沙弥　具足行佛道
今現在十方　各得成正覺　尒時聞法者　各在諸佛所
其有住聲聞　漸教以佛道　我在十六數　曾亦爲汝說
是故以方便　引汝趣佛慧　以是本因緣　今說法華經
令汝入佛道　慎勿懷驚懼　譬如險惡道　迥絶多毒獸
又復無水草　人所畏怖處　無數千萬衆　欲過此險道
其路甚曠遠　經五百由旬　時有一導師　强識有智慧

其有住聲聞 漸教以佛道 我在十六數 曾亦為汝說
是故以方便 引汝趣佛慧 以是本因緣 今說法華經
令汝入佛道 慎勿懷驚懼 譬如險惡道 迥絕多毒獸
又復無水草 人所怖畏處 無數千萬眾 欲過此險道
其路甚曠遠 經五百由旬 時有一導師 強識有智慧
明了心決定 在險濟眾難 眾人皆疲惓 而白導師言
我等今頓乏 於此欲退還 導師作是念 此輩甚可愍
如何欲退還 而失大珍寶 尋時思方便 當設神通力
化作大城郭 莊嚴諸舍宅 周匝有園林 渠流及浴池
重門高樓閣 男女皆充滿 即作是化已 慰眾言勿懼
汝等入此城 各可隨所樂 諸人既入城 心皆大歡喜
皆生安隱想 自謂已得度 導師知息已 集眾而告言
汝等當前進 此是化城耳 我見汝疲極 中路欲退還
故以方便力 權化作此城 汝今勤精進 當共至寶所
我亦復如是 為一切導師 見諸求道者 中路而懈廢
不能度生死 煩惱諸險道 故以方便力 為息說涅槃
言汝等苦滅 所作皆已辦 既知到涅槃 皆得阿羅漢
尒乃集大眾 為說真實法 諸佛方便力 分別說三乘
唯有一佛乘 息處故說二 今為汝說實 汝所得非滅
為佛一切智 當發大精進 汝證一切智 十力等佛法
具三十二相 乃是真實滅 諸佛之導師 為息說涅槃
既知是息已 引入於佛慧

妙法蓮華經卷第三

BD00497號　妙法蓮華經卷三　（20–20）

BD00498號背　妙法蓮華經護首　（1–1）

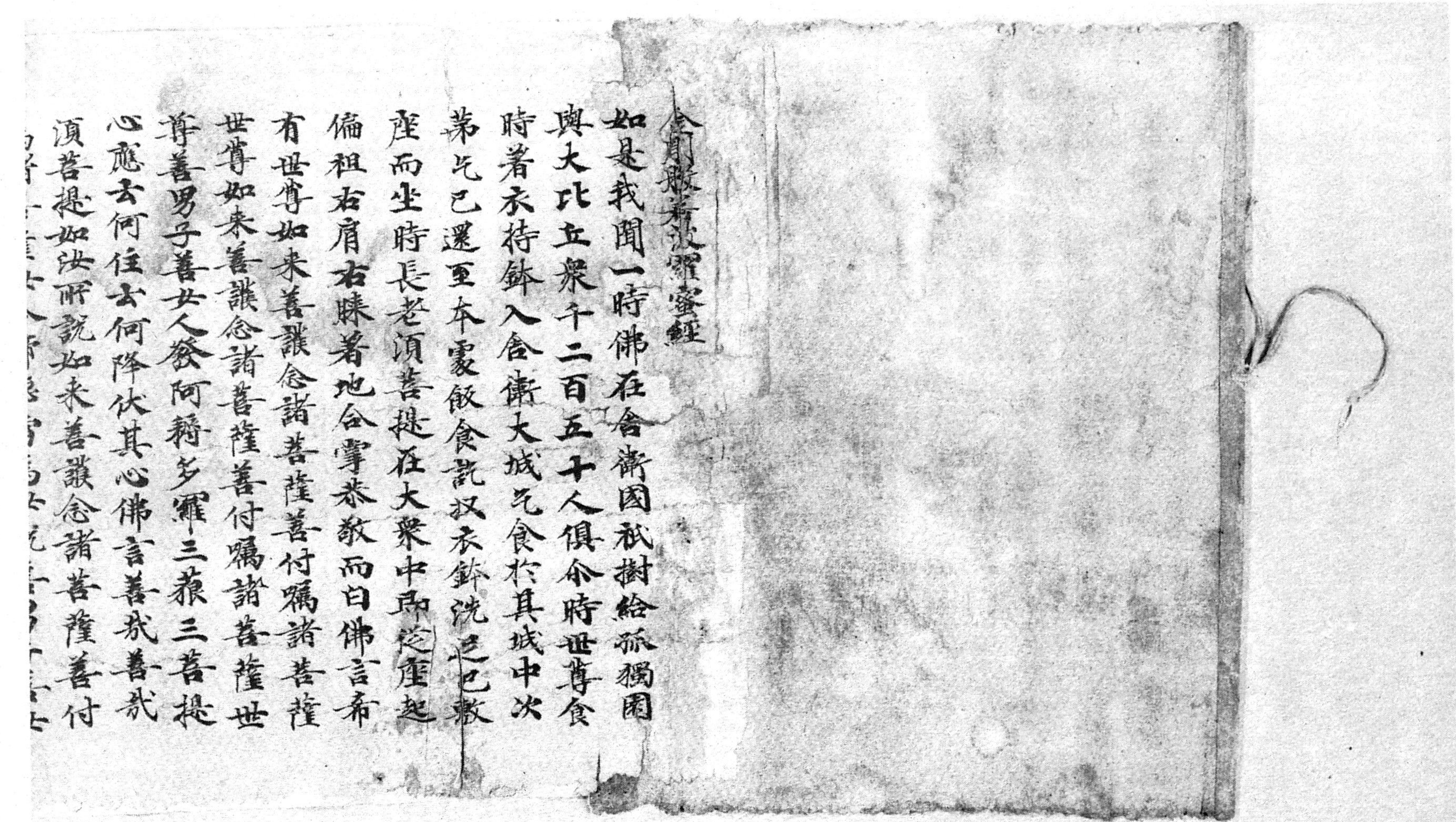
金剛般若波羅蜜經
如是我聞一時佛在舍衛國祇樹給孤獨園
與大比丘衆千二百五十人俱尒時世尊食
時著衣持鉢入舍衛大城乞食於其城中次
第乞已還至本處飯食訖収衣鉢洗足已敷
座而坐時長老須菩提在大衆中即從座起
偏袒右肩右膝著地合掌恭敬而白佛言希
有世尊如來善護念諸菩薩善付囑諸菩薩
世尊如來善護念諸菩薩善付囑諸菩薩世
尊善男子善女人發阿耨多羅三藐三菩提
心應云何住云何降伏其心佛言善哉善哉
須菩提如汝所說如來善護念諸菩薩善付

BD00498 號　金剛般若波羅蜜經　（8–1）

心應云何住云何降伏其心佛言善哉善哉
須菩提如汝所說如來善護念諸菩薩善付
囑諸菩薩汝今諦聽當為汝說善男子善女
人發阿耨多羅三藐三菩提心應如是住如是
降伏其心唯然世尊願樂欲聞
佛告須菩提諸菩薩摩訶薩應如是降伏
其心所有一切衆生之類若卵生若胎生
若濕生若化生若有色若无色若有想若
无想若非有想若非无想我皆令入无餘涅
槃而滅度之如是滅度无量无數无邊衆生實
无衆生得滅度者何以故須菩提若菩薩有
我相人相衆生相壽者相即非菩薩
復次須菩提菩薩於法應无所住行於布
施所謂不住色布施不住聲香味觸法布
施須菩提菩薩應如是布施不住於相何以
故若菩薩不住相布施其福得不可思量須
菩提於意云何東方虛空可思量不不也世
尊須菩提南西北方四維上下虛空可思量
不不也世尊須菩提菩薩无住相布施福德
亦復如是不可思量須菩提菩薩但應如所
教住須菩提於意云何可以身相見如來不
不也世尊不可以身相得見如來何以故如來
所說身相即非身相佛告須菩提凡所有相
皆是虛妄若見諸相非相即見如來
須菩提白佛言世尊頗有衆生得聞如是言

BD00498 號　金剛般若波羅蜜經　（8–2）

所言身相即非身相佛告須菩提凡所有相
皆是虛妄若見諸相非相即見如來
須菩提白佛言世尊頗有衆生得聞如是言
說章句生實信不佛言須菩提莫作是說如
來滅後後五百歲有持戒脩福者於此章
句能生信心以此為實當知是人不於一佛二
佛三四五佛而種善根已於无量千万佛所種
諸善根聞是章句乃至一念生淨信者須菩
提如來悉知悉見是諸衆生得如是无量福
德何以故是諸衆生无復我相人相衆生相
壽者相无法相亦无非法相何以故是諸衆
生若心取相則為著我人衆生壽者若取
法相即著我人衆生壽者何以故若取非法
相即著我人衆生壽者是故不應取法不應
取非法以是義故如來常說汝等比丘知我
說法如筏喻者法尚應捨何況非法
須菩提於意云何如來得阿耨多羅三藐三
菩提耶如來有所說法耶須菩提言如我解
佛所說義无有定法名阿耨多羅三藐三菩
提亦无有定法如來可說何以故如來所說
法皆不可取不可說非法非非法所以者何
一切賢聖皆以无為法而有差別
須菩提於意云何若人滿三千大千世界七寶
以用布施是人所得福德寧為多不須菩提
言甚多世尊何以故是福德即非福德性是
故如來說福德多若復有人於此經中受持

BD00498 號　金剛般若波羅蜜經　（8–3）

以用布施是人所得福德寧為多不須菩提
言甚多世尊何以故是福德即非福德性是
故如來說福德多若復有人於此經中受持
乃至四句偈等為他人說其福勝彼何以故須
菩提一切諸佛及諸佛阿耨多羅三藐三菩
提法皆從此經出須菩提所謂佛法者即非佛法
須菩提於意云何須陁洹能作是念我得須陁
洹果不須菩提言不也世尊何以故須陁洹
名為入流而无所入不入色聲香味觸法是
名須陁洹須菩提於意云何斯陁含能作是
念我得斯陁含果不須菩提言不也世尊何
以故斯陁含名一往來而實无往來是名斯
陁含須菩提於意云何阿那含能作是念我
得阿那含果不須菩提言不也世尊何以故
阿那含名為不來而實无來是故名阿那
含須菩提於意云何阿羅漢能作是念我
得阿羅漢道不須菩提言不也世尊何以故
實无有法名阿羅漢世尊若阿羅漢作是
念我得阿羅漢道即為著我人衆生壽者
世尊佛說我得无諍三昧人中最為第一是
第一離欲阿羅漢我不作是念我是離欲阿
羅漢世尊我若作是念我得阿羅漢道世尊
則不說須菩提是樂阿蘭那行者以須菩提
實无所行而名須菩提是樂阿蘭那行
佛告須菩提於意云何如來昔在然燈佛所

BD00498 號　金剛般若波羅蜜經　（8–4）

則不說須菩提是樂阿蘭那行者以須菩提
實无所行而名須菩提是樂阿蘭那行
佛告須菩提於意云何如來昔在然燈佛所
於法有所得不世尊如來在然燈佛所於法實
无所得須菩提於意云何菩薩莊嚴佛土
不不也世尊何以故莊嚴佛土者則非莊嚴
是名莊嚴是故須菩提諸菩薩摩訶薩應如
是生清淨心不應住色生心不應住聲香味
觸法生心應无所住而生其心須菩提譬如
有人身如須弥山王於意云何是身為大不
須菩提言甚大世尊何以故佛說非身是名大身
須菩提如恒河中所有沙數如是沙等恒河
於意云何是諸恒河沙寧為多不須菩提言
甚多世尊但諸恒河尚多无數何況其沙須
菩提我今實言告汝若有善男子善女人以
七寶滿尒所恒河沙數三千大千世界以用
布施得福多不須菩提言甚多世尊佛告須
菩提若善男子善女人於此經中乃至受
持四句偈等為他人說而此福德勝前福德復
次須菩提隨說是經乃至四句偈等當知此處
一切世間天人阿脩羅皆應供養如佛塔廟
何況有人盡能受持讀誦須菩提當知是人
成就最上第一希有之法若是經典所在之
處則為有佛若尊重弟子
尒時須菩提白佛言世尊當何名此經我等
云何奉持佛告須菩提是經名為金剛般若

BD00498號　金剛般若波羅蜜經　（8–5）

成就最上第一希有之法若是經典所在之
處則為有佛若尊重弟子
尒時須菩提白佛言世尊當何名此經我等
云何奉持佛告須菩提是經名為金剛般若
波羅蜜以是名字汝當奉持所以者何須菩
提佛說般若波羅蜜則非般若波羅蜜須菩
提於意云何如來有所說法不須菩提白佛
言世尊如來无所說須菩提於意云何三千
大千世界所有微塵是為多不須菩提言甚
多世尊須菩提是諸微塵如來說非微塵是
名微塵如來說世界非世界是名世界須菩
提於意云何可以三十二相見如來不不也世
尊不可以三十二相得見如來何以故如來說
三十二相即是非相是名三十二相須菩提
若有善男子善女人以恒河沙等身命布施若
復有人於此經中乃至受持四句偈等為他人
說其福甚多
尒時須菩提聞說是經深解義趣涕淚悲泣
而白佛言希有世尊佛說如是甚深經典我
從昔來所得慧眼未曾得聞如是之經世尊
若復有人得聞是經信心清淨則生實相當
知是人成就第一希有功德世尊是實相者
則是非相是故如來說名實相世尊我今得
聞如是經典信解受持不足為難若當來世
後五百歲其有眾生得聞是經信解受持是
人則為第一希有何以故此人无我相人相

BD00498號　金剛般若波羅蜜經　（8–6）

後五百歲其有衆生得聞是經信解受持是
人則為第一希有何以故此人无我相人相
衆生相壽者相所以者何我相即是非相人
相衆生相壽者相即是非相何以故離一切
諸相則名諸佛
佛告須菩提如是如是若復有人得聞是經
不驚不怖不畏當知是人甚為希有何以故
須菩提如來說第一波羅蜜非第一波羅蜜
是名第一波羅蜜須菩提忍辱波羅蜜如來
說非忍辱波羅蜜何以故須菩提如我昔為
歌利王割截身體我於尒時无我相无人相
无衆生相无壽者相何以故我於往昔節
節支解時若有我相人相衆生相壽者相
應生瞋恨須菩提又念過去於五百世作忍
辱仙人於尒所世无我相无人相无衆生相无
壽者相是故須菩提菩薩應離一切相發阿
耨多羅三藐三菩提心不應住色生心不應住
聲香味觸法生心應生无所住心若心有住則
為非住是故佛說菩薩心不應住色布施須
菩提菩薩為利益一切衆生應如是布施如來
說一切諸相即是非相又說一切衆生則非衆
生須菩提如來是真語者實語者如語者
不誑語者不異語者須菩提如來所得法此
法无實无虛須菩提若菩薩心住於法而行

BD00498 號　金剛般若波羅蜜經　（8–7）

說一切諸相即是非相又說一切衆生則非衆
生須菩提如來是真語者實語者如語者
不誑語者不異語者須菩提如來所得法此
法无實无虛須菩提若菩薩心住於法而行
布施如人入闇則无所見若菩薩心不住法
而行布施如人有目日光明照見種種色須
菩提當來之世若有善男子善女人能於此
經受持讀誦則為如來以佛智慧悉知是人
悉見是人皆得成就无量无邊功德
須菩提若有善男子善女人初日分以恒河
沙等身布施中日分復以恒河沙等身布施
後日分亦以恒河沙等身布施如是无量百
千万億劫以身布施若復有人聞此經典信
心不逆其福勝彼何況書寫受持讀誦為人
解說須菩提以要言之是經有不可思議不
可稱量无邊功德如來為發大乘者說為發
最上乘者說若有人能受持讀誦廣為人說
如來悉知是人悉見是人皆得成就不可量
不可稱无有邊不可思議功德如是人等則
為荷擔如來阿耨多羅三藐三菩提何以故
須菩提若樂小法者著我見人見衆生見

BD00498 號　金剛般若波羅蜜經　（8–8）

空不離
觸法處亦復如是是故世尊脩行般若波羅蜜
蜜多諸菩薩摩訶薩不應住色處乃至不應
住法處世尊脩行般若波羅蜜多諸菩薩
摩訶薩不應住眼界色界眼識界及眼
觸眼觸為緣所生諸受何以故世尊眼界眼
界性空乃至眼觸為緣所生諸受眼觸為緣
所生諸受性空世尊是眼界非眼界空是眼
界空非眼界眼界不離空空不離眼界眼界
即是空空即是眼界色界乃至眼觸為緣所
生諸受亦復如是是故世尊脩行般若波羅
蜜多諸菩薩摩訶薩不應住眼界乃至不應
住眼觸為緣所生諸受世尊脩行般若波羅
蜜多諸菩薩摩訶薩不應住耳界聲界耳識
界及耳觸耳觸為緣所生諸受何以故世尊
耳界耳界性空乃至耳觸為緣所生諸受
耳觸為緣所生諸受性空世尊是耳界非耳
界空是耳界空非耳界耳界不離空空不離
耳界耳界即是空空即是耳界聲界乃至耳
觸為緣所生諸受亦復如是是故世尊脩行
般若波羅蜜多諸菩薩摩訶薩不應住耳界
乃至不應住耳觸為緣所生諸受世尊脩行般
若波羅蜜多諸菩薩摩訶薩不應住鼻界香
界鼻識界及鼻觸鼻觸為緣所生諸受何以
故世尊鼻界鼻界性空乃至鼻觸為緣所生

BD00499號　大般若波羅蜜多經卷三七　（3–1）

觸為緣所生諸受亦復如是是故世尊脩行
般若波羅蜜多諸菩薩摩訶薩不應住耳界
乃至不應住耳觸為緣所生諸受世尊脩行般
若波羅蜜多諸菩薩摩訶薩不應住鼻界香
界鼻識界及鼻觸鼻觸為緣所生諸受何以
故世尊鼻界鼻界性空乃至鼻觸為緣所生
諸受鼻觸為緣所生諸受性空世尊是鼻界
非鼻界空是鼻界空非鼻界鼻界不離空空
不離鼻界鼻界即是空空即是鼻界香界乃
至鼻觸為緣所生諸受亦復如是是故世尊
脩行般若波羅蜜多諸菩薩摩訶薩不應
住鼻界乃至不應住鼻觸為緣所生諸受世
尊脩行般若波羅蜜多諸菩薩摩訶薩不
應住舌界味界舌識界及舌觸舌觸為緣所
生諸受何以故世尊舌界舌界性空乃至舌
觸為緣所生諸受舌觸為緣所生諸受性空
世尊是舌界非舌界空是舌界空非舌界舌
界不離空空不離舌界舌界即是空空即是
舌界味界乃至舌觸為緣所生諸受亦復如
是是故世尊脩行般若波羅蜜多諸菩薩摩
訶薩不應住舌界乃至不應住舌觸為緣所
生諸受世尊脩行般若波羅蜜多諸菩薩摩
訶薩不應住身界觸界身識界及身觸身
觸為緣所生諸受何以故世尊身界身界性
空乃至身觸為緣所生諸受身觸為緣所
生諸受性空世尊是身界非身界空是身界
空非身界身界不離空空不離身界身界

BD00499號　大般若波羅蜜多經卷三七　（3–2）

至鼻觸為緣所生諸受亦復如是是故世尊
脩行般若波羅蜜多諸菩薩摩訶薩不應
住鼻界乃至不應住鼻觸為緣所生諸受世
尊脩行般若波羅蜜多諸菩薩摩訶薩不
應住舌界味界舌識界及舌觸舌觸為緣所
生諸受何以故世尊舌界舌界性空乃至舌
觸為緣所生諸受舌觸為緣所生諸受性空
世尊是舌界非舌界空是舌界空非舌界舌
界不離空空不離舌界舌界即是空空即是
舌界味界乃至舌觸為緣所生諸受亦復如
是是故世尊脩行般若波羅蜜多諸菩薩摩
訶薩不應住舌界乃至不應住舌觸為緣所
生諸受世尊脩行般若波羅蜜多諸菩薩摩
訶薩不應住身界觸界身識界及身觸身
觸為緣所生諸受何以故世尊身界身界性
空乃至身觸為緣所生諸受身觸為緣所
生諸受性空世尊是身界非身界空是身界
空非身界身界不離空空不離身界身界
即是空空即是身界觸界乃至身觸為緣所
生諸受亦復如是是故世尊脩行般若波羅蜜
多諸菩薩摩訶薩不應住身界乃至不應住
身觸為緣所生諸受世尊脩行般若波羅蜜
多諸菩薩摩訶薩不應住意界法界意識

BD00499號　大般若波羅蜜多經卷三七　（3–3）

BD00500號　四分律戒本疏卷三

（3–1）

BD00500號　四分律戒本疏卷三

（3–2）

故仏開不囑村入二食前後三不囑受四白白衣家除諸歟蘆又除病作
衣等緣五入門犯 已下正明戒本此戒因跋難陀故今僧食時不得食好
羹故制此戒 若比丘先受請已前食後食行詣餘家不囑授餘比丘
除餘時者病時作衣時施衣時是謂餘時此戒文有三段
初略制次隨制後廣制為前食故初略結為後食故隨結為請喚
故廣制就廣戒本句有其六五以門是比丘先受他請二食前食後至他家
三囑不從四除開緣五結犯除時者已下辨前第四句弁相具釋初句可
知言前食後食者從明相出至食時名前食從食時至日中名後食
言不囑餘比丘者律云若同房同住同界者應令知受請受四言除餘
時者是開緣於中有三一病二衣三施衣義如別衆食戒說 五言致遠犯者
是遠犯結罪句律云若受請已欲至餘家囑同界者後有見義故律
云若囑時村内中道還若至餘家或至寺内庫藏處及聚落邊房若
尼寺若至白衣家還出並是前囑後更當囑他若不尔者入門即犯
律云不犯者此戒本開緣及无比丘可囑至餘庫藏及尼寺若家多
數並且請比丘成會隨至彼是請受是故不犯 十言若食不足若不足
除夏未不犯 多云檀越明日設供比丘今日犯提除夏不犯 食家纏
坐戒卅三 制意者凡在家俗人嫁會先時久不去婦被邪心迭相貪
序理非所宜又復出家離俗受染之所事須防遠容自壞心外彰
識譏故所以制 別緣有四一是食家既新婚欲家及二俱愛著不絕二
夫婦常所居屏處三无第四人四申手不及五安坐便犯 已下正明戒本
此因迦留陀夷起過便制戒 若比丘在食家中有寶強安坐者波逸
提 此廣之本戒文有三句一犯人二食家有寶三強坐結犯弁相中初句
可知二言食家有寶者律云男以女為食女以男為食故名食家寶
者七寶夫妻相重如寶故中有五分云男女情相共食名食家十云
新婚欲家及俱愛著戒名非食家三言強安坐者律云若當餘手不及
戶處坐以婦其事故名強安坐言波逸提者律云若比丘在食家夫婦俱
不愛著備強坐犯提 若重二句犯吉若俱愛著備不犯 徵云見色愛著故名
食也與食為四食之中是觸食以眼根對色故名為觸食 五分云若知
婦其事者犯吉羅含多人出入不犯 多云言有寶者以著寶衣莊嚴
欲故四分云第四人皆聾俱名提又有吉羅一盲一聾共成又人不犯比丘立而
不坐吉羅 不犯者若食家有寶申手又受坐若有一比丘為伴一[illegible]

……過不異。前既有因緣聽至軍中宜應坐
往復方便往觀過同於初故所制別緣有五一先有緣在軍中宿二軍陣
合戰三方便往觀四方便犯 已下明戒本此同六群有緣在軍觀諸
鬪力中有一人為箭所射居士嫌責比丘白佛因斯制戒 若比丘二宿三宿
軍中住或時觀軍陣鬪戰若觀遊軍象馬力勢者波逸提 此釋之戒
本文有五句者犯人二有緣先在軍中三或觀者一心明觀兼此軍陣已下
所觀之境於中有四一軍二陣三戰鬪四勢力五者結罪并相中初句可知
第二句以前戒所明 第三言觀軍陣者是觀業四言軍陣等者軍陣以
前所明戰相狀若戲鬪若真鬪言勢力者有一象為力馬力車力
步力等 五言波逸提者是違犯句輕重不同若比丘往觀見者犯提不
見犯吉 餘以前戒 不犯者若有請喚及勢力等難命梵之難雖不雜不
犯 飲酒戒五十一 制意者酒為毒水飲則成患令人志性猖狂廣興諸惡
妨脩勝業損道招譏失惠之本寔容不禁是故聖制 列緣有三一是酒
二無重病三飲即犯 已下正明戒本此因娑伽陀比丘起過故制斯戒 若比丘飲酒
者波逸提 論此戒本文有三句一犯人二所飲之酒三飲而結罪 并相中初
句可知 二言飲酒者於中有二初列五種酒以律所明一木酒二粳米酒三餘
飲米酒四大麥酒五有飲除法作酒者二廣木酒偏舉 列蘭律云木酒者有其
一梨汁酒二閻浮果酒三甘蔗酒四舍樓伽果酒五蕤汁酒六蒲桃酒者若以
蜜石蜜雜作乃至蒲桃酒亦如是 三言波逸提者是結罪文律云但使是酒
乃至草木作者无酒色香味義非酒而有酒色香味並不犯合飲若酒初和
之飲得犯提 甜酢酒食麴酒糟一切吉羅 十誦云若飲餘酒酢酒糟醬若麴能
醉人咽咽皆犯 僧祇云酒酒想酒疑酒无酒想一切墮罪无酒有酒想酒疑皆善
莫非取境犯墮 謂前有方便又不得逼勸飲酒前人若飲勸者犯提不
飲吉羅 戒云一切果漿令人醉越 若麴飲相和者提 善見云若酒煮藥於着
酒香味犯吉 无香者得飲 四云不我為師者不得以草木內酒中滴口中五六
以降龍故得酒醉乘象躁猶乃至佛說偈言昔日教佛令昔不欲教昔伏毒龍
今不能降蝦蟆 多云此戒極重能作四逆除一破僧又亦能破諸餘律行而及
餘從衆作業於律重制 律云不犯者若有病餘藥治不差以酒為藥
若以酒塗瘡一切不犯 五分云若先習酒人不酒者氣絕及死飲酒不滴瓶
嗅器若不差者以酒著粥中令食不差者以酒與飲滴滴斷 水中戲
[illegible]

若以酒塗瘡一切不犯 更六云若先習酒人不須者氣絕致死將酒不須癡
嘆若若不差者以酒差聽粥中令食不差者以酒与服酒渐將 水中戲
三有意五十二 多論云四義故制一佛法尊重理宜恭敬令入水嬉戲相撲亞
損二俚宜威儀庠序外長信敬入水遊戲動越威儀於世識過三宜息
修道入水遊戲妨癈正業四宜修正念入水戲諠令心散亂失正念故是以聖
制 別緣有三一是水二无緣三戲即犯 此戒同十七群河中遊戲放斯嚣譏嫌
見譏嫌佛便制 若比丘水中嬉戲者波逸提 戒本有三句一犯人二水戲三結
罪 弁相者初句可知 二言水中戲者律云放意自恣從此岸至彼岸逆流順流
浸没出手或水相澆乃至以鉢盛水戲棄者是 三言波逸提者遠犯名律云
比丘水中如上所戲悉犯提罪除水已餘器中若酒麥汁器中弄戲皆犯吉羅
祇云水陸至洗濯越俱水中者提五分搏雪及草頭露棄者吉伽云乃至水
渧地名吉大雲經說王見遊戲說偈夫人吉同諸比丘久已離塵戲羅漢等法
水中云何爲人師諸比丘遊戲已足入定知心念以神力應行而去夫人見而
王說偈在家諸比丘久已離生羅漢亦然高如是何況釋迦師王因生信律云不
犯者若道行渡水中水牽竹木得順流上下若失物沉入水底出没放出或從
此岸渡至彼岸或先知浮法而權學承中濟水者一切不犯擊攊比丘戒五十三
事雖是輕過容至重人之善爲特宜須禁所以制 別緣有五一大比丘二作擊
亂意三手腳十指四无緣若眠觸令覺行來撲觸等不犯故五觸着即犯此
戒同六群中一人擊攊十七群中一人乃至令命終比丘舉過佛便呵制 若比
丘以指相擊攊者波逸提 戒本三句一犯人二擊攊三結罪 弁相中初句可知
二言以指擊攊者律云指者手腳廿指 三言波逸提者遠犯罪名四分以手腳指
擊攊一切提罪祇云以指除手腳已若杖若梯栖及户鑰餘一切物擊攊
者吉 指比丘名提五指々五提乃至差會以指其甲吉々者名提五分云若
擊攊沙弥乃至畜生名吉 律云不犯者若不故作若眠觸令覺若出入行來
若掃地撲觸并犯杖 不受諫戒五十四 制意者夫出家之人理宜離惡爲衆
然已違情將欲作過他以理諫護不從順奇且爲非遠複受重故須聖制
別緣有五一已所作非法事二他如法設諫三知已所作非前人諫者是四作諫
不受五道所作犯根本不從語波逸提 已下正明戒本此戒因闡陀比丘犯戒餘
比丘諫言莫作是意不應尔不從他諫即犯罪諸比丘白佛々呵制戒 若比
丘不受諫者波逸提 此戒文有三句一犯人二不受諫三結罪 弁相中初句可知
二言不受諫者自知作非他他勸莫作拒而不從故日不受諫 三言波逸提
者是遠犯罪名釋云但使知已爲非前諫者是故遠得重是以得提若謂已
所作是前諫者非過輕教故得吉罪隨所作事邊以識事故作以不知得脫

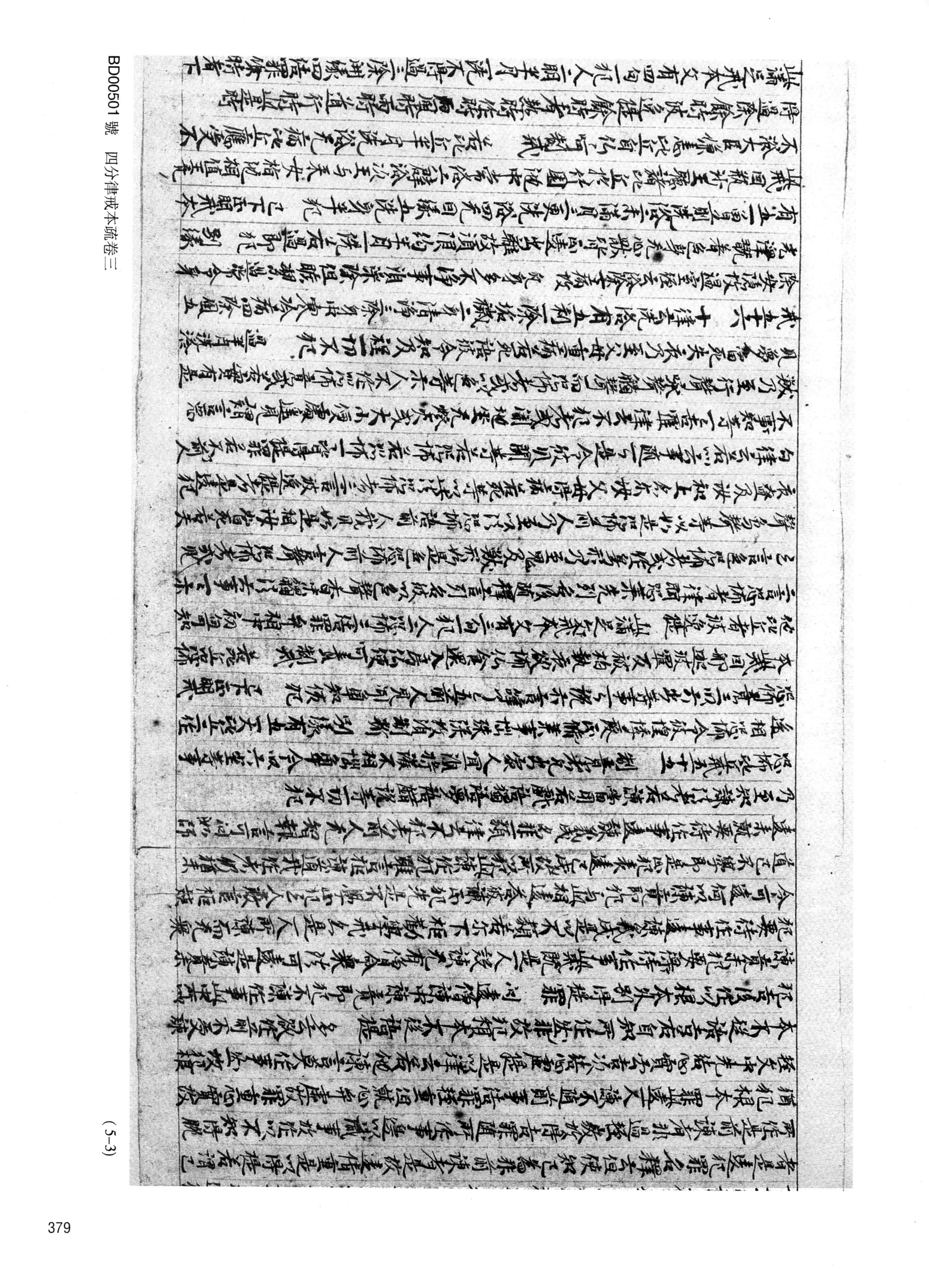

BD00501號　四分律戒本疏卷三

（5–3）

光澤欲著色身无心厭背四遠出離故須限約半月一洗上右過所犯　別緣
有五一曾五前洗浴二未滿月三更洗浴四无因緣五洗身竟犯　已下正明戒本
此戒因瓶沙王聽諸比丘於竹園池中常浴六群浴次王与采女宿池相值王見
不浴大臣嫌恚比丘自以白佛制戒　若比丘半月洗浴无病比丘應受不
得過除餘時波逸提餘時者熱時作時病時風時雨時道行時此是時
此滿足戒本文有四句一犯人二明半月一洗不得過三除開緣四結罪餘時者下
誦前第三句并相中初句可知二言半月洗浴者明半月一浴不得過半月洗
謂於半月內不得再洗故曰不得過　祇云應浴日數要滿十五日乃應更
洗三先言除餘時者明開緣言除熱時律云春後卌五日夏初一月是熱
時天竺熱早故從三月初至五月十五日此兩月半聽无罪隨國土早晚熱開此
限洗又此兩月半時日滿便足是名熱時言病時者四分衣下至身體臭
穢是謂病時言作時下至掃屋前地十云乃至掃僧房內地五六人多云五
六人共乃至掃屋內地言風雨時者下至一旋風渧雨著身言道行者下
至半由旬若來若往若是四言波逸提者是過洗得罪句律云若過限洗
一一遍洗身一波逸提若洗半身亦犯提若方便欲洗不洗者吉羅　五分云若
共白衣同室浴身偷蘭多云露地不應共浴若在室中知白衣善而
无口過者聽共浴比丘揩白衣者吉若自揩不用他揩者善要著僧祇衣
一當有慚愧二不生他欲因說羅漢身軟有見見便起染失根乃至還俗
得本男身　律云不犯者如上六緣開數洗不犯及被勢力所持繫閉者不
犯　无事露地然火戒五十七　制意者火性熾焱事暴无恒容有燒
壞不可禁又復然火聲聚多著俗談廢修正業是以聖制　別緣有四一是
无因緣戰云因緣不犯二無因緣若在覆障處生惡心義然為是不犯故須
第二是露地三然草木等戰云然炭生過義然但犯小罪四燒便犯此中但
制无事然火罪不言壞地傷生種罪上已制竟故無此戒因六群露地
然火枯樹內有蛇得火氣出逐驚衝火燒佛講堂比丘舉過佛便制戒
若比丘无病自為炙身故在露地然火教人然火除時因緣波逸提　戒本文
三句一犯人二除病三為已然火結犯

壞不可棄又復然火辟鼠多著從諸蟲蟻墮煮是以聖制　制緣有四是
无因緣難去因緣不犯二難无因緣若在覆障處生患義務多是不犯故須
本二是露地三然草木等難去然炭生過義微但犯小罪四燒便犯此中但
制无事然火罪不言壞地傷五生種罪上已制竟故示此戒因云辟露地
然火枯樹中有蛇得火氣出逐驚擲火燒佛講堂比丘舉過佛便制斯戒
若比丘无病自為炙身故在露地然火教人然火除時因緣波逸提　戒本文
三句一犯人二除病三為己然火結犯

受諮問若山林樹下僧地房中一切說法處
悉至聽受若不至彼聽受者犯輕垢罪
若佛子心背大乘常住經律言非佛說而受
持二乘聲聞外道惡見一切禁戒耶見經律
者犯輕垢罪
若佛子一切疾病人供養如佛无異八福田
中看病福田苐一福田若父母師弟子病諸
根不具百種病苦惱皆養令差而菩薩以瞋
恨心不至僧房中城邑曠野山林道路中見
病不救濟者犯輕垢罪
若佛子不得畜一切刀杖鬪戰弓箭鉾斧之
具惡網羅煞生之器一切不得畜而菩薩乃
至煞父母尚不加報况煞一切衆生若故畜
刀杖犯輕垢罪
如是十戒應當學敬心奉持下六六品中廣開
佛言佛子爲利養惡心故通國使命軍陣合
會興師相煞无量衆生而菩薩不得入陣中
往來况故作國賊若故作者犯輕垢罪
若佛子故販賣良人奴婢六畜市易官材板
木盛死之具尚不故作况教人作犯輕垢罪
若佛子以惡心无事謗他良人善人法師師
僧國王貴人言犯七逆十重父母兄弟六親
中應生孝順心慈心而反更加於逆害墮不

若佛子以惡心无事謗他良人善人法師師
僧國王貴人言犯七逆十重父母兄弟六親
中應生孝順心慈心而反更加於逆害墮不
如意處犯輕垢罪
若佛子以惡心故放大火燒山林曠野四月
乃至九月放火若燒他人家屋宅城邑僧房田
木及鬼神官物一切有主物不得故燒犯輕
垢罪
若佛子自佛子及外道人六親一切善知識
應一一教受持大乘經律中教解義理使發
菩提心發十心起金剛心一一解其次苐法
用而菩薩以惡心瞋心橫教二乘聲聞戒經
律外道耶見論等犯輕垢罪
若佛子應好心先學大乘威儀經律廣開解
義味見後新學菩薩有百里千里來求大乘
經律應如法爲說一切苦行若燒身燒臂燒
指若不燒身指供養諸佛非出家菩薩乃至
餓虎狼師子口中一切餓鬼悉應捨身肉
手足而供養之後一一次苐爲說正法使心開
意解而菩薩爲利養故應荅不荅倒說經律
文字无前无後謗三寶說犯輕垢罪
若佛子自爲飲食錢物利養名譽故親近國
王王子大臣百官恃作形勢乞索打拍牽挽
橫取錢物一切求利名爲惡求多求教他人
求都无慈心无孝順心犯輕垢罪
若佛子學誦戒日日六時持菩薩戒解其

撾取錢物一切求利名為惡求多求教他人
求都无慈心无孝順心犯輕垢罪
若佛子學誦戒日日六時持菩薩戒解其
義理佛性之性而菩薩不解一句一偈戒律
因緣詐言能解者即為自欺誑亦欺他人二
不解一切法而為他人作師受戒者犯輕垢
罪
若佛子以惡心持戒比丘手捉香爐行菩薩
行而鬪過兩頭謗欺賢人无惡不造犯輕垢
罪
若佛子以慈心故行放生業一切男子是我
父一切女人是我母我生生无不從之受生
故六道衆生皆是我父母而煞而食者即煞
我父母亦煞我故身一切地水是我先身
一切火風是我本體故常行放生生生受生
若見世人煞畜生時應方便救護解其苦難
常教化講說菩薩戒救度衆生若父母兄弟
死亡之日請法師講菩薩戒經律福資亡
者得見諸佛生人天上若不尒者犯輕垢罪
如是十戒應當學敬心奉持如滅罪品中明
一一戒
佛言佛子以瞋報瞋以打報打若煞父母兄
弟六親不得加報若國主為他人煞者亦不
德加報煞生報生不順孝道尚不畜奴婢打
拍罵辱日日起三業口罪无量況故作七逆
之罪而出家菩薩无慈報讎乃至六親中故

德加報煞生報生不順孝道尚不畜奴婢打
拍罵辱日日起三業口罪无量況故作七逆
之罪而出家菩薩无慈報讎乃至六親中故
者犯輕垢罪
若佛子始出家未有所解而自恃聰明有
智或高貴年宿或恃大姓高門大解大福饒
財七寶以此憍慢而不諮受先學法師經律
其法師者或小姓年少卑門貧窮諸根不具實
有德一切經律盡解而新學菩薩不得觀法
師種姓而不來諮受法師第一義諦者犯
輕垢罪
若佛子佛滅度後欲心好心受菩薩戒時
佛菩薩形像前自誓受戒當七日佛前懺
悔得見好相便得戒若不得好相時以二七三
七乃至一年要得好相得好相已便得佛菩
薩形像前受戒若不得好相雖佛像前受
戒不得戒若現前先受菩薩戒法師前受戒
時不須要見好相是法師師師相授故不須好
相是以法師前受戒即得戒以生重心故使
得戒若千里內无能受戒師得佛菩薩形像
前受得戒而要見好相若法師身猗解經戒
大乘學戒與國王太子百官以為善友而新
學菩薩來問若經義律義輕心惡心慢心不
好荅問者犯輕垢罪
若佛子有佛經戒大乘法正見正性正法身
而不能懃學修習而捨七寶反學邪見二乘
外道俗典阿毗曇雜論書記是斷佛性鄣道

若佛子有佛經律大乘法正見正性正法身
而不能懃學修習而捨七寶反學邪見二乘
外道俗典阿毗曇雜論書記是斷佛性鄣道
因緣非行菩薩道者故作犯輕垢罪
若佛子佛滅後為說法主為僧房主教化主
坐禪主行來主應生慈心善和鬪諍善守三
寶物莫无度用如自己有而反亂眾鬪諍恣
心用三寶物犯輕垢罪
若佛子先在僧房中住後見客菩薩比丘來
入僧房舍宅城邑國王宅舍中乃至夏坐安
居處及大會中住僧應迎來送去飲食供養
房舍臥具繩床事事給與若无物應賣自身
及男女身肉賣供給所須悉以與之若有檀越
來請眾僧客僧有利養分僧房主應次第差
客僧受請而先住僧獨受請而不差客僧房
主得无量罪畜生无異非沙門非釋種姓犯
輕垢罪
若佛子一切不得受別請利養入己而此利
養屬十方僧而別受請即取十方僧物入己
八福田諸佛聖人一一師僧父母病人物自
己用故犯輕垢罪
若佛子有出家菩薩在家菩薩及一切檀越
請僧福田求願之時應入僧房問知事人今
欲次第請者即得十方賢聖僧而世人別請
百羅漢菩薩僧不如僧次一凡夫僧若別請
僧者是外道法七佛无別請法不順孝道若

BD00502號　梵網經盧舍那佛說菩薩心地戒品第十卷下　（14–5）

請僧福田求願之時應入僧房問知事人今
欲次第請者即得十方賢聖僧而世人別請
百羅漢菩薩僧不如僧次一凡夫僧若別請
僧者是外道法七佛无別請法不順孝道若
故別請僧者犯輕垢罪
若佛子以惡心故為利養販賣男女色自手
作食自磨自舂占相男女解夢吉凶是男是
女呪術工巧調鷹方法和百種毒藥千種毒
藥虵毒生像金銀蠱毒都无慈心犯輕垢罪
若佛子以惡心自身謗三寶詐現親附口便
說空行在有中為白衣通致男女交會婬色
縛著於六齋日年三長齋日作煞生劫盜破
齋犯戒者犯輕垢罪
是十戒應當學敬心奉持制戒品中廣解
佛言佛子佛滅度後惡世中若見外道一切
惡人劫賊賣佛菩薩父母形像販賣經律販
賣比丘比丘尼亦賣發心菩薩道人或為官
使與一切人作奴婢者而菩薩見是事已應
慈心方便救護處處教化取物贖佛菩薩形
像及比丘比丘尼一切經律若不贖者犯輕
垢罪
若佛子不得畜刀杖弓箭販賣輕秤小斗因
官形勢取人財物害心繫縛破壞成功長養
猫狸猪狗若故養者犯輕垢罪
若佛子以惡心故觀一切男女等鬪軍陣兵
鬪劫賊等鬪亦不得聽吹貝鼓角琴瑟箏笛

BD00502號　梵網經盧舍那佛說菩薩心地戒品第十卷下　（14–6）

猫狸猪狗若故養者犯輕垢罪
若佛子以惡心故觀一切男女等鬪軍陣兵
鬪劫賊等鬪亦不得聽吹貝鼓角琴瑟箏笛
箜篌歌叫妓樂之聲不聽樗蒲圍碁波羅塞
戲彈碁六博擲石投壺八道行城抓鏡芝
草楊枝鉢盂髑髏而作卜筮不作盜賊使命
一一不得若故作者犯輕垢罪
若佛子護持禁戒行住坐臥日夜六時讀誦
是戒猶如金剛如帶持浮囊欲度大海如草
繫比丘常生大乘信自知我是未成之佛諸
佛是已成之佛發菩提心念念不去心若起
一念三乘外道心者犯輕垢罪
若佛子常應入一切願孝順父母師僧願得
好師同學善知識常教我大乘經律十發趣
十長養十金剛十地使我開解如法脩行堅
持佛戒寧捨身命念念不去心若一切菩薩
不發是願者犯輕垢罪
若佛子發十大願已持佛禁戒作是願言寧
以此身投熾燃猛火大坑刀山終不犯三世
諸佛經律與一切女人作不淨行復作是
願寧以熱鐵羅網千重周帀纏身終不破戒
之身受於信心檀越一切衣服復作是願寧
以此口吞熱鐵丸大流猛火經百千劫終不
破戒之口食信心檀越百味飲食復作是願
寧以此身臥大猛火羅網熱鐵地上終不破戒
之身受信心檀越百種床坐復作是願寧以
此身受三百鉾刺身終不破戒之身受信心

BD00502號　梵網經盧舍那佛說菩薩心地戒品第十卷下　（14–7）

破戒之口食信心檀越百味飲食復作是願
寧以此身臥大猛火羅網熱鐵地上終不破戒
之身受信心檀越百種床坐復作是願寧以
此身受三百鉾刺身終不破戒之身受信心
檀越百味醫藥復作是願寧以此身投熱鐵
鑊千劫終不破戒身受信心檀越千種房舍
屋宅園林田地復作是願寧以鐵鎚打碎此
身從頭至足令如微塵終不以此破戒之身
受信心檀越恭敬礼拜復作是願寧以百千
熱鐵刀鉾挑其兩目終不破戒心視他好色
復作是願寧以百千鐵錐遍身挑刺耳根經
一劫二劫終不以破戒心聽好音聲復作是
願寧以百千刃刀割去其鼻終不破戒心貪
嗅諸香復作是願寧以千刃刀割斷其舌終
不以破戒之心食人百味淨食復作是願寧
以利斧斬破其身終不以破戒心貪著好觸
復作是願願一切人成佛菩薩若不發是願
者犯輕垢罪
若佛子常應二時頭陀冬夏坐禪結夏安
居常用楊枝澡豆三衣瓶鉢坐具錫杖香爐
漉水囊手巾刀子火燧鑷子繩床經律佛像菩
薩形像而菩薩行頭陀時及遊方時行來百
里千里此十八種物常隨其身頭陀者從正月
十五日至三月十五日八月十五日至十月
十五日是二時中十八種物常隨其身如鳥
之翼若布薩日新學菩薩半月半月布薩

BD00502號　梵網經盧舍那佛說菩薩心地戒品第十卷下　（14–8）

十五日至三月十五日八月十五日至十月
十五日是二時中十八種物常隨其身如鳥
之翼若布薩日新學菩薩半月半月布薩
誦十重四十八輕戒時於諸佛菩薩形像前
一人布薩即一人誦若二及三人至百千人亦一
人誦誦者高坐聽者下坐各各披九條七條
五條袈裟結夏安居一一如法若頭陁時莫
入難處若國難惡王土地高下草木深邃師
子虎狼水火風劫賊道路毒虵一切難處悉
不得入一切難處故頭陁行道乃至夏坐安
居是諸難處亦不得入此難處況行頭陁見
難處故入者犯輕垢罪
若佛子應如法次第坐先受戒者在前坐後
受戒者在後坐不問老少比丘比丘尼貴人
國王王子乃至黄門奴婢皆應先受戒者在
前坐後受戒者次第而坐莫如外道癡人若
老若少无前无後坐无次第兵奴之法我佛
法中先者先坐後者後坐而菩薩不次第坐
犯輕垢罪
若佛子常應教化一切衆生建立僧房山林
園田立作佛塔冬夏安居坐禪處所一切行
道處皆應立之而菩薩應爲一切衆生講說
大乘經律若病疾國難賊難父母兄弟和
上阿闍梨亡滅之日及三七四五七日亦講大
乘經律而齋會求行來持生大火大水所漂
黑風所吹船舫江河大海羅剎之難亦讀誦

BD00502號　梵網經盧舍那佛說菩薩心地戒品第十卷下　（14–9）

大乘經律若病疾國難賊難父母兄弟和
上阿闍梨亡滅之日及三七四五七日亦講大
乘經律而齋會求行來持生大火大水所漂
黑風所吹船舫江河大海羅剎之難亦讀誦
講說此經律乃至一切罪報三報八難七逆
杻械枷鏁繫縛其身多婬多瞋多愚癡多疾
病皆應講此經律而新學菩薩若不爾者犯
輕垢罪
是九戒應當學敬心奉持梵壇品當說
佛言佛子與人受戒時不得簡擇一切國王
王子大臣百官比丘比丘尼信男女婬男女
十八天无根二根黄門奴婢一切鬼神盡得
受戒應教身所著袈裟皆使壞色與道相
應皆染使青黄赤黑紫色一切染衣乃至卧具
盡以壞色身所著衣一切染色若一切國土
中國人所著衣服比丘皆應與其國土衣服
色異與俗服有異若欲受戒時問言現身不
作七逆罪耶菩薩法師不得與七逆人現身
受戒七逆者出佛身血煞父母煞和上煞阿
闍梨破羯磨轉法輪僧煞聖人若具七遮即
身不得戒餘一切人得受戒出家人法不向
國王禮拜不向父母禮拜六親不敬鬼神不
禮但解師語有百里千里來求法者而菩薩
法師以惡心瞋心而不即與授一切衆生戒
犯輕垢罪

BD00502號　梵網經盧舍那佛說菩薩心地戒品第十卷下　（14–10）

國王礼拜不向父母礼拜六親不敬鬼神不
礼但解師語有百里千里来求法者而菩薩
法師以悪心瞋心而不即與授一切衆生戒
犯輕垢罪
若佛子教化人起信心時菩薩與他人作教
戒法師者見欲受戒人應教請二師和上阿
闍梨二師應問言汝有七遮罪不若現身
七遮師不與受无七遮者得受若有犯十
戒者教懺悔在佛菩薩形像前日日六時
誦十戒四十八輕戒苦到礼三世千佛得見好相
若一七日二三七日乃至一年要見好相相者
佛来摩頂見光華種種異相便得滅罪若
无好相雖懺无益是現身亦不得戒而得
增長戒若犯四十八輕戒者對懺罪滅不同
七遮而教戒師於是法中一一好解若不解大乘
經律若輕若重是非之相不解第一義
諦習種性長養性不可壞性道性正性其中
多少觀行出入十禪支一切行法一一不得
此法中意而菩薩為利養為名聞故悪求貪
利弟子而詐現解一切經律為供養故是自
欺詐欺詐他人故與人受戒者犯輕垢罪
若佛子不得為利養於未受菩薩戒者前外
道悪人前說此千佛戒大邪見人前亦不得
說除國王餘一切不得說是悪人輩不受佛
戒名為畜生生生不見三寶如木石无心名
為外道邪見人輩木頭无異而菩薩於是悪

BD00502號　梵網經盧舍那佛說菩薩心地戒品第十卷下　（14–11）

戒名為畜生生生不見三寶如木石无心名
為外道邪見人輩木頭无異而菩薩於是悪
人前說七佛教戒者犯輕垢罪
若佛子信心出家受佛正戒故起心毀犯聖
戒者不得受一切檀越供養亦不得國王地
上行不得飲國王水五千大鬼常遮其前鬼
言大賊入房舍城邑宅中鬼復常掃其脚迹
一切世人罵言佛法中賊一切衆生眼不欲
見犯戒之人畜生无異木頭无異若毀正戒
者犯輕垢罪
若佛子常應一心受持讀誦剥皮為紙刺血
為墨以髓為水析骨為筆書寫佛戒木皮角
紙絹亦應悉書持常以七寶无價香華一切
雜寶為箱函盛經律卷若不如法供養者犯
輕垢罪
若佛子常起大慈心若入一切城邑舍宅見
一切衆生唱言汝衆生盡應受三歸十戒
若見牛馬猪羊一切畜生應心念口說汝是畜
生發菩薩心而菩薩入一切處山林川野皆
使一切衆生發菩提心是菩薩若不教化衆
生犯輕垢罪
若佛子常行教化大悲心入檀越貴人家一
切衆中不得立為白衣說法應白衣衆前高
座上坐法師比丘不得地立為四衆白衣說
法若說法時法師高坐香華供養四衆聽者
下坐如敬孝順父母孝順師教如事火婆羅

BD00502號　梵網經盧舍那佛說菩薩心地戒品第十卷下　（14–12）

座上坐法師比丘不得地立為四衆白衣說
法若說法時法師高坐香華供養四衆聽者
下坐如敬孝順父母孝順師教如事火婆羅
門其說法者若不如法犯輕垢罪
若佛子皆以信心受戒者若國王太子百官
四部弟子自恃高貴滅破佛法戒律明作制
法制我四部弟子不聽出家行道亦復不聽
造立形像佛塔經律破三寶之罪而故作破
法者犯輕垢罪
若佛子以好心出家而為名聞利養於國王
百官前說佛戒橫與比丘比丘尼菩薩弟子
繫縛如師子身中虫自食師子非外道天魔
破若受佛戒者應護佛戒如念一子如事父
母而聞外道惡人以惡言謗佛戒時如三百
鉾刺心千刀万杖打柏其身等无有異寧自
入地獄百劫而不一聞惡言破佛戒之聲況
自破佛戒教人破法因緣亦无孝順之心若
故作者犯輕垢罪
是九戒應當學敬心奉持諸佛子是四十八
輕戒汝等受持過去諸菩薩已誦現在諸菩
薩今誦佛子聽十戒四十八戒三世諸佛已
誦當誦今誦我今亦如是誦汝等一切大衆
若國王王子百官比丘比丘尼信男信女受
持菩薩戒者應受持讀誦解說書寫佛性常
住戒卷流通三世一切衆生化化不絕得見千
佛佛佛授手世世不墮惡道八難常生人道天
中我今在此樹下略開七佛法戒汝等當一

BD00502 號　梵網經盧舍那佛說菩薩心地戒品第十卷下

（14–13）

薩今誦佛子聽十戒四十八戒三世諸佛已
誦當誦今誦我今亦如是誦汝等一切大衆
若國王王子百官比丘比丘尼信男信女受
持菩薩戒者應受持讀誦解說書寫佛性常
住戒卷流通三世一切衆生化化不絕得見千
佛佛佛授手世世不墮惡道八難常生人道天
中我今在此樹下略開七佛法戒汝等當一
心學波羅提木叉歡喜奉行如无相天王品
勸學中二已明三千學時坐聽者聞佛自
誦心頂戴喜踊受持
尒時釋迦牟尼佛說上蓮華臺藏世界盧
舍那佛心地法門品中十无盡戒法品竟千百億
釋迦亦如是說從摩醯首羅天王宮至此道
樹十住處說法品為一切菩薩不可說大衆
受持讀誦解說其義亦如是百千億世界
蓮華藏世界微塵世界一切佛心藏地藏戒藏
无量行願藏因果佛性常住藏如如一切佛
說无量一切法藏竟千百億世界中一切衆
生受持歡喜奉行若廣開心地相相如佛
華光王品中說

梵網經卷下

BD00502 號　梵網經盧舍那佛說菩薩心地戒品第十卷下

（14–14）

戒記
日龍興寺都赤能經布
丙寅年十一月

BD00502 號背　題記　　（2–1）

大順六年丙寅歲十一月廿日孝表布戒金深永志記

BD00502 號背　題記　　（2–2）

著　錄　凡　例

本目錄採用條目式著錄法。諸條目意義如下：

1.1　著錄編號。用漢語拼音首字“BD”表示，意為“北京圖書館藏敦煌遺書”，簡稱“北敦號”。文獻寫在背面者，標註為“背”。一件遺書上抄有多個文獻者，用數字1、2、3等標示小號。一號中包括幾件遺書，且遺書形態各自獨立者，用字母A、B、C等區別。

1.2　著錄分類號。本條記目錄暫不分類，該項空缺。

1.3　著錄文獻的名稱、卷本、卷次。

1.4　著錄千字文編號。

1.5　著錄縮微膠卷號。

2.1　著錄遺書的總體數據。包括長度、寬度、紙數、正面抄寫總行數與每行字數、背面抄寫總行數與每行字數。如該遺書首尾有殘破，則對殘破部分單獨度量，用加號加在總長度上。凡屬這種情況，長度用括弧標註。

2.2　著錄每紙數據。包括每紙長度及抄寫行數或界欄數。

2.3　著錄遺書的外觀。包括：（1）裝幀形式。（2）首尾存況。（3）護首、軸、軸頭、天竿、縹帶，經名是書寫還是貼簽，有無經名號，扉頁、扉畫。（4）卷面殘破情況及其位置。（5）尾部情況。（6）有無附加物（蟲繭、油污、線繩及其他）。（7）有無裱補及其年代。（8）界欄。（9）修整。（10）其他需要交待的問題。

2.4　著錄一件遺書抄寫多個文獻的情況。

3.1　著錄文獻首部文字與對照本核對的結果。

3.2　著錄文獻尾部文字與對照本核對的結果。

3.3　著錄錄文。

3.4　著錄對文獻的說明。

4.1　著錄文獻首題。

4.2　著錄文獻尾題。

5　　著錄本文獻與對照本的不同之處。

6.1　著錄本遺書首部可與另一遺書綴接的編號。

6.2　著錄本遺書尾部可與另一遺書綴接的編號。

7.1　著錄題記、題名、勘記等。

7.2　著錄印章。

7.3　著錄雜寫。

7.4　著錄護首及扉頁的內容。

8　　著錄年代。

9.1　著錄字體。如有武周新字、合體字、避諱字等，予以說明。

9.2　著錄卷面二次加工的情況。包括句讀、點標、科分、間隔號、行間加行、行間加字、硃筆、墨塗、倒乙、刪除、兑廢等。

10　著錄敦煌遺書發現後，近現代人所加內容，裝裱、題記、印章等。

11　備註。著錄揭裱互見、圖版本出處及其他需要說明的問題。

上述諸條，有則著錄，無則空缺。

為避文繁，上述著錄中出現的各種參考、對照文獻，暫且不列版本說明。全目結束時，將統一編制本條記目錄出現的各種參考書目。

本條記目錄為農曆年份標註其公曆紀年時，未經行歲頭年末之換算，請讀者使用時注意自行換算。

條　記　目　錄

BD00436—BD00502

1.1　BD00436 號
1.3　妙法蓮華經卷三
1.4　洪 036
1.5　105：5158
2.1　（11.8＋401.9）×25.2 厘米；9 紙；250 行，行 17 字。
2.2　01：11.8＋34.7，28；　02：46.2，28；　03：46.1，28；
04：45.9，28；　05：45.8，28；　06：45.8，28；
07：45.9，28；　08：45.8，28；　09：45.7，26。
2.3　卷軸裝。首殘尾全。經黄紙，打紙。前 3 紙內有等距殘洞 2 排。有烏絲欄。
3.1　首 7 行上殘→大正 262，9/23B20～27。
3.2　尾全→9/27B9。
4.2　妙法蓮華經卷第三（尾）。
8　7 世紀。唐寫本。
9.1　楷書，書品甚佳。
11　圖版：《敦煌寶藏》，89/252B～258A。

1.1　BD00437 號
1.3　妙法蓮華經（八卷本）卷七
1.4　洪 037
1.5　105：5780
2.1　（21.5＋812.1）×25.5 厘米；18 紙；469 行，行 17 字。
2.2　01：21.5，12；　02：48.8，28；　03：49.0，28；
04：49.0，28；　05：49.0，28；　06：49.0，28；
07：49.0，28；　08：49.0，28；　09：49.0，28；
10：49.0，28；　11：49.0，28；　12：49.0，28；
13：49.2，28；　14：49.3，28；　15：49.0，28；
16：49.3，28；　17：49.0，28；　18：27.5，09。
2.3　卷軸裝。首殘尾全。經黄紙。卷中有撕裂。第 2 紙有古代裱補。第 14 紙部分經文因糊粘而損。有燕尾。有烏絲欄。
3.1　首 12 行上下殘→大正 262，9/50C8～20。
3.2　尾全→9/56C1。
4.2　妙法蓮華經卷第七（尾）。
5　與《大正藏》本對照，分卷不同。本卷相當於《大正藏》本卷第六“常不輕菩薩品第二十”至卷第七“妙音菩薩品第二十四”。屬於八卷本。
8　7 世紀。唐寫本。
9.1　楷書。
11　圖版：《敦煌寶藏》，95/27A～38A。

1.1　BD00438 號
1.3　大般若波羅蜜多經（兑廢稿）
1.4　洪 038
1.5　084：2167
2.1　45×26.4 厘米；1 紙；28 行，行 17 字。
2.2　卷軸裝。首尾均脱。有殘洞。卷中有殘缺。有烏絲欄。
3.1　首殘→大正 220，5/334A23。
3.2　尾殘→5/334B23。
5　與《大正藏》本對照，第 26、27 行之間缺抄 1 行經文，而 27 和 28 行重複，卷尾上方有“兑”字，故爲兑廢。
8　8～9 世紀。吐蕃統治時期寫本。
9.1　楷書。
9.2　卷尾上方有“兑”字。
11　圖版：《敦煌寶藏》，72/167B。

1.1　BD00439 號
1.3　父母恩重經
1.4　洪 039
1.5　276：8209
2.1　70.5×26 厘米；2 紙；正面 39 行，行 17 字。背面 18 行，行 17 字。
2.2　01：50.5，30；　02：20.0，09。
2.3　卷軸裝。首殘尾全。上下邊殘缺，卷面有殘破，已修整。有烏絲欄。
2.4　本遺書包括 2 個文獻：（一）《佛說父母恩重經》一卷，39 行，抄寫在正面，今編為 BD00439 號。（二）《般若波羅蜜多心

經》一卷，18 行，抄寫在背面，今編為 BD00439 號背。
3.1 首殘→大正 2887，85/1403C13。
3.2 尾全→85/1404A23。
4.2 父母恩重經（尾）。
8 9~10 世紀。歸義軍時期寫本。
9.1 楷書。
11 圖版：《敦煌寶藏》，109/236B~237B。

1.1 BD00439 號背
1.3 般若波羅蜜多心經
1.4 洪 039
1.5 276：8209
2.4 本遺書由 2 個文獻組成，本號爲第 2 個，18 行，抄寫在背面。餘參見 BD00439 號之第 2 項、第 11 項。
3.1 首全→大正 251，8/848C4。
3.2 尾全→8/848C24。
4.1 般若波羅蜜多心經（首）。
4.2 佛說多心經一卷（尾）。
8 9~10 世紀。歸義軍時期寫本。
9.1 楷書。

1.1 BD00440 號
1.3 大方廣佛華嚴經（晉譯六十卷本）卷三四
1.4 洪 040
1.5 001：0023
2.1 （6+27.5+4）×25.4 厘米；2 紙；21 行，行 17 字。
2.2 01：6+19，14； 02：8.5+4，07。
2.3 卷軸裝。首尾均殘。第 2 紙有撕裂。本件與 BD04789 號紙質、筆迹同，但不綴接。有劃界欄針孔。有烏絲欄。已修整。
3.1 首 2 行上殘→大正 278，9/616B17~18。
3.2 尾 1 行上殘→9/616C9。
8 5~6 世紀。南北朝寫本。
9.1 隸書。
11 圖版：《敦煌寶藏》，56/114B~114B。

1.1 BD00441 號
1.3 天地八陽神咒經
1.4 洪 041
1.5 256：7629
2.1 （2.9+268）×25.1 厘米；7 紙；175 行，行 17 字。
2.2 01：2.9+41，29； 02：44.0，28； 03：44.2，28； 04：44.0，28； 05：42.3，27； 06：43.5，28； 07：9+4.6，07。
2.3 卷軸裝。首尾均殘。卷首有殘洞，卷中多處破損，卷尾殘破嚴重。第 1、2、3、7 紙背面有古代裱補。多水漬印。有烏絲欄。已修整。
3.1 首 2 行下殘→大正 2897，85/1422C19~20。
3.2 尾全→85/1425B3。
4.2 佛說八陽神咒經一卷（尾）。
5 與《大正藏》本對照，卷末有缺文 17 字，參見《大正藏》，85/1425B1~2。
7.3 背面有雜寫，無法辨認。
8 9~10 世紀。歸義軍時期寫本。
9.1 楷書。
9.2 有行間校加字。
11 圖版：《敦煌寶藏》，107/159A~162B。
從卷背揭下古代裱補紙四塊，其中 3 塊有字，1 塊無字，今編爲 BD16452 號。

1.1 BD00442 號
1.3 維摩詰所說經卷中
1.4 洪 042
1.5 070：1118
2.1 （3+77）×25.5 厘米；2 紙；46 行，行 17 字。
2.2 01：3+44，27； 02：33.0，19。
2.3 卷軸裝。首尾均殘。已修整。有烏絲欄。
3.1 首行下殘→大正 475，14/544A22。
3.2 尾殘→14/544C17。
4.1 維摩詰所說經（首）。
6.2 尾→BD00542 號。
8 8~9 世紀。吐蕃統治時期寫本。
9.1 楷書。
11 圖版：《敦煌寶藏》，65/378B~379B。

1.1 BD00443 號
1.3 大般若波羅蜜多經卷三〇七
1.4 洪 043
1.5 084：2843
2.1 49.5×27.2 厘米；1 紙；28 行，行 17 字。
2.2 卷軸裝。首尾均脱。有殘洞。下部多水漬印。有烏絲欄。
3.1 首殘→大正 220，6/564C14。
3.2 尾殘→6/565A12。
7.1 背面有勘記“三百七，第二紙”，意為本紙乃《大般若波羅蜜多經》第三〇七卷之第二紙。説明當時此紙已經與原卷脱落。
8 8~9 世紀。吐蕃統治時期寫本。
9.1 楷書。
11 圖版：《敦煌寶藏》，75/226A。

1.1 BD00444 號
1.3 妙法蓮華經卷五
1.4 洪 044
1.5 105：5555
2.1 （5.5+50）×25 厘米；2 紙；32 行，行 17 字。
2.2 01：5.5+20，14； 02：30.0，18。

2.3　卷軸裝。首尾均殘。通卷殘損嚴重，已修整。有烏絲欄。
3.1　首2行上殘→大正262，9/38B5~7。
3.2　尾殘→9/38C15。
8　9~10世紀。歸義軍時期寫本。
9.1　楷書。
11　圖版：《敦煌寶藏》，93/16A~B。

1.1　BD00445號A
1.3　大般若波羅蜜多經卷五一六
1.4　洪045
1.5　084：3275
2.1　39×28.2厘米；1紙；26行，行17字。
2.2　卷軸裝。首全尾斷。有烏絲欄。
3.1　首全→大正220，7/636B2。
3.2　尾殘→7/636C2。
4.1　大般若波羅蜜多經卷第五百一十六/第三分空相品第廿一之二，三藏法師玄奘奉詔譯/（首）。
7.3　卷端背面有1行硃筆雜寫："一者如來且今釋迦"。
8　9~10世紀。歸義軍時期寫本。
9.1　楷書。
11　圖版：《敦煌寶藏》，77/102A。

1.1　BD00445號B
1.3　般若波羅蜜多心經
1.4　洪045
1.5　102：4467
2.1　（25.5+8.5）×26厘米；1紙；17行，行約17字。
2.2　卷軸裝。首全尾殘。有殘洞、污漬。有烏絲欄。
3.1　首全→大正251，8/848C4。
3.2　尾3行下殘→8/848C20~22。
4.1　般若波羅蜜多心經（首）。
8　9~10世紀。歸義軍時期寫本。
9.1　楷書。
11　圖版：《敦煌寶藏》，83/303B。

1.1　BD00446號
1.3　維摩詰所說經卷中
1.4　洪046
1.5　070：1064
2.1　727.5×26厘米；15紙；420行，行17字。
2.2　01：48.5，28；　02：48.5，28；　03：48.5，28；
04：48.5，28；　05：48.5，28；　06：48.5，28；
07：48.5，28；　08：48.5，28；　09：48.5，28；
10：48.5，28；　11：48.5，28；　12：48.5，28；
13：48.5，28；　14：48.5，28；　15：48.5，28。
2.3　卷軸裝。首脫尾殘。第1、10、12紙中間有殘洞，第3、4紙和7、8紙接縫處中間開裂，第9紙上邊撕裂，第11紙上邊撕裂、中間有3處殘洞，第14紙下邊撕裂。卷面有油污。尾紙有火燒殘洞。有烏絲欄。
3.1　首殘→大正475，14/545B27。
3.2　尾殘→14/551A25。
8　8~9世紀。吐蕃統治時期寫本。
9.1　楷書。
9.2　有刮改。
11　圖版：《敦煌寶藏》，64/622A~632A。

1.1　BD00447號
1.3　大方廣華嚴十惡品經
1.4　洪047
1.5　004：0077
2.1　（17.7+130.3+1）×26.7厘米；4紙；83行，行17字。
2.2　01：17.7+31.6，27；　02：49.5，28；　03：49.2，27；
04：01.0，01。
2.3　卷軸裝。首全尾殘。卷首右下殘缺1塊，第1紙有殘洞、碎裂，第2紙尾部下有1處撕裂，第2、3紙接縫中開裂。有烏絲欄。
3.1　首9行下殘→《藏外佛教文獻》，1/第360頁第3行。
3.2　尾上下殘→《藏外佛教文獻》，1/第364頁第14行。
4.1　大方廣華嚴十惡經（首）。
8　8世紀。吐蕃統治時期寫本。
9.1　楷書。
11　圖版：《敦煌寶藏》，56/317B~319。

1.1　BD00448號
1.3　妙法蓮華經（八卷本）卷五
1.4　洪048
1.5　105：5402
2.1　（18.8+898.2）×26厘米；20紙；521行，行17字。
2.2　01：18.8+22，18；　02：47.7，28；　03：47.7，28；
04：47.7，28；　05：47.7，28；　06：47.8，28；
07：47.7，28；　08：47.5，28；　09：47.5，28；
10：47.4，27；　11：47.5，27；　12：47.5，27；
13：47.5，27；　14：47.5，27；　15：47.7，27；
16：47.7，27；　17：47.7，27；　18：47.7，27；
19：47.7，27；　20：29.0，09。
2.3　卷軸裝。首殘尾全。卷首殘破嚴重，第10紙上有開裂。多水漬印。有黴斑。有蟲繭。有燕尾。有烏絲欄。
3.1　首11行下殘→大正262，9/34C3~19。
3.2　尾全→9/42A28。
4.2　妙法蓮華經卷第五（尾）。
5　與《大正藏》本對照，分卷不同，相當於卷四"提婆達多品第十二"前部始，至卷五"從地湧出品第十五"全文。屬於八卷本。
8　8世紀。吐蕃統治時期寫本。

9.1 楷書。
11 圖版：《敦煌寶藏》，91/343B～357B。

1.1 BD00449 號
1.3 妙法蓮華經卷五
1.4 洪 049
1.5 105：5474
2.1 （6.5＋898.2）×25.8 厘米；20 紙；540 行，行 17 字。
2.2 01：6.5＋39.7，28； 02：46.3，28； 03：46.5，28；
04：46.3，28； 05：46.7，28； 06：46.5，28；
07：46.6，28； 08：46.5，28； 09：46.5，28；
10：46.8，28； 11：46.7，28； 12：46.8，28；
13：46.6，28； 14：47.0，28； 15：46.8，28；
16：46.7，28； 17：46.7，28； 18：46.5，28；
19：46.3，28； 20：19.7，08。
2.3 卷軸裝。首殘尾全。通卷上部有水漬印。第 1 紙有殘洞，下有撕裂。有火燒殘洞。卷首有古代裱補。有烏絲欄。
3.1 首 4 行殘→大正 262，9/38A21～25。
3.2 尾全→9/46B14。
4.2 妙法蓮華經卷第五（尾）。
8 9～10 世紀。歸義軍時期寫本。
9.1 楷書。
9.2 有行間校加字，有刮改。
11 圖版：《敦煌寶藏》，92/349B～363B。

1.1 BD00450 號 A
1.3 無量壽宗要經
1.4 洪 050
1.5 275：7965
2.1 139.5×31.5 厘米；3 紙；89 行，行 30 餘字。
2.2 01：47.0，31； 02：47.0，31； 03：45.5，27；
2.3 卷軸裝。首脱尾全。第 1、2 紙接縫處下部開裂，第 2、3 紙接縫處上部開裂。有烏絲欄。
3.1 首殘→大正 936，19/82C11。
3.2 尾全→19/84C29。
4.2 佛説無量壽宗要經（尾）。
7.1 尾後有題名“裴文達”。
7.3 第 1 紙背有雜寫“辛巳年四月十五日立契”1 行。
8 8～9 世紀。吐蕃統治時期寫本。
9.1 行楷。
9.2 有校改。
11 圖版：《敦煌寶藏》，108/387A～389A。

1.1 BD00450 號 B
1.3 七階佛名經
1.4 洪 050
1.5 305：8303
2.1 107.6×30.5 厘米；3 紙；77 行，行 17～18 字。
2.2 01：42.8，27； 02：42.0，37； 03：22.8，13。
2.3 卷軸裝。首脱尾殘。首有餘空。有烏絲欄。
3.4 説明：

首殘，尾缺。本經未爲我國歷代大藏經收録，敦煌遺書中存有多種異本，各本差距較大。有關解説請參閱《敦煌學大辭典》第 742 頁《七階佛名經》辭條。

本文獻主體為五十三佛名、三十五佛名等，屬於較爲典型的《七階佛名經》。

7.3 首紙背有“南無大見佛/南無大智慧佛/南無寶幢佛”等佛名雜寫。
8 9～10 世紀。歸義軍時期寫本。
9.1 楷書。
9.2 有行間加行，有校加字。
11 圖版：《敦煌寶藏》，109/587B～589A。

1.1 BD00451 號
1.3 妙法蓮華經卷六
1.4 洪 051
1.5 105：5854
2.1 （10＋218.9）×25 厘米；6 紙；134 行，行 17 字。
2.2 01：10＋5.5，09； 02：46.7，28； 03：46.8，28；
04：46.7，28； 05：46.7，28； 06：26.5，13。
2.3 卷軸裝。首殘尾全。經黄紙，打紙。卷面殘損嚴重，多處破裂。第 1 紙背有古代裱補。有烏絲欄。
3.1 首 6 行下殘→大正 262，9/53B10～16。
3.2 尾全→9/55A9。
4.2 妙法蓮華經卷第六（尾）。
8 7 世紀。唐寫本。
9.1 楷書。
11 圖版：《敦煌寶藏》，95/381A～384A。

1.1 BD00452 號
1.3 大般若波羅蜜多經卷二二
1.4 洪 052
1.5 084：2063
2.1 （20＋827.5）×25 厘米；20 紙；522 行，行 17 字。
2.2 01：20＋1.9，17； 02：45.0，28； 03：44.6，28；
04：45.1，28； 05：44.5，28； 06：44.8，28；
07：44.5，28； 08：44.5，28； 09：44.8，28；
10：45.2，28； 11：45.2，28； 12：45.1，28；
13：45.0，28； 14：45.2，28； 15：45.2，28；
16：45.0，28； 17：45.0，28； 18：43.8，28；
19：47.7，28； 20：15.4，01。
2.3 卷軸裝。首殘尾全。第 1 紙殘損嚴重，背面有古代裱補。第 12 紙上下邊、第 13、16 紙下邊有撕裂。末紙紙質與前此各紙不同，尾題爲後補寫。有燕尾。有烏絲欄。已修整。

3.1　首3行殘→大正220，5/120A29～B2。
3.2　尾缺→5/126A22。
4.2　大般若波羅蜜多經卷第廿二（尾）。
8　8～9世紀。吐蕃統治時期寫本。
9.1　楷書。
9.2　有刪節、倒乙符號。有行間校加字。
11　圖版：《敦煌寶藏》，71/539A～549B。
從該件第1紙背面揭下古代裱補紙2塊，今編爲BD16085號。

1.1　BD00453號1
1.3　大僧與比丘作羯磨文（擬）
1.4　洪053
1.5　339：8392
2.1　（5+418）×28厘米；11紙；正面223行，行20餘字。背面206行，行20餘字。
2.2　01：5+9，08；　02：40.0，22；　03：40.0，22；
04：40.0，22；　05：40.0，22；　06：40.0，22；
07：40.0，22；　08：40.0，22；　09：40.0，22；
10：40.0，22；　11：49.0，17。
2.3　卷軸裝。首殘尾全。多數紙張接縫處上部開裂。第11紙上下邊撕裂。背有206行。已修整。
2.4　本遺書包括3個文獻：（一）《大僧與比丘作羯磨文》，119行，抄寫在正面，今編爲BD00453號1。（二）《大僧與比丘尼作羯磨文》，104行，抄寫在正面，今編為BD00453號2。（三）《大義章》，206行，抄寫在背面，今編爲BD00453號背。
3.4　説明：
本文獻首2行中上殘，尾全。未為歷代大藏經所收。題名依據BD00453號2首題而擬。南北朝比丘羯磨文寫本留存甚少，故可寶貴。
8　5～6世紀。南北朝寫本。
9.1　隸書。
9.2　有行間校加字。
11　圖版：《敦煌寶藏》，110/165B～177A。

1.1　BD00453號2
1.3　大僧與比丘尼作羯磨文（擬）
1.4　洪053
1.5　339：8392
2.4　本遺書由3個文獻組成，本號為第2個，104行。抄寫在正面。餘參見BD00453號1之第2項、第11項。
3.4　説明：
本文獻首尾均全。未為歷代大藏經所收。南北朝比丘尼羯磨文寫本留存甚少，故可寶貴。
4.1　大僧與比丘尼作羯摩文（首）。
8　5～6世紀。南北朝寫本。
9.1　隸書。
9.2　有行間校加字。
11　圖版：《敦煌寶藏》，110/165B～177A。

1.1　BD00453號背
1.3　大義章
1.4　洪053
1.5　339：8392
2.4　本遺書由3個文獻組成，本號為第3個，206行，抄寫在背面。餘參見BD00453號1之第2項、第11項。
3.4　説明：
本文獻首全，尾2行中上殘。本文獻主要解釋“三寶”、“□佛”、“四無量”、“六神童”。存文僅為解釋三寶部分。本文未為歷代大藏經所收。與《大正藏》第45卷所收《鳩摩羅什法師大義》（又名《大義章》）為不同的文獻。
4.1　大義章，及法師撰（首）。
8　6世紀。南北朝寫本。
9.1　行楷。
10　卷首下方鈐有正方形1.9×1.9厘米陽文朱印。印文“國立北平圖書館收藏”。

1.1　BD00454號
1.3　四分律比丘戒本
1.4　洪054
1.5　156：6823
2.1　（8+278+2）×24.3厘米；7紙；170行，行20字。
2.2　01：8+24.5，22；　02：42.5，25；　03：43.0，25；
04：43.0，25；　05：43.0，25；　06：42.5，24；
07：39.5+2，24。
2.3　卷軸裝。首全尾殘。前半卷油污嚴重。左上殘缺一塊。有烏絲欄。已修整。
3.1　首2行上殘→大正1429，22/1015A21。
3.2　尾1行下殘→22/1017C17。
8　9～10世紀。歸義軍時期寫本。
9.1　楷書。
11　圖版：《敦煌寶藏》，102/103B～107A。

1.1　BD00455號
1.3　大般涅槃經（北本）卷三二
1.4　洪055
1.5　115：3491
2.1　149.4×26厘米；3紙；84行，行17字。
2.2　01：49.8，28；　02：49.9，28；　03：49.7，28。
2.3　卷軸裝。首尾均脱。經黄紙，研光上蠟。第1紙下部有撕裂，第2、3紙接縫上方有開裂。有烏絲欄。
3.1　首殘→大正374，12/558B8。
3.2　尾殘→12/559B6。
8　7～8世紀。唐寫本。

9.1　楷書。
11　圖版:《敦煌寶藏》, 99/524B～526B。

1.1　BD00456 號
1.3　大般若波羅蜜多經卷八一
1.4　洪 056
1.5　084: 2231
2.1　(11.5+289.4)×25.4 厘米; 7 紙; 166 行, 行 17 字。
2.2　01: 11.5+11.5, 護首;　02: 44.0, 26;
03: 45.0, 28;　04: 46.2, 28;
05: 47.5, 28;　06: 47.7, 28;
07: 47.5, 28。
2.3　卷軸裝。首全尾脫。有護首, 護首有横向撕裂, 上邊殘缺。護首與第 2 紙接縫處上開裂, 第 2 紙有殘洞、横向撕裂及下邊殘缺。第 3、4、7 紙背面有古代裱補。有烏絲欄。已修整。
3.1　首全→大正 220, 5/452C4。
3.2　尾殘→5/454B27。
4.1　大般若波羅蜜多經卷第八十一/初分天帝品第二十二之五, 三藏法師玄奘奉詔譯/(首)。
7.4　護首上有"九"字, 爲本文獻所屬袟次。第 3 紙背裱補紙上有雜寫一字。
8　8～9 世紀。吐蕃統治時期寫本。
9.1　楷書。
9.2　有行間校加字。
11　圖版:《敦煌寶藏》, 72/365B～369A。

1.1　BD00457 號
1.3　大薩遮尼乾子所說經(異卷)卷九
1.4　洪 057
1.5　113: 6281
2.1　(5+617.5+7)×25.8 厘米; 18 紙; 406 行, 行 17 字。
2.2　01: 5+19.7, 14;　02: 38.0, 22;　03: 38.7, 22;
04: 38.6, 21;　05: 39.1, 21;　06: 39.1, 21;
07: 39.1, 21;　08: 39.1, 20;　09: 36.3, 28;
10: 36.5, 27;　11: 36.7, 27;　12: 36.5, 29;
13: 36.1, 27;　14: 36.1, 24;　15: 36.1, 25;
16: 36.1, 26;　17: 35.7, 26;　18: 07.0, 05。
2.3　卷軸裝。首尾均殘。紙質較薄。尾數紙上下有撕損、開脫, 第 13、14 紙接縫處撕、脫爲 2 截。卷首背面有近代裱補。有烏絲欄。
3.1　首 3 行上殘→大正 272, 9/354B2～4。
3.2　尾 5 行上下殘→9/359B18～22。
5　與《大正藏》本對照分卷不同。相當於《大正藏》本卷八後部分與卷九前部分。
8　7～8 世紀。唐寫本。
9.1　楷書。
9.2　有行間校加字, 有刪除符號。
11　圖版:《敦煌寶藏》, 97/522A～530B。

1.1　BD00458 號
1.3　十方千五百佛名經(二卷本)卷上
1.4　洪 058
1.5　066: 0837
2.1　(3.5+344+4)×25.9 厘米; 5 紙; 210 行, 行字不等。
2.2　01: 03.5, 02;　02: 87.0, 52;　03: 87.0, 52;
04: 87.0, 52;　05: 83+4, 52。
2.3　卷軸裝。首尾均殘。第 2、5 紙下部殘破。有烏絲欄。已修整。
3.1　首 2 行上中殘, 第 109 行→大正/442, 14/312A7。
3.2　尾 2 行下殘→14/312C19
5　與《大正藏》對照, 本號卷首多 108 行。此外, 本號諸佛名上均冠"南無"二字。《大正藏》本(第 14 卷第 442 号)《十方千五百佛名经》所依據為日本中村不折氏原藏敦煌遺書。
本經有一卷本、兩卷本兩種。《大正藏》所收為一卷本, 文字與二卷本略有差異。本號應為二卷本, 但因二卷本尚無錄文發表, 故暫以一卷本為對照本。
8　9～10 世紀。歸義軍時期寫本。
9.1　楷書。
11　圖版:《敦煌寶藏》, 62/651A～655B。

1.1　BD00459 號
1.3　佛名經(十二卷本　異卷)卷八
1.4　洪 059
1.5　060: 0506
2.1　(12.5+1155)×26 厘米; 24 紙; 606 行, 行 17 字。
2.2　01: 11.0, 06;　02: 1.5+48.5, 26;　03: 50.0, 26;
04: 50.0, 26;　05: 50.0, 26;　06: 50.0, 26;
07: 50.0, 26;　08: 50.0, 26;　09: 50.0, 26;
10: 50.0, 26;　11: 50.0, 28;　12: 50.5, 28;
13: 50.5, 28;　14: 50.5, 28;　15: 50.5, 28;
16: 51.0, 24;　17: 50.5, 26;　18: 50.5, 26;
19: 50.5, 26;　20: 50.5, 26;　21: 50.5, 26;
22: 50.5, 26;　23: 50.5, 26;　24: 50.0, 20。
2.3　卷軸裝。首殘尾全。麻紙。多水漬印。首中多處撕裂、開裂。有烏絲欄。已修整。
3.1　首 7 行中下殘→大正 440, 14/157A1。
3.2　尾全→14/163C7。
4.2　佛說佛名經卷第八(尾)。
5　與《大正藏》本對照分卷不同, 相當於《大正藏》本卷八的大部分與卷九的首部。文字亦略有不同。
8　7 世紀。唐寫本。
9.1　楷書。
11　圖版:《敦煌寶藏》, 59/407B～424A。

1.1　BD00460 號 1
1.3　無量壽宗要經
1.4　洪 060
1.5　275：7966
2.1　（15＋321.5）×31.5 厘米；8 紙；237 行，行 30 餘字。
2.2　01：15＋20.5，26；　02：43.0，31；　03：43.0，31；
04：43.0，29；　05：43.0，30；　06：43.0，31；
07：43.0，31；　08：43.0，28。
2.3　卷軸裝。首殘尾全。卷中多處開裂。已修整。背有古代裱補。有烏絲欄。
2.4　本遺書包括 2 個文獻：（一）《佛說無量壽宗要經》，117 行，今編為 BD00460 號 1。（二）《佛說無量壽宗要經》，120 行，今編為 BD00460 號 2。
3.1　首 11 行中下殘→大正 936，19/82A11～82B2。
3.2　尾全→19/84C29
4.2　佛說無量壽宗要經（尾）。
7.1　第 4 紙尾題之後有題記“氾子昇寫”。
8　8～9 世紀。吐蕃統治時期寫本。
9.1　楷書。
9.2　有校改。
11　圖版：《敦煌寶藏》，108/389B～393B。

1.1　BD00460 號 2
1.3　無量壽宗要經
1.4　洪 060
1.5　275：7966
2.4　本遺書由 2 個文獻組成，本號爲第 2 個，120 行，餘參見 BD00460 號 1 之第 2 項、第 11 項。
3.1　首全→大正 936，19/82A3
3.2　尾全→19/84C29
4.1　大乘無量壽經（首），
4.2　佛說無量壽宗要經（尾）。
7.1　第 8 紙尾題之後有題記“氾子昇寫”。
8　9～10 世紀。歸義軍時期寫本。
9.1　楷書。

1.1　BD00461 號
1.3　佛名經（十六卷本）卷三
1.4　洪 061
1.5　063：0622
2.1　818.5×32.3 厘米；18 紙；471 行，行 19 字。
2.2　01：47.0，27；　02：47.0，27；　03：47.0，27；
04：47.0，27；　05：47.0，27；　06：47.0，27；
07：47.0，27；　08：47.0，27；　09：47.0，27；
10：47.0，27；　11：46.5，27；　12：46.5，27；
13：46.5，27；　14：46.5，27；　15：47.0，27；
16：46.5，27；　17：46.5，27；　18：22.5，12。
2.3　卷軸裝。首殘尾全。接縫有開裂。尾紙地腳破損。卷面多黴斑。有烏絲欄。
3.1　首殘→《七寺古逸經典研究叢書》，3/第 125 頁第 122 行。
3.2　尾全→《七寺古逸經典研究叢書》，3/第 163 頁第 619 行。
4.2　佛名經卷第三（尾）。
5　與七寺本對照，“二千二百佛”、“二千三百佛”，錯抄為“二千三百佛”、“二千四百佛”。
8　9～10 世紀。歸義軍時期寫本。
9.1　楷書。
9.2　有刮改。
11　圖版：《敦煌寶藏》，60/442B～451B。

1.1　BD00462 號
1.3　壁畫榜題（擬）
1.4　洪 062
1.5　458：8670
2.1　（16＋408.1）×28.5 厘米；11 紙；264 行，行 28～29 字。
2.2　01：16＋24.5，31；　02：42.0，07；　03：41.5，31；
04：38.5，29；　05：41.0，32；　06：05.5，04；
07：45.0，30；　08：41.6，25；　09：42.5，26；
10：42.0，22；　11：44.0，27。
2.3　卷軸裝。首殘尾斷。卷中紙間接縫處多處開裂。
3.1　首 8 行上下殘→《敦煌變文集補編》，第 122 頁第 3 行。
3.2　尾全→《敦煌變文集補編》，第 133 頁第 20 行。
3.4　說明：
本號共書寫十一扇壁畫榜書，內容包括大體為本生與佛傳故事。
7.3　卷背有雜寫“佛家說訛”。
8　9～10 世紀。歸義軍時期寫本。
9.1　楷書。
9.2　通卷有硃筆勾劃。
11　圖版：《敦煌寶藏》，111/131B～137A。

1.1　BD00463 號
1.3　維摩詰所說經卷上
1.4　洪 063
1.5　070：0860
2.1　（15＋1033.5）×25.5 厘米；22 紙；589 行，行 17 字。
2.2　01：15＋27.5，25；　02：49.0，28；　03：49.0，28；
04：49.0，28；　05：49.0，28；　06：49.0，28；
07：49.0，28；　08：49.0，28；　09：49.0，28；
10：49.0，28；　11：49.0，28；　12：49.0，28；
13：49.0，28；　14：49.0，28；　15：49.0，28；
16：49.0，28；　17：49.0，28；　18：49.0，28；
19：49.0，28；　20：49.0，28；　21：49.0，28；
22：26.0，04。
2.3　卷軸裝。首殘尾全。第 1 紙上邊有撕裂，中間有殘洞。第 2

紙上邊有撕裂。卷面有水漬印。紙張變色。有烏絲欄。已修整。
3.1 首9行上殘→大正475，14/537A7～15。
3.2 尾殘→14/544A19。
4.2 維摩詰經卷上（尾）。
8 9～10世紀。歸義軍時期寫本。
9.1 楷書。"愍"字缺筆避諱。
9.2 有行間校加字。
11 圖版：《敦煌寶藏》，63/149B～163B。

1.1 BD00464號
1.3 四分律戒本疏卷三
1.4 洪064
1.5 169：7049
2.1 （2+50+2）×26.5厘米；2紙；39行，行29字。
2.2 01：2+26，20；　02：24+2，19。
2.3 卷軸裝。首尾均殘。有烏絲欄。
3.1 首1行上中殘→大正2787，85/595C12。
3.2 尾1行下殘→85/596B21
6.1 首→BD00548號。
6.2 尾→BD00590號。
8 8～9世紀。吐蕃統治時期寫本。
9.1 楷書。
9.2 有行間校加字，有刪節。有重文符號。
11 圖版：《敦煌寶藏》，104/20A～B。

1.1 BD00465號1
1.3 四分律比丘戒本
1.4 洪065
1.5 156：6891
2.1 （14+141.5）×26厘米；4紙；102行，行24字。
2.2 01：14+4.5，12；　02：46.0，31；　03：46.0，31；　04：45.0，28。
2.3 卷軸裝。首殘尾全。首紙中下部殘缺一大塊。有烏絲欄。已修整。
2.4 本遺書包括2個文獻：（一）《四分律比丘戒本》，46行，今編為BD00465號1。（二）《小鈔》，56行，今編為BD00465號2。
3.1 首10行中下殘→大正1429，22/1022A16～B1。
3.2 尾全→1430，22/1023A11。
4.2 四分戒本一卷（尾）。
7.3 首紙背有雜寫兩條：一、"託□/□/彫落珪只□□□/□百/。"二、"□/□丹（?）兩丸子綿囊於牙疼處/咬著□□應效也。"後者似爲治牙疼藥方。
8 9～10世紀。歸義軍時期寫本。
9.1 楷書。
9.2 有行間校加字，有刪節符號，有刮改。
11 圖版：《敦煌寶藏》，102/385B～387B。

1.1 BD00465號2
1.3 小鈔
1.4 洪065
1.5 156：6891
2.1 本遺書由2個文獻組成，本號爲第2個，56行，餘參見BD00465號1之第2項第11項。
3.1 首全→《敦煌出土律典〈略抄〉の研究》（二），第88頁第13行。
3.2 尾全→《敦煌出土律典〈略抄〉の研究》（二），第92頁第6行。
4.1 小鈔一卷（首）
5 與《敦煌出土律典〈略抄〉の研究》（二）錄文對照，本經文字有脫漏，恐為錯鈔兌廢稿。
8 9～10世紀。歸義軍時期寫本。
9.1 楷書。
9.2 有刪節、倒乙、重文符號。

1.1 BD00466號
1.3 妙法蓮華經卷六
1.4 洪066
1.5 105：5674
2.1 1039.8×25.5厘米；22紙；590行，行17字。
2.2 01：30.5，19；　02：48.7，28；　03：49.0，28；
04：48.7，28；　05：48.8，28；　06：49.0，29；
07：48.9，28；　08：49.2，28；　09：49.2，28；
10：49.2，28；　11：49.2，28；　12：49.2，28；
13：49.2，28；　14：49.2，28；　15：49.2，28；
16：49.2，28；　17：49.2，28；　18：49.2，28；
19：50.0，28；　20：50.0，28；　21：50.0，28；
22：25.0，09。
2.3 卷軸裝。首殘尾全。第1、2紙中上部大塊殘缺。有油污。有烏絲欄。已修整。
3.1 首3行上下殘→大正262，9/46C1～4。
3.2 尾全→9/55A9。
4.2 妙法蓮華經卷第六（尾）。
8 9～10世紀。歸義軍時期寫本。
9.1 楷書。
11 圖版：《敦煌寶藏》，94/127A～143A。

1.1 BD00467號
1.3 無量壽宗要經
1.4 洪067
1.5 275：7697
2.1 210.5×31厘米；5紙；139行，行30餘字。
2.2 01：43.0，28；　02：43.0，29；　03：43.0，29；
04：43.0，29；　05：38.5，24。
2.3 卷軸裝。首尾均全。第4、5紙接縫處上下部開裂。有烏絲

欄。
3.1 首全→大正 936，19/82A3
3.2 尾全→19/84C29
4.1 大乘無量壽經（首）。
4.2 佛說無量壽宗要經（尾）。
8 8～9 世紀。吐蕃統治時期寫本。
9.1 行楷。
9.2 有行間校加字。
11 圖版：《敦煌寶藏》，107/345B～348A。

1.1 BD00468 號
1.3 金剛般若波羅蜜經
1.4 洪 068
1.5 094：3632
2.1 （11＋460.3）×25 厘米；11 紙；276 行，行 17 字。
2.2 01：11＋10，12；　02：47.5，28；　03：47.6，28；
04：47.9，28；　05：48.0，28；　06：48.1，28；
07：47.7，28；　08：48.0，28；　09：48.0，28；
10：47.5，28；　11：20.0，12。
2.3 卷軸裝。首殘尾斷。本件有多處破裂，第 1、2 紙橫裂嚴重，卷首有殘缺。第 8、9 紙背有古代裱補。有烏絲欄。已修整。
3.1 首 7 行下殘→大正 235，8/749A5～11。
3.2 尾殘→8/752B14。
8 8 世紀。唐寫本。
9.1 楷書。
9.2 第 10 紙有硃筆加行。
11 圖版：《敦煌寶藏》，79/250A～256A。

1.1 BD00469 號
1.3 四分律戒本疏卷三
1.4 洪 069
1.5 169：7057
2.1 （3.5＋72＋1.5）×26.8 厘米；3 紙；57 行，行 29 字。
2.2 01：02.0，02；　02：1.5＋44.5，34；
03：27.5＋1.5，21。
2.3 卷軸裝。首尾均殘。有烏絲欄。
3.1 首 3 行中下殘→大正 2787，85/605A3～8。
3.2 尾 1 行中殘→85/606A20。
6.1 首→BD00741 號。
6.2 尾→BD00566 號。
8 9～10 世紀。歸義軍時期寫本。
9.1 楷書。
9.2 有行間校加字，有重文符號。
11 圖版：《敦煌寶藏》，104/30B～31B。

1.1 BD00470 號
1.3 維摩詰所說經卷中
1.4 洪 070
1.5 070：1146
2.1 （106＋2.5）×26 厘米；3 紙；62 行，行 17 字。
2.2 01：25.0，14；　02：48.5，28；　03：32.5＋2.5，20。
2.3 卷軸裝。首尾均殘。有烏絲欄。
3.1 首殘→大正 475，14/546C19。
3.2 尾行中下殘→14/547B26～27。
8 8～9 世紀。吐蕃統治時期寫本。
9.1 楷書。硬筆書寫。
9.2 有硃筆校加字，有刮改。
11 圖版：《敦煌寶藏》，65/475B～476B。

《敦煌石室經卷總目》、《敦煌劫餘錄》均謂本號卷尾有“大唐等十八字”，而現館藏原卷無此十八字。

《敦煌劫餘錄》著錄本號起止字與館藏相同。著錄紙數、行數為 2 紙 62 行，而館藏遺書實為 3 紙 62 行。

《敦煌石室經卷總目》著錄本號起止字與館藏相同。著錄長度，先作 3 尺 2 寸，又改正為 3 尺 3 寸 5 分。現原卷總長 108.5 厘米，與原卷基本符合。

館藏原卷確為吐蕃時期敦煌遺書，不應發生著錄不符之事。而 BD00471 號（洪 71 號）卷尾恰有“大唐大曆九年七月十五日太子通事舍人朱□…□十一年二月□…□亡恭男□…□讀”云云，其上部從“大”到“朱”可辨部分，恰好 18 字。細察《敦煌石室經卷總目》，小字加註“卷尾有大唐等十八字”等字寫於洪字 70 號與洪字 71 號中間，但寫在洪字 70 號的框欄中。應為書寫時的疏漏。而《敦煌劫餘錄》不察，誤將此條加註抄到洪字 70 號下，而於洪 71 號，卻漏註該題記。

1.1 BD00471 號
1.3 妙法蓮華經卷六
1.4 洪 071
1.5 105.5662
2.1 （12.5＋1046.2）×26 厘米；22 紙；592 行，行 17 字。
2.2 01：12.5＋25，21；　02：48.3，27；　03：48.3，27；
04：48.3，27；　05：48.3，27；　06：48.3，27；
07：48.3，27；　08：48.3，27；　09：48.4，27；
10：48.3，27；　11：48.4，27；　12：48.5，27；
13：48.4，27；　14：46.3，26；　15：48.0，27；
16：49.5，28；　17：49.9，28；　18：49.7，28；
19：49.7，28；　20：49.7，28；　21：49.3，28；
22：49.0，26。
2.3 卷軸裝。首殘尾全。第 1、2 紙上下邊殘破，第 3、4 紙接縫中部開裂破損。卷面有污痕。第 1 紙背有古代裱補。有烏絲欄。
3.1 首 7 行下殘→大正 262，9/46B27～C5。
3.2 尾全→9/55A9。
4.2 妙法蓮華經卷第六（尾）。
7.1 尾有一行小字題記：“大唐大曆九年七月十五日太子通事舍

人朱□…□十一年二月□…□亡男恭□…□讀。”
8　774 年。唐寫本。
9.1　楷書。
11　圖版：《敦煌寶藏》，93/623B～636B。

1.1　BD00472 號
1.3　大般若波羅蜜多經卷五八三
1.4　洪 072
1.5　084：3383
2.1　（18.2＋91.1＋2）×25.3 厘米；3 紙；54 行，行 17 字。
2.2　01：18.2，護首；　02：45.3，26；　03：45.8＋2，28。
2.3　卷軸裝。首尾均殘。有護首，殘破不全。第 2 紙下有 1 處殘損，地腳殘破。有烏絲欄。
3.1　首全→大正 220，7/1014A12。
3.2　尾行下殘→7/1014C10。
4.1　大般若波羅蜜多經卷第五百八十三/第十一布施波羅蜜多分之五，三藏法師玄奘奉詔譯/（首）
8　8～9 世紀。吐蕃統治時期寫本。
9.1　楷書。
11　圖版：《敦煌寶藏》，77/457A～458A。

1.1　BD00473 號
1.3　大般涅槃經等兑廢稿集綴（擬）
1.4　洪 073
1.5　119：6606
2.1　（4.9＋257.6）×25 厘米；9 紙；142 行，行 17 字。
2.2　01：4.9＋10.4，09；　02：40.3，23；　03：40.9，23；
04：47.2，27；　05：08.0，04；　06：11.9，04；
07：05.1，03；　08：46.0，23；　09：47.8，26。
2.3　卷軸裝。首殘尾缺。第 1 紙有縱橫向撕裂，第 2 紙有橫向破裂，第 2、7 紙有殘洞，第 1、2、9 紙上下邊殘缺。第 5、6、8 紙顏色、字迹與其他各紙不同。第 5、6、8 各紙末端均有空白未抄。第 2、3、4、5、6 紙上邊有墨筆塗畫。本件乃由不同兑廢寫經綴補拚接而成，如第 4、5 紙及 5、6 紙接縫處現殘，且頁次顛倒。有烏絲欄。已修整。
3.4　說明：
本文獻所抄經文大多為《大般涅槃經》（北本）諸卷，間雜《維摩詰所說經》卷下一條，大致情況如下：
第 1 至 9 行：大正 374，12/556C4～14（《大般涅槃經》（北本）第三二卷）；
第 10 至 32 行：12/559B13～C9（《大般涅槃經》（北本）第四〇卷）；
第 33 至 35 行：12/406C14～17（《大般涅槃經》（北本）第七卷）；
第 36 至 55 行：12/406C18～407A11（《大般涅槃經》（北本）第七卷）；
第 56 至 82 行：12/561A8～B5（《大般涅槃經》（北本）第三二卷）；
第 83 至 86 行爲《大般涅槃經》（北本）卷三一經文雜寫：“過，復有二人爲賊所劫，一者寶藏/，過，復有二人爲賊所劫，一有寶藏，一則無藏/，有藏/，過，復有二人爲賊所劫，一有寶藏，一則/。”參見《大正藏》12/552A17～18；
第 87 至 90 行：12/551C19～23（《大般涅槃經》（北本）第三一卷）；
第 91 至 93 行：《維摩詰所說經》卷下，經文參見大正 475，14/556B13～16；
第 94 至 104 行：12/395A5～16（《大般涅槃經》（北本）第五卷）；
第 105 至 116 行：12/395A17～29（《大般涅槃經》（北本）第五卷）；
第 117 至 142 行：大正 374，12/369B25～C23（《大般涅槃經》（北本）第一卷）。
本遺書屬於將諸錯鈔廢卷綴接後另備他用。
8　9～10 世紀。歸義軍時期寫本。
9.1　楷書。
9.2　第 8、9 紙上邊各有一“兑”字。
11　圖版：《敦煌寶藏》，100/532A～535B。

1.1　BD00474 號
1.3　維摩詰所說經卷中
1.4　洪 074
1.5　070：1065
2.1　（8.5＋1002.5）×25.5 厘米；21 紙；561 行，行 17 字。
2.2　01：8.5＋39，28；　02：48.0，28；　03：48.0，28；
04：48.0，28；　05：48.0，28；　06：48.0，28；
07：48.0，28；　08：48.0，28；　09：48.5，28；
10：48.5，28；　11：48.5，28；　12：48.5，28；
13：48.5，28；　14：48.5，28；　15：48.5，28；
16：48.5，28；　17：48.5，28；　18：48.5，28；
19：48.5，28；　20：48.5，28；　21：45.5，01。
2.3　卷軸裝。首殘尾全。第 1 紙上下邊殘缺。紙尾縈有麻繩。多水漬印。有烏絲欄。已修整。
3.1　首 5 行中上殘→大正 475，14/544B26～C1。
3.2　尾全→14/551C27。
4.2　維摩詰經卷中（尾）。
8　9～10 世紀。歸義軍時期寫本。
9.1　楷書。
9.2　有刮改。
11　圖版：《敦煌寶藏》，64/632B～646A。

1.1　BD00475 號
1.3　大般若波羅蜜多經卷五八二
1.4　洪 075
1.5　084：3379

2.1　(16+73.5+2)×25.4 厘米；2 紙；54 行，行 17 字。
2.2　01：16+28.5，26；　02：45+2，28。
2.3　卷軸裝。首全尾脫。全卷下部有撕裂，有橫殘。卷首右下殘缺一塊。有烏絲欄。已修整。
3.1　首 9 行下殘→大正 220，7/1008B2~12。
3.2　尾行下殘→7/1008C29。
4.1　大般若波羅蜜多經卷第五□…□/第十一布施波羅蜜多分之四□…□/（首）。
7.1　首紙背有勘記“五百八十二”，為本文獻卷次。
8　8~9 世紀。吐蕃統治時期寫本。
9.1　楷書。
11　圖版：《敦煌寶藏》，77/454A~455A。
原卷中夾有一殘片，今編為 BD16410 號。

1.1　BD00476 號
1.3　大般若波羅蜜多經卷五八四
1.4　洪 076
1.5　084：3386
2.1　(23.4+67)×25.1 厘米；2 紙；54 行，行 17 字。
2.2　01：23.4+19.9，26；　02：47.1，28。
2.3　卷軸裝。首尾均脫。首紙下部殘缺一塊，卷面多殘損。尾紙前端下有直角撕裂。有烏絲欄。已修整。
3.1　首 14 行下殘→大正 220，7/1019B18~C6。
3.2　尾殘→7/1020A17。
4.1　大般若波羅蜜多經卷第五百八十□…□/第十二淨戒波羅蜜多之一□…□/（首）。
7.1　卷端背有勘記“五百八十四”，為本文獻卷次。
8　8~9 世紀。吐蕃統治時期寫本。
9.1　楷書。
11　圖版：《敦煌寶藏》，77/459B~460B。

1.1　BD00477 號
1.3　思益梵天所問經卷一
1.4　洪 077
1.5　043：0401
2.1　956.7×25.5 厘米；20 紙；542 行，行 17 字。
2.2　01：34.5，20；　02：48.8，28；　03：49.0，28；
04：48.8，28；　05：48.8，28；　06：48.3，28；
07：49.0，28；　08：49.0，28；　09：48.8，28；
10：49.0，28；　11：48.5，28；　12：48.6，28；
13：48.5，28；　14：48.6，28；　15：48.3，28；
16：48.3，28；　17：48.5，28；　18：48.6，28；
19：48.3，28；　20：46.5，18。
2.3　卷軸裝。首斷尾全。卷首有污痕，似鳥糞。有燕尾。有烏絲欄。
3.1　首斷→大正 586，15/33B3。
3.2　尾全→15/40B20。
4.2　思益經卷第一（尾）。
8　7~8 世紀。唐寫本。
9.1　楷書。
11　圖版：《敦煌寶藏》，58/561B~574B。

1.1　BD00478 號 1
1.3　沙彌尼十戒法並七十二威儀（擬）
1.4　洪 078
1.5　185：7132
2.1　(10+168+2)×27 厘米；4 紙；105 行，行 18 字。
2.2　01：10+37.5，27；　02：47.5，28；　03：47.5，28；
04：35.5+2，22。
2.3　卷軸裝。首脫尾全。卷首左上殘缺，首紙中部橫向撕裂。有烏絲欄。已修整。
2.4　本遺書包括 2 個文獻：（一）《沙彌尼十戒法並七十二威儀》，22 行，今編為 BD00478 號 1。（二）《沙彌十戒法並威儀》，83 行，今編為 BD00478 號 2。
3.4　説明：
本文獻首 5 行上中殘，尾全。未為歷代大藏經所收。首題殘，作“□…□七十二威儀一卷，依諸經論等集”。內容與《毗尼心》（《大正藏》2792 號）所述沙彌十戒相似，可參見大正 85/662B21~C4。但文字略有不同，且前有“沙彌尼”云云。或為依據沙彌威儀而編纂的沙彌尼威儀法，故擬此名。
4.1　□…□七十二威儀一卷，依諸經論等集（首）。
8　9~10 世紀。歸義軍時期寫本。
9.1　楷書。
11　圖版：《敦煌寶藏》，104/264B~266B。

1.1　BD00478 號 2
1.3　沙彌十戒法並威儀
1.4　洪 078
1.5　185：7132
2.4　本遺書由 2 個文獻組成，本號爲第 2 個，83 行，餘參見 BD00478 號 1 之第 2 項、第 11 項。
3.1　首全→大正 1471，24/926B2。
3.2　尾 1 行上中殘→24/927B19。
4.1　沙彌十戒法並威儀一卷（首）。
5　與《大正藏》本對照，尾行錯抄。
8　9~10 世紀。歸義軍時期寫本。
9.1　楷書。
9.2　有行間校加字。

1.1　BD00479 號
1.3　維摩詰所說經卷下
1.4　洪 079
1.5　070：1225
2.1　(5.5+611)×26 厘米；14 紙；357 行，行 17 字。

2.2　01：5.5＋12.5，10；　02：49.0，28；　03：49.0，28；
04：47.5，28；　05：48.5，29；　06：48.5，29；
07：48.5，29；　08：48.5，29；　09：48.5，29；
10：48.5，29；　11：48.5，29；　12：48.5，29；
13：48.5，29；　14：16.5，02。
2.2　卷軸裝。首殘尾全。第1紙中間有殘洞，下邊殘缺，第2紙中間有殘洞，第3、4紙接縫處中部有撕裂。有等距離水漬印。有燕尾。有烏絲欄。已修整。
3.1　首3行上下殘→大正475，14/553A24～27。
3.2　尾全→14/557B26。
4.2　維摩經卷下（尾）。
8　9～10世紀。歸義軍時期寫本。
9.1　楷書。
11　圖版：《敦煌寶藏》，66/125B～133A。

1.1　BD00480號1
1.3　金剛般若波羅蜜經
1.4　洪080
1.5　094：4266
2.1　（1.9＋202.7）×25.5厘米；5紙；115行，行17字。
2.2　01：1.9＋36，22；　02：46.8，28；　03：46.4，28；
04：26.5，16；　05：47.0，21。
2.3　卷軸裝。首殘尾全。有烏絲欄。已修整。
2.4　本遺書包括2個文獻：（一）《金剛般若波羅蜜經》，107行，今編為BD00480號1。（二）《金剛經陀羅尼神咒》，8行，今編為BD00480號2。
3.1　首行下殘→大正235，8/751A27。
3.2　尾全→8/752C3。
4.2　金剛般若波羅蜜經（尾）。
8　8～9世紀。吐蕃統治時期寫本。
9.1　楷書。
11　圖版：《敦煌寶藏》，82/547A～549B。

1.1　BD00480號2
1.3　金剛經陀羅尼神咒
1.4　洪080
1.5　094：4266
2.4　本遺書由2個文獻組成，本號爲第2個，8行，餘參見BD00480號1之第2項、第11項。
3.3　錄文：
金剛經陀羅尼神咒/
那謨婆伽跋帝，鉢囉讓，/
波羅底，伊利底，/
伊利底，伊室利，/
伊室利，輸魯馱，/
輸魯馱，毗逝泄，/
毗逝泄，莎婆訶，/
若有人誦此咒一遍，勝誦金剛經一萬九千遍。
（錄文完）
4.1　金剛經陀羅尼神咒（首）。
5　與《大正藏》本《金剛經》尾部真言相比，文字略有出入。
8　8～9世紀。吐蕃統治時期寫本。
9.1　楷書。

1.1　BD00481號
1.3　金光明最勝王經卷二
1.4　洪081
1.5　083：1506
2.1　（6.5＋647.9）×26厘米；15紙；正面396行，行17字。背面3行，殘片。
2.2　01：6.5＋3，12；　02：46.1，28；　03：46.0，28；
04：46.4，28；　05：46.3，28；　06：46.2，28；
07：46.3，28；　08：46.3，28；　09：46.3，28；
10：46.2，28；　11：46.3，28；　12：46.0，28；
13：46.0，28；　14：46.0，28；　15：44.5，20。
2.3　卷軸裝。首殘尾全。卷首有殘洞。有水漬印。背有古代裱補。尾有蟲繭。有烏絲欄。已修整。
2.4　本遺書包括2個文獻：（一）《金光明最勝王經》卷二，396行，抄寫在正面，今編為BD00481號。（二）《便物歷》，3行，抄寫在背面裱補紙上，今編為BD00481號背。
3.1　首10行下殘→大正665，16/408B19～29。
3.2　尾全→16/413C6。
4.2　金光明最勝王經卷第二（尾）。
5　尾附音義。
7.1　尾有題記“弘建勘定”。斯06798號《金光明最勝王經》卷七及斯06448號《大般若波羅蜜多經》卷二五一亦有弘建勘定的記錄。
8　8～9世紀。吐蕃統治時期寫本。
9.1　楷書。
11　圖版：《敦煌寶藏》，68/179A～187A。

1.1　BD00481號背
1.3　便物歷（擬）
1.4　洪081
1.5　083：1506
2.1　3×3.7厘米；1紙；殘片。
2.4　本遺書由2個文獻組成，本號為第2個，3行，抄寫在背面裱補紙上。餘參見BD00481號之第2項、第11項。
3.3　錄文：
□…□/
□…□物並交□…□/
□…□/
（錄文完）

8　8～9 世紀。吐蕃統治時期寫本。
9.1　楷書。

1.1　BD00482 號
1.3　維摩詰所說經卷下
1.4　洪 082
1.5　070：1214
2.1　839×25.5 厘米；17 紙；455 行，行 17 字。
2.2　01：49.5，27；　02：49.0，28；　03：49.0，28；
04：49.5，28；　05：49.5，28；　06：49.5，28；
07：49.5，28；　08：49.5，28；　09：49.5，28；
10：49.0，28；　11：49.5，28；　12：49.5，28；
13：49.5，28；　14：49.5，28；　15：49.0，28；
16：49.5，28；　17：49.0，08。
2.3　卷軸裝。首尾均全。第 1 紙上下邊有撕裂，第 9、10 紙上邊有撕裂。卷面有鳥糞污漬。有烏絲欄。
3.1　首全→大正 475，14/552A5。
3.2　尾殘→14/557B26。
4.1　香積佛品第十（首）。
4.2　維摩詰經卷下（尾）。
8　8～9 世紀。吐蕃統治時期寫本。
9.1　楷書。
9.2　有行間校加字。有刮改。
11　圖版：《敦煌寶藏》，66/11A～22B。

1.1　BD00483 號
1.3　金光明最勝王經卷九
1.4　洪 083
1.5　083：1909
2.1　707.4×25.7 厘米；16 紙；408 行，行 17 字。
2.2　01：27.8，16；　02：47.5，28；　03：47.5，28；
04：47.5，28；　05：47.5，28；　06：47.5，28；
07：47.5，28；　08：47.5，28；　09：47.5，28；
10：47.5，28；　11：47.5，28；　12：47.6，28；
13：47.5，28；　14：47.5，28；　15：47.4，28；
16：14.6，拖尾。
2.3　卷軸裝。首殘尾全。首紙有火灼殘洞，有油污，有燕尾。有烏絲欄。已修整。
3.1　首殘→大正 665，16/444B24。
3.2　尾全→16/450C15。
4.2　金光明最勝王經卷第九（尾）。
5　尾附音義。
8　8～9 世紀。吐蕃統治時期寫本。
9.1　楷書。
11　圖版：《敦煌寶藏》，70/610B～619B。
所附音義可見《敦煌雜錄》第 260 頁。

1.1　BD00484 號
1.3　妙法蓮華經卷四
1.4　洪 084
1.5　105：5368
2.1　（2.5＋478.5）×25.3 厘米；11 紙；262 行，行 17 字。
2.2　01：2.5＋41.5，25；　02：44.0，25；　03：44.0，25；
04：44.0，25；　05：44.0，25；　06：44.0，25；
07：44.0，25；　08：43.5，25；　09：43.5，25；
10：44.0，25；　11：42.0，12。
2.3　卷軸裝。首脫尾殘。通卷殘碎。豎欄通天。有烏絲欄。已修整。
3.1　首行中殘→大正 262，9/33B7。
3.2　尾全→9/37A2。
4.2　妙法蓮華經卷第四（尾）。
8　7～8 世紀。唐寫本。
9.1　楷書。
11　圖版：《敦煌寶藏》，91/217A～224A。

1.1　BD00485 號 1
1.3　大乘稻芉經
1.4　洪 085
1.5　105：5964
2.1　（216.5＋9.5）×24.5 厘米；5 紙；128 行，行 17～22 字。
2.2　01：47.5，28；　02：44.5，19；　03：43.0，26；
04：46.0，28；　05：35.5＋9.5，27。
2.3　卷軸裝。首脫尾殘。第 1、2 紙間斷開。第 2 紙有餘空。第 2 紙尾有蟲繭。第 3 紙上邊撕裂，中間橫撕裂。第 4 紙下邊撕裂。第 4、5 紙接縫上邊開裂。前兩紙與後 3 紙紙質不同，後 3 紙為麻紙。有烏絲欄。
2.4　本遺書包括 2 個文獻：（一）《大乘稻芉經》，47 行，今編為 BD00485 號 1。（二）《妙法蓮華經卷七》，81 行，今編為 BD00485 號 2。
3.1　首殘→大正 712，16/823C28。
3.2　尾缺→16/824C7。
7.3　下邊雜寫一"身"字。
8　8～9 世紀。吐蕃統治時期寫本。
9.1　楷書。
9.2　有行間校加字。
11　圖版：《敦煌寶藏》，96/223B～226A。

1.1　BD00485 號 2
1.3　妙法蓮華經卷七
1.4　洪 085
1.5　105：5964
2.4　本遺書由 2 個文獻組成，本號爲第 2 個，81 行，餘參見 BD00485 號 1 之第 2 項、第 11 項。
3.1　首殘→大正 262，9/58A8。

3.2　尾5行上殘→9/59A27～B3。
8　7～8世紀。唐寫本。
9.1　楷書。
11　《敦煌雜錄》第255頁在“妙法蓮華經音義”條下，著錄有洪85號音義。《敦煌劫餘錄》著錄本號，亦稱“附有音義”。但本號並無音義。查《敦煌石室經卷總目》及《敦煌劫餘錄》所著錄的紙張、長度、行數、起止字，無一不與館藏遺書相符。則應《敦煌雜錄》及《敦煌劫餘錄》著錄有誤。

1.1　BD00486號
1.3　金剛般若波羅蜜經
1.4　洪086
1.5　094：4104
2.1　45.5×26厘米；1紙；28行，行17字。
2.2　卷軸裝。首尾均脱。卷中間碎損。有烏絲欄。已修整。
3.1　首殘→大正235，8/750B21。
3.2　尾殘→8/750C22。
8　7～8世紀。唐寫本。
9.1　楷書。
9.2　有硃筆斷句。
11　圖版：《敦煌寶藏》，82/128B。

1.1　BD00487號
1.3　金光明最勝王經卷二
1.4　洪087
1.5　083：1516
2.1　(11.7+608.2)×25.5厘米；14紙；374行，行17字。
2.2　01：11.7+19.7，19；　02：45.5，28；　03：45.3，28；
04：45.5，28；　05：45.5，28；　06：45.7，28；
07：45.7，28；　08：45.5，28；　09：45.5，28；
10：45.5，28；　11：45.3，28；　12：45.5，28；
13：45.0，28；　14：43.0，19。
2.3　卷軸裝。首殘尾全。卷首上下殘缺。背有古代裱補。有燕尾。有烏絲欄。已修整。
3.1　首7行上下殘→大正665，16/408C12～18。
3.2　尾全→16/413C6。
4.2　金光明最勝王經卷第二（尾）。
5　尾附音義。
8　8～9世紀。吐蕃統治時期寫本。
9.1　楷書。
9.2　有行間校加字，有刮改。
11　圖版：《敦煌寶藏》，68/252A～259B。

1.1　BD00488號
1.3　妙法蓮華經卷七
1.4　洪088
1.5　105：6124
2.1　268.5×25厘米；6紙；141行，行17字。
2.2　01：50.5，28；　02：50.5，28；　03：50.5，28；
04：50.5，28；　05：50.5，28；　06：16.0，01。
2.3　卷軸裝。首脱尾全。麻紙。第1、2、4、5紙間的接縫有開裂。上下邊多殘缺。有燕尾。有烏絲欄。
3.1　首殘→大正262，9/60B22。
3.2　尾全→9/62B1。
4.2　妙法蓮華經卷第七（尾）。
8　7～8世紀。唐寫本。
9.1　楷書。
11　圖版：《敦煌寶藏》，97/80B～84A。

1.1　BD00489號
1.3　金光明經卷四
1.4　洪089
1.5　081：1408
2.1　764.7×26厘米；16紙；431行，行17字。
2.2　01：43.4，25；　02：48.0，28；　03：48.0，28；
04：48.0，28；　05：48.0，28；　06：48.0，28；
07：48.0，28；　08：48.3，28；　09：48.0，28；
10：48.0，28；　11：48.3，28；　12：48.0，28；
13：48.3，28；　14：48.2，28；　15：48.2，28；
16：48.0，14。
2.3　卷軸裝。首斷尾全。首紙上下殘破。多水漬印。有油污。有烏絲欄。
3.1　首全→大正663，16/352B16。
3.2　尾全→16/358A29。
4.2　金光明經卷第四（尾）。
8　8～9世紀。吐蕃統治時期寫本。
9.1　楷書。
9.2　有刮改。
11　圖版：《敦煌寶藏》，67/384A～393B。

1.1　BD00490號
1.3　大乘百法明門論開宗義決
1.4　洪090
1.5　430：8619
2.1　(1.1+72+1.3)×31.7厘米；2紙；正面44行，行27～28字。背面17行，行約15字。
2.2　01：1.1+34，22；　02：38+1.3，22。
2.3　卷軸裝。首尾均殘。第一紙下有縱向撕裂，天頭地腳殘破。有烏絲欄。背有18行。
2.4　本遺書包括2個文獻：（一）《大乘百法明門論開宗義決》，44行，抄寫在正面，今編為BD00490號。（二）《陰陽六十甲子》，17行，抄寫在背面，今編為BD00490號背。
3.1　首行下殘→大正2812，85/1070C28
3.2　尾行下殘→85/1071C19

8　8～9世紀。吐蕃統治時期寫本。
9.1　楷書。
9.2　有硃筆科分、校改、點標、行間加字。
11　圖版：《敦煌寶藏》，111/23A～24A。

1.1　BD00490號背
1.3　陰陽六十甲子
1.4　洪090
1.5　430：8619
2.4　本遺書由2個文獻組成，本號爲第2個，17行，餘參見BD00490號之第2項、第11項。
3.3　錄文：
陰陽六十甲子/
甲子乙丑金，丙寅丁卯火，戊辰己巳木，庚午/辛未土，壬申癸酉金，
甲戌乙亥火，丙子丁丑水，/戊寅己卯土，庚辰辛巳金，壬午癸未木，
甲申/乙酉水，丙戌丁亥土，戊子己丑火，庚寅辛卯木，/壬辰癸巳水，
甲午乙未金，丙申丁酉火，戊戌己亥木，/庚子辛丑土，壬寅巳（癸）卯金，
甲辰乙巳火，丙午丁未水，/戊申己酉土，庚戌辛亥金，壬子癸丑木，
甲寅乙卯/水，丙辰丁巳土，戊午己未火，庚申辛酉木，壬戌癸亥/水。
相生法
木生火，火生土，土生金，金生水/<生水>，水生木。
相尅法
木尅土，土尅水，水尅火/，火尅金，金尅木。
相刑法
子刑卯，卯刑子，寅刑/巳，巳刑申，申刑寅，丑刑戌，戌刑未，辰午、酉亥/各自刑。
十干：甲、乙、丙、丁、戊、己、庚、辛、壬、癸，爲十干。/
子、丑、寅、卯、辰、巳、午、未、申、酉、戌、亥，爲十二支。/
陰陽大數法
子午九，丑未八，寅申七，卯酉六，/辰戌五，巳亥四，甲己九，乙庚八，丙辛七，丁壬六，/戊癸五。/
（錄文完）
8　9～10世紀。歸義軍時期寫本。
9.1　楷書。

1.1　BD00491號
1.3　大方廣佛華嚴經（唐譯八十卷本）卷三四
1.4　洪091
1.5　002：0051
2.1　（12＋839）×26厘米；18紙；475行，行17字。
2.2　01：12＋29，24；　02：48.8，28；　03：48.8，28；
04：48.9，28；　05：48.8，28；　06：48.8，28；
07：48.8，28；　08：48.8，28；　09：48.7，28；
10：48.7，28；　11：48.8，28；　12：48.8，28；
13：48.6，28；　14：48.6，28；　15：48.6，28；
16：48.8，28；　17：48.7，28；　18：30.0，03。
2.3　卷軸裝。首殘尾全。尾有原軸，兩端塗漆，深咖啡色。卷首殘缺。第1至4紙有等距火灼殘洞，漸次變小；第7、14紙的尾部地脚各有1處撕裂。有烏絲欄。已修整。
3.1　首7行下殘→大正279，10/178C1～7。
3.2　尾全→10/184C27。
4.2　大方廣佛華嚴經卷第卅四（尾）。
7.1　首紙背下方有勘記“華嚴經”三字。
8　9～10世紀。歸義軍時期寫本。
9.1　楷書。
9.2　有行間校加字。
11　圖版：《敦煌寶藏》，56/238B～250A。

1.1　BD00492號
1.3　金光明經卷二
1.4　洪092
1.5　081：1387
2.1　（1.3＋88.2）×26.3厘米；3紙；53行，行17字。
2.2　01：1.3＋18.5，12；　02：48.0，28；　03：21.7，13。
2.3　卷軸裝。首尾均殘。有烏絲欄。
3.1　首行上下殘→大正663，16/342A4。
3.2　尾殘→16/342C1。
6.1　首→BD00654號。
8　7～8世紀。唐寫本。
9.1　楷書。
11　圖版：《敦煌寶藏》，67/299B～300B。

1.1　BD00493號
1.3　妙法蓮華經卷二
1.4　洪093
1.5　105：4914
2.1　108.5×27.6厘米；4紙；63行，行17字。
2.2　01：02.1，01；　02：49.3，29；　03：49.7，29；
04：07.4，04。
2.3　卷軸裝。首尾均殘。通卷下部殘損。有烏絲欄。
3.1　首行下殘→大正262，9/13B18～19。
3.2　尾殘→9/14B8。
8　8世紀。唐寫本。
9.1　楷書。
9.2　有行間加行。
11　圖版：《敦煌寶藏》，87/221B～223A。

1.1　BD00494 號
1.3　維摩詰所說經卷下
1.4　洪 094
1.5　070：1226
2.1　（15 +729.5）×25 厘米；18 紙；440 行，行 17 字。
2.2　01：15 +2.5，10；　02：46.0，28；　03：46.0，28；
04：46.0，28；　05：46.0，28；　06：46.0，28；
07：46.0，28；　08：46.0，28；　09：46.0，28；
10：46.0，28；　11：46.0，28；　12：46.5，28；
13：46.0，28；　14：46.0，28；　15：42.5，26；
16：02.0，01；　17：51.5，28；　18：32.5，11。
2.3　卷軸裝。首殘尾全。經黄紙。第 1、2 紙殘破，第 8、9 紙接縫處下部開裂，第 9、10 紙接縫處上部開裂，第 17、18 紙接縫處上下部開裂，第 18 紙尾横向撕裂。卷下部有水漬印。有烏絲欄。已修整。
3.1　首 9 行上下殘→大正 475，14/552A21 ~ B2。
3.2　尾全→14/557B26。
4.2　維摩詰經卷下（尾）。
8　7 ~8 世紀。唐寫本。
9.1　楷書。
9.2　有行間加行。
11　圖版：《敦煌寶藏》，66/133B ~143A。

1.1　BD00495 號
1.3　瑜伽師地論卷三二
1.4　洪 095
1.5　201：7195
2.1　（7.3 +405.2）×30.2 厘米；10 紙；235 行，行字不等。
2.2　01：7.3 +34.2，23；　02：41.3，24；　03：41.3，24；
04：41.2，24；　05：41.2，24；　06：41.5，24；
07：41.2，24；　08：40.7，24；　09：41.4，24；
10：41.2，20。
2.3　卷軸裝。首尾均脱。卷首左上殘缺一塊。通卷上部有黴斑。首紙前部有 1 處撕裂，有洞；第 2、3、4 紙接縫處有開裂；7、8 紙接縫處下開脱；9、10 紙接縫處中間有裂損。卷尾有餘空。有烏絲欄。已修整。
3.1　首 3 行上殘→大正 1579，30/459B20 ~25。
3.2　尾殘→30/464A8。
4.1　□…□卅二彌勒菩薩說，沙門玄奘奉詔譯，/□…□地第十三第三瑜伽處之三/（首）。
7.3　尾 3 紙上下邊有硃筆雜寫和雲狀花紋。
8　8 ~9 世紀。吐蕃統治時期寫本。
9.1　楷書。
9.2　有硃筆圈點、校改、科分，行間校加字。
11　圖版：《敦煌寶藏》，104/468A ~472B。

1.1　BD00496 號
1.3　大般若波羅蜜多經卷四七
1.4　洪 096
1.5　084：2124
2.1　（8.9 +625）×26.8 厘米；15 紙；349 行，行 17 字。
2.2　01：8.9 +33.2，24；　02：42.4，24；　03：42.2，24；
04：42.4，24；　05：42.1，24；　06：42.2，24；
07：42.0，24；　08：42.3，24；　09：42.5，24；
10：42.4，24；　11：42.5，24；　12：42.1，24；
13：42.4，24；　14：42.3，24；　15：42.0，13。
2.3　卷軸裝。首殘尾全。第 1、3 紙有下撕裂。有燕尾。有烏絲欄。
3.1　首 5 行上下殘→大正 220，5/264B17 ~22。
3.2　尾全→5/268B16。
4.2　大般若波羅蜜多經卷第卌七（尾）。
8　7 ~8 世紀。唐寫本。
9.1　楷書。
11　圖版：《敦煌寶藏》，72/37A ~45A。

1.1　BD00497 號
1.3　妙法蓮華經卷三
1.4　洪 097
1.5　105：5073
2.1　（27.3 +787）×26.8 厘米；17 紙；475 行，行 17 字。
2.2　01：27.3 +20.2，28；　02：47.8，28；　03：47.7，28；
04：48.0，28；　05：47.8，28；　06：47.9，28；
07：47.9，28；　08：48.0，28；　09：47.9，28；
10：47.9，28；　11：48.0，28；　12：47.9，28；
13：47.9，28；　14：47.9，28；　15：48.0，28；
16：47.9，28；　17：48.3，27。
2.3　卷軸裝。首脱尾全。經黄紙，打紙。紙張變色。卷首殘缺一塊。前 2 紙天頭有殘損，背面有古代裱補。有烏絲欄。已修整。
3.1　首 16 行下殘→大正 262，9/20A27 ~ B19。
3.2　尾全→9/27B9。
4.2　妙法蓮華經卷第三（尾）。
8　7 ~8 世紀。唐寫本。
9.1　楷書。
11　圖版：《敦煌寶藏》，88/428B ~440A。

1.1　BD00498 號
1.3　金剛般若波羅蜜經
1.4　洪 098
1.5　094：3512
2.1　307.6 ×25.8 厘米；7 紙；164 行，行 17 字。
2.2　01：19.0，護首；　02：46.0，27；　03：49.0，28；
04：44.0，25；　05：50.0，28；　06：49.6，28；
07：50.0，28。

2.3　卷軸裝。首全尾脱。麻紙。有護首。第2、3紙，護首端有芨芨草天竿，繫有細麻繩。第6、7紙接縫處開裂。第3、4紙相接處泥污嚴重。背有鳥糞。有烏絲欄。已修整。
3.1　首全→大正235，8/748C17。
3.2　尾殘→8/750C19。
4.1　金剛般若波羅蜜經（首）。
7.4　本件護首寫有經名"妙法蓮華經卷第二"，上有經名號。係用其他《妙法蓮華經》經卷護首改作本經護首。
8　7~8世紀。唐寫本。
9.1　楷書。
9.2　有刮改。
11　圖版：《敦煌寶藏》，78/380A~384B。

1.1　BD00499號
1.3　大般若波羅蜜多經卷三七
1.4　洪099
1.5　084：2099
2.1　（3.7+81.9）×29.2厘米；2紙；51行，行17字。
2.2　01：3.7+35.3，23；　02：46.6，28。
2.3　卷軸裝。首殘尾脱。有烏絲欄。
3.1　首2行下殘→大正220，5/205C1~3。
3.2　尾殘→5/206A23。
6.1　首→BD00610號。
6.2　尾→BD00507號。
8　8~9世紀。吐蕃統治時期寫本。
9.1　楷書。
11　圖版：《敦煌寶藏》，71/653B~654A。

1.1　BD00500號
1.3　四分律戒本疏卷三
1.4　洪100
1.5　169：7061
2.1　（1+103+1）×26.8厘米；3紙；78行，行27字。
2.2　01：1+34，26；　02：46，34；　03：23+1，18。
2.3　卷軸裝。首尾均殘。有烏絲欄。
3.1　首1行中殘→大正2787，85/610A16~17。
3.2　尾1行中下殘→85/611C12。
6.1　首→BD00575號。
6.2　尾→BD00777號。
8　9~10世紀。歸義軍時期寫本。
9.1　楷書。
9.2　有行間校加字，有倒乙。
11　圖版：《敦煌寶藏》，104/36B~37B。

1.1　BD00501號
1.3　四分律戒本疏卷三
1.4　荒001
1.5　169：7063
2.1　（1.5+184）×27厘米；5紙；113行，行29字。
2.2　01：01.5，1；　02：46.0，34；　03：46.0，34；
04：46.0，34；　05：46.0，10。
2.3　卷軸裝。首殘尾全。尾有蟲繭。有烏絲欄。
3.1　首1行上中殘→大正2787，85/613A28。
3.2　尾缺→85/615B25。
6.1　首→BD00777號。
8　8~9世紀。吐蕃統治時期寫本。
9.1　楷書。
9.2　有行間校加字。
11　圖版：《敦煌寶藏》，104/B~41B。

1.1　BD00502號
1.3　梵網經盧舍那佛說菩薩心地戒品第十卷下
1.4　荒002
1.5　143：6730
2.1　544×24.6厘米；12紙；312行，行17字。
2.2　01：48.0，28；　02：48.0，28；　03：48.0，28；
04：48.0，28；　05：48.0，28；　06：48.0，28；
07：48.0，28；　08：48.0，28；　09：48.0，28；
10：48.0，28；　11：48.0，28；　12：16.0，04。
2.3　卷軸裝。首脱尾全。經黄紙。尾紙後補。第1、6、7與9至12紙背均有古代裱補。有烏絲欄。
3.1　首殘→大正1484，24/1005C2。
3.2　尾全→24/1009C18。
4.2　梵網經卷下（尾）。
5　與《大正藏》本對照，經文尾部缺少偈頌。
7.1　背面裱補紙上有歸義軍時期題記兩條。第一條3行，爲："丙寅年十一月/日，就靈圖寺施經布/戒記/。"從左向右書寫。第二條1行，為："天復六年丙寅歲十一月廿日，接囊布戒全還，惠永記。/"。有倒乙。
8　7~8世紀。唐寫本。
9.1　楷書。
11　圖版：《敦煌寶藏》，101/375B~383B。

新舊編號對照表

一、千字文號與北敦號、縮微膠卷號對照表

千字文號	北敦號	縮微膠卷號
洪 036	BD00436 號	105:5158
洪 037	BD00437 號	105:5780
洪 038	BD00438 號	084:2167
洪 039	BD00439 號	276:8209
洪 039	BD00439 號背	276:8209
洪 040	BD00440 號	001:0023
洪 041	BD00441 號	256:7629
洪 042	BD00442 號	070:1118
洪 043	BD00443 號	084:2843
洪 044	BD00444 號	105:5555
洪 045	BD00445 號 A	084:3275
洪 045	BD00445 號 B	102:4467
洪 046	BD00446 號	070:1064
洪 047	BD00447 號	004:0077
洪 048	BD00448 號	105:5402
洪 049	BD00449 號	105:5474
洪 050	BD00450 號 A	275:7965
洪 050	BD00450 號 B	305:8303
洪 051	BD00451 號	105:5854
洪 052	BD00452 號	084:2063
洪 053	BD00453 號 1	339:8392
洪 053	BD00453 號 2	339:8392
洪 053	BD00453 號背	339:8392
洪 054	BD00454 號	156:6823
洪 055	BD00455 號	115:3491
洪 056	BD00456 號	084:2231
洪 057	BD00457 號	113:6281
洪 058	BD00458 號	066:0837
洪 059	BD00459 號	060:0506
洪 060	BD00460 號 1	275:7966
洪 060	BD00460 號 2	275:7966
洪 061	BD00461 號	063:0622
洪 062	BD00462 號	458:8670
洪 063	BD00463 號	070:0860
洪 064	BD00464 號	169:7049
洪 065	BD00465 號 1	156:6891
洪 065	BD00465 號 2	156:6891
洪 066	BD00466 號	105:5674
洪 067	BD00467 號	275:7697
洪 068	BD00468 號	094:3632
洪 069	BD00469 號	169:7057
洪 070	BD00470 號	070:1146
洪 071	BD00471 號	105.5662
洪 072	BD00472 號	084:3383
洪 073	BD00473 號	119:6606
洪 074	BD00474 號	070:1065
洪 075	BD00475 號	084:3379
洪 076	BD00476 號	084:3386
洪 077	BD00477 號	043:0401
洪 078	BD00478 號 1	185:7132
洪 078	BD00478 號 2	185:7132
洪 079	BD00479 號	070:1225
洪 080	BD00480 號 1	094:4266
洪 080	BD00480 號 2	094:4266
洪 081	BD00481 號	083:1506
洪 081	BD00481 號背	083:1506
洪 082	BD00482 號	070:1214
洪 083	BD00483 號	083:1909
洪 084	BD00484 號	105:5368
洪 085	BD00485 號 1	105:5964
洪 085	BD00485 號 2	105:5964
洪 086	BD00486 號	094:4104
洪 087	BD00487 號	083:1516
洪 088	BD00488 號	105:6124
洪 089	BD00489 號	081:1408
洪 090	BD00490 號	430:8619
洪 090	BD00490 號背	430:8619
洪 091	BD00491 號	002:0051

洪 092	BD00492 號	081:1387	洪 098	BD00498 號	094:3512
洪 093	BD00493 號	105:4914	洪 099	BD00499 號	084:2099
洪 094	BD00494 號	070:1226	洪 100	BD00500 號	169:7061
洪 095	BD00495 號	201:7195	荒 001	BD00501 號	169: 7063
洪 096	BD00496 號	084:2124	荒 002	BD00502 號	143: 6730
洪 097	BD00497 號	105:5073			

二、縮微膠卷號與北敦號、千字文號對照表

縮微膠卷號	北敦號	千字文號	縮微膠卷號	北敦號	千字文號
001:0023	BD00440 號	洪 040	094:4266	BD00480 號 2	洪 080
002:0051	BD00491 號	洪 091	102:4467	BD00445 號 B	洪 045
004:0077	BD00447 號	洪 047	105.5662	BD00471 號	洪 071
043:0401	BD00477 號	洪 077	105:4914	BD00493 號	洪 093
060:0506	BD00459 號	洪 059	105:5073	BD00497 號	洪 097
063:0622	BD00461 號	洪 061	105:5158	BD00436 號	洪 036
066:0837	BD00458 號	洪 058	105:5368	BD00484 號	洪 084
070:0860	BD00463 號	洪 063	105:5402	BD00448 號	洪 048
070:1064	BD00446 號	洪 046	105:5474	BD00449 號	洪 049
070:1065	BD00474 號	洪 074	105:5555	BD00444 號	洪 044
070:1118	BD00442 號	洪 042	105:5674	BD00466 號	洪 066
070:1146	BD00470 號	洪 070	105:5780	BD00437 號	洪 037
070:1214	BD00482 號	洪 082	105:5854	BD00451 號	洪 051
070:1225	BD00479 號	洪 079	105:5964	BD00485 號 1	洪 085
070:1226	BD00494 號	洪 094	105:5964	BD00485 號 2	洪 085
081:1387	BD00492 號	洪 092	105:6124	BD00488 號	洪 088
081:1408	BD00489 號	洪 089	113:6281	BD00457 號	洪 057
083:1506	BD00481 號	洪 081	115:3491	BD00455 號	洪 055
083:1506	BD00481 號背	洪 081	119:6606	BD00473 號	洪 073
083:1516	BD00487 號	洪 087	143: 6730	BD00502 號	荒 002
083:1909	BD00483 號	洪 083	156:6823	BD00454 號	洪 054
084:2063	BD00452 號	洪 052	156:6891	BD00465 號 1	洪 065
084:2099	BD00499 號	洪 099	156:6891	BD00465 號 2	洪 065
084:2124	BD00496 號	洪 096	169:7049	BD00464 號	洪 064
084:2167	BD00438 號	洪 038	169:7057	BD00469 號	洪 069
084:2231	BD00456 號	洪 056	169:7061	BD00500 號	洪 100
084:2843	BD00443 號	洪 043	169: 7063	BD00501 號	荒 001
084:3275	BD00445 號 A	洪 045	185:7132	BD00478 號 1	洪 078
084:3379	BD00475 號	洪 075	185:7132	BD00478 號 2	洪 078
084:3383	BD00472 號	洪 072	201:7195	BD00495 號	洪 095
084:3386	BD00476 號	洪 076	256:7629	BD00441 號	洪 041
094:3512	BD00498 號	洪 098	275:7697	BD00467 號	洪 067
094:3632	BD00468 號	洪 068	275:7965	BD00450 號 A	洪 050
094:4104	BD00486 號	洪 086	275:7966	BD00460 號 1	洪 060
094:4266	BD00480 號 1	洪 080	275:7966	BD00460 號 2	洪 060

276:8209	BD00439 號	洪 039
276:8209	BD00439 號背	洪 039
305:8303	BD00450 號 B	洪 050
339:8392	BD00453 號 1	洪 053
339:8392	BD00453 號 2	洪 053
339:8392	BD00453 號背	洪 053
430:8619	BD00490 號	洪 090
430:8619	BD00490 號背	洪 090
458:8670	BD00462 號	洪 062